해커스 주택관리사 **2차 기본서 주택관리관계법규**

기본이론 단과강의 20% 할인쿠폰

A47DD833FCBEWKLA

해커스 주택관리사 사이트(house.Hackers.com)에 접속 후 로그인
▶ [나의 강의실 - 결제관리 - 쿠폰 확인] ▶ 본 쿠폰에 기재된 쿠폰번호 입력

1. 본 쿠폰은 해커스 주택관리사 동영상강의 사이트 내 2025년도 기본이론 단과강의 결제 시 사용 가능합니다.
2. 본 쿠폰은 1회에 한해 등록 가능하며, 다른 할인수단과 중복 사용 불가합니다.
3. 쿠폰사용기한 : **2025년 9월 30일** (등록 후 7일 동안 사용 가능)

KB199312

무료 온라인 전국 실전모의고사 응시방법

해커스 주택관리사 사이트(house.Hackers.com)에 접속 후 로그인
▶ [수강신청 - 전국 실전모의고사] ▶ 무료 온라인 모의고사 신청

* 기타 쿠폰 사용과 관련된 문의는 해커스 주택관리사 동영상강의 고객센터(1588-2332)로 연락하여 주시기 바랍니다.

해커스 주택관리사

기본서

2차 주택관리관계법규 ❷

해커스 주택관리사

조민수

약력

현 | 해커스 주택관리사학원 주택관리관계법규 대표강사
해커스 주택관리사 주택관리관계법규 동영상강의 대표강사
여성의 광장 부동산공법 강사
씨엠에스디벨로퍼 대표이사(부동산개발, PM)
국가유공자임대주택단지 관리회사 대표

전 | 삼성화재 인재개발원 근무
우송대학교 자산관리학과 부동산공법 초빙교수(2011, 2012)
박문각/한국법학원/에듀윌 주택관리관계법규 강사 역임

저서

부동산실무 1, 시대고시, 2018
부동산공법 실무투자서, 더배움, 2018
부동산공법(기본서, 문제집), 강의바다, 2018~2020
부동산공법(기본서, 문제집), 메가랜드, 2019
부동산공법(요약집, 기출문제집, 체계도), 박문각, 2017~2023
주택관리관계법규(기본서, 문제집, 요약집), 박문각, 2013~2021
주택관리관계법규 체계도, 램플, 2020~2023
감정평가법규(기본서, 문제집, 체계도), 윌비스, 2020~2021
기초입문서(주택관리관계법규) 2차, 해커스패스, 2024~2025
주택관리관계법규(기본서), 해커스패스, 2024~2025

2025 해커스 주택관리사(보) 기본서 2차
주택관리관계법규 ❷

개정2판 1쇄 발행 2024년 10월 29일

지은이 조민수, 해커스 주택관리사시험 연구소
펴낸곳 해커스패스
펴낸이 해커스 주택관리사 출판팀

주소 서울시 강남구 강남대로 428 해커스 주택관리사
고객센터 1588-2332
교재 관련 문의 house@pass.com
해커스 주택관리사 사이트(house.Hackers.com) 1:1 수강생 상담
학원강의 및 동영상강의 house.Hackers.com

ISBN 2권 979-11-7244-400-6 (14360)
세트 979-11-7244-398-6 (14360)
Serial Number 02-01-01

주택관리사 합격을 위한 **필수 기본서**
기초부터 실전까지 **한 번에!**

주택관리사의 가장 큰 목표와 사명은 현재의 주거문화가 공동주택이라는 집단적인 공동체생활로 변모되는 가운데 국민의 주거생활 안락을 도모하고, 쉼터이자 재산의 중요한 근간이 되는 주택을 소중히 보존하며, 분쟁을 예방하고 모든 시설과 인적 · 물적 자원을 효율적으로 관리하는 것이라 생각됩니다. 그러한 관리자를 선발하는 시험인 주택관리사(보) 자격시험은 지금도 물론이지만 향후 사회수준이 발전할수록 더욱 각광받는 전문자격증으로 변화되어 갈 것으로 예견됩니다.

제27회 시험은 난이도를 다양하게 출제하고자 객관식 부분에서 기본적인 사항은 물론 보통의 수업과정에서 다루지 않는 문제와 시사적인 사항을 다수 출제함으로써 수험생들을 긴장하게 하였고, 종전까지는 기출영역을 중심으로 교과내용의 중요부분 정리만으로 60점 기준을 통과하는 정도의 학습이 중심이 되었다면, 향후에는 기본내용은 물론 응용패턴에 대한 다양한 훈련과 고득점을 위한 교과부분의 확인까지 필요로 하게 되었고, 최신 개정사항도 연중 체계적으로 정리해야 할 필요성이 명확하게 드러났습니다.

이에 이번 기본서 작업을 할 때에는 보다 치밀하게 내용들을 정리하여 빈틈없는 교재가 되도록 노력하였습니다. 출제경향을 반영하여 법률과 시행령, 시행규칙을 유기적으로 연결함으로써 한 부분에서 종합적으로 정리될 수 있게 구성하였고, 전체적인 윤곽과 체계를 한눈에 정리할 수 있는 체계도를 보조교재로 사용하여 기본서 페이지 순서대로 읽어 가면서 내용정리가 되도록 하였습니다.

본 교재의 특징은 다음과 같습니다.

1 기본서로서 법문에 충실하면서 체계 있게 정리되도록 중요사항을 중심으로 서술하였습니다.

2 최근 출제경향에 맞추어 기본학습사항과 보충학습사항을 구분하여 학습의 순서를 제시하였습니다.

3 최근 기출문제를 단원 사이에 배치함으로써 학습의 중요도를 선별할 수 있도록 하였습니다.

4 2025년 9월 시행이 공고된 법률까지 반영하여 내용에 착오가 없도록 하였고, 이후 추가로 개정되는 사항은 내년 4월, 7월, 9월 초 세 번에 걸쳐 정확하게 제시를 하여 혼선이 없도록 하겠습니다.

더불어 주택관리사(보) 시험 전문 해커스 주택관리사(house.Hackers.com)에서 학원강의나 인터넷 동영상강의를 함께 이용하여 꾸준히 수강한다면 학습효과를 극대화할 수 있을 것입니다.

본서가 수험생 여러분들에게 수험기간 동안 훌륭한 길잡이가 되어 줌으로써 수험생 모두가 합격의 영광을 누리기를 진심으로 기원합니다.

2024년 10월

조민수, 해커스 주택관리사시험 연구소

이 책의 차례

2025 해커스 주택관리사(보)

house.Hackers.com

10개년 출제비중분석

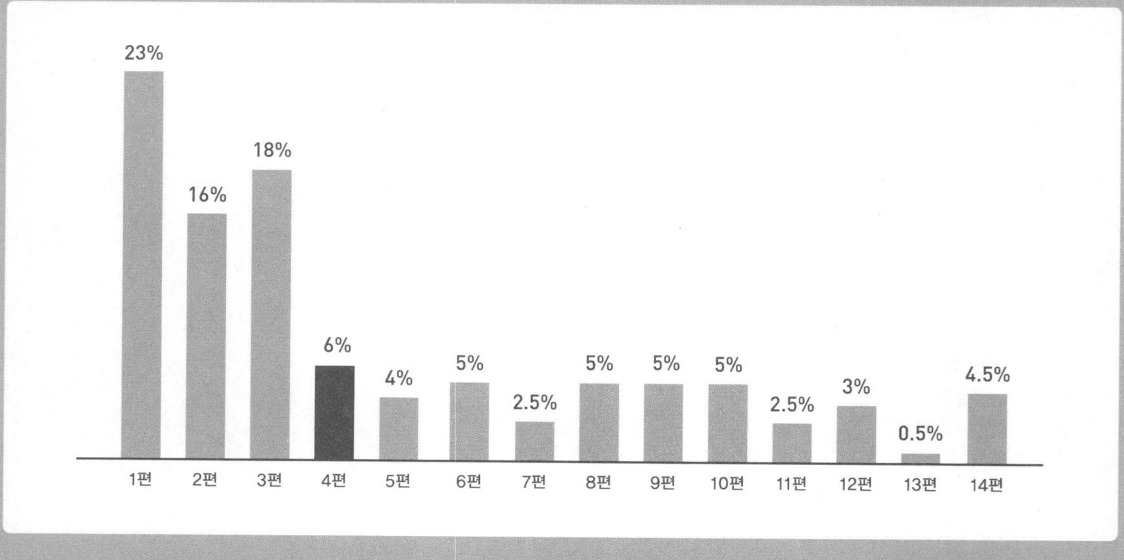

제4편

민간임대주택에 관한 특별법

제1장 총칙
제2장 임대사업자 및 주택임대관리업자 등
제3장 민간임대주택의 건설
제4장 공공지원민간임대주택 공급촉진지구
제5장 민간임대주택의 공급
제6장 임대주택의 관리
제7장 보칙

제 1 장 총칙

목차 내비게이션 민간임대주택에 관한 특별법

단원길라잡이

제1장 총칙은 민간임대주택에 관한 특별법을 이해하기 위한 출발점이 되는 단원으로 임대주택의 종류와 임대사업자 등에 대하여 정의 내리고 있다. 매년 1문제 정도는 반드시 출제되는 영역이므로 새롭게 추가된 용어들 위주로 주의 깊게 살펴 보아야 한다.

출제포인트

- 장기일반민간임대주택
- 공공지원민간임대주택
- 복합지원시설
- 다른 법률과의 관계

01 제정목적

이 법은 민간임대주택의 건설 · 공급 및 관리와 민간주택임대사업자 육성 등에 관한 사항을 정함으로써 민간임대주택의 공급을 촉진하고 국민의 주거생활을 안정시키는 것을 목적으로 한다(법 제1조).

02 용어의 정의

이 법에서 사용하는 용어의 뜻은 다음과 같다(법 제2조).

(1) 민간임대주택

① 임대목적으로 제공하는 주택으로서 임대사업자가 등록한 주택을 말하며, 민간건설임대주택과 민간매입임대주택으로 구분된다(법 제2조, 영 제2조, 영 제2조의2).

② 위 ①에도 불구하고 민간임대주택에는 토지를 임차하여 건설된 주택 및 다음의 요건을 모두 갖춘 오피스텔 등(이하 '준주택'이라 한다) 및 다가구주택으로서 임대사업자 본인이 거주하는 실을 제외한 나머지 실 전부를 임대하는 주택이 포함된다.

> ㉠ 주택 외의 건축물을 기숙사 중 일반기숙사로 리모델링한 건축물
> ㉡ 기숙사 중 임대형기숙사
> ㉢ 다음의 요건을 모두 갖춘 오피스텔
> ⓐ 전용면적이 120제곱미터 이하일 것
> ⓑ 상 · 하수도 시설이 갖추어진 전용 입식 부엌, 전용 수세식 화장실 및 목욕시설(전용 수세식 화장실에 목욕시설을 갖춘 경우를 포함한다)을 갖출 것

③ **민간건설임대주택**: 다음의 어느 하나에 해당하는 민간임대주택을 말한다.

> ㉠ 임대사업자가 임대를 목적으로 건설하여 임대하는 주택
> ㉡ 주택법 제4조에 따라 등록한 주택건설사업자가 같은 법 제15조에 따라 사업계획승인을 받아 건설한 주택 중 사용검사 때까지 분양되지 아니하여 임대하는 주택

④ **민간매입임대주택**: 임대사업자가 매매 등으로 소유권을 취득하여 임대하는 민간임대주택을 말한다.

(2) 공공지원민간임대주택

임대사업자가 다음의 어느 하나에 해당하는 민간임대주택을 10년 이상 임대할 목적으로 취득하여 이 법에 따른 임대료 및 임차인의 자격제한 등을 받아 임대하는 민간임대주택을 말한다.

① 주택도시기금법에 따른 주택도시기금의 출자를 받아 건설 또는 매입하는 민간임대주택
② 주택법 제2조 제24호에 따른 공공택지 또는 이 법 제18조 제2항에 따라 수의계약 등으로 공급되는 토지 및 혁신도시 조성 및 발전에 관한 특별법 제2조 제6호에 따른 종전부동산을 매입 또는 임차하여 건설하는 민간임대주택
③ 법 제21조 제2호에 따라 용적률을 완화받거나 국토의 계획 및 이용에 관한 법률 제30조에 따라 용도지역 변경을 통하여 용적률을 완화받아 건설하는 민간임대주택
④ 법 제22조에 따라 지정되는 공공지원민간임대주택 공급촉진지구에서 건설하는 민간임대주택
⑤ 그 밖에 국토교통부령으로 정하는 공공지원을 받아 건설 또는 매입하는 민간임대주택

(3) 장기일반민간임대주택

임대사업자가 공공지원민간임대주택이 아닌 주택을 10년 이상 임대할 목적으로 취득하여 임대하는 민간임대주택[아파트(도시형 생활주택이 아닌 것)를 임대하는 민간매입임대주택은 제외한다]을 말한다.

(4) 임대사업자

공공주택 특별법 제4조 제1항에 따른 공공주택사업자가 아닌 자로서 1호 이상의 민간임대주택을 취득하여 임대하는 사업을 할 목적으로 법 제5조에 따라 등록한 자를 말한다.

(5) 주택임대관리업

주택의 소유자로부터 임대관리를 위탁받아 관리하는 업(業)을 말하며, 다음으로 구분한다.

① 자기관리형 **주택임대관리업**: 주택의 소유자로부터 주택을 임차하여 자기책임으로 전대하는 형태의 업
② 위탁관리형 **주택임대관리업**: 주택의 소유자로부터 수수료를 받고 임대료 부과 · 징수 및 시설물 유지 · 관리 등을 대행하는 형태의 업

(6) 주택임대관리업자

주택임대관리업을 하기 위하여 법 제7조 제1항에 따라 등록한 자를 말한다.

(7) 공공지원민간임대주택 공급촉진지구

공공지원민간임대주택의 공급을 촉진하기 위하여 법 제22조에 따라 지정하는 지구를 말한다.

(8) 역세권 등

다음의 어느 하나에 해당하는 시설부터 1킬로미터 거리 이내에 위치한 지역을 말한다. 이 경우 특별시장 · 광역시장 · 특별자치시장 · 도지사 · 특별자치도지사(시 · 도지사)는 해당 지방자치단체의 조례로 그 거리를 50퍼센트의 범위에서 증감하여 달리 정할 수 있다.

① 철도의 건설 및 철도시설 유지관리에 관한 법률, 철도산업발전기본법 및 도시철도법에 따라 건설 및 운영되는 철도역
② 간선급행버스체계의 건설 및 운영에 관한 특별법 제2조 제3호 다목에 따른 환승시설
③ 산업입지 및 개발에 관한 법률 제2조 제8호에 따른 산업단지
④ 수도권정비계획법 제2조 제3호에 따른 인구집중유발시설로서 대통령령으로 정하는 시설(영 제3조)
　㉠ 고등교육법 제2조 제1호에 따른 대학, 같은 조 제2호에 따른 산업대학, 같은 조 제3호에 따른 교육대학 및 같은 조 제4호에 따른 전문대학
　㉡ 건축법 시행령 [별표 1] 제10호 마목에 따른 연구소
⑤ 그 밖에 해당 지방자치단체의 조례로 정하는 시설

(9) 주거지원대상자

청년 · 신혼부부 등 주거지원이 필요한 사람으로서 국토교통부령으로 정하는 요건을 충족하는 사람을 말한다(규칙 제1조의3, [별표 1] 제1호 나목에 따른 임차인 자격을 말한다).

(10) 공유형 민간임대주택

가족관계가 아닌 2명 이상의 임차인이 하나의 주택에서 거실 · 주방 등 어느 하나 이상의 공간을 공유하여 거주하는 민간임대주택으로서, 임차인이 각각 임대차계약을 체결하는 민간임대주택을 말한다.

(11) 복합지원시설

공공지원민간임대주택에 거주하는 임차인 등의 경제활동과 일상생활을 지원하는 시설로서, 대통령령으로 정하는 다음의 시설을 말한다.

① 건축법 시행령 [별표 1] 제3호에 따른 제1종 근린생활시설
② 건축법 시행령 [별표 1] 제4호에 따른 제2종 근린생활시설
③ 건축법 시행령 [별표 1] 제5호에 따른 문화 및 집회시설
④ 건축법 시행령 [별표 1] 제7호 나목에 따른 소매시장 및 같은 호 다목에 따른 상점
⑤ 건축법 시행령 [별표 1] 제10호에 따른 교육연구시설

⑥ 건축법 시행령 [별표 1] 제11호에 따른 노유자시설
⑦ 건축법 시행령 [별표 1] 제13호에 따른 운동시설
⑧ 건축법 시행령 [별표 1] 제14호에 따른 업무시설
⑨ 위 ①부터 ⑧까지의 규정에 따른 시설의 부속건축물(건축법 시행령 제2조 제12호에 따른 부속건축물을 말한다)

03 다른 법률과의 관계

민간임대주택의 건설 · 공급 및 관리 등에 관하여 이 법에서 정하지 아니한 사항에 대하여는 주택법, 건축법, 공동주택관리법 및 주택임대차보호법을 적용한다(법 제3조).

04 국가 등의 지원

(1) 국가 및 지방자치단체는 다음의 목적을 위하여 주택도시기금 등의 자금을 우선적으로 지원하고, 조세특례제한법, 지방세특례제한법 및 조례로 정하는 바에 따라 조세를 감면할 수 있다(법 제4조 제1항).

① 민간임대주택의 공급 확대
② 민간임대주택의 개량 및 품질 제고
③ 사회적 기업, 사회적 협동조합 등 비영리단체의 민간임대주택 공급 참여 유도
④ 주택임대관리업의 육성

(2) 국가 및 지방자치단체는 공유형 민간임대주택의 활성화를 위하여 임대사업자 및 임차인에게 필요한 행정지원을 할 수 있다(법 제4조 제2항).

마무리STEP 1 | OX 문제

01 이 법은 민간임대주택의 건설 · 공급 및 관리와 임차인 보호 등에 관한 사항을 정함으로써 민간임대주택의 공급을 촉진하고 국민의 주거생활을 안정시키는 것을 목적으로 한다. ( )

02 민간임대주택은 토지를 임차하여 건설된 주택 및 대통령령으로 정하는 요건을 모두 갖춘 오피스텔 등 및 다가구주택으로서 임대사업자 본인이 거주하는 실을 포함한 전부를 임대하는 주택을 포함한다. ( )

03 '장기일반민간임대주택'이란 임대사업자가 공공지원민간임대주택이 아닌 주택을 10년 이상 임대할 목적으로 취득하여 임대하는 민간임대주택[아파트(도시형 생활주택은 제외한다)를 임대하는 민간매입임대주택과 민간건설임대주택은 제외한다]을 말한다. ( )

04 자기관리형 주택임대관리업이란 주택의 소유자로부터 수수료를 받고 임대료 부과 · 징수 및 시설물 유지 · 관리 등을 대행하는 형태의 업을 말한다. ( )

01 × 이 법은 민간임대주택의 건설 · 공급 및 관리와 민간주택임대사업자 육성 등에 관한 사항을 정함으로써 민간임대주택의 공급을 촉진하고 국민의 주거생활을 안정시키는 것을 목적으로 한다.

02 × 다가구주택으로서 임대사업자 본인이 거주하는 실을 제외한 나머지 실 전부를 임대하는 주택을 포함한다.

03 × 아파트(도시형 생활주택이 아닌 것)를 임대하는 민간매입임대주택은 제외한다.

04 × 자기관리형 주택임대관리업은 주택의 소유자로부터 주택을 임차하여 자기책임으로 전대하는 형태의 업이고, 위탁관리형 주택임대관리업은 주택의 소유자로부터 수수료를 받고 임대료 부과 · 징수 및 시설물 유지 · 관리 등을 대행하는 형태의 업을 말한다.

05 '역세권 등'이란 인구집중유발시설부터 1킬로미터 거리 이내에 위치한 지역을 말한다. 이 경우 시 · 도지사는 해당 지방자치단체의 조례로 그 거리를 50퍼센트의 범위에서 증감하여 달리 정할 수 있다. ( )

06 '공유형 민간임대주택'이란 가족관계가 아닌 2명 이상의 임차인이 하나의 주택에서 거실 · 주방 등 어느 하나 이상의 공간을 공유하여 거주하는 민간임대주택으로서 임차인이 각각 임대차계약을 체결하는 민간임대주택을 말한다. ( )

05 ○
06 ○

house.Hackers.com

제 2 장 임대사업자 및 주택임대관리업자 등

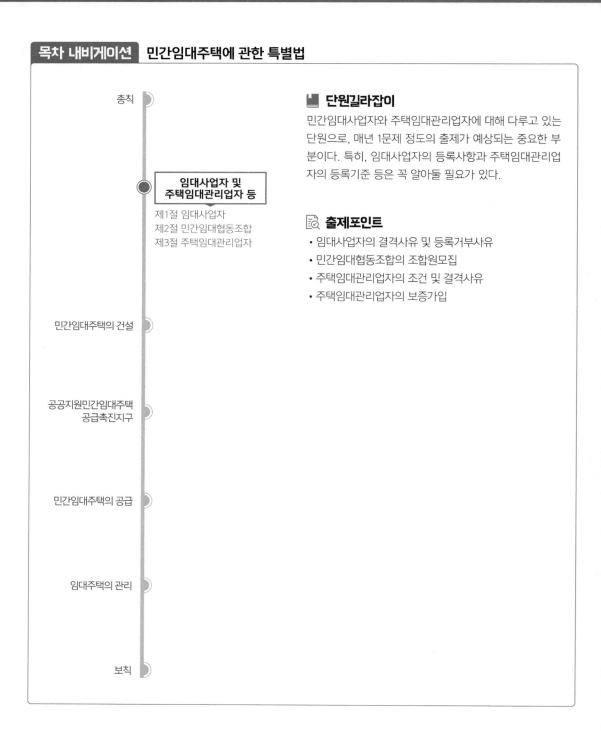

목차 내비게이션 민간임대주택에 관한 특별법

- 총칙
- **임대사업자 및 주택임대관리업자 등**
  - 제1절 임대사업자
  - 제2절 민간임대협동조합
  - 제3절 주택임대관리업자
- 민간임대주택의 건설
- 공공지원민간임대주택 공급촉진지구
- 민간임대주택의 공급
- 임대주택의 관리
- 보칙

단원길라잡이

민간임대사업자와 주택임대관리업자에 대해 다루고 있는 단원으로, 매년 1문제 정도의 출제가 예상되는 중요한 부분이다. 특히, 임대사업자의 등록사항과 주택임대관리업자의 등록기준 등은 꼭 알아둘 필요가 있다.

출제포인트

- 임대사업자의 결격사유 및 등록거부사유
- 민간임대협동조합의 조합원모집
- 주택임대관리업자의 조건 및 결격사유
- 주택임대관리업자의 보증가입

제1절 임대사업자

(1) 등록

주택을 임대하려는 자는 특별자치시장 · 특별자치도지사 · 시장 · 군수 또는 구청장(구청장은 자치구의 구청장을 말하며, 이하 '시장 · 군수 · 구청장'이라 한다)에게 등록을 신청할 수 있다(법 제5조 제1항). 이때 2인 이상이 공동으로 건설하거나 소유하는 주택의 경우에는 공동명의로 등록하여야 한다(영 제4조 제2항).

(2) 등록자격

임대사업자로 등록할 수 있는 자는 다음과 같다(영 제4조 제2항).

① 민간임대주택으로 등록할 주택을 소유한 자
② 민간임대주택으로 등록할 주택을 취득하려는 계획이 확정되어 있는 자로서 다음의 어느 하나에 해당하는 자
  ㉠ 민간임대주택으로 등록할 주택을 건설하기 위하여 주택법 제15조에 따른 사업계획승인을 받은 자
  ㉡ 민간임대주택으로 등록할 주택을 건설하기 위하여 건축법 제11조에 따른 건축허가를 받은 자
  ㉢ 민간임대주택으로 등록할 주택을 매입하기 위하여 매매계약을 체결한 자
  ㉣ 민간임대주택으로 등록할 주택을 매입하기 위해 분양계약을 체결한 자로서 다음의 어느 하나에 해당하는 자
    ⓐ 등록신청일을 기준으로 분양계약서에 따른 잔금지급일이 3개월 이내인 자
    ⓑ 등록신청일이 분양계약서에 따른 잔금지급일 이후인 자
③ 민간임대주택으로 등록할 주택을 취득하려는 ② 외의 자로서 다음의 어느 하나에 해당하는 자
  ㉠ 주택법 제4조에 따라 등록한 주택건설사업자
  ㉡ 부동산투자회사법 제2조 제1호에 따른 부동산투자회사
  ㉢ 법인세법 제51조의2 제1항 제9호에 해당하는 투자회사
  ㉣ 자본시장과 금융투자업에 관한 법률 제9조 제18항에 따른 집합투자기구
  ㉤ 소속 근로자에게 임대하기 위하여 민간임대주택을 건설하려는 고용자(법인)

(3) 결격사유

① **등록 결격사유**: 과거 5년 이내에 민간임대주택 또는 공공임대주택(공공주택 특별법에 따른 공공임대주택을 말한다) 사업에서 부도(부도 후 부도 당시의 채무를 변제하고 사업을 정상화시킨 경우는 제외한다)가 발생한 사실이 있는 자(부도 당시 법인의 대표자나 임원이었던 자와 부도 당시 법인의 대표자나 임원 또는 부도 당시 개인인 임대사업자가 대표자나 임원으로 있는 법인을 포함한다)는 임대사업자로 등록할 수 없다(영 제4조 제3항).

② **임대사업자의 결격사유**: 다음의 어느 하나에 해당하는 자는 임대사업자로 등록할 수 없다. 법인의 경우 그 임원 중 다음의 어느 하나에 해당하는 사람이 있는 경우에도 또한 같다(법 제5조의6).

> ㉠ 미성년자
> ㉡ 법 제6조 제1항(등록말소사유) 제1호, 제4호 및 제7호부터 제9호까지의 규정에 따라 등록이 전부 말소된 후 2년이 지나지 아니한 자
> ㉢ 임차인에 대한 보증금반환채무의 이행과 관련하여 형법 제347조의 죄(사기죄)를 범하여 금고 이상의 형을 선고받고 집행이 종료(집행이 종료된 것으로 보는 경우를 포함한다) 되거나 그 집행이 면제된 날부터 2년이 지나지 아니한 자이거나, 형의 집행유예를 선고받고 그 유예기간 중에 있는 자

(4) 구분등록 및 변경신고 등

① **구분등록**: 임대사업자로 등록하는 경우 다음에 따라 구분하여야 한다(법 제5조 제2항).

> ㉠ 민간건설임대주택 및 민간매입임대주택
> ㉡ 공공지원민간임대주택, 장기일반민간임대주택

② **변경신고**: 위 ①에 따라 등록한 자가 그 등록한 사항을 변경하고자 할 경우 사유가 발생한 날부터 30일 이내에 시장 · 군수 · 구청장에게 신고하여야 한다. 다만, 임대주택 면적을 다음의 구분에 따른 해당 민간임대주택의 규모 구간을 벗어나지 아니하는 범위에서 10퍼센트 이하로 증축하는 경미한 사항은 신고하지 아니하여도 된다(법 제5조 제3항, 규칙 제3조 제3항).

> ㉠ 40제곱미터 이하
> ㉡ 40제곱미터 초과 60제곱미터 이하
> ㉢ 60제곱미터 초과 85제곱미터 이하
> ㉣ 85제곱미터 초과

③ **신고수리**: 시장 · 군수 · 구청장은 ②에 따른 신고를 받은 날부터 7일 이내에 신고수리 여부를 신고인에게 통지하여야 하며, 정한 기간 내에 신고수리 여부 또는 민원처리 관련 법령에 따른 처리기간의 연장을 신고인에게 통지하지 아니하면 그 기간(민원처리 관련 법령에 따라 처리기간이 연장 또는 재연장된 경우에는 해당 처리기간을 말한다)이 끝난 날의 다음 날에 신고를 수리한 것으로 본다(법 제5조 제4항 · 제5항).

④ **등록 거부**: 시장 · 군수 · 구청장이 ①에 따라 등록신청을 받은 경우 다음의 어느 하나에 해당하는 때에는 해당 등록신청을 거부할 수 있다(법 제5조 제7항).

> ㉠ 해당 신청인의 신용도, 신청 임대주택의 부채비율(등록시 존속 중인 임대차계약이 없는 경우에는 등록을 신청하려는 자로부터 등록 이후 책정하려는 임대차계약의 임대보증금의 상한을 제출받아 산정한다) 등을 고려하여 임대보증금 보증가입이 현저히 곤란하다고 판단되는 경우
> ㉡ 해당 주택이 도시 및 주거환경정비법에 따른 정비사업 또는 빈집 및 소규모주택 정비에 관한 특례법에 따른 소규모주택정비사업으로 인하여 임대의무기간 내 멸실 우려가 있다고 판단되는 경우
> ㉢ 해당 신청인의 국세 또는 지방세 체납기간, 금액 등을 고려할 때 임차인에 대한 보증금 반환채무의 이행이 현저히 곤란한 경우로서 대통령령으로 정하는 경우

⑤ **추가등록 제한**: 다음 **(5)** 등록말소사유의 ㉠ · ㉣ 및 ㉦부터 ㉧까지, ㉩부터 ㉬까지 및 ㉸의 규정에 따라 임대사업자 등록이 일부 말소된 후 2년이 지나지 아니한 자는 등록한 임대주택 외에 등록사항 변경신고를 통하여 임대주택을 변경 · 추가(일부 말소로 임대주택에서 제외된 주택을 변경 · 추가하는 경우를 포함한다) 등록할 수 없다(법 제5조의7).

(5) 등록말소

① **등록말소의 사유**: 시장 · 군수 · 구청장은 임대사업자가 다음의 어느 하나에 해당하면 등록의 전부 또는 일부를 말소할 수 있다. 다만, ㉠에 해당하는 경우에는 등록의 전부 또는 일부를 말소하여야 하며, 등록을 말소하는 경우 청문을 하여야 한다. 다만, ㉢ · ㉤ 및 ㉥의 경우는 제외한다(법 제6조 제1항 · 제2항, 영 제5조 제1항).

> ㉠ 거짓이나 그 밖의 부정한 방법으로 등록한 경우(필수말소사유)
> ㉡ 임대사업자가 등록한 후 다음의 기간 안에 민간임대주택을 취득하지 아니하는 경우
> ⓐ 위 **(2)**의 ② ㉠의 자: 임대사업자로 등록한 날부터 6년
> ⓑ 위 **(2)**의 ② ㉡의 자: 임대사업자로 등록한 날부터 4년
> ⓒ 위 **(2)**의 ② ㉢의 자: 임대사업자로 등록한 날부터 3개월
> ⓓ 위 **(2)**의 ② ㉣의 자: 임대사업자로 등록한 날부터 1년
> ⓔ 위 **(2)**의 ③ ㉠~㉤의 자: 임대사업자로 등록한 날부터 6년

㉢ 법 제5조 제1항에 따라 등록한 날부터 3개월이 지나기 전(임대주택으로 등록한 이후 체결한 임대차계약이 있는 경우에는 그 임차인의 동의가 있는 경우로 한정한다) 또는 법 제43조의 임대의무기간이 지난 후 등록말소를 신청하는 경우
㉣ 법 제5조 제6항의 등록기준을 갖추지 못한 경우
㉤ 법 제43조 제2항 또는 제6항에 따라 민간임대주택을 양도한 경우
㉥ 법 제43조 제4항에 따라 민간임대주택을 양도한 경우
㉦ 법 제44조에 따른 임대조건을 위반한 경우
㉧ 법 제45조를 위반하여 임대차계약을 해제 · 해지하거나 재계약을 거절한 경우
㉨ 법 제50조의 준주택에 대한 용도제한을 위반한 경우
㉩ 법 제48조 제1항 제2호에 따른 설명이나 정보를 거짓이나 그 밖의 부정한 방법으로 제공한 경우
㉪ 법 제43조에도 불구하고 종전의 민간임대주택에 관한 특별법(법률 제17482호 민간임대주택에 관한 특별법 일부개정법률에 따라 개정되기 전의 것을 말한다) 제2조 제5호의 장기일반민간임대주택 중 아파트를 임대하는 민간매입임대주택 또는 제2조 제6호의 단기민간임대주택에 대하여 임대사업자가 임대의무기간 내 등록말소를 신청(신청 당시 체결된 임대차계약이 있는 경우 임차인의 동의가 있는 경우로 한정한다)하는 경우
㉫ 임차인이 보증금 반환에 대하여 소송을 제기하여 승소판결이 확정되었으나 임대사업자가 보증금을 반환하지 않는 경우이거나, 보증금 반환과 관련하여 주택임대차보호법 제14조에 따른 주택임대차분쟁조정위원회가 작성한 조정안을 각 당사자가 수락하여 조정이 성립되었으나 임대사업자가 보증금을 반환하지 않는 경우
㉬ 임대차계약 신고 또는 변경신고를 하지 아니하여 시장 · 군수 · 구청장이 법 제61조 제1항에 따라 보고를 하게 하였으나 거짓으로 보고하거나 3회 이상 불응한 경우
㉭ 임대보증금에 대한 보증에 가입하지 아니한 경우로서 대통령령으로 정하는 경우
㉲ 국세 또는 지방세를 체납하여 보증금반환채무의 이행과 관련한 임차인의 피해가 명백히 예상되는 경우로서 대통령령으로 정하는 경우
㉳ 임차인에 대한 보증금반환채무의 이행과 관련하여 형법 제347조의 죄를 범하여 금고 이상의 실형(집행유예를 포함한다)을 선고받고 그 형이 확정된 경우
㉴ 그 밖에 민간임대주택으로 계속 임대하는 것이 어렵다고 인정하는 경우로서 대통령령으로 정하는 경우

② **말소절차:** 시장 · 군수 · 구청장은 ①에 따라 등록을 말소하면 해당 임대사업자의 명칭과 말소사유 등 필요한 사항을 공고하여야 하고(법 제6조 제3항), 임대사업자가 ①의 ㉢에 따라 등록말소를 신청하거나 ①에 따른 청문통보를 받은 경우 7일 이내에 그 사실을 임차인에게 통지하여야 한다(법 제6조 제4항).

③ **등록말소의 효과:** 임대사업자의 등록이 말소된 경우에는 그 임대사업자(해당 주택을 양도한 경우에는 그 양수한 자를 말한다)를 이미 체결된 임대차계약의 기간이 끝날 때까지 임차인에 대한 관계에서 이 법에 따른 임대사업자로 본다(법 제6조 제6항).

④ **당연말소:** 종전의 장기일반민간임대주택 중 아파트(도시형 생활주택이 아닌 것을 말한다)를 임대하는 민간매입임대주택 및 단기민간임대주택은 임대의무기간이 종료한 날 등록이 말소된다(법 제6조 제5항).

(6) 등록 민간임대주택의 부기등기

① **대상:** 임대사업자는 등록한 민간임대주택이 법 제43조에 따른 임대의무기간과 법 제44조에 따른 임대료 증액기준을 준수하여야 하는 재산임을 소유권등기에 부기등기하여야 한다(법 제5조의2 제1항).

② **시기:** ①에 따른 부기등기는 임대사업자의 등록 후 지체 없이 하여야 한다. 다만, 임대사업자로 등록한 이후에 소유권보존등기를 하는 경우에는 소유권보존등기와 동시에 하여야 한다(법 제5조의2 제2항).

제2절 민간임대협동조합

(1) 조합원의 모집

① **모집신고:** 조합원에게 공급하는 민간건설임대주택을 포함하여 30호 이상으로서 다음의 호수 이상의 주택을 공급할 목적으로 설립된 협동조합 기본법에 따른 협동조합 또는 사회적 협동조합(이하 '민간임대협동조합'이라 한다)이나 민간임대협동조합의 발기인이 조합원을 모집하려는 경우 해당 민간임대주택 건설대지의 관할 시장 · 군수 · 구청장에게 신고하여야 하며, 신고를 받은 시장 · 군수 · 구청장은 신고내용이 이 법에 적합한 경우에는 접수된 날부터 15일 이내에 신고를 수리하고 그 사실을 신고인에게 통보하여야 한다(법 제5조의3 제1항 전단, 영 제4조의3, 규칙 제4조의2 제2항).

> ㉠ 건축법 시행령 [별표 1] 제1호 가목부터 다목까지의 단독주택인 경우: 30호
> ㉡ 준주택 또는 건축법 시행령 [별표 1] 제2호 가목부터 다목까지의 공동주택인 경우: 30세대

② **신고수리의 거부:** 시장 · 군수 · 구청장은 다음의 어느 하나에 해당하는 경우 조합원 모집신고를 수리해서는 아니 된다(법 제5조의3 제4항).

> ㉠ 해당 민간임대주택 건설대지의 80퍼센트 이상에 해당하는 토지의 사용권원을 확보하지 못한 경우
> ㉡ 이미 신고된 사업대지와 전부 또는 일부가 중복되는 경우

ⓒ 이미 수립되었거나 수립 예정인 도시 · 군계획, 이미 수립된 토지이용계획 또는 이 법이나 관계 법령에 따른 건축기준 및 건축제한 등에 따라 해당 민간임대주택 건설대지에 민간임대협동조합이 건설하는 주택을 건설할 수 없는 경우
ⓓ 해당 민간임대주택을 공급받을 수 없는 조합원을 모집하려는 경우
ⓔ 신고한 내용이 사실과 다른 경우

③ **모집방법**: 민간임대협동조합은 공개모집의 방법으로 조합원을 모집하여야 한다. 다만, 공개모집 이후 조합원의 사망 · 자격상실 · 탈퇴 등으로 인한 결원을 충원하거나 미달된 조합원을 재모집하는 경우에는 신고하지 아니하고 선착순의 방법으로 조합원을 모집할 수 있다(법 제5조의3 제1항 후단 · 제2항).

④ **공고방법**: 모집주체는 ①에 따른 조합원 모집신고가 수리된 이후 해당 민간임대주택 건설대지의 주민이 널리 볼 수 있는 장소 또는 일간신문이나 관할 특별자치시 · 특별자치도 · 시 · 군 또는 자치구의 인터넷 홈페이지에 조합원 모집공고를 게시하여 공고해야 한다(규칙 제4조의3 제1항).

(2) 조합원의 모집시 설명의무

① **가입설명**: 위 (1)에 따라 조합원 모집신고를 하고 조합원을 모집하는 민간임대협동조합 및 민간임대협동조합의 발기인(이하 '모집주체'라 한다)은 민간임대협동조합 가입계약(민간임대협동조합의 설립을 위한 계약을 포함한다) 체결시 다음의 사항을 조합가입신청자에게 설명하고 이를 확인받아야 한다(법 제5조의4 제1항, 영 제4조의4 제1항).

ⓐ 조합원의 권리와 의무에 관한 사항
ⓑ 해당 민간임대주택 건설대지의 위치와 면적 및 해당 민간임대주택 건설대지에 대한 사용권, 소유권 확보 현황
ⓒ 해당 민간임대주택사업의 자금계획에 관한 사항
ⓓ 해당 민간임대주택을 공급받을 수 있는 조합원의 자격에 관한 사항
ⓔ 민간임대협동조합의 탈퇴, 제명 및 출자금 등 납부한 금전의 반환절차 등에 관한 사항
ⓕ 법 제5조의5에 따른 청약 철회, 금전의 예치 및 가입비 등의 반환 등에 관한 사항
ⓖ 법 제5조의2 제1항에 따른 민간임대협동조합의 사업 개요
ⓗ 해당 민간임대주택 건설대지에 대한 사용권 또는 소유권 확보 계획
ⓘ 주택건설 예정세대수 및 주택건설 예정기간
ⓙ 계약금 · 분담금의 납부시기 및 납부방법 등 조합원의 비용부담에 관한 사항
ⓚ 조합 자금관리의 주체 및 계획

② **가입 확인**: ①의 각 호 외의 부분에 따른 모집주체는 ①에 따라 설명한 내용을 민간임대협동조합 가입을 신청한 자(이하 '조합가입신청자'라 한다)가 이해했음을 서명 또는 기명날인의 방법으로 확인받아 조합가입신청자에게 교부해야 한다(영 제4조의4 제2항).

(3) 조합의 가입비

① **가입비의 예치**: 조합가입신청자가 민간임대협동조합 가입계약을 체결하면 모집주체는 조합가입신청자로 하여금 계약 체결시 납부하여야 하는 일체의 금전(이하 '가입비 등'이라 한다)을 다음의 예치기관에 예치하게 하여야 한다(법 제5조의5 제1항, 영 제4조의5 제1항).

> ㉠ 은행법 제2조 제1항 제2호에 따른 은행
> ㉡ 우체국예금 · 보험에 관한 법률에 따른 체신관서
> ㉢ 보험업법 제2조 제6호에 따른 보험회사
> ㉣ 자본시장과 금융투자업에 관한 법률 제8조 제7항에 따른 신탁업자

② **가입비 예치계약**: 모집주체는 ①의 어느 하나에 해당하는 기관과 가입비 등의 예치에 관한 계약을 체결해야 한다(영 제4조의5 제2항).

③ **가입비 예치증서**: 조합가입신청자는 민간임대협동조합 가입계약을 체결하면 ②에 따른 예치기관에 국토교통부령으로 정하는 가입비 등 예치신청서를 제출해야 하며, 예치기관은 신청을 받은 경우 가입비 등을 예치기관의 명의로 예치해야 하고, 이를 다른 금융자산과 분리하여 관리해야 한다(영 제4조의5 제3항 · 제4항).

(4) 청약철회

① **가입청약의 철회**: 조합가입신청자는 민간임대협동조합 가입 계약체결일부터 30일 이내에 민간임대협동조합 가입에 관한 청약을 철회할 수 있으며, 청약철회를 서면으로 하는 경우에는 청약철회의 의사를 표시한 서면을 발송한 날에 그 효력이 발생한다(법 제5조의5 제2항 · 제3항).

② **가입비 반환**: 모집주체는 조합가입신청자가 청약철회를 한 경우 청약철회 의사가 도달한 날부터 7일 이내에 예치기관의 장에게 가입비 등의 반환을 요청하여야 하며, 예치기관의 장은 가입비 등의 반환요청을 받은 경우 요청일부터 10일 이내에 가입비 등을 조합가입신청자에게 반환하여야 한다(법 제5조의5 제4항 · 제5항).

기출예제

민간임대주택에 관한 특별법 제5조의5(청약철회 및 가입비 등의 반환 등) 규정의 일부이다. (   ) 안에 들어갈 아라비아 숫자를 쓰시오. 제26회

- 조합가입신청자는 민간임대협동조합 가입 계약체결일부터 (㉠)일 이내에 민간임대협동조합 가입에 관한 청약을 철회할 수 있다.
- 모집주체는 조합가입신청자가 청약철회를 한 경우 청약철회 의사가 도달한 날부터 (㉡)일 이내에 예치기관의 장에게 가입비 등의 반환을 요청하여야 한다.

정답: ㉠ 30, ㉡ 7

③ **손해배상청구의 금지:** 조합가입신청자가 ①에 따른 기간 이내에 청약철회를 하는 경우 모집주체는 조합가입신청자에게 청약철회를 이유로 위약금 또는 손해배상을 청구할 수 없다(법 제5조의5 제6항).

④ **가입비의 지급 청구:** 모집주체는 민간임대협동조합 가입 계약체결일부터 30일이 지난 경우 예치기관의 장에게 가입비 등의 지급을 요청할 수 있다. 이 경우 예치기관의 장은 요청서를 받은 경우 요청일부터 10일 이내에 가입비 등을 모집주체에게 지급해야 한다(영 제4조의6 제2항 · 제3항).

제3절 주택임대관리업자

(1) 등록 및 변경신고

① **등록:** 주택임대관리업을 하려는 자는 시장 · 군수 · 구청장에게 등록할 수 있다. 다만, 다음의 규모 이상으로 주택임대관리업을 하려는 자(국가, 지방자치단체, 공공기관, 지방공사는 제외한다)는 등록하여야 한다(법 제7조 제1항, 영 제6조 제1항).

㉠ 자기관리형 주택임대관리업의 경우
　ⓐ 단독주택: 100호
　ⓑ 공동주택: 100세대
㉡ 위탁관리형 주택임대관리업의 경우
　ⓐ 단독주택: 300호
　ⓑ 공동주택: 300세대

② **변경신고**: 등록한 자가 등록한 사항이 변경된 경우에는 변경사유가 발생한 날부터 15일 이내에 시장 · 군수 · 구청장(주소변경인 경우에는 전입지의 시장 · 군수 · 구청장)에게 신고하여야 하며, 주택임대관리업을 폐업하려면 폐업일 30일 이전에 시장 · 군수 · 구청장에게 말소신고를 하여야 한다. 다만, 자본금 또는 전문인력의 수가 증가한 경우는 신고하지 아니하여도 된다(법 제7조 제3항, 영 제6조 제4항, 규칙 제6조 제4항).

③ 위 ②의 경우 시장 · 군수 · 구청장은 신고를 받은 날부터 5일 이내에 신고수리 여부를 신고인에게 통지하여야 하며, 시장 · 군수 · 구청장이 5일 이내에 신고수리 여부 또는 민원처리 관련 법령에 따른 처리기간의 연장을 신고인에게 통지하지 아니하면 그 기간(민원처리 관련 법령에 따라 처리기간이 연장 또는 재연장된 경우에는 해당 처리기간을 말한다)이 끝난 날의 다음 날에 신고를 수리한 것으로 본다(법 제7조 제4항 · 제5항).

(2) 구분등록

위 (1)에 따라 등록하는 경우에는 자기관리형 주택임대관리업과 위탁관리형 주택임대관리업을 구분하여 등록하여야 한다. 이 경우 자기관리형 주택임대관리업을 등록한 경우에는 위탁관리형 주택임대관리업도 등록한 것으로 본다(법 제7조 제2항).

(3) 등록기준

주택임대관리업의 등록을 하려는 자는 다음의 요건을 갖추어야 한다(법 제8조, 영 제7조).

구분		자기관리형	위탁관리형
① 자본금		1억 5천만원	1억원 이상
② 전문인력	㉠ 변호사, 법무사, 공인회계사, 세무사, 감정평가사, 건축사, 공인중개사, 주택관리사 자격을 취득한 후 각각 해당 분야에 2년 이상 종사한 사람	2명 이상	1명 이상
	㉡ 부동산 관련 분야의 석사 이상의 학위를 취득한 후 부동산 관련 업무에 3년 이상 종사한 사람		
	㉢ 부동산 관련 회사에서 5년 이상 근무한 사람으로서 부동산 관련 업무에 3년 이상 종사한 사람		
③ 시설		사무실	

(4) 등록결격사유

다음의 어느 하나에 해당하는 자는 주택임대관리업의 등록을 할 수 없다. 법인의 경우 그 임원 중 다음의 어느 하나에 해당하는 사람이 있을 때에도 또한 같다(법 제9조).

① 파산선고를 받고 복권되지 아니한 자
② 피성년후견인 또는 피한정후견인
③ 법 제10조에 따라 주택임대관리업의 등록이 말소된 후 2년이 지나지 아니한 자. 이 경우 등록이 말소된 자가 법인인 경우에는 말소 당시의 원인이 된 행위를 한 사람과 대표자를 포함한다.
④ 이 법, 주택법, 공공주택 특별법 또는 공동주택관리법을 위반하여 금고 이상의 실형을 선고받고 집행이 종료(집행이 종료된 것으로 보는 경우를 포함한다)되거나 그 집행이 면제된 날부터 3년이 지나지 아니한 사람
⑤ 이 법, 주택법, 공공주택 특별법 또는 공동주택관리법을 위반하여 형의 집행유예를 선고받고 그 유예기간 중에 있는 사람

(5) 등록말소 등

시장 · 군수 · 구청장은 주택임대관리업자가 다음의 어느 하나에 해당하면 그 등록을 말소하거나 1년 이내의 기간을 정하여 영업의 전부 또는 일부의 정지를 명할 수 있다. 다만, ① · ② 또는 ⑥에 해당하는 경우에는 그 등록을 말소하여야 하며(법 제10조 제1항, 영 제8조), 시장 · 군수 · 구청장은 등록의 말소 또는 영업정지 처분을 하려면 처분예정일 1개월 전까지 해당 주택임대관리업자가 관리하는 주택의 임대인 및 임차인에게 그 사실을 통보하여야 한다(영 제9조 제1항).

① 거짓이나 그 밖의 부정한 방법으로 등록을 한 경우
② 영업정지기간 중에 주택임대관리업을 영위한 경우 또는 최근 3년간 2회 이상의 영업정지처분을 받은 자로서 그 정지처분을 받은 기간이 합산하여 12개월을 초과한 경우
③ 고의 또는 중대한 과실로 임대를 목적으로 하는 주택을 잘못 관리하여 임대인 및 임차인에게 재산상의 손해를 입힌 경우
④ 정당한 사유 없이 최종 위탁계약 종료일의 다음 날부터 1년 이상 위탁계약 실적이 없는 경우
⑤ 법 제8조에 따른 등록기준을 갖추지 못한 경우. 다만, 다음의 경우는 그러하지 아니하다.
  ㉠ 자본금 기준에 미달하였으나 다음의 어느 하나에 해당하는 경우
    ⓐ 채무자 회생 및 파산에 관한 법률 제49조에 따라 법원이 해당 주택임대관리업자에 대하여 회생절차 개시의 결정을 하고 그 절차가 진행 중인 경우
    ⓑ 회생계획의 수행에 지장이 없다고 인정되는 경우로서 해당 주택임대관리업자가 채무자 회생 및 파산에 관한 법률 제283조에 따라 법원으로부터 회생절차 종결의 결정을 받고 회생계획을 수행 중인 경우

ⓒ 기업구조조정촉진법 제8조에 따라 금융채권자가 금융채권자협의회의 의결을 거쳐 해당 주택임대관리업자에 대한 금융채권자협의회에 의한 공동관리절차를 개시하고 그 절차가 진행 중인 경우

㉡ 상법 제542조의8 제1항 단서의 적용대상인 법인이 직전 사업연도 말 현재 자산총액의 감소로 자본금 기준에 미달하게 되었으나 50일 이내에 그 기준을 갖춘 경우

㉢ 전문인력의 사망 · 실종 또는 퇴직으로 전문인력 기준에 미달하게 되었으나 50일 이내에 그 기준을 갖춘 경우

⑥ 법 제16조 제1항을 위반하여 다른 자에게 자기의 명의 또는 상호를 사용하여 이 법에서 정한 사업이나 업무를 수행하게 하거나 그 등록증을 대여한 경우

⑦ 법 제61조에 따른 보고, 자료의 제출 또는 검사를 거부 · 방해 또는 기피하거나 거짓으로 보고한 경우

(6) 과징금 부과

시장 · 군수 · 구청장은 주택임대관리업자가 위 **(5)**의 ③부터 ⑤까지 및 ⑦ 중 어느 하나에 해당하는 경우에는 영업정지를 갈음하여 1천만원 이하의 과징금을 부과할 수 있으며, 과징금은 영업정지기간 1일당 3만원을 부과하되, 영업정지 1개월은 30일을 기준으로 한다. 시장 · 군수 · 구청장은 주택임대관리업자가 부과받은 과징금을 기한까지 내지 아니하면 지방행정제재 · 부과금의 징수 등에 관한 법률에 따라 징수한다(법 제10조 제2항 · 제3항, 영 제9조 제3항).

(7) 주택임대관리업자의 업무 등

① 주택임대관리업자는 임대를 목적으로 하는 주택에 대하여 다음의 업무를 수행한다(법 제11조 제1항).

㉠ 임대차계약의 체결 · 해제 · 해지 · 갱신 및 갱신거절 등
㉡ 임대료의 부과 · 징수 등
㉢ 임차인의 입주 및 명도 · 퇴거 등(공인중개사법 제2조 제3호에 따른 중개업은 제외한다)

② 주택임대관리업자는 임대를 목적으로 하는 주택에 대하여 부수적으로 다음의 업무를 수행할 수 있다(법 제11조 제2항, 영 제10조).

㉠ 시설물 유지 · 보수 · 개량 및 그 밖의 주택관리 업무
㉡ 그 밖에 임차인의 주거 편익을 위하여 대통령령으로 정하는 다음의 업무
  ⓐ 임차인이 거주하는 주거공간의 관리
  ⓑ 임차인의 안전 확보에 필요한 업무
  ⓒ 임차인의 입주에 필요한 지원 업무

③ **자기관리형 주택임대관리업자의 의무:** 임대사업자인 임대인이 자기관리형 주택임대관리업자에게 임대관리를 위탁한 경우 주택임대관리업자는 위탁받은 범위에서 이 법에 따른 임대사업자의 의무를 이행하여야 한다. 이 경우 벌칙 규정을 적용할 때에는 주택임대관리업자를 임대사업자로 본다(법 제15조).

④ **보증상품의 가입:** 자기관리형 주택임대관리업을 하는 주택임대관리업자는 임대인 및 임차인의 권리보호를 위하여 다음의 보증을 할 수 있는 보증상품에 가입하여야 하며(법 제14조, 영 제13조 제1항), 보증상품의 내용을 변경하거나 해지하는 경우에는 그 사실을 임대인 및 임차인에게 알리고, 자기관리형 주택임대관리업자의 사무실 등 임대인 및 임차인이 잘 볼 수 있는 장소에 게시하여야 한다(영 제13조 제4항).

> ㉠ **임대인의 권리보호를 위한 보증:** 자기관리형 주택임대관리업자가 약정한 임대료를 지급하지 아니하는 경우 약정한 임대료의 3개월분 이상의 지급을 책임지는 보증
> ㉡ **임차인의 권리보호를 위한 보증:** 자기관리형 주택임대관리업자가 임대보증금의 반환의무를 이행하지 아니하는 경우 임대보증금의 반환을 책임지는 보증

(8) 주택임대관리업자의 의무 등

① **주택임대관리업자의 현황 신고:** 주택임대관리업자는 분기마다 그 분기가 끝나는 달의 다음 달 말일까지 자본금, 전문인력, 관리 호수 등 다음의 정보를 시장 · 군수 · 구청장에게 신고하여야 한다. 이 경우 신고받은 시장 · 군수 · 구청장은 신고받은 날부터 30일 이내에 국토교통부장관에게 이를 보고하여야 한다(법 제12조 제1항, 영 제11조 제1항 · 제2항).

> ㉠ 자본금
> ㉡ 전문인력
> ㉢ 사무실 소재지
> ㉣ 위탁받아 관리하는 주택의 호수 · 세대수 및 소재지
> ㉤ 보증보험 가입사항[자기관리형 주택임대관리업을 등록한 자(이하 '자기관리형 주택임대관리업자'라 한다)만 해당한다]
> ㉥ 계약기간, 관리수수료 등 위 · 수탁계약조건에 관한 정보

② **임대정보의 공개:** 국토교통부장관은 ①에 따라 보고받은 정보와 법 제61조에 따라 보고받은 정보를 다음의 방식에 따라 공개할 수 있다(법 제12조 제3항, 영 제11조 제3항).

> ㉠ 법 제60조 제1항에 따른 임대주택정보체계에의 게시
> ㉡ 건축법 제32조 제1항에 따른 전자정보처리시스템에의 게시

③ **위 · 수탁계약서의 교부 등:** 주택임대관리업자는 법 제11조의 업무를 위탁받은 경우 위 · 수탁계약서를 작성하여 주택의 소유자에게 교부하고 그 사본을 보관하여야 하며, 위 · 수탁계약서에는 계약기간, 주택임대관리업자의 의무 등 다음의 사항이 포함되어야 하고, 국토교통부장관은 위 · 수탁계약의 체결에 필요한 표준위 · 수탁계약서를 작성하여 보급하고 활용하게 할 수 있다(법 제13조, 영 제12조).

㉠ 관리수수료(위탁관리형 주택임대관리업자만 해당한다)
㉡ 임대료(자기관리형 주택임대관리업자만 해당한다)
㉢ 전대료 및 전대보증금(자기관리형 주택임대관리업자만 해당한다)
㉣ 계약기간
㉤ 주택임대관리업자 및 임대인의 권리 · 의무에 관한 사항
㉥ 그 밖에 법 제11조 제1항에 따른 주택임대관리업자의 업무 외에 임대인 · 임차인의 편의를 위하여 추가적으로 제공하는 업무의 내용

④ **등록증 대여 등의 금지:** 주택임대관리업자는 다른 자에게 자기의 명의 또는 상호를 사용하여 이 법에서 정한 업무를 수행하게 하거나 그 등록증을 대여하여서는 안 되며, 주택임대관리업자가 아닌 자는 주택임대관리업 또는 이와 유사한 명칭을 사용하지 못한다(법 제16조).

마무리STEP 1 | OX 문제

01 주택을 임대하려는 자는 특별자치시장 · 특별자치도지사 · 시장 · 군수 또는 구청장에게 등록을 신청할 수 있다. 이 경우 2인 이상이 공동으로 건설하거나 소유하는 주택의 경우에는 대표자 명의로 등록하여야 한다. ( )

02 과거 5년 이내에 민간임대주택 또는 공공임대주택사업에서 부도(부도 후 부도 당시의 채무를 변제하고 사업을 정상화시킨 경우를 포함한다)가 발생한 사실이 있는 자(부도 당시 법인의 대표자나 임원이었던 자와 부도 당시 법인의 대표자나 임원 또는 부도 당시 개인인 임대사업자가 대표자나 임원으로 있는 법인을 포함한다)는 임대사업자로 등록할 수 없다. ( )

03 종전의 장기일반민간임대주택 중 아파트(도시형 생활주택이 아닌 것을 말한다)를 임대하는 민간매입임대주택 및 단기민간임대주택은 임대의무기간이 종료한 날 등록이 말소된다. ( )

04 민간임대협동조합은 선착순의 방법으로 조합원을 모집하여야 한다. ( )

05 조합가입신청자는 민간임대협동조합 가입 계약체결일부터 30일 이내에 민간임대협동조합 가입에 관한 청약을 철회할 수 있으며, 청약철회를 서면으로 하는 경우에는 청약철회의 의사를 표시한 서면을 발송한 날에 그 효력이 발생한다. ( )

01 × 2인 이상이 공동으로 건설하거나 소유하는 주택의 경우에는 공동명의로 등록하여야 한다.

02 × 부도 후 부도 당시의 채무를 변제하고 사업을 정상화시킨 경우는 제외한다.

03 ○

04 × 민간임대협동조합은 공개모집의 방법으로 조합원을 모집하여야 한다. 다만, 공개모집 이후 조합원의 사망 · 자격상실 · 탈퇴 등으로 인한 결원을 충원하거나 미달된 조합원을 재모집하는 경우에는 신고하지 아니하고 선착순의 방법으로 조합원을 모집할 수 있다.

05 ○

06 위탁관리형 주택임대관리업의 경우 100호 이상의 주택임대관리업을 하려는 자(국가 · 지방자치단체 · 공공기관 · 지방공사는 제외한다)는 등록하여야 한다. ( )

07 등록하는 경우에는 자기관리형 주택임대관리업과 위탁관리형 주택임대관리업을 구분하여 등록하여야 한다. 이 경우 위탁관리형 주택임대관리업을 등록한 경우에는 자기관리형 주택임대관리업도 등록한 것으로 본다. ( )

08 시장 · 군수 · 구청장은 주택임대관리업자가 영업정지사유에 해당하는 경우에는 영업정지를 갈음하여 1천만원 이하의 과징금을 부과할 수 있다. ( )

09 임대사업자인 임대인이 자기관리형 주택임대관리업자에게 임대관리를 위탁한 경우 주택임대관리업자는 위탁받은 범위에서 이 법에 따른 임대사업자의 의무를 이행하여야 한다. ( )

10 주택임대관리업을 하는 주택임대관리업자는 임대인 및 임차인의 권리보호를 위하여 보증상품에 가입하여야 한다. ( )

06 × 등록의무대상은 자기관리형 주택임대관리업의 경우에는 100호, 위탁관리형 주택임대관리업의 경우에는 300호 이상이다.

07 × 자기관리형 주택임대관리업을 등록한 경우에는 위탁관리형 주택임대관리업도 등록한 것으로 본다.

08 ○

09 ○

10 × 자기관리형 주택임대관리업을 하는 주택임대관리업자에 한하여 보증상품에 가입하여야 한다.

제 3 장 민간임대주택의 건설

목차 내비게이션 민간임대주택에 관한 특별법

단원길라잡이

임대주택에 대한 건설절차가 따로 없는 만큼 이 장에서는 임대주택의 우선건설을 위한 사항을 포함하고 있다. 임대주택의 우선건설이 정부의 정책인 만큼 이 장에서는 매년 1문제 정도가 출제되고 있는데, 학습할 양이 많지 않은 대신에 전부분에 대한 꼼꼼한 정리가 필요하다.

출제포인트

- 택지의 우선공급 조건 및 절차
- 임대주택의 건설지원
- 임대주택용 택지의 수용

01 민간임대주택의 건설

민간임대주택의 건설은 주택법 또는 건축법에 따른다. 이 경우 관계 법률에서 주택법 제15조에 따른 사업계획의 승인 또는 건축법 제11조에 따른 건축허가 등을 준용하는 경우 그 법률을 포함한다(법 제17조).

02 토지 등의 우선공급

(1) 공공용 택지의 우선공급

국가 · 지방자치단체 · 공공기관 또는 지방공사가 그가 소유하거나 조성한 토지를 공급(매각 또는 임대를 말한다. 이하 같다)하는 경우에는 주택법 제30조 제1항에도 불구하고 민간임대주택을 건설하려는 임대사업자에게 우선적으로 공급할 수 있다(법 제18조 제1항).

(2) 공공용 택지의 공급방법

국가 · 지방자치단체 · 공공기관 또는 지방공사가 공공지원민간임대주택 건설용으로 토지를 공급하거나 종전부동산을 보유하고 있는 공공기관(매입공공기관을 포함한다)이 공공지원민간임대주택 건설용으로 종전부동산을 매각하는 경우에는 택지개발촉진법, 혁신도시 조성 및 발전에 관한 특별법 등 관계 법령에도 불구하고 추첨, 자격제한, 수의계약 등 다음과 같은 방법 및 조건에 따라 공급할 수 있다(법 제18조 제2항, 영 제14조 제1항 · 제2항 · 제3항).

① 토지 및 종전부동산의 공급(매각 또는 임대를 말한다)은 미리 가격을 정한 후 공급받을 자를 선정하여 공급하는 방법으로 한다.

② 위 ①에 따라 공급받을 자를 선정할 때에는 주택사업실적, 시공능력 등이 일정기준 이상인 자로 자격을 제한하여 경쟁에 부친다. 다만, 신속한 토지 공급 등을 위하여 필요한 경우에는 국토교통부장관이 정하는 바에 따라 추첨의 방법으로 공급할 수 있다.

③ 다음의 어느 하나에 해당하는 경우에는 수의계약의 방법으로 공급할 수 있다.

㉠ 다음의 어느 하나에 해당하는 자가 단독 또는 공동으로 총지분의 50퍼센트를 초과하여 출자한 부동산투자회사에 공급하는 경우

ⓐ 국가
ⓑ 지방자치단체
ⓒ 한국토지주택공사
ⓓ 지방공사
ⓔ 위 ⓐ부터 ⓓ까지에 해당하는 자가 출자하여 설립한 부동산투자회사 또는 집합투자기구

㉡ 관할 지역에 민간임대주택 공급을 촉진하기 위하여 지방자치단체의 장이 해당 지방자치단체 또는 지방공사가 소유한 토지를 공모의 방법으로 선정한 자에게 공급하는 경우

㉢ 추첨방식에 따른 공급이 2회 이상 성립되지 아니한 경우
㉣ 그 밖에 공무원연금법, 한국보훈복지의료공단법 등 관계 법령에 따라 수의계약으로 공급할 수 있는 경우

(3) 공공용 택지의 공급의무

국가 · 지방자치단체 · 한국토지주택공사 또는 지방공사는 그가 조성한 토지 중 1퍼센트 이상의 범위에서 대통령령으로 정하는 비율(3퍼센트) 이상(다만, 조성한 토지가 50만제곱미터 이상인 경우로서 토지를 조성한 목적 및 해당 지역의 주택 수요 등을 고려하여 국토교통부장관이 1퍼센트 이상 3퍼센트 미만으로 그 비율을 달리 정하여 고시하는 경우에는 그 비율)을 임대사업자[소속 근로자에게 임대하기 위하여 민간임대주택을 건설하려는 고용자(법인에 한정한다)로서 임대사업자로 등록한 자를 포함한다]에게 우선공급하여야 한다. 다만, 해당 토지는 2개 단지 이상의 공동주택용지 공급계획이 포함된 경우로서 15만제곱미터 이상이어야 한다(법 제18조 제3항, 영 제14조 제4항 · 제5항).

(4) 공공용 택지를 공급받은 자의 의무

① **건설의무:** 위 (1)과 (3)에 따라 토지 및 종전부동산(이하 '토지 등'이라 한다)을 공급받은 자는 토지 등을 공급받은 날부터 4년 이하의 범위에서 대통령령으로 정하는 기간(2년) 이내에 민간임대주택을 건설하여야 한다(법 제18조 제4항, 영 제14조 제6항).

② **환매 등:** 위 ①에도 불구하고 민간임대주택을 건설하지 아니한 경우 토지 등을 공급한 자는 대통령령으로 정하는 다음의 기준과 절차에 따라 토지 등을 환매하거나 임대차계약을 해제 또는 해지할 수 있다(법 제18조 제5항, 영 제15조).

㉠ 위 (1) · (2) · (3)에 따라 토지 등을 공급하는 자는 같은 조 그 토지 등을 공급한 날부터 2년 이내에 민간임대주택 건설을 착공하지 아니하면 그 토지 등을 환매하거나 임대차계약을 해제 · 해지할 수 있다는 특약조건을 붙여 공급하여야 한다. 이 경우 환매특약은 등기하여야 한다.
㉡ 위 (1) · (2) · (3)에 따라 토지 등을 공급받은 자는 그 토지에 민간임대주택 건설을 착공하면 그 사실을 증명하는 서류를 첨부하여 토지 등을 공급한 자에게 통지하여야 한다.
㉢ 위 (1) · (2) · (3)에 따라 토지 등을 공급한 자는 토지 등을 공급한 날부터 1년 6개월 이내에 그 토지 등을 공급받은 자로부터 ㉡에 따른 통지가 없는 경우에는 그 토지 등을 공급받은 자에게 지체 없이 착공할 것을 촉구하여야 한다.

(5) 주택의 우선공급

주택법 제54조에 따른 사업주체가 주택을 공급하는 경우에는 그 주택을 공공지원민간임대주택 또는 장기일반민간임대주택으로 운영하려는 임대사업자에게 주택(분양가상한제 적용주택은 제외한다) 전부를 우선적으로 공급할 수 있다(법 제18조 제6항).

(6) 간선시설의 우선설치

주택법에 따라 간선시설을 설치하는 자는 민간임대주택 건설사업이나 민간임대주택 건설을 위한 대지조성사업에 필요한 간선시설을 다른 주택건설사업이나 대지조성사업보다 우선하여 설치하여야 한다(법 제19조).

(7) 민간임대주택용 택지의 수용 · 사용권

① 공익사업자 지정 요청: 임대사업자가 전용면적 85제곱미터 이하의 민간임대주택을 100호 이상의 범위에서 단독주택의 경우는 100호, 공동주택의 경우는 100세대 이상 건설하기 위하여 사업대상 토지면적의 80퍼센트 이상을 매입한 경우(토지소유자로부터 매입에 관한 동의를 받은 경우를 포함한다)로서 나머지 토지를 취득하지 아니하면 그 사업을 시행하기가 현저히 곤란해질 사유가 있는 경우에는 시 · 도지사에게 공익사업을 위한 토지 등의 취득 및 보상에 관한 법률 제4조 제5호에 따른 지정을 요청할 수 있다(법 제20조 제1항, 영 제16조 제1항).

② 사업인정: 위 ①에 따른 지정을 받은 임대사업자가 주택법에 따른 사업계획승인을 받으면 공익사업을 위한 토지 등의 취득 및 보상에 관한 법률에 따른 사업인정을 받은 것으로 본다. 다만, 재결신청은 공익사업을 위한 토지 등의 취득 및 보상에 관한 법률에도 불구하고 사업계획승인을 받은 주택건설사업 기간에 할 수 있다(법 제20조 제2항).

(8) 국토의 계획 및 이용에 관한 법률 등에 관한 특례

주택법에 따른 사업계획승인권자 또는 건축법에 따른 허가권자는 임대사업자가 공공지원민간임대주택을 건설하기 위하여 주택법에 따른 사업계획승인을 신청하거나 건축법에 따른 건축허가를 신청하는 경우에 관계 법령에도 불구하고 다음에 따라 완화된 기준을 적용할 수 있다. 공공지원민간임대주택과 공공지원민간임대주택이 아닌 시설을 같은 건축물로 건축하는 경우 전체 연면적 대비 공공지원민간임대주택 연면적의 비율이 50퍼센트 이상인 경우에 한정한다(법 제21조, 영 제17조 제1항 · 제2항).

① 국토의 계획 및 이용에 관한 법률 제77조에 따라 조례로 정한 건폐율에도 불구하고 같은 조 및 관계 법령에 따른 건폐율의 상한까지 완화
② 국토의 계획 및 이용에 관한 법률 제52조에 따라 지구단위계획에서 정한 용적률 또는 같은 법 제78조에 따라 조례로 정한 용적률에도 불구하고 같은 조 및 관계 법령에 따른 용적률의 상한까지 완화
③ 건축법 제2조 제2항에 따른 건축물의 층수 제한을 연립주택과 다세대주택에 대하여 건축위원회의 심의를 받은 경우에는 주택으로 쓰는 층수를 5층까지 건축할 수 있다.

(9) 용적률의 완화로 건설되는 주택의 공급 등

승인권자 등이 임대사업자의 사업계획승인 또는 건축허가신청 당시 30호 또는 30세대 이상의 공공지원민간임대주택을 건설하는 사업에 대하여 국토의 계획 및 이용에 관한 법률에 따라 해당 지방자치단체의 조례로 정한 용적률 또는 지구단위계획으로 정한 용적률(이하 '기준용적률'이라 한다)보다 완화된 법 제21조 제2호에 따른 용적률(이하 '완화용적률'이라 한다)을 적용하는 경우 승인권자 등은 시 · 도지사 및 임대사업자와 협의하여 임대사업자에게 다음의 어느 하나에 해당하는 조치를 명할 수 있다. 다만, 다른 법령에서 임대사업자에게 부여한 이행 부담이 있는 경우에는 본문에 따른 조치를 감면하여야 한다(법 제21조의2 제1항 · 제2항, 영 제17조의2 제1항).

① 임대사업자는 완화용적률에서 기준용적률을 뺀 용적률의 50퍼센트 이하의 범위에서 해당 지방자치단체의 조례로 정하는 비율을 곱하여 증가하는 면적에 해당하는 임대주택을 건설하여 공개추첨의 방법으로 시 · 도지사에게 공급하여야 한다. 이 경우 주택의 공급가격은 공공주택 특별법 제50조의3 제1항에 따른 공공건설임대주택의 분양전환가격 산정기준에서 정하는 건축비로 하고, 그 부속토지는 시 · 도지사에게 기부채납한 것으로 본다.
② 임대사업자는 완화용적률에서 기준용적률을 뺀 용적률의 50퍼센트 이하의 범위에서 해당 지방자치단체의 조례로 정하는 비율을 곱하여 증가하는 면적에 해당하는 주택의 부속토지에 해당하는 가격을 시 · 도지사에게 현금으로 납부하여야 한다.
③ 임대사업자는 완화용적률에서 기준용적률을 뺀 용적률의 100퍼센트 이하의 범위에서 해당 지방자치단체의 조례로 정하는 비율을 곱하여 증가하는 면적의 범위에서 주거지원대상자에게 공급하는 임대주택을 건설하거나 복합지원시설을 설치하여야 한다. 이 경우에 주택법 및 다른 법령에 따라 의무적으로 설치하여야 하는 시설의 면적은 해당 복합지원시설의 면적에 포함하지 아니한다.
④ 임대사업자는 완화용적률에서 기준용적률을 뺀 용적률의 50퍼센트 이하의 범위에서 해당 지방자치단체의 조례로 정하는 비율을 곱하여 증가하는 면적에 해당하는 임대주택을 건설하여 주거지원대상자에게 20년 이상 민간임대주택으로 공급하여야 한다.

마무리STEP 1 | OX 문제

01 국가 · 지방자치단체 · 한국토지주택공사 또는 지방공사는 그가 조성한 토지 중 3퍼센트 이상의 범위에서 대통령령으로 정하는 비율 이상을 임대사업자에게 우선공급하여야 한다. 다만, 해당 토지는 2개 단지 이상의 공동주택용지 공급계획이 포함된 경우로서 10만제곱미터 이상이어야 한다. ( )

02 임대사업자가 전용면적 85제곱미터 이하의 민간임대주택을 100호 이상의 범위에서 단독주택의 경우는 100호, 공동주택의 경우는 100세대 이상 건설하기 위하여 사업대상 토지면적의 50퍼센트 이상을 매입한 경우(토지소유자로부터 매입에 관한 동의를 받은 경우를 포함한다)로서 나머지 토지를 취득하지 아니하면 그 사업을 시행하기가 현저히 곤란해질 사유가 있는 경우에는 시 · 도지사에게 공익사업을 위한 토지 등의 취득 및 보상에 관한 법률 제4조 제5호에 따른 지정을 요청할 수 있다. ( )

03 주택법 제54조에 따른 사업주체가 주택을 공급하는 경우에는 그 주택을 공공지원민간임대주택으로 운영하려는 임대사업자에게 주택(분양가상한제 적용주택을 포함한다) 전부를 우선적으로 공급할 수 있다. ( )

01 × 국가 · 지방자치단체 · 한국토지주택공사 또는 지방공사는 그가 조성한 토지 중 1퍼센트 이상의 범위에서 대통령령으로 정하는 비율(3퍼센트) 이상을 임대사업자[소속 근로자에게 임대하기 위하여 민간임대주택을 건설하려는 고용자(법인에 한정한다)로서 임대사업자로 등록한 자를 포함한다]에게 우선공급하여야 한다. 다만, 해당 토지는 2개 단지 이상의 공동주택용지 공급계획이 포함된 경우로서 15만제곱미터 이상이어야 한다.

02 × 사업대상 토지면적의 80퍼센트 이상을 매입한 경우(토지소유자로부터 매입에 관한 동의를 받은 경우를 포함한다)이다.

03 × 공공지원민간임대주택 또는 장기일반민간임대주택으로 운영하려는 임대사업자에게 주택(분양가상한제 적용주택은 제외한다) 전부를 우선적으로 공급할 수 있다.

제 4 장 공공지원민간임대주택 공급촉진지구

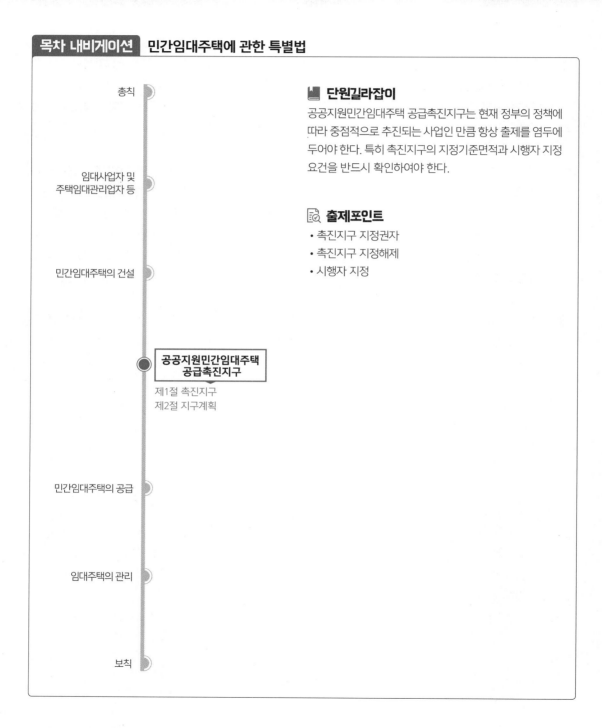

목차 내비게이션 민간임대주택에 관한 특별법

단원길라잡이

공공지원민간임대주택 공급촉진지구는 현재 정부의 정책에 따라 중점적으로 추진되는 사업인 만큼 항상 출제를 염두에 두어야 한다. 특히 촉진지구의 지정기준면적과 시행자 지정 요건을 반드시 확인하여야 한다.

출제포인트

- 촉진지구 지정권자
- 촉진지구 지정해제
- 시행자 지정

제1절 촉진지구

01 촉진지구의 지정

(1) 지정권자

① 시 · 도지사는 공공지원민간임대주택이 원활하게 공급될 수 있도록 공공지원민간임대주택 공급촉진지구(이하 '촉진지구'라 한다)를 지정할 수 있다. 이 경우 촉진지구는 다음의 요건을 모두 갖추어야 한다(법 제22조 제1항, 영 제18조 제1항).

> ㉠ 촉진지구에서 건설 · 공급되는 전체 주택 호수의 50퍼센트 이상이 공공지원민간임대주택으로 건설 · 공급될 것
>
> ㉡ 촉진지구의 면적은 5천제곱미터 이상의 범위에서 다음의 면적 이상일 것. 다만, 역세권 등에서 촉진지구를 지정하는 경우 1천제곱미터 이상의 범위에서 해당 지방자치단체가 조례로 정하는 면적 이상이어야 한다.
>
> ⓐ 도시지역의 경우: 5천제곱미터
>
> ⓑ 도시지역과 인접한 다음 지역의 경우: 2만제곱미터
>
> • 도시지역과 경계면이 접한 지역
>
> • 도시지역과 경계면이 도로, 하천 등으로 분리되어 있으나 도시지역의 도로, 상하수도, 학교 등 주변 기반시설의 연결 또는 활용이 적합한 지역
>
> ⓒ 부지에 도시지역과 ⓑ의 어느 하나에 해당하는 지역이 함께 포함된 경우: 2만제곱미터
>
> ⓓ 그 밖의 지역의 경우: 10만제곱미터
>
> ㉢ 유상공급 토지면적(도로, 공원 등 관리청에 귀속되는 공공시설면적을 제외한 면적을 말한다) 중 주택건설 용도가 아닌 토지로 공급하는 면적이 유상공급 토지면적의 50퍼센트를 초과하지 아니할 것

기출예제

민간임대주택에 관한 특별법 제22조(촉진지구의 지정) 제1항 규정의 일부이다. (   )에 들어갈 아라비아 숫자를 쓰시오. 제27회

> 시 · 도지사는 공공지원민간임대주택이 원활하게 공급될 수 있도록 공공지원민간임대주택 공급촉진지구(이하 '촉진지구'라 한다)를 지정할 수 있다. 이 경우 촉진지구는 다음 각 호의 요건을 모두 갖추어야 한다.
>
> 1. 촉진지구에서 건설 · 공급되는 전체 주택 호수의 (   )퍼센트 이상이 공공지원민간임대주택으로 건설 · 공급될 것
>
> 〈이하 생략〉

정답: 50

② 국토교통부장관은 ①에도 불구하고 국민의 주거안정을 위하여 공공지원민간임대주택을 건설 · 공급할 필요가 있는 다음의 경우에는 촉진지구를 지정할 수 있다(법 제22조 제3항, 영 제18조 제4항).

> ㉠ 둘 이상의 특별시 · 광역시 · 특별자치시 · 도에 걸쳐 촉진지구를 지정하는 경우(관계 시 · 도지사간 협의가 이루어지지 아니하여 관계 시 · 도지사가 국토교통부장관에게 촉진지구의 지정을 요청하는 경우를 포함한다)
> ㉡ 그 밖에 국민의 주거안정을 위하여 공공지원민간임대주택을 건설 · 공급할 필요가 있는 경우

③ 위 ① · ②에서 규정한 사항 외에 촉진지구 지정에 필요한 세부적인 사항은 국토교통부장관이 정한다(영 제18조 제5항).

(2) 지정절차

① 주민과 관계전문가의 의견청취

㉠ 지정권자는 촉진지구를 지정하려면 대통령령으로 정하는 바에 따라 주민 및 관계전문가 등의 의견을 들어야 한다. 시행자를 변경하는 경우이거나 촉진지구의 면적이 10퍼센트를 초과하여 증가하거나 감소하는 경우에도 또한 같다(법 제25조 제1항, 영 제20조의2).

㉡ 지정권자는 ㉠에 따른 의견청취와 환경영향평가법 제13조에 따른 전략환경영향평가를 위한 주민 등의 의견수렴을 동시에 할 수 있다(법 제25조 제2항).

② 협의

㉠ 지정권자가 촉진지구를 지정하는 경우에는 관계 중앙행정기관의 장 및 관할 지방자치단체의 장과 협의하여야 한다. 촉진지구를 변경하는 경우에도 또한 같다(법 제24조 제1항).

㉡ 지정권자가 ㉠에 따라 협의를 하는 경우 다음에서 정한 협의를 별도로 하여야 한다. 이 경우 협의기간은 30일 이내로 한다(법 제24조 제2항).

> ⓐ 환경영향평가법 제16조에 따른 전략환경영향평가 협의(자연환경보전법 제28조에 따른 자연경관영향 협의를 포함한다)
> ⓑ 자연재해대책법에 따른 따른 재해영향평가 등의 협의

③ 심의

㉠ 지정권자가 촉진지구를 지정하려면 중앙도시계획위원회 또는 같은 시 · 도 도시계획위원회의 심의를 거쳐야 한다. 다만, 대통령령으로 정하는 다음의 경미한 사항은 심의를 거치지 아니하여도 된다(법 제24조 제3항, 영 제19조).

> ⓐ 촉진지구 면적을 10퍼센트 범위에서 증감하는 경우
> ⓑ 측량결과에 따라 착오 또는 누락된 면적을 정정하는 경우

ⓛ 지정권자는 주거지역 안에서 10만제곱미터 이하의 범위에서 대통령령으로 정하는 면적 이하의 촉진지구를 지정 또는 변경하는 경우에는 중앙도시계획위원회 또는 시 · 도 도시계획위원회의 심의를 생략할 수 있다(법 제33조 제3항).

④ 지정 · 고시

㉠ 지정권자는 촉진지구를 지정한 경우 위치 · 면적, 시행자, 사업의 종류, 수용 또는 사용할 공익사업을 위한 토지 등의 취득 및 보상에 관한 법률 제3조에서 정하는 토지 · 물건 및 권리(이하 '토지 등'이라 한다)의 세목 등을 대통령령으로 정하는 바에 따라 관보 또는 공보에 고시하고, 관계 서류의 사본을 시장 · 군수 · 구청장에게 송부하여야 하며, 토지이용규제 기본법 제8조에 따라 지형도면을 고시하여야 한다. 촉진지구를 변경한 경우에도 또한 같다(법 제26조 제1항).

ⓛ 위 ㉠에 따라 관계 서류의 사본을 송부받은 시장 · 군수 · 구청장은 이를 일반인이 열람할 수 있도록 하여야 한다(법 제26조 제2항).

(3) 지정효과

① **행위허가:** 촉진지구의 지정에 관한 주민 등의 의견청취 공고 등이 있는 지역 및 촉진지구 내에서 대통령령으로 정하는 다음의 어느 하나에 해당하는 행위를 하려는 자는 시장 · 군수 · 구청장의 허가를 받아야 하며, 시장 · 군수 · 구청장은 다음의 행위에 대한 허가를 하려는 경우에 시행자가 있으면 미리 그 시행자의 의견을 들어야 한다(법 제26조 제3항, 영 제22조 제1항 · 제2항).

> ㉠ **건축물의 건축 등:** 건축법 제2조 제1항 제2호에 따른 건축물(가설건축물을 포함한다)의 건축, 대수선 또는 용도변경
> ⓛ **인공시설물의 설치:** 인공을 가하여 제작한 시설물(건축법 제2조 제1항 제2호에 따른 건축물은 제외한다)의 설치
> ⓒ **토지의 형질변경:** 절토, 성토, 정지, 포장 등의 방법으로 토지의 형상을 변경하는 행위, 토지의 굴착 또는 공유수면의 매립행위
> ⓔ **토석의 채취:** 흙, 모래, 자갈, 바위 등의 토석을 채취하는 행위(ⓒ에 따른 토지의 형질변경을 목적으로 하는 경우는 제외한다)
> ⓜ 토지의 분할 · 합병
> ⓑ **물건을 쌓아 놓는 행위:** 옮기기 쉽지 아니한 물건을 1개월 이상 쌓아놓는 행위
> ⓢ 죽목(竹木)을 베거나 심는 행위

② **행위허가의 예외:** 다음의 어느 하나에 해당하는 행위는 ①에도 불구하고 허가를 받지 아니하고 할 수 있다(법 제26조 제4항, 영 제22조 제3항).

> ㉠ 재해복구 또는 재난수습에 필요한 응급조치를 위하여 하는 행위
> ㉡ 경작을 위한 토지의 형질변경
> ㉢ 농림수산물의 생산에 직접 이용되는 것으로서 국토교통부령으로 정하는 간이공작물의 설치
> ㉣ 촉진지구의 개발에 지장을 주지 아니하고 자연경관을 해치지 아니하는 범위에서의 토석 채취
> ㉤ 촉진지구에 존치하기로 결정된 대지에 물건을 쌓아놓는 행위
> ㉥ 관상용 죽목을 임시로 심는 행위(경작지에 임시로 심는 경우는 제외한다)

③ **기득권의 보호:** 위 ①에 따라 허가를 받아야 하는 행위로서 의견청취 공고 당시 또는 촉진지구의 지정 및 고시 당시에 이미 관계 법령에 따라 행위허가를 받았거나 그 공사 또는 사업에 착수한 자는 촉진지구가 지정 · 고시된 날부터 30일 이내에 신고서에 그 공사 또는 사업의 진행상황과 시행계획을 적은 서류를 첨부하여 관할 시장 · 군수 · 구청장에게 제출 · 신고한 후 이를 계속 시행할 수 있다(법 제26조 제5항, 영 제22조 제4항).

④ **대집행 등:** 시장 · 군수 · 구청장은 ①을 위반한 자에 대하여 원상회복을 명할 수 있다. 이 경우 명령을 받은 자가 그 의무를 이행하지 아니하는 때에는 행정대집행법에 따라 대집행할 수 있다(법 제26조 제6항).

⑤ **도시지역 등 지정의제:** 촉진지구가 지정 · 고시된 경우 도시지역과 지구단위계획구역으로 결정되어 고시된 것으로 본다(법 제26조 제9항).

(4) 지정절차의 특례

① 촉진지구가 10만제곱미터 이하인 경우 시행자는 촉진지구 지정을 신청할 때 다음의 승인 또는 허가를 포함하여 신청할 수 있다. 이 경우 지정권자는 촉진지구 지정과 통합하여 승인 또는 허가를 하여야 한다(법 제33조 제1항, 영 제30조 제1항).

> ㉠ 법 제28조에 따른 지구계획승인
> ㉡ 주택법 제15조에 따른 사업계획승인
> ㉢ 건축법 제11조에 따른 건축허가

② 지정권자는 다음의 지역에서 ①에 따라 촉진지구 지정과 지구계획을 통합승인하기 위하여 통합심의위원회 심의를 거친 경우에는 중앙도시계획위원회 또는 시 · 도 도시계획위원회의 심의를 생략할 수 있다(법 제33조 제2항, 영 제30조 제2항).

㉠ 주거지역
㉡ 중심상업지역, 일반상업지역 또는 근린상업지역
㉢ 준공업지역

02 촉진지구 지정의 해제

(1) 해제사유

지정권자는 다음의 어느 하나에 해당하는 경우에는 촉진지구의 지정을 해제할 수 있다(법 제27조 제1항).

① 촉진지구가 지정고시된 날부터 2년 이내에 지구계획 승인을 신청하지 아니하는 경우
② 공공지원민간임대주택 개발사업이 완료된 경우

(2) 해제의 효과

촉진지구가 해제고시된 경우 국토의 계획 및 이용에 관한 법률에 따른 용도지역 · 용도지구 · 용도구역, 지구단위계획구역 및 도시 · 군계획시설은 각각 지정 당시로 환원된 것으로 본다. 다만, 해제하는 당시 이미 사업이나 공사에 착수한 경우 등 해제고시에서 별도로 정하는 도시 · 군계획시설은 그 사업이나 공사를 계속할 수 있다(법 제27조 제3항).

03 시행자

(1) 시행자의 지정

촉진지구를 지정할 수 있는 자(이하 '지정권자'라 한다)는 다음의 자 중에서 공공지원민간임대주택 개발사업의 시행자(이하 '시행자'라 한다)를 지정한다(법 제23조 제1항). 다만, ②에 해당하는 자는 촉진지구 조성사업과 공공임대주택 건설사업에 한정하여 시행할 수 있다. 지정권자는 촉진지구 조성사업의 시행자를 지정하는 경우 다음에 해당하는 자를 공동시행자로 지정할 수 있다(법 제23조 제3항).

① 촉진지구에서 국유지 · 공유지를 제외한 토지면적의 50퍼센트 이상에 해당하는 토지를 소유한 임대사업자
② 공공주택 특별법 제4조 제1항 각 호에 해당하는 자(공공주택사업자)

(2) 시행자의 시행범위

시행자가 할 수 있는 공공지원민간임대주택 개발사업의 범위는 다음과 같다. 다만, (1)의 ②에 해당하는 시행자(공공주택사업자)는 아래의 ②에 따른 주택건설사업 중 공공지원민간임대주택 건설사업을 시행할 수 없다(법 제23조 제2항).

① 촉진지구 조성사업
② 공공지원민간임대주택 건설사업 등 주택건설사업

(3) 촉진지구의 제안 및 우선시행자 지정

위 (1)의 ① · ②에 해당하는 자(시행자) 또는 촉진지구 안에서 국유지 · 공유지를 제외한 토지면적의 50퍼센트 이상에 해당하는 토지소유자의 동의를 받은 자는 지정권자에게 촉진지구의 지정을 제안할 수 있다. 이 경우 지정권자는 그 지정을 제안한 자가 위 (1)의 ①의 요건을 갖춘 경우에 우선적으로 시행자로 지정할 수 있다(법 제23조 제4항).

(4) 시행자의 변경

지정권자는 다음의 어느 하나에 해당하는 경우에는 시행자를 변경할 수 있다(법 제23조 제5항).

① 시행자가 출자한 부동산투자회사법 제2조 제1호에 따른 부동산투자회사로 시행자 변경을 요청하는 경우
② 시행자의 부도 · 파산, 그 밖에 이와 유사한 사유로 촉진지구 사업추진이 곤란하여 시행자를 공공기관 또는 지방공사로 변경하는 경우
③ 법 제40조 제1항에 따라 지구계획의 승인이 취소되어 시행자를 공공기관 또는 지방공사로 변경하는 경우

제2절 지구계획

01 지구계획의 승인 등

(1) 수립 및 승인

시행자는 대통령령으로 정하는 바에 따라 다음의 내용을 포함한 공공지원민간임대주택 공급촉진지구계획을 작성하여 지정권자의 승인을 받아야 한다. 승인받은 지구계획을 변경(대통령령으로 정하는 경미한 사항의 변경은 제외한다)하는 경우에도 또한 같다(법 제28조 제1항).

① 지구계획의 개요
② 사업시행자의 성명 또는 명칭(주소와 대표자의 성명을 포함한다)
③ 사업시행기간 및 재원조달계획
④ 토지이용계획 및 개략설계도서
⑤ 인구 · 주택 수용계획
⑥ 교통 · 공공 · 문화체육시설 등을 포함한 기반시설 설치계획
⑦ 환경보전 및 탄소저감 등 환경계획
⑧ 그 밖에 지구단위계획 등 대통령령(영 제24조 제1항)으로 정하는 사항

(2) 수립절차

① 지정권자가 (1)에 따라 지구계획을 승인하는 경우 시행자의 요청이 있으면 법 제32조에 따른 공공지원민간임대주택 통합심의위원회의 심의를 거쳐야 한다(법 제28조 제3항).

② 지정권자는 지구계획을 승인한 때에는 대통령령으로 정하는 바에 따라 관보 또는 공보에 고시하고, 관계 서류의 사본을 시장 · 군수 · 구청장에게 송부하여야 하며, 이를 송부받은 시장 · 군수 · 구청장은 이를 일반인이 열람할 수 있도록 하여야 한다(법 제28조 제6항).

③ 위 ②에 따라 관계 서류의 사본을 송부받은 시장 · 군수 · 구청장은 관계 서류에 도시 · 군관리계획 결정사항이 포함되어 있는 경우에는 국토의 계획 및 이용에 관한 법률 제32조 및 토지이용규제 기본법 제8조에 따라 지형도면 작성에 필요한 조치를 하여야 한다. 이 경우 시행자는 지형도면 고시에 필요한 서류를 시장 · 군수 · 구청장에게 제출하여야 한다(법 제28조 제7항).

(3) 비용부담

지정권자는 지구계획에 따른 기반시설 확보를 위하여 필요한 부지 또는 설치비용의 전부 또는 일부를 시행자에게 부담시킬 수 있다. 이 경우 기반시설의 부지 또는 설치비용의 부담은 건축제한의 완화에 따른 토지가치상승분(감정평가법인 등이 건축제한 완화 전 · 후에 대하여 각각 감정평가한 토지가액의 차이를 말한다)을 초과하지 아니하도록 한다(법 제28조 제2항).

02 기타 특례

(1) 개발제한구역에 관한 특례

① 개발제한구역의 지정 및 관리에 관한 특별조치법 제3조 제1항에 따라 해제할 필요가 있는 개발제한구역에 촉진지구 지정이 필요한 경우 법 제23조 제1항 제2호(공공주택사업자)에 해당하는 시행자는 개발제한구역의 해제를 위한 도시 · 군관리계획의 변경을

지정권자에게 제안할 수 있다. 이 경우 지정권자는 촉진지구 지정절차와 함께 개발제한구역 해제절차를 진행하거나 이를 관계 기관에 요청할 수 있다(법 제31조 제1항).

② 다음의 어느 하나에 해당하는 경우에는 개발제한구역에서 해제된 지역이 개발제한구역으로 환원된 것으로 본다(법 제31조 제2항).

> ㉠ 위 ①에 따른 개발제한구역 해제에 관한 도시 · 군관리계획이 결정 · 고시된 날부터 2년 이내에 법 제28조에 따른 지구계획이 수립 · 고시되지 아니한 경우
> ㉡ 촉진지구가 해제된 경우

③ 국토교통부장관은 ②에 따라 개발제한구역으로 환원된 사실을 대통령령으로 정하는 바에 따라 고시하고, 그 지역을 관할하는 시 · 도지사에게 통보하여야 한다(법 제31조 제3항).

(2) 공공지원민간임대주택 통합심의위원회

① **설치:** 지정권자는 도시계획 · 건축 · 환경 · 교통 · 재해 등 지구계획승인과 관련된 다음의 사항을 검토 및 심의하기 위하여 공공지원민간임대주택 통합심의위원회(이하 '통합심의위원회'라 한다)를 둔다(법 제32조 제1항).

> ㉠ 국토의 계획 및 이용에 관한 법률에 따른 도시 · 군관리계획 관련 사항
> ㉡ 대도시권 광역교통 관리에 관한 특별법에 따른 광역교통개선대책
> ㉢ 도시교통정비 촉진법에 따른 교통영향평가
> ㉣ 산지관리법에 따라 촉진지구에 속한 산지의 이용계획
> ㉤ 에너지이용 합리화법에 따른 에너지사용계획
> ㉥ 자연재해대책법에 따른 재해영향평가 등
> ㉦ 교육환경 보호에 관한 법률에 따른 교육환경에 대한 평가
> ㉧ 경관법에 따른 사전경관계획
> ㉨ 건축법에 따른 건축심의
> ㉩ 그 밖에 지정권자가 필요하다고 인정하여 통합심의위원회의 회의에 부치는 사항

② **구성:** 통합심의위원회는 위원장 1명, 부위원장 1명을 포함하여 24명 이내의 위원으로 구성한다(법 제32조 제2항).

③ **의결:** 통합심의위원회의 회의는 재적위원 과반수의 출석으로 개의하고, 출석위원 과반수의 찬성으로 의결한다(법 제32조 제4항).

④ 통합심의위원회는 지구계획의 승인과 관련된 사항, 시행자의 최종의견서, 관계 기관 의견서 등을 종합적으로 검토하여 심의하여야 한다. 이 경우 정당한 사유가 없으면 지정권자는 심의결과를 반영하여 지구계획을 승인하여야 한다(법 제32조 제7항).

(3) 토지 등의 수용

① 시행자는 촉진지구 토지면적의 3분의 2 이상에 해당하는 토지를 소유하고 토지소유자 총수의 2분의 1 이상에 해당하는 자의 동의를 받은 경우 나머지 토지 등을 수용 또는 사용할 수 있다. 다만, 법 제23조 제1항 제2호(공공주택사업자)의 시행자인 경우 본문의 요건을 적용하지 아니하고 수용 또는 사용할 수 있다(법 제34조 제1항).

② 촉진지구를 지정하여 고시한 때에는 공익사업을 위한 토지 등의 취득 및 보상에 관한 법률에 따른 사업인정 및 사업인정의 고시가 있는 것으로 보며, 재결신청은 ①에 따른 토지를 확보한 후에 할 수 있고, 지구계획에서 정하는 사업시행기간 종료일까지 하여야 한다(법 제34조 제2항 · 제3항).

(4) 촉진지구에서의 공공지원민간임대주택 건설에 관한 특례

① 지정권자는 촉진지구에서 공공지원민간임대주택 건설의 원활한 시행을 위하여 다음의 완화된 기준을 적용한다(법 제35조 제1항, 영 제31조 제2항).

> ㉠ 국토의 계획 및 이용에 관한 법률 제76조에 따른 용도지역에서의 건축물 용도, 종류 및 규모 제한에도 불구하고 공공지원민간임대주택 외의 건축물 중 위락시설, 일반숙박시설 등 대통령령으로 정하는 시설을 제외하고는 설치를 허용. 다만, 법 제33조 제3항에 따라 주거지역에 촉진지구를 지정하는 경우로서 용도지역별로 허용하는 범위를 초과하는 건축물을 설치하는 경우에는 통합심의위원회의 심의를 거쳐야 한다.
> ㉡ 국토의 계획 및 이용에 관한 법률 제77조에 따라 조례로 정한 건폐율에도 불구하고 같은 조 및 관계 법령에 따른 건폐율의 상한까지 완화
> ㉢ 국토의 계획 및 이용에 관한 법률 제78조에 따라 조례로 정한 용적률에도 불구하고 같은 조 및 관계 법령에 따른 용적률의 상한까지 완화
> ㉣ 건축법 제2조 제2항에 따른 건축물의 층수 제한을 연립주택과 다세대주택에 대하여 건축위원회의 심의를 받은 경우에는 주택으로 쓰는 층수를 5층까지 건축할 수 있다.

② 지정권자는 촉진지구에서 공공지원민간임대주택 건설의 원활한 시행을 위하여 다음에 따른 관계 규정에도 불구하고 대통령령으로 정하는 범위에서 완화된 기준을 적용한다(법 제35조 제2항, 영 제31조 제3항).

> ㉠ **대지의 조경**: 건축법 시행령 제27조 제3항 전단에도 불구하고 옥상조경면적의 전부를 조경면적으로 산정한다.
> ㉡ **건축물의 높이**: 지구단위계획으로 일단(一團)의 가로구역(街路區域)에 대하여 높이를 지정한 경우에는 건축법 제60조 제1항에 따른 가로구역별 높이를 지정 · 공고한 것으로 본다.

ⓒ 도시공원 또는 녹지

ⓐ **촉진지구의 면적이 10만제곱미터 미만인 경우:** 도시공원 또는 녹지 확보 의무를 면제한다.

ⓑ **촉진지구의 면적이 10만제곱미터 이상인 경우:** 호당 또는 세대당 3제곱미터 또는 촉진지구 면적의 5퍼센트 중 큰 면적 이상의 도시공원 또는 녹지를 확보하여야 한다.

ⓓ **주택건설기준:** 철도의 건설 및 철도시설 유지관리에 관한 법률, 철도산업발전기본법 및 도시철도법에 따라 건설 · 운영되는 철도역으로부터 1킬로미터 이내의 주변지역으로서 건축법 제4조에 따른 건축위원회의 심의를 받은 경우에는 주택건설기준 등에 관한 규정 제13조, 제31조 및 제50조를 적용하지 아니한다.

③ 국가 · 지방자치단체 · 한국토지주택공사 또는 지방공사가 조성한 토지에 공공지원민간임대주택을 건설하기 위하여 지구단위계획을 변경한 경우에는 촉진지구로 지정하지 아니한 경우에도 ① 및 ②를 적용한다(법 제35조 제3항).

(5) 국유재산법 등에 관한 특례

① 국가와 지방자치단체는 국유재산법, 공유재산 및 물품 관리법, 그 밖의 관계 법률에도 불구하고 시행자에게 수의계약의 방법으로 국유재산 또는 공유재산을 사용허가하거나 매각 · 대부할 수 있다. 이 경우 국가와 지방자치단체는 사용허가 및 대부의 기간을 50년 이내로 할 수 있다(법 제36조 제1항).

② 위 ①의 국유재산은 국토교통부장관이 관리하는 행정재산 중 본래의 기능을 유지하는 범위에서 사용하려는 철도, 유수지 및 주차장으로서 기획재정부장관과 협의를 거친 것에 한정한다(법 제36조 제2항).

③ 국가와 지방자치단체는 국유재산법, 공유재산 및 물품 관리법에도 불구하고 시행자에게 ①에 따라 사용허가나 대부를 받은 국유재산 또는 공유재산에 영구시설물을 축조하게 할 수 있다. 이 경우 해당 영구시설물의 소유권은 국가, 지방자치단체 또는 그 밖의 관계 기관과 시행자간에 별도의 합의가 없으면 그 국유재산 또는 공유재산을 반환할 때까지 시행자에게 귀속된다(법 제36조 제3항).

03 감독 등

(1) 조성토지의 공급

시행자는 촉진지구 조성사업으로 조성된 토지(시행자가 직접 사용하는 토지는 제외한다)를 지구계획에서 정한 바에 따라 다음과 같이 공급하여야 한다(법 제39조, 영 제32조).

① 시행자는 조성토지를 다음의 용지로 구분하여 공급한다.
  ㉠ 다음의 구분에 따른 주택건설용지
    ⓐ 공공지원민간임대주택 건설용지
    ⓑ 공공주택 건설용지
    ⓒ 분양주택 건설용지
  ㉡ 국토의 계획 및 이용에 관한 법률 제2조 제6호에 따른 기반시설용지
  ㉢ 판매 · 업무시설용지
  ㉣ 그 밖의 시설용지
② 시행자는 주택건설용지를 공급하는 경우에는 미리 가격을 정하고 추첨의 방법으로 공급하여야 한다. 다만, 민간임대주택 건설용지는 공급대상자의 자격을 제한하거나 공급조건을 붙여 공급할 수 있다.
③ 시행자는 사회복지시설용지, 의료시설용지 등 국토교통부장관이 정하는 특정시설용지를 공급하는 경우에는 공급대상자의 자격을 제한하여 공급할 수 있다.
④ 시행자는 판매 · 업무시설용지 등 영리를 목적으로 사용하는 용지를 공급하는 경우에는 경쟁입찰의 방법으로 공급하여야 한다.
⑤ 위 ②부터 ④까지의 규정에도 불구하고 시행자는 다음의 어느 하나에 해당하는 경우에는 수의계약의 방법으로 공급할 수 있다.
  ㉠ 공공임대주택 건설용지를 공공주택사업자에게 공급하는 경우
  ㉡ 도로, 공원, 공용의 청사 등 일반인에게 분양할 수 없는 공공시설용지 등을 국가, 지방자치단체, 그 밖에 법령에 따라 해당 시설을 설치할 수 있는 자에게 공급하는 경우
  ㉢ 공익사업을 위한 토지 등의 취득 및 보상에 관한 법률에 따른 협의에 응하여 촉진지구 내에 소유한 토지의 전부를 시행자에게 양도한 자에게 국토교통부령으로 정하는 기준에 따라 토지를 공급하는 경우
  ㉣ 토지의 규모 및 형상, 입지조건 등에 비추어 토지이용가치가 현저히 낮은 토지로서 인접 토지소유자 등에게 공급하는 것이 불가피하다고 시행자가 인정하는 경우
  ㉤ 법 제23조 제1항 제2호(공공주택사업자)에 해당하는 시행자가 바람직한 도시 발전을 위하여 특별설계(현상설계 등에 의해 창의적인 개발안을 받아들일 필요가 있거나 다양한 용도를 수용하기 위한 복합적 개발이 필요한 경우 등에 실시하는 설계를 말한다)를 통한 개발이 필요하여 국토교통부장관이 정하는 절차와 방법에 따라 선정된 자에게 토지를 공급하는 경우
  ㉥ 위 ②부터 ④까지의 규정에 따른 공급이 2회 이상 성립되지 아니한 경우
  ㉦ 그 밖에 관계 법령에 따라 수의계약으로 공급할 수 있는 경우

(2) 감독

① 지정권자는 시행자가 다음의 어느 하나에 해당하는 경우에는 이 장에 따른 허가 또는 승인을 취소하거나 공사의 중지 · 변경, 시설물 또는 물건의 개축 · 변경 또는 이전 등을 명할 수 있다(법 제40조 제1항).

> ㉠ 거짓이나 그 밖의 부정한 방법으로 이 장에 따른 허가 또는 승인을 받은 경우
> ㉡ 지구계획의 승인 또는 변경승인의 내용을 위반하여 사업을 시행한 경우
> ㉢ 사정의 변경으로 인하여 촉진지구 조성사업 또는 주택건설사업의 계속적인 시행이 불가능하게 된 경우
> ㉣ 준공검사를 받지 아니한 경우

② 위 ①에 따라 허가 또는 승인을 취소하는 경우에는 청문을 하여야 하며, 지정권자가 ①에 따른 처분 또는 명령을 한 때에는 대통령령으로 정하는 바에 따라 이를 고시하여야 한다(법 제40조 제2항 · 제3항).

(3) 관계 법률의 준용

촉진지구 지정, 사업의 시행, 공공시설의 귀속, 조성사업의 감리 및 준공검사 등에 관하여 이 법에서 정하지 아니한 사항은 도시개발법을 준용한다(법 제41조).

마무리STEP 1 | OX 문제

01 촉진지구에서 건설 · 공급되는 전체 주택 호수의 80퍼센트 이상이 공공지원민간임대주택으로 건설 · 공급되어야 하고, 촉진지구가 역세권 등에서 촉진지구를 지정하는 경우 2천제곱미터 이상의 범위에서 해당 지방자치단체가 조례로 정하는 면적 이상이어야 한다. ( )

02 지정권자는 주거지역 안에서 10만제곱미터 이하의 범위에서 대통령령으로 정하는 면적 이하의 촉진지구를 지정 또는 변경하는 경우에는 중앙도시계획위원회 또는 시 · 도 도시계획위원회의 심의를 생략할 수 있다. ( )

03 촉진지구가 지정 · 고시된 경우 주거지역과 지구단위계획구역으로 결정되어 고시된 것으로 본다. ( )

04 지정권자는 촉진지구가 지정고시된 날부터 1년 이내에 지구계획 승인을 신청하지 아니하는 경우에는 촉진지구의 지정을 해제할 수 있다. ( )

05 촉진지구 안에서 국유지 · 공유지를 포함한 토지면적의 50퍼센트 이상에 해당하는 토지소유자의 동의를 받은 자는 지정권자에게 촉진지구의 지정을 제안할 수 있다. ( )

---

01 × 전체 주택 호수의 50퍼센트 이상이 공공지원민간임대주택으로 건설 · 공급되어야 하고, 역세권 등에서 촉진지구를 지정하는 경우 1천제곱미터 이상의 범위에서 해당 지방자치단체가 조례로 정하는 면적 이상이어야 한다.

02 ○

03 × 촉진지구가 지정 · 고시된 경우 도시지역과 지구단위계획구역으로 결정되어 고시된 것으로 본다.

04 × 지정권자는 촉진지구가 지정고시된 날부터 2년 이내에 지구계획 승인을 신청하지 아니하는 경우에는 촉진지구의 지정을 해제할 수 있다.

05 × 국유지 · 공유지를 제외한 토지면적의 50퍼센트 이상에 해당하는 토지소유자의 동의를 받은 자여야 한다.

06 개발제한구역의 지정 및 관리에 관한 특별조치법 제3조 제1항에 따라 해제할 필요가 있는 개발제한구역에 촉진지구 지정이 필요한 경우 시행자는 개발제한구역의 해제를 위한 도시 · 군관리계획의 변경을 지정권자에게 제안할 수 있다. ( )

07 개발제한구역 해제에 관한 도시 · 군관리계획이 결정 · 고시된 날부터 2년 이내에 법 제28조에 따른 지구계획이 수립 · 고시되지 아니한 경우에는 개발제한구역에서 해제된 지역이 개발제한구역으로 환원된 것으로 본다. ( )

08 시행자는 촉진지구 토지면적의 3분의 2 이상에 해당하는 토지소유자의 동의와 토지소유자 총수의 2분의 1 이상에 해당하는 자의 동의를 받은 경우 나머지 토지 등을 수용 또는 사용할 수 있다. 다만, 공공주택사업자가 시행자인 경우 본문의 요건을 적용하지 아니하고 수용 또는 사용할 수 있다. ( )

06 ○

07 ○

08 × 시행자는 촉진지구 토지면적의 3분의 2 이상에 해당하는 토지를 소유하고 토지소유자 총수의 2분의 1 이상에 해당하는 자의 동의를 받은 경우 나머지 토지 등을 수용 또는 사용할 수 있다.

제 5 장 민간임대주택의 공급

목차 내비게이션 민간임대주택에 관한 특별법

단원길라잡이

민간임대주택의 공급조건 등에 대해 다루고 있는 본 장에서는 임대차계약과 임대조건의 신고 및 임대보증금에 대한 보증을 중점적으로 확인하여야 한다.

출제포인트

- 임대의무기간
- 임대주택의 양도
- 임대료의 결정
- 임대보증금의 보증
- 임대차계약의 내용 및 신고
- 임대차계약의 해지

제1절 민간임대주택의 임대조건

01 임차인의 선정

(1) 임대사업자는 임대기간 중 민간임대주택의 임차인 자격 및 선정방법 등에 대하여 다음에서 정하는 바에 따라 공급하여야 한다(법 제42조 제1항).

> ① 공공지원민간임대주택의 경우: 주거지원대상자 등의 주거안정을 위하여 국토교통부령으로 정하는 기준에 따라 공급
> ② 장기일반민간임대주택의 경우: 임대사업자가 정한 기준에 따라 공급

(2) 공공지원민간임대주택의 임차인은 국토교통부령으로 정하는 임차인의 자격을 갖추어야 하며, 거짓이나 그 밖의 부정한 방법으로 공공지원민간임대주택을 공급받아서는 아니 된다(법 제42조 제2항).

(3) 민간임대주택의 공급에 관한 사항에 대해서는 주택법 제20조, 제54조, 제57조부터 제63조까지, 제64조 및 제65조를 적용하지 아니한다. 다만, 임차인 자격 확인 등 임차인의 원활한 모집과 관리가 필요한 경우에 국토교통부령으로 정하는 바에 따라 일부 적용할 수 있다(법 제42조 제3항).

(4) 동일한 주택단지에서 30호 이상의 민간임대주택을 건설 또는 매입한 임대사업자가 최초로 민간임대주택을 공급하는 경우에는 임차인을 모집하려는 날의 10일 전까지 시장 · 군수 · 구청장에게 신고하여야 하며, 시장 · 군수 · 구청장은 공급신고를 받은 경우 그 내용을 검토하여 이 법에 적합하면 신고를 수리(7일 이내에 수리 여부를 결정)하여야 한다(법 제42조 제4항 · 제5항 · 제6항, 영 제33조의2).

(5) 시장 · 군수 · 구청장이 공급신고를 받은 날부터 7일 이내에 신고수리 여부 또는 민원처리 관련 법령에 따른 처리기간의 연장을 신고인에게 통지하지 아니하면 그 기간(민원처리 관련 법령에 따라 처리기간이 연장 또는 재연장된 경우에는 해당 처리기간을 말한다)이 끝난 날의 다음 날에 신고를 수리한 것으로 본다(법 제42조 제7항).

02 공공지원민간임대주택의 입주제한 등

(1) 공공지원민간임대주택의 중복 입주 등의 확인

국토교통부장관 및 지방자치단체의 장은 공공지원민간임대주택과 공공주택 특별법 제2조 제1호 가목에 따른 공공임대주택(이하 '공공임대주택'이라 한다)에 중복하여 입주 또는 계약하고 있는 임차인(임대차계약 당사자를 말한다)이 있는지를 확인할 수 있다(법 제42조의2 제1항).

(2) 공공지원민간임대주택 임차인정보 제공

임대사업자는 다음에 해당하는 공공지원민간임대주택 임차인에 관한 정보를 국토교통부장관이 지정 · 고시하는 기관(이하 '전산관리지정기관'이라 한다)에 통보하여야 한다(법 제42조의2 제2항).

① 임차인의 성명
② 임차인의 주민등록번호
③ 민간임대주택의 유형
④ 거주지 주소
⑤ 최초 입주일자

(3) 공공지원민간임대주택 임차인의 자격 확인

① **소득자료의 확인**: 임대사업자는 임차인(입주를 신청하는 자와 계약 중인 임차인을 포함한다) 자격 확인을 위하여 필요한 경우 임차인 및 배우자, 임차인 또는 배우자와 세대를 같이하는 세대원(이하 '임차인 등'이라 한다)으로부터 소득자료를 제출받아 확인할 수 있다(법 제42조의3).

② **임차인의 자격 확인 요청**: 임대사업자는 임차인 자격 확인을 위하여 필요한 경우 국토교통부장관에게 법 제42조의5부터 제42조의7까지의 규정에 따라 임차인의 자격을 확인하여 줄 것을 요청할 수 있다(법 제42조의4 제1항).

③ 국토교통부장관은 ②에 따라 임대사업자가 요청한 대로 임차인의 자격을 확인하여 주는 것이 임차인의 주거생활 안정 등을 위하여 필요하다고 인정하는 경우 임차인 등에게 금융정보, 보험정보, 신용정보 또는 자료를 제공받는 데 필요한 동의서면을 제출하도록 요청할 수 있다(법 제42조의4 제2항).

④ 국토교통부장관이 ③에 따라 동의서면의 제출을 요청하는 경우 임차인 등은 동의서면을 제출하여야 한다(법 제42조의4 제3항).

(4) 공공지원민간임대주택 임차인의 금융정보 등의 제공

국토교통부장관은 위 (3)의 ③에 따라 임차인의 자격을 확인하여 주는 것이 필요하다고 인정한 경우 금융실명거래 및 비밀보장에 관한 법률 제4조 제1항과 신용정보의 이용 및 보호에 관한 법률 제32조 제1항에도 불구하고 임차인 등이 제출한 동의서면을 전자적 형태로 바꾼 문서에 의하여 금융기관 등(금융실명거래 및 비밀보장에 관한 법률 제2조 제1호에 따른 금융회사 등, 신용정보의 이용 및 보호에 관한 법률 제25조에 따른 신용정보집중기관을 말한다. 이하 같다)의 장에게 금융정보 · 신용정보 또는 보험정보(이하 '금융정보 등'이라 한다)의 제공을 요청할 수 있다(법 제42조의5 제1항).

(5) 공공지원민간임대주택 임차인에 대한 자료 요청

① 국토교통부장관은 위 (3)의 ③에 따라 임차인의 자격을 확인하여 주는 것이 필요하다고 인정한 경우 임차인 등에 대한 다음의 자료를 관계 기관의 장에게 요청할 수 있다. 이 경우 자료의 제공을 요청받은 관계 기관의 장은 특별한 사유가 없으면 이에 따라야 한다(법 제42조의6 제1항).

> ㉠ 가족관계의 등록 등에 관한 법률 제9조 제1항에 따른 가족관계 등록사항 또는 주민등록법 제30조 제1항에 따른 주민등록 전산정보자료, 출입국관리법에 따른 외국인 등록 자료
> ㉡ 국세 및 지방세에 관한 자료
> ㉢ 국민연금 · 공무원연금 · 군인연금 · 사립학교교직원연금 · 별정우체국연금 · 장애인연금 · 건강보험 · 고용보험 · 산업재해보상보험 · 보훈급여 등 각종 연금 · 보험 · 급여에 관한 자료
> ㉣ 부동산등기법 제2조 제1호에 따른 등기부, 건축법 제38조에 따른 건축물대장, 자동차관리법 제5조에 따른 자동차등록원부 등 부동산 및 자동차에 관한 자료

② 위 ①에 따라 국토교통부장관 또는 법 제62조에 따라 업무를 위임 · 위탁받은 기관에 제공되는 자료에 대해서는 사용료, 수수료 등을 면제한다(법 제42조의6 제2항).

03 임대의무기간 및 양도 등

(1) 임대사업자는 다음의 시점부터 임대의무기간 동안 민간임대주택을 계속 임대하여야 하며, 그 기간이 지나지 아니하면 이를 양도할 수 없다(법 제43조 제1항, 영 제34조 제1항).

① 민간건설임대주택: 입주지정기간 개시일. 이 경우 입주지정기간을 정하지 아니한 경우에는 임대사업자 등록 이후 최초로 체결된 임대차계약서상의 실제 임대개시일을 말한다.
② 민간매입임대주택: 임대사업자 등록일. 다만, 임대사업자 등록 이후 임대가 개시되는 주택은 임대차계약서상의 실제 임대개시일로 한다.
③ 장기일반민간임대주택을 공공지원민간임대주택으로 변경신고한 경우: 변경신고의 수리일. 다만, 변경신고 이후 임대가 개시되는 주택은 임대차계약서상의 실제 임대개시일로 한다.

(2) 위 (1)에도 불구하고 임대사업자는 임대의무기간 동안에도 국토교통부령으로 정하는 바에 따라 시장 · 군수 · 구청장에게 신고한 후 민간임대주택을 다른 임대사업자에게 양도할 수 있다. 이 경우 양도받는 자는 양도하는 자의 임대사업자로서의 지위를 포괄적으로 승계하며, 이러한 뜻을 양수도계약서에 명시하여야 한다(법 제43조 제2항).

(3) 임대사업자가 임대의무기간이 지난 후 민간임대주택을 양도하려는 경우 국토교통부령으로 정하는 바에 따라 시장 · 군수 · 구청장에게 신고하여야 한다. 이 경우 양도받는 자가 임대사업자로 등록하는 경우에는 위 (2)의 후단을 적용한다(법 제43조 제3항).

(4) 위 (1)에도 불구하고 임대사업자는 다음의 사정으로 임대를 계속할 수 없는 경우에는 임대의무기간 중에도 대통령령으로 정하는 바에 따라 시장 · 군수 · 구청장에게 허가를 받아 임대사업자가 아닌 자에게 민간임대주택을 양도할 수 있다. 다만, 임대의무기간이 8년 이상인 민간임대주택을 300호 또는 300세대 이상 등록한 임대사업자에 대해서는 ③ · ④, ⑤ ㉡, ⑥ 및 ⑦의 경우로 한정한다(법 제43조 제4항, 영 제34조 제3항 · 제4항 · 제5항).

① 2년 연속 적자가 발생한 경우
② 2년 연속 부(負)의 영업현금흐름이 발생한 경우
③ 최근 12개월간 해당 임대사업자의 전체 민간임대주택 중 임대되지 아니한 주택이 20퍼센트 이상이고 같은 기간 동안 특정 민간임대주택이 계속하여 임대되지 아니한 경우
④ 관계 법령에 따라 재개발, 재건축 등으로 민간임대주택의 철거가 예정되어 있거나 민간임대주택이 철거된 경우
⑤ 임대사업자의 상속인이 다음의 어느 하나에 해당하는 경우
　㉠ 임대사업자로서의 지위승계를 거부하는 경우
　㉡ 법 제5조의6 또는 제5조의7에 해당되어 등록이 제한되는 경우
⑥ 민간임대주택 가격의 하락 등으로 임대보증금을 반환하지 못할 우려가 있는 경우로서 다음의 요건을 모두 갖춘 임대사업자가 민간임대주택을 2024년 4월 1일부터 12월 31일까지 한국토지주택공사 또는 지방공사에 양도하는 경우. 이 경우 임대사업자가 양도할 수 있는 민간임대주택은 1호 또는 1세대로 한정한다.
　㉠ 양도하려는 민간임대주택을 포함하여 3호 또는 3세대 이상 등록한 임대사업자일 것
　㉡ 양도하려는 민간임대주택의 전용면적이 60제곱미터 이하일 것

ⓒ 양도하려는 민간임대주택의 취득가액(임대사업자가 취득할 당시 취득세의 과세표준인 지방세법 제10조에 따른 취득 당시의 가액을 말한다)이 3억원(수도권정비계획법에 따른 수도권이 아닌 지역의 경우에는 2억원) 이하일 것

ⓔ 양도하려는 민간임대주택이 건축법 시행령 별표 1 제2호 가목에 따른 아파트(주택법에 따른 도시형 생활주택인 아파트는 제외한다)가 아닐 것

⑦ 전세사기피해자 지원 및 주거안정에 관한 특별법에 따른 전세사기피해주택에 해당하는 민간임대주택을 한국토지주택공사 또는 지방공사에 양도하는 경우

- 시장 · 군수 · 구청장은 ③ · ④ · ⑥ 또는 ⑦에 해당하여 (4)에 따른 양도허가를 하려는 경우에는 해당 사유가 발생한 주택에 한정하여 허가하여야 한다.
- 시장 · 군수 · 구청장은 법 제43조 제4항 제2호에 해당하여 같은 항에 따른 양도허가를 하려는 경우에는 주택의 총 양도가격이 필요한 운영비용 등의 추계액을 초과하지 아니하는 범위에서 허가하여야 한다.

(5) 임대사업자가 (2)에 따라 임대의무기간 동안 다른 임대사업자에게 민간임대주택을 양도하기 위하여 신고하거나 (3)에 따라 임대의무기간이 지난 후 공공지원민간임대주택을 양도하기 위하여 신고하는 경우 시장 · 군수 · 구청장은 그 내용을 검토하여 이 법에 적합하면 신고를 수리하여야 한다(법 제43조 제5항).

(6) 임대사업자는 (3)에 따라 신고된 장기일반민간임대주택과 (5)에 따라 신고가 수리된 공공지원민간임대주택을 양도할 수 있다(법 제43조 제6항).

04 임대료

(1) 임대사업자가 민간임대주택을 임대하는 경우에 최초임대료(임대보증금과 월임대료를 포함한다)는 다음의 임대료와 같다(법 제44조 제1항).

① **공공지원민간임대주택의 경우**: 주거지원대상자 등의 주거안정을 위하여 국토교통부령으로 정하는 기준에 따라 임대사업자가 정하는 임대료

② **장기일반민간임대주택의 경우**: 임대사업자가 정하는 임대료. 다만, 민간임대주택 등록 당시 존속 중인 임대차계약(이하 '종전임대차계약'이라 한다)이 있는 경우에는 그 종전임대차계약에 따른 임대료

(2) 임대사업자는 임대기간 동안 임대료의 증액을 청구하는 경우에는 임대료의 5퍼센트의 범위에서 주거비 물가지수, 인근 지역의 임대료 변동률, 임대주택 세대수 등을 고려하여 다음의 증액비율을 초과하여 청구해서는 아니 된다. 임차인은 증액비율을 초과하여 증액된 임대료를 지급한 경우 초과 지급한 임대료 상당 금액의 반환을 청구할 수 있다(법 제44조 제2항, 제44조의2, 영 제34조의2).

① **100세대 이상 민간임대주택단지**: 통계법에 따라 통계청장이 고시하는 지출목적별 소비자물가지수 항목 중 해당 임대주택이 소재한 특별시, 광역시, 특별자치시 · 도 또는 특별자치도의 주택임차료, 주거시설 유지 · 보수 및 기타 주거 관련 서비스지수를 가중평균한 값의 변동률. 다만, 임대료의 5퍼센트 범위에서 시 · 군 · 자치구의 조례로 해당 시 · 군 · 자치구에서 적용하는 비율을 정하고 있는 경우에는 그에 따른다.

② **위 ①을 제외한 민간임대주택**: 임대료의 5퍼센트

(3) 임대료 증액청구는 임대차계약 또는 약정한 임대료의 증액이 있은 후 1년 이내에는 하지 못한다(법 제44조 제3항).

(4) 임대사업자가 (2)에 따라 임대료의 증액을 청구하면서 임대사업자가 임대보증금을 월임대료로 전환하려는 경우에는 임차인의 동의를 받아야 하며, 전환되는 월임대료는 주택임대차보호법 제7조의2에 따른 범위를 초과할 수 없다. 월임대료를 임대보증금으로 전환하는 경우에도 또한 같다(법 제44조 제4항, 규칙 제18조).

(5) 임대사업자는 임대료를 현금 또는 여신전문금융업법 제2조에 따른 신용카드, 직불카드, 선불카드를 이용한 결제로 받을 수 있다(법 제44조 제5항).

05 임대보증금에 대한 보증

(1) 가입대상

임대사업자는 다음의 어느 하나에 해당하는 민간임대주택을 임대하는 경우 임대보증금에 대한 보증에 가입하여야 한다(법 제49조 제1항, 영 제38조 제1항).

① 민간건설임대주택
② 법 제18조 제6항에 따라 분양주택 전부를 우선공급받아 임대하는 민간매입임대주택
③ 동일 주택단지에서 100호 이상의 주택을 임대하는 민간매입임대주택(②에 해당하는 민간매입임대주택은 제외한다)
④ 위 ②와 ③ 외의 민간매입임대주택

(2) 가입범위

① **원칙**: 보증에 가입하는 경우 보증대상은 임대보증금 전액으로 한다. 다만, 임대사업자가 사용검사 전에 임차인을 모집하는 경우 임차인을 모집하는 날부터 사용검사를 받는 날까지의 보증대상액은 임대보증금 중 사용검사 이후 납부하는 임대보증금을 제외한 금액으로 한다(법 제49조 제2항).

② 예외: 다음에 모두 해당하는 경우에는 담보권이 설정된 금액과 임대보증금을 합한 금액에서 주택가격의 100분의 60에 해당하는 금액을 뺀 금액 이상으로 대통령령에서 정하는 금액을 보증대상으로 할 수 있다. 이 경우 주택가격의 산정방법은 대통령령으로 정한다(법 제49조 제3항, 영 제39조).

㉠ 근저당권이 세대별로 분리된 경우(근저당권이 주택단지에 설정된 경우에는 근저당권의 공동담보를 해제하고, 채권최고액을 감액하는 근저당권 변경등기의 방법으로 할 수 있다)
㉡ 임대사업자가 임대보증금보다 선순위인 제한물권(다만, ㉠에 따라 세대별로 분리된 근저당권은 제외한다), 압류 · 가압류 · 가처분 등을 해소한 경우
㉢ 전세권이 설정된 경우 또는 임차인이 대항요건과 확정일자를 갖춘 경우
㉣ 임차인이 대통령령으로 정하는 금액을 보증대상으로 하는 데 동의한 경우
㉤ 그 밖에 ㉠에서 ㉣까지에 준하는 경우로서 대통령령으로 정하는 경우

더 알아보기 **보증대상액(영 제39조 제1항)**

보증대상액은 1.의 금액에서 2.의 금액을 뺀 금액의 전액으로 한다.
1. 담보권설정금액과 임대보증금을 합한 금액
2. 해당 임대주택을 감정평가한 금액의 100분의 60의 금액

(3) 가입기간 및 절차

① 가입기간: 임대사업자는 위에 따른 보증에 다음의 시점 이전까지 가입하여야 하며, 임대사업자 등록이 말소되는 날(임대사업자 등록이 말소되는 날에 임대 중인 경우에는 임대차계약이 종료되는 날로 한다)까지 가입을 유지하여야 한다. 이 경우 임대사업자는 보증의 수수료를 1년 단위로 재산정하여 분할납부할 수 있다(법 제49조 제4항 · 제5항).

㉠ 위 (1)의 ① 및 ②에 해당하는 민간임대주택: 사용검사, 임시사용승인 또는 사용승인, 임시사용승인의 신청일. 다만, 신청일 이전에 임차인을 모집하는 경우에는 모집일로 한다.
㉡ 위 ㉠ 이외의 민간임대주택 중 등록일에 존속 중인 임대차계약이 있는 경우: 민간임대주택 등록 신청일
㉢ 위 ㉠ 이외의 민간임대주택 중 등록일에 존속 중인 임대차계약이 없는 경우: 민간임대주택 등록일 이후 최초 임대차계약 개시일

기출예제

민간임대주택에 관한 특별법령상 임대보증금에 대한 보증에 관한 설명으로 옳지 않은 것은?

제27회

① 임대사업자가 분양주택의 전부를 우선공급받아 임대하는 민간매입임대주택을 임대하는 경우 임대보증금에 대한 보증에 가입하여야 한다.
② 임대사업자는 임대보증금이 주택임대차보호법 제8조 제3항에 따른 금액 이하이고 임차인이 임대보증금에 대한 보증에 가입하지 아니하는 것에 동의한 경우에는 임대보증금에 대한 보증에 가입하지 아니할 수 있다.
③ 임대사업자는 임대사업자 등록이 말소되는 날에 임대 중인 경우에는 임대차계약이 종료되는 날까지 임대보증금에 대한 보증 가입을 유지하여야 한다.
④ 임대사업자는 보증의 수수료를 6개월 단위로 재산정하여 분할납부할 수 있다.
⑤ 임대사업자가 보증에 가입하는 경우 보증회사는 보증 가입 사실을 시장·군수·구청장에게 알리고, 관련 자료를 제출하여야 한다.

해설

임대사업자는 보증의 수수료를 1년 단위로 재산정하여 분할납부할 수 있다.

정답: ④

② **보증계약의 해지:** 임대사업자가 보증 가입 후 1년이 지났으나 재산정한 보증수수료를 보증회사에 납부하지 아니하는 경우에는 보증회사는 그 보증계약을 해지할 수 있다. 다만, 임차인이 보증수수료를 납부하는 경우에는 그러하지 아니하며, 임대사업자가 보증에 가입하거나 보증회사가 보증계약을 해지하는 경우 보증회사는 보증 가입 또는 보증계약 해지 사실을 시장 · 군수 · 구청장에게 알리고, 관련 자료를 제출하여야 한다. 이 경우 시장 · 군수 · 구청장은 보증회사로부터 제출받은 임대사업자의 보증 가입이나 보증계약 해지에 관한 자료 중 다음의 자료를 보증회사로부터 제출받은 날이 속하는 달의 다음 달 15일까지 국토교통부장관에게 제공해야 한다. 이 경우 임대주택정보체계에 자료를 입력하는 방식으로 제공할 수 있다(법 제49조 제5항 · 제6항, 영 제39조의2).

㉠ 임대사업자의 성명과 주소(법인인 경우에는 명칭과 본점 소재지)
㉡ 보증금액, 보증기간 및 보증 가입일 · 해지일
㉢ 그 밖에 국토교통부장관이 정하는 자료

④ **보증가입절차 등**

㉠ 임대사업자는 임대보증금에 대한 보증에 가입하였으면 지체 없이 해당 보증서 사본을 민간임대주택의 소재지를 관할하는 시장 · 군수 · 구청장에게 제출하여야 하고, 사본을 받은 시장 · 군수 · 구청장은 임대보증금에 대한 보증기간이 끝날 때까지 보증서 사본을 보관하여야 한다(영 제38조 제3항 · 제4항).

㉡ 임대사업자는 임대보증금에 대한 보증에 가입한 경우에는 임차인이 해당 민간임대주택에 입주한 후 지체 없이 보증서 및 보증약관 각각의 사본을 임차인에게 내주어야 하고, 가입 여부를 임차인이 잘 볼 수 있는 장소에 공고하여야 한다. 가입한 보증을 해지하거나 변경하는 경우에도 또한 같다(영 제38조 제5항 · 제6항).

(4) 보증수수료 납부방법 등

보증수수료의 납부방법, 보증수수료의 부담비율 등은 다음과 같다(영 제40조).

① 보증수수료의 75퍼센트는 임대사업자가 부담하고, 25퍼센트는 임차인이 부담할 것. 다만, 임대사업자가 사용검사 전에 임차인을 모집하는 경우 임차인을 모집하는 날부터 사용검사를 받는 날까지의 보증수수료는 임대사업자가 전액 부담한다.
② 보증수수료는 임대사업자가 납부할 것. 이 경우 임차인이 부담하는 보증수수료는 임대료에 포함하여 징수하되 임대료 납부고지서에 그 내용을 명시하여야 한다.
③ 법 제49조 제4항에 따라 보증수수료를 분할납부하는 경우에는 재산정한 보증수수료를 임대보증금 보증계약일부터 매 1년이 되는 날까지 납부할 것

제2절 임대차계약 및 신고

01 임대차계약

(1) 표준임대차계약서

임대사업자가 민간임대주택에 대한 임대차계약을 체결하려는 경우에는 국토교통부령으로 정하는 표준임대차계약서를 사용하여야 한다(법 제47조 제1항).

(2) 계약서의 내용

표준임대차계약서에는 다음의 사항이 포함되어야 한다(법 제47조 제2항).

① 임대료 및 법 제44조에 따른 임대료 증액 제한에 관한 사항
② 임대차 계약기간
③ 법 제49조에 따른 임대보증금의 보증에 관한 사항
④ 민간임대주택의 선순위 담보권, 국세 · 지방세의 체납사실 등 권리관계에 관한 사항
⑤ 임대사업자 및 임차인의 권리 · 의무에 관한 사항
⑥ 민간임대주택의 수선 · 유지 및 보수에 관한 사항
⑦ 임대의무기간 중 남아 있는 기간과 법 제45조에 따른 임대차계약의 해제 · 해지 등에 관한 사항
⑧ 그 밖에 국토교통부령으로 정하는 사항(민간임대주택 양도 가능 시기)

02 설명의무

민간임대주택에 대한 임대차계약을 체결하거나 월임대료를 임대보증금으로 전환하는 등 계약내용을 변경하는 경우에는 임대사업자는 표준임대차계약서를 임차인에게 내주고 다음의 사항을 임차인이 이해할 수 있도록 설명하여야 하며, 임차인은 서명 또는 기명날인의 방법으로 확인하여야 한다(법 제48조 제1항, 영 제37조 제1항).

> ① 보증대상액, 보증기간, 보증수수료 산정방법 및 금액, 분담비율, 납부방법
> ② 보증기간 중 임대차계약이 해제 · 해지되거나 임대보증금이 증감되는 경우의 보증수수료의 환급 또는 추가 납부에 관한 사항
> ③ 임대차 계약기간 중 보증기간이 만료되는 경우의 재가입에 관한 사항
> ④ 보증약관의 내용 중 국토교통부장관이 정하여 고시하는 중요사항에 관한 내용
> ⑤ 민간임대주택의 선순위 담보권, 국세 · 지방세의 체납사실 등 권리관계에 관한 사항. 이 경우 등기부등본 및 납세증명서를 제시하여야 한다.
> ⑥ 임대의무기간 중 남아 있는 기간과 임대차계약의 해제 · 해지 등에 관한 사항
> ⑦ 임대료 증액 제한에 관한 사항

03 임대차계약의 신고

(1) 신고

임대사업자는 민간임대주택의 임대차기간, 임대료 및 임차인(준주택에 한정한다) 등 다음에 관한 사항을 임대차계약을 체결한 날(종전임대차계약이 있는 경우 민간임대주택으로 등록한 날을 말한다) 또는 임대차계약을 변경한 날부터 3개월 이내에 시장 · 군수 · 구청장에게 신고 또는 변경신고를 하여야 한다(법 제46조 제1항, 영 제36조 제1항).

> ① 임대차기간
> ② 임대료
> ③ 민간임대주택의 소유권을 취득하기 위하여 대출받은 금액(민간매입임대주택으로 한정한다)
> ④ 임차인 현황(준주택으로 한정한다)

(2) 신고절차

① 신고하려는 임대사업자는 신고서에 표준임대차계약서를 첨부하여 해당 민간임대주택의 소재지를 관할하는 시장 · 군수 · 구청장 또는 임대사업자의 주소지를 관할하는 시장 · 군수 · 구청장에게 제출하여야 하며, 임대사업자의 주소지를 관할하는 시장 · 군수 · 구청장이 신고서를 받은 경우에는 즉시 민간임대주택의 소재지를 관할하는 시장 · 군수 · 구청장에게 이송하여야 한다(영 제36조 제2항 · 제3항).

② **신고증명서 발급:** ①에 따라 신고서를 받은 시장 · 군수 · 구청장(민간임대주택의 소재지를 관할하는 시장 · 군수 · 구청장을 말한다)은 신고내용을 확인한 후 신고를 받은 날부터 10일 이내에 국토교통부령으로 정하는 바에 따라 임대조건 신고대장에 신고사실을 적고 임대조건 신고증명서를 신고인에게 발급하여야 한다(영 제36조 제4항).

③ **공고:** 시장 · 군수 · 구청장은 임대사업자가 신고, 변경신고 또는 재신고한 임대조건을 매 분기 종료 후 다음 달 말일까지 해당 지방자치단체의 공보에 공고하여야 한다(영 제36조 제5항).

(3) 조정권고 등

① 100세대 이상의 공동주택을 임대하는 임대사업자가 임대차계약에 관한 사항을 변경하여 신고하는 경우에는 변경예정일 1개월 전까지 신고하여야 한다(법 제46조 제2항).

② 시장 · 군수 · 구청장은 신고된 임대료가 법 제44조 제2항에 따른 증액비율을 초과하여 증액되었거나 해당 지역의 경제적 사정 변동 등으로 조정될 필요가 있다고 인정하는 경우에는 임대료를 조정하도록 권고할 수 있으며, 이에 따른 조정권고를 받은 임대사업자는 권고사항을 통지받은 날부터 10일 이내에 재신고하여야 한다(법 제46조 제3항 · 제4항).

③ 시장 · 군수 · 구청장은 (1)에 따른 신고 또는 ②에 따른 재신고를 받거나 ①에 따른 신고를 받고 조정권고하지 아니한 경우 그 내용을 검토하여 이 법에 적합하면 신고를 수리하여야 한다(법 제46조 제5항).

04 임대차계약의 해제 · 해지

(1) 임대사업자의 계약해지 등

임대사업자는 임차인이 다음의 어느 하나에 해당하는 경우에는 임대의무기간 동안에도 임대차계약을 해제 또는 해지하거나 재계약을 거절할 수 있다(법 제45조 제1항, 영 제35조).

① 거짓이나 그 밖의 부정한 방법으로 민간임대주택을 임대받은 경우
② 임대사업자의 귀책사유 없이 영 제34조 제1항 각 호의 시점으로부터 3개월 이내에 입주하지 아니한 경우
③ 월 임대료를 3개월 이상 연속하여 연체한 경우
④ 민간임대주택 및 그 부대시설을 임대사업자의 동의를 받지 아니하고 개축 · 증축 또는 변경하거나 본래의 용도가 아닌 용도로 사용한 경우
⑤ 민간임대주택 및 그 부대시설을 고의로 파손 또는 멸실한 경우
⑥ 공공지원민간임대주택의 임차인이 다음의 어느 하나에 해당하게 된 경우
　㉠ 임차인의 자산 또는 소득이 법 제42조 제2항에 따른 자격요건을 초과하는 경우로서 국토교통부령으로 정하는 기준을 초과하는 경우

ⓛ 임대차계약 기간 중 다른 주택을 소유하게 된 경우. 다만, 다음의 어느 하나에 해당하는 경우는 제외한다.

ⓐ 상속 · 판결 또는 혼인 등 그 밖의 부득이한 사유로 다른 주택을 소유하게 된 경우로서 임대차계약이 해제 · 해지되거나 재계약이 거절될 수 있다는 내용을 통보받은 날부터 6개월 이내에 해당 주택을 처분하는 경우

ⓑ 혼인 등의 사유로 주택을 소유하게 된 세대구성원이 소유권을 취득한 날부터 14일 이내에 전출신고를 하여 세대가 분리된 경우

ⓒ 공공지원민간임대주택의 입주자를 선정하고 남은 공공지원민간임대주택에 대하여 선착순의 방법으로 입주자로 선정된 경우

⑦ 임차인이 공공지원민간임대주택 또는 공공임대주택에 중복하여 입주하거나 계약한 것으로 확인된 경우

⑧ 표준임대차계약서상의 의무를 위반한 경우

(2) 임차인의 계약해지 등

임차인은 시장 · 군수 · 구청장이 임대주택에 거주하기 곤란할 정도의 중대한 하자가 있다고 인정하는 경우 등 다음에 해당하는 경우에는 임대차계약을 해제하거나 해지할 수 있다(법 제45조 제2항, 영 제35조 제2항).

① 시장 · 군수 · 구청장이 민간임대주택에 거주하기 곤란할 정도의 중대한 하자가 있다고 인정하는 경우

② 임대사업자가 임차인의 의사에 반하여 민간임대주택의 부대시설 · 복리시설을 파손시킨 경우

③ 임대사업자의 귀책사유로 입주지정기간이 끝난 날부터 3개월 이내에 입주할 수 없는 경우

④ 임대사업자가 법 제47조에 따른 표준임대차계약서상의 의무를 위반한 경우

⑤ 임대보증금에 대한 보증에 가입해야 하는 임대사업자가 임대보증금에 대한 보증에 가입하지 않은 경우

05 준주택의 용도제한

민간임대주택으로 등록한 준주택은 주거용이 아닌 용도로 사용할 수 없고, 이를 위하여 시장 · 군수 · 구청장은 민간임대주택으로 등록한 준주택이 주거용으로 사용되고 있는지를 확인하기 위하여 필요한 경우 임대사업자 및 임차인에게 필요한 서류 등의 제출을 요구할 수 있으며, 소속 공무원으로 하여금 해당 준주택에 출입하여 조사하게 하거나 관계인에게 필요한 질문을 하게 할 수 있다. 이 경우 임대사업자 및 임차인은 정당한 사유가 없으면 이에 따라야 한다(법 제50조).

마무리STEP 1 | OX 문제

01 장기일반민간임대주택의 경우에 임차인의 자격 및 선정방법은 주거지원대상자 등의 주거안정을 위하여 국토교통부령으로 정하는 기준에 따라 공급하여야 한다. ( )

02 민간임대주택을 건설 또는 매입한 임대사업자가 최초로 민간임대주택을 공급하는 경우에는 임차인을 모집하려는 날의 10일 전까지 시장 · 군수 · 구청장에게 신고하여야 한다. ( )

03 임대사업자는 임대의무기간 동안에도 국토교통부령으로 정하는 바에 따라 시장 · 군수 · 구청장에게 신고한 후 민간임대주택을 다른 임대사업자에게 양도할 수 있다. 이 경우 양도받는 자는 양도하는 자의 임대사업자로서의 지위를 포괄적으로 승계하며, 이러한 뜻을 양수도계약서에 명시하여야 한다. ( )

04 장기일반민간임대주택의 경우에 최초임대료는 임대사업자가 정하는 임대료로 한다. ( )

05 민간건설임대주택의 임대사업자에 한하여 임대보증금에 대한 보증에 가입하여야 하며, 보증대상은 임대보증금 전액으로 한다. ( )

01 × 공공지원민간임대주택의 경우에는 주거지원대상자 등의 주거안정을 위하여 국토교통부령으로 정하는 기준에 따라 공급하고, 장기일반민간임대주택의 경우에는 임대사업자가 정한 기준에 따라 공급한다.

02 × 동일한 주택단지에서 30호 이상의 민간임대주택을 건설 또는 매입한 임대사업자가 최초로 민간임대주택을 공급하는 경우에는 임차인을 모집하려는 날의 10일 전까지 시장 · 군수 · 구청장에게 신고하여야 한다.

03 ○

04 ○

05 × 민간건설임대주택 사업자뿐 아니라 민간매입임대주택 사업자도 보증에 가입하여야 한다.

06 임대사업자는 민간임대주택의 임대차기간, 임대료 및 임차인(준주택에 한정한다) 등 대통령령으로 정하는 사항을 임대차계약을 체결한 날(종전임대차계약이 있는 경우 민간임대주택으로 등록한 날을 말한다) 또는 임대차계약을 변경한 날부터 15일 이내에 시장 · 군수 · 구청장에게 신고 또는 변경신고를 하여야 한다. ( )

07 공동주택을 임대하는 임대사업자가 임대차계약에 관한 사항을 변경하여 신고하는 경우에는 변경예정일 1개월 전까지 신고하여야 한다. ( )

06 × 임대차계약을 체결한 날(종전임대차계약이 있는 경우 민간임대주택으로 등록한 날을 말한다) 또는 임대차계약을 변경한 날부터 3개월 이내에 시장 · 군수 · 구청장에게 신고 또는 변경신고를 하여야 한다.

07 × 100세대 이상의 공동주택을 임대하는 임대사업자가 임대차계약에 관한 사항을 변경하여 신고하는 경우에는 변경예정일 1개월 전까지 신고하여야 한다.

house.Hackers.com

제 6 장 임대주택의 관리

목차 내비게이션 민간임대주택에 관한 특별법

단원길라잡이

이 단원은 임대주택의 관리에 대한 내용을 다루고 있는 부분으로, 매년 1문제가 출제되고 있다. 학습분량이 적은 만큼 전체 내용을 잘 정리해 놓아야 한다.

출제포인트

- 관리대상 임대주택
- 공동관리
- 특별수선충당금의 적립대상
- 특별수선충당금의 관리
- 임차인대표회의의 구성

제1절 민간임대주택의 관리방법

01 관리대상 임대주택

임대사업자는 민간임대주택이 단지별로 다음의 어느 하나에 해당하는 규모 이상에 해당하면 주택법 제53조에 따른 주택관리업자에게 관리를 위탁하거나 자체관리하여야 한다(법 제51조 제2항, 영 제41조 제3항).

① 300세대 이상의 공동주택
② 150세대 이상의 승강기가 설치된 공동주택
③ 150세대 이상의 공동주택으로서 중앙집중식 난방방식 또는 지역난방방식인 공동주택

02 임대주택의 관리방법

(1) 자체관리

임대사업자가 민간임대주택을 자체관리하려면 대통령령으로 정하는 기술인력 및 장비(공동주택관리법 시행령 [별표 1]의 기준에 따른 기술인력 및 장비를 말한다)를 갖추고 국토교통부령으로 정하는 바에 따라 시장 · 군수 · 구청장의 인가를 받아야 한다(법 제51조 제3항, 영 제41조 제4항).

(2) 공동관리

① 임대사업자(둘 이상의 임대사업자를 포함한다)가 동일한 시(특별시 · 광역시 · 특별자치시 · 특별자치도를 포함한다) · 군지역에서 민간임대주택을 관리하는 경우에는 단지별로 임차인대표회의 또는 임차인 과반수(임차인대표회의를 구성하지 않은 경우만 해당한다)의 서면동의를 받은 경우로서 둘 이상의 민간임대주택단지가 서로 인접하고 있어 공동으로 관리하는 것이 합리적이라고 특별시장 · 광역시장 · 특별자치시장 · 특별자치도지사, 시장 또는 군수가 인정하는 경우에는 공동으로 관리할 수 있다(법 제51조 제4항, 영 제41조 제5항).

② 공동관리하는 둘 이상의 민간임대주택단지에 기술인력 및 장비기준을 적용할 때에는 둘 이상의 민간임대주택단지를 하나의 민간임대주택단지로 본다. 다만, 특별시장 · 광역시장 · 특별자치시장 · 특별자치도지사, 시장 또는 군수가 민간임대주택단지간의 거리 및 안전성 등을 고려하여 민간임대주택단지마다 갖출 것을 요구하는 경우에는 그렇지 않다(법 제51조 제4항, 영 제41조 제6항).

(3) 선수관리비

① **부담**: 임대사업자는 민간임대주택을 관리하는 데 필요한 경비를 임차인이 최초로 납부하기 전까지 해당 민간임대주택의 유지관리 및 운영에 필요한 경비(이하 '선수관리비'라 한다)를 대통령령으로 정하는 바에 따라 부담할 수 있다(법 제51조 제6항).

② **시기**: 임대사업자는 ①에 따라 민간임대주택을 관리하는 데 필요한 경비를 임차인이 최초로 납부하기 전까지 선수관리비를 부담하는 경우에는 해당 임차인의 입주가능일 전까지 공동주택관리법에 따른 관리주체에게 선수관리비를 지급해야 한다(영 제41조 제7항).

③ **반환**: 관리주체는 해당 임차인의 임대기간이 종료되는 경우 ②에 따라 지급받은 선수관리비를 임대사업자에게 반환해야 한다. 다만, 다른 임차인이 해당 주택에 입주할 예정인 경우 등 임대사업자와 관리주체가 협의하여 정하는 경우에는 선수관리비를 반환하지 않을 수 있다(영 제41조 제8항).

④ **결정**: ②에 따라 관리주체에게 지급하는 선수관리비의 금액은 해당 민간임대주택의 유형 및 세대수 등을 고려하여 임대사업자와 관리주체가 협의하여 정한다(영 제41조 제9항).

(4) 관리비 등의 징수

① 임대사업자는 국토교통부령으로 정하는 바에 따라 임차인으로부터 민간임대주택을 관리하는 데에 필요한 경비를 받을 수 있다(법 제51조 제5항).

② **관리비**: 임대사업자가 임차인으로부터 받을 수 있는 관리에 필요한 경비(이하 '관리비'라 한다)는 다음의 항목에 대한 월별 비용의 합계액으로 하며, 각 항목에 따른 비용의 세대별 부담액 산정방법은 사용자 부담과 공평한 부담의 원칙에 따라야 하며, 임대사업자는 각 관리비 외에 어떠한 명목으로도 관리비를 징수할 수 없다(규칙 제22조 제1항 · 제2항 · 제3항).

> ㉠ 일반관리비
> ㉡ 청소비
> ㉢ 경비비
> ㉣ 소독비
> ㉤ 승강기 유지비
> ㉥ 난방비
> ㉦ 급탕비
> ㉧ 수선유지비
> ㉨ 지능형 홈네트워크 설비가 설치된 민간임대주택의 경우에는 지능형 홈네트워크 설비 유지비

③ **사용료:** 임대사업자는 임차인이 내야 하는 다음의 사용료 등을 임차인을 대행하여 그 사용료 등을 받을 자에게 낼 수 있고, 인양기 등의 사용료를 해당 시설의 사용자에게 따로 부과할 수 있다(규칙 제22조 제4항 · 제5항).

> ㉠ 전기료(공동으로 사용하는 시설의 전기료를 포함한다)
> ㉡ 수도료(공동으로 사용하는 수도료를 포함한다)
> ㉢ 가스사용료
> ㉣ 지역난방방식인 공동주택의 난방비와 급탕비
> ㉤ 정화조오물 수수료
> ㉥ 생활폐기물 수수료
> ㉦ 임차인대표회의(법 제52조에 따른 임차인대표회의를 말한다. 이하 같다) 운영비

④ **보관:** 임대사업자는 위에 따라 산정 · 징수한 관리비와 사용료 등의 징수 및 그 사용명세에 관한 장부를 따로 작성하고 증명자료와 함께 보관하여 임차인 또는 임차인대표회의가 열람할 수 있게 해야 한다(규칙 제22조 제6항).

⑤ **회계감사:** 위에 따라 산정 · 징수한 관리비와 사용료 등의 징수 및 그 사용명세에 대하여 임대사업자와 임차인간의 다툼이 있을 때에는 임차인(임차인 과반수 이상의 결의가 있는 경우만 해당한다) 또는 임차인대표회의는 임대사업자로 하여금 공인회계사법에 따라 등록한 공인회계사 또는 설립된 회계법인(이하 '공인회계사 등'이라 한다)으로부터 회계감사를 받고 그 감사결과와 감사보고서를 열람할 수 있도록 갖춰 둘 것을 요구할 수 있다. 이 경우 임차인 또는 임차인대표회의는 시장 · 군수 · 구청장에게 공인회계사 등의 선정을 의뢰할 수 있고, 회계감사 비용은 임차인 또는 임차인대표회의가 부담한다(규칙 제22조 제7항 · 제8항 · 제9항).

(5) 가정어린이집 운영에 관한 특례

① **운영:** 민간임대주택의 임대사업자는 보육수요 충족을 위하여 필요한 경우 해당 민간임대주택의 일부 세대를 영유아보육법 제10조 제5호에 따른 가정어린이집을 운영하려는 자에게 임대할 수 있다(법 제50조의2 제1항).

② **선정:** 임대사업자가 가정어린이집을 설치 · 운영하려는 자에게 임대하는 경우 법 제42조에도 불구하고 임대차계약 체결 후 임대사업자가 정한 기간 이내에 영유아보육법에 따른 인가를 받았음을 증명하는 자료를 제출한 자 중에서 임대사업자가 정하는 임차인 선정순위에 따라 가정어린이집으로 임대할 세대의 임차인을 선정한다(규칙 제20조의3 제1항).

③ **임대료:** 가정어린이집의 최초임대료는 법 제44조 제1항에도 불구하고 민간임대주택의 규모, 주변지역의 임대료 등을 고려하여 임대사업자가 정한다(규칙 제20조의3 제2항).

03 장기수선계획의 수립

관리대상 민간임대주택의 임대사업자는 해당 민간임대주택의 공용부분, 부대시설 및 복리시설(분양된 시설은 제외한다)에 대한 장기수선계획을 수립하여 사용검사신청시 함께 제출하여야 하며, 임대기간 중 해당 민간임대주택단지에 있는 관리사무소에 장기수선계획을 갖춰 놓아야 한다(영 제43조 제1항).

04 특별수선충당금

(1) 적립

장기수선계획을 수립하여야 하는 민간임대주택의 임대사업자는 특별수선충당금을 사용검사일 또는 임시사용승인일부터 1년이 지난 날이 속하는 달부터 사업계획승인 당시 표준건축비의 1만분의 1의 요율로 매달 적립하여야 한다(법 제53조 제1항, 영 제43조 제3항).

(2) 인계

임대사업자가 민간임대주택을 양도하는 경우에는 특별수선충당금을 최초로 구성되는 입주자대표회의에 넘겨주어야 한다(법 제53조 제2항).

(3) 관리 등

① **예치**: 특별수선충당금은 임대사업자와 해당 민간임대주택의 소재지를 관할하는 시장 · 군수 · 구청장의 공동명의로 금융회사 등에 예치하여 따로 관리하여야 한다(법 제53조 제3항, 영 제43조 제4항).

② **사용 등**: 임대사업자는 특별수선충당금을 사용하려면 미리 해당 민간임대주택의 소재지를 관할하는 시장 · 군수 · 구청장과 협의하여야 한다(영 제43조 제5항).

③ **보고**: 시장 · 군수 · 구청장은 국토교통부령으로 정하는 방법에 따라 임대사업자의 특별수선충당금 적립 여부, 적립금액 등을 관할 시 · 도지사에게 보고하여야 하며, 시 · 도지사는 시장 · 군수 · 구청장의 보고를 종합하여 국토교통부장관에게 보고하여야 한다(영 제43조 제6항).

④ **기타**: 위에서 규정한 사항 외에 특별수선충당금의 사용방법, 세부 사용절차, 그 밖에 필요한 사항은 장기수선계획으로 정한다(영 제43조 제7항).

05 준주택의 관리특례

민간임대주택으로 등록한 준주택에 대하여는 법 제51조부터 제53조(관리, 임차인대표회의, 특별수선충당금)까지의 규정을 적용하지 아니한다(법 제54조).

제2절 임차인대표회의

01 임차인대표회의의 구성

(1) 대상

임대사업자가 20세대 이상의 민간임대주택을 공급하는 공동주택단지에 입주하는 임차인은 임차인대표회의를 구성할 수 있다. 다만, 임대사업자가 150세대 이상의 민간임대주택을 공급하는 공동주택단지 중 다음의 공동주택단지에 입주하는 임차인은 임차인대표회의를 구성하여야 하며, 이 경우 임차인이 임차인대표회의를 구성하지 아니한 경우 임대사업자는 임차인이 임차인대표회의를 구성할 수 있도록 대통령령으로 정하는 바에 따라 지원하여야 한다(법 제52조 제1항 · 제3항, 영 제42조 제1항).

> ① 300세대 이상의 공동주택
> ② 150세대 이상의 승강기가 설치된 공동주택
> ③ 150세대 이상의 중앙집중식 난방방식 또는 지역난방방식인 공동주택

(2) 구성사실의 통지

임대사업자는 입주예정자의 과반수가 입주한 때에는 과반수가 입주한 날부터 30일 이내에 입주현황과 임차인대표회의를 구성할 수 있다는 사실 또는 구성하여야 한다는 사실과 임차인대표회의와의 협의사항 및 임차인대표회의의 구성 · 운영에 관한 사항을 반기 1회 이상 입주한 임차인에게 통지해야 한다. 다만, 임대사업자가 본문에 따른 통지를 하지 아니하는 경우 시장 · 군수 · 구청장이 임차인대표회의를 구성하도록 임차인에게 통지할 수 있다(법 제52조 제2항, 영 제42조 제3항).

(3) 구성

① 임차인대표회의는 민간임대주택의 동별 세대수에 비례하여 선출한 대표자(이하 '동별 대표자'라 한다)로 구성한다(영 제42조 제6항).

② 동별 대표자가 될 수 있는 사람은 해당 민간임대주택단지에서 6개월 이상 계속 거주하고 있는 임차인으로 한다. 다만, 최초로 임차인대표회의를 구성하는 경우에는 그러하지 아니하다(영 제42조 제7항).

③ 임차인대표회의는 회장 1명, 부회장 1명 및 감사 1명을 동별 대표자 중에서 선출하여야 한다(영 제42조 제8항).

기출예제

민간임대주택에 관한 특별법령상 임차인대표회의 및 특별수선충당금에 관한 설명으로 옳지 않은 것은?

제26회

① 최초로 임차인대표회의를 구성하는 경우가 아닌 한, 동별 대표자가 될 수 있는 사람은 해당 민간임대주택단지에서 1년 이상 계속 거주하고 있는 임차인으로 한다.
② 임차인대표회의는 회장 1명, 부회장 1명 및 감사 1명을 동별 대표자 중에서 선출하여야 한다.
③ 임차인대표회의를 소집하려는 경우에는 소집일 5일 전까지 회의의 목적 · 일시 및 장소 등을 임차인에게 알리거나 공고하여야 한다.
④ 임대사업자는 특별수선충당금을 사용하려면 미리 해당 민간임대주택의 소재지를 관할하는 시장 · 군수 · 구청장과 협의하여야 한다.
⑤ 특별수선충당금은 임대사업자와 해당 민간임대주택의 소재지를 관할하는 시장 · 군수 · 구청장의 공동명의로 금융회사 등에 예치하여 따로 관리하여야 한다.

해설

임차인대표회의

최초의 구성을 제외하고 해당 단지에서 6개월 이상 계속 거주하고 있는 임차인 중 선출된 동별 대표자로 구성하며, 회장 1명, 부회장 1명, 감사 1명을 선출하여야 한다.

정답: ①

02 임차인대표회의의 회의 및 업무

(1) 임대사업자와의 협의

임차인대표회의가 구성된 경우에는 임대사업자는 다음의 사항에 관하여 협의하여야 하며, 임대사업자는 임차인대표회의가 협의를 요청하면 성실히 응하여야 한다(법 제52조 제4항, 영 제42조 제4항 · 제5항).

① 민간임대주택 관리규약의 제정 및 개정
② 관리비
③ 민간임대주택의 공용부분 · 부대시설 및 복리시설의 유지 · 보수
④ 임대료 증감
⑤ **그 밖에 임대주택의 관리에 관한 사항으로서 다음의 사항**
  ㉠ 하자보수
  ㉡ 공동주택의 관리에 관하여 임대사업자와 임차인대표회의가 합의한 사항
  ㉢ **임차인 외의 자에게 민간임대주택 주차장을 개방하는 경우 다음의 사항**
    ⓐ 개방할 수 있는 주차대수 및 위치
    ⓑ 주차장의 개방시간
    ⓒ 주차료 징수 및 사용에 관한 사항
    ⓓ 그 밖에 주차장의 적정한 개방을 위해 필요한 사항

(2) 회의

① 임차인대표회의를 소집하려는 경우에는 소집일 5일 전까지 회의의 목적 · 일시 및 장소 등을 임차인에게 알리거나 공고하여야 한다(영 제42조 제9항).

② 임차인대표회의는 그 회의에서 의결한 사항, 임대사업자와의 협의결과 등 주요 업무의 추진상황을 지체 없이 임차인에게 알리거나 공고하여야 한다(영 제42조 제10항).

③ 임차인대표회의는 회의를 개최하였을 때에는 회의록을 작성하여 보관하고, 임차인이 회의록의 열람을 청구하거나 자기의 비용으로 복사를 요구할 경우에는 그에 따라야 한다(영 제42조 제11항).

(3) 민간임대주택 주차장의 외부개방

임대사업자는 임차인대표회의와 협의하여 결정한 사항에 대해 전체 임차인 과반수의 서면동의를 받은 경우 지방자치단체와 협약을 체결하여 주차장을 개방할 수 있다. 이 경우 개방하는 민간임대주택 주차장의 운영 · 관리자는 지방자치단체, 지방공기업법 제76조에 따라 설립된 지방공단 또는 지방자치단체의 장이 지정하는 자 중에서 지방자치단체와의 협약에 따라 정한다(영 제42조의2).

제3절 임대주택분쟁조정위원회

(1) 구성

시장 · 군수 · 구청장은 임대주택(민간임대주택 및 공공임대주택을 말한다. 이하 같다)에 관한 학식 및 경험이 풍부한 자 등으로 임대주택분쟁조정위원회(이하 '조정위원회'라 한다)를 구성한다(법 제55조 제1항).

(2) 위원

조정위원회는 위원장 1명을 포함하여 10명 이내로 구성하며, 그 위원장은 해당 지방자치단체의 장이 된다. 위원장을 제외한 위원은 다음의 어느 하나에 해당하는 사람 중에서 해당 시장 · 군수 · 구청장이 성별을 고려하여 임명하거나 위촉한다. 이 경우 공무원이 아닌 위원이 6명 이상이 되어야 한다(법 제55조 제2항 · 제3항, 영 제44조 제1항). 조정위원회의 부위원장은 위원 중에서 호선하며, 공무원이 아닌 위원의 임기는 2년으로 하되, 두 차례만 연임할 수 있다(영 제44조 제2항 · 제3항).

① 법학, 경제학이나 부동산학 등 주택분야와 관련된 학문을 전공한 사람으로서 고등교육법 제2조 제1호 · 제2호 또는 제5호에 따른 학교에서 조교수 이상으로 1년 이상 재직한 사람 1명 이상
② 변호사, 회계사, 감정평가사 또는 세무사로서 1년 이상 근무한 사람 1명 이상
③ 공동주택관리법 제67조 제2항에 따른 주택관리사가 된 후 관련 업무에 3년 이상 근무한 사람 1명 이상
④ 국가 또는 다른 지방자치단체에서 민간임대주택 또는 공공임대주택 사업의 인 · 허가 등 관련 업무를 수행하는 5급 이상 공무원으로서 해당 기관의 장이 추천한 사람 또는 해당 지방자치단체에서 민간임대주택 또는 공공임대주택 사업의 인 · 허가 등 관련 업무를 수행하는 5급 이상 공무원 1명 이상
⑤ 한국토지주택공사 또는 지방공사에서 민간임대주택 또는 공공임대주택 사업 관련 업무에 종사하고 있는 임직원으로서 해당 기관의 장이 추천한 사람 1명 이상

(3) 임대사업자와 임차인대표회의에 의한 조정신청

임대사업자와 임차인대표회의는 다음의 어느 하나에 해당하는 분쟁에 관하여 조정위원회에 조정을 신청할 수 있다(법 제56조 제1항, 영 제46조).

① 법 제44조에 따른 임대료의 증액
② 법 제51조에 따른 주택관리
③ 법 제52조 제4항 각 호의 사항(임대사업자와 임차인대표회의의 협의사항)
④ 다음의 어느 하나에 해당하는 임대사업자의 민간임대주택에 대한 분양전환, 주택관리, 주택도시기금 융자금의 변제 및 임대보증금 반환 등에 관한 사항
㉠ 발행한 어음 및 수표를 기한까지 결제하지 못하여 어음교환소로부터 거래정지처분을 받은 임대사업자
㉡ 주택도시기금법에 따른 주택도시기금 융자금에 대한 이자를 6개월을 초과하여 내지 아니한 임대사업자
㉢ 법 제49조 제1항에 따라 임대보증금에 대한 보증에 가입하여야 하는 임대사업자로서 임대보증금에 대한 보증의 가입 또는 재가입이 거절된 이후 6개월이 지난 자
㉣ 모회사(상법 제342조의2에 따른 모회사를 말한다)가 ㉠의 처분을 받은 경우로서 자기자본 전부가 잠식된 임대사업자

(4) 공공주택사업자와 임차인대표회의에 의한 조정신청

공공주택사업자와 임차인대표회의는 다음의 어느 하나에 해당하는 분쟁에 관하여 조정위원회에 조정을 신청할 수 있다(법 제56조 제2항).

① 위 (3)의 각 사항
② 공공임대주택의 분양전환가격. 다만, 분양전환승인에 관한 사항은 제외한다.

(5) 조정의 효력

임대사업자와 임차인대표회의가 조정위원회의 조정안을 받아들이면 당사자간에 조정조서와 같은 내용의 합의가 성립된 것으로 본다(법 제57조).

마무리STEP 1 | OX 문제

01 임대사업자가 민간임대주택을 자체관리하려면 대통령령으로 정하는 기술인력 및 장비를 갖추고 국토교통부령으로 정하는 바에 따라 시장 · 군수 · 구청장에게 신고하여야 한다. ( )

02 임대사업자가 동일한 시 · 군지역에서 민간임대주택을 관리하는 경우에는 단지별로 임차인대표회의 또는 임차인 과반수(임차인대표회의를 구성하지 않은 경우만 해당한다)의 서면동의를 받은 경우로서 둘 이상의 민간임대주택단지가 서로 인접하고 있어 공동으로 관리하는 것이 합리적이라고 특별시장 · 광역시장 · 특별자치시장 · 특별자치도지사, 시장 또는 군수가 인정하는 경우에는 공동으로 관리할 수 있다. ( )

03 관리대상 민간임대주택의 임대사업자는 해당 민간임대주택의 공용부분, 부대시설 및 복리시설(분양된 시설은 제외한다)에 대한 장기수선계획을 수립하여 사용검사신청시 함께 제출하여야 하며, 임대기간 중 해당 민간임대주택단지에 있는 관리사무소에 장기수선계획을 갖춰 놓아야 한다. ( )

04 장기수선계획을 수립하여야 하는 민간임대주택의 임대사업자는 특별수선충당금을 사용검사일 또는 임시사용승인일부터 1년이 지난 날이 속하는 달부터 사업계획승인 당시 표준건축비의 1만분의 1의 요율로 매달 적립하여야 한다. ( )

05 임대사업자가 20세대 이상의 민간임대주택을 공급하는 공동주택단지에 입주하는 임차인은 임차인대표회의를 구성할 수 있다. 다만, 임대사업자가 150세대 이상의 민간임대주택을 공급하는 공동주택단지 중 대통령령으로 정하는 공동주택에 입주하는 임차인은 임차인대표회의를 구성하여야 한다. ( )

01 × 시장 · 군수 · 구청장의 인가를 받아야 한다.
02 ○
03 ○
04 ○
05 ○

house.Hackers.com

제 7 장 보칙

목차 내비게이션 민간임대주택에 관한 특별법

- 총칙
- 임대사업자 및 주택임대관리업자 등
- 민간임대주택의 건설
- 공공지원민간임대주택 공급촉진지구
- 민간임대주택의 공급
- 임대주택의 관리
- **보칙**

단원길라잡이

본장에서는 가산금리에 대하여만 정리하면 된다.

출제포인트

- 가산금리의 부과

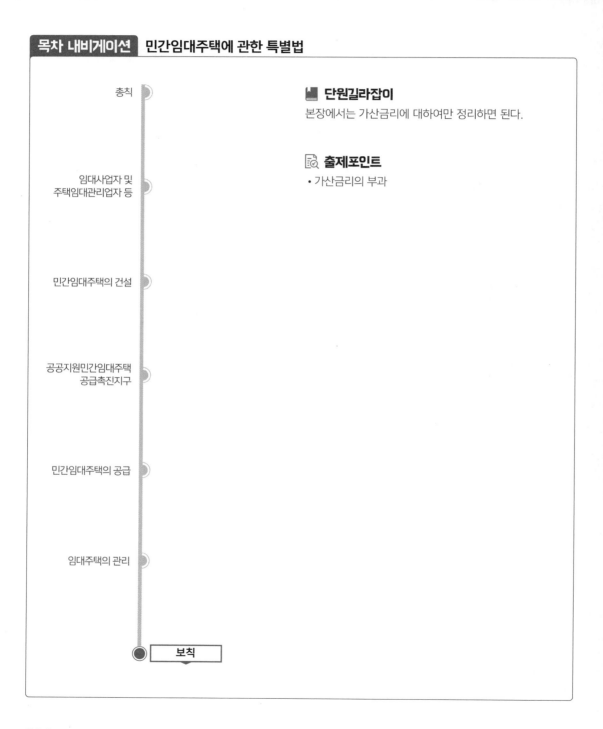

01 가산금리

(1) 국토교통부장관은 다음의 어느 하나에 해당하는 임대사업자에 대하여 주택도시기금 융자금에 연 1퍼센트 포인트의 범위에서 가산금리를 부과할 수 있다(법 제63조 제1항).

> ① 법 제49조에 따른 보증에 가입하지 아니하거나 보증수수료(분할납부액을 포함한다)를 납부하지 아니한 자
> ② 법 제67조 제2항 제8호에 따라 과태료를 부과받은 시점부터 6개월 이상 특별수선충당금을 적립하지 아니한 자

(2) 위 (1)에 따른 가산금리 부과의 방법 및 절차 등은 국토교통부령으로 정한다(법 제63조 제2항).

02 보고 · 검사 등

(1) 국토교통부장관 또는 지방자치단체의 장은 필요하다고 인정할 때에는 임대사업자, 주택임대관리업자, 그 밖에 이 법에 따른 인가 · 승인 또는 등록을 한 자에게 필요한 보고를 하게 하거나 관계 공무원으로 하여금 사업장에 출입하여 필요한 검사를 하게 할 수 있다(법 제61조 제1항).

(2) 위 (1)에 따른 검사를 할 때에는 검사 7일 전까지 검사일시, 검사이유 및 검사내용 등 검사계획을 검사를 받을 자에게 알려야 한다. 다만, 긴급한 경우나 사전에 통지하면 증거인멸 등으로 검사목적을 달성할 수 없다고 인정하는 경우에는 그러하지 아니하다(법 제61조 제2항).

(3) 위 (1)에 따라 검사를 하는 공무원은 그 권한을 나타내는 증표를 지니고 이를 관계인에게 내보여야 한다(법 제61조 제3항).

(4) 지방자치단체의 장은 법 제5조에 따른 임대주택 등록실적, 법 제46조에 따른 임대조건 등 대통령령으로 정한 사항에 대하여 분기마다 그 분기가 끝나는 달의 다음 달 말일까지 국토교통부장관에게 보고하여야 한다(법 제61조 제4항).

03 협회의 설립 등

(1) 임대사업자는 민간임대사업의 건전한 발전을 도모하기 위하여 임대사업자단체를 설립할 수 있다(법 제58조 제1항).

(2) 주택임대관리업자는 주택임대관리업의 효율적인 업무수행을 위하여 주택임대관리업자단체를 설립할 수 있다(법 제58조 제2항).

(3) 위 (1) 및 (2)에 따른 단체(협회)는 각각 법인으로 하며, 그 주된 사무소의 소재지에서 설립등기를 함으로써 성립한다(법 제58조 제3항 · 제4항).

(4) 이 법에 따라 국토교통부장관, 시 · 도지사 또는 시장 · 군수 · 구청장으로부터 영업의 정지처분을 받은 협회 회원의 권리 · 의무는 그 영업 및 자격의 정지기간 중에는 정지되며, 임대사업자 등록이 말소된 때에는 협회의 회원자격을 상실한다(법 제58조 제5항).

(5) 협회를 설립하려면 5인 이상의 범위에서 다음의 구분에 따른 수 이상의 인원을 발기인으로 하여 정관을 마련한 후 창립총회의 의결을 거쳐 국토교통부장관의 인가를 받아야 하며, 국토교통부장관은 인가를 하였을 때에는 이를 지체 없이 공고하여야 한다(법 제59조, 영 제48조).

> ① **임대사업자단체**: 5인
> ② **주택임대관리업자단체**: 10인

04 임대주택정보체계

(1) 국토교통부장관은 임대주택에 대한 국민의 정보 접근을 쉽게 하고 관련 통계의 정확성을 제고하기 위하여 임대주택정보체계(이하 '정보체계'라 한다)를 구축 · 운영할 수 있다(법 제60조 제1항).

(2) 시장 · 군수 · 구청장과 공공주택사업자는 임대주택, 임대사업자(시행자를 포함한다), 임차인(공공임대주택에 한정한다), 임대차계약 등 다음의 자료를 국토교통부령으로 정하는 절차 및 방법에 따라 국토교통부장관에게 제공하여야 한다(법 제60조 제2항, 영 제49조).

> ① 민간임대주택 또는 공공임대주택의 종류, 유형, 면적 등 임대주택에 관한 자료
> ② 임대사업자 및 공공주택사업자의 성명 및 주민등록번호(법인인 경우에는 명칭, 대표자의 성명 및 법인등록번호를 말한다)
> ③ 임차인(같이 거주하는 세대원을 포함한다)의 성명 · 주민등록번호(공공임대주택만 해당한다)

④ 임대조건 등 임대차계약에 관한 자료
⑤ 임대사업자가 신고시 제출한 서류에 포함된 민간임대주택 공급에 관한 정보
⑥ 그 밖에 민간임대주택 또는 공공임대주택의 관리에 관하여 국토교통부령으로 정하는 자료

05 임대사업 등의 지원

(1) 국토교통부장관 또는 지방자치단체의 장은 민간임대주택의 원활한 공급을 위하여 한국토지주택공사, 지방공사 또는 한국부동산원법에 따른 한국부동산원(이하 '부동산원'이라 한다)에 다음의 어느 하나에 해당하는 업무를 수행하게 할 수 있다. 다만, 부동산원이 수행할 수 있는 업무는 ①·④ 및 ⑤의 업무로 한정한다(법 제59조의2 제1항).

① 공공지원민간임대주택 사업계획의 자문 및 사업성 분석
② 사업계획 수립시 기반시설 설치계획 등의 자문
③ 공공지원민간임대주택의 건설 및 재원조달 등 사업 지원
④ 임차인의 모집·선정 및 명도·퇴거 지원
⑤ 임대료의 부과·징수 등의 업무 지원

(2) 한국토지주택공사, 지방공사 및 부동산원은 (1)의 ④에 따라 임차인의 자격확인이 필요한 경우에 법 제42조의3부터 제42조의7에 따른 자료 또는 정보를 해당 기관에 요청하여 그 자료 또는 정보를 활용할 수 있으며, 한국토지주택공사, 지방공사 및 부동산원의 소속 임직원은 제공받은 자료 또는 정보를 이 법에서 정한 목적 외의 다른 용도로 사용하거나 다른 사람 또는 기관에 제공하거나 누설해서는 아니 된다(법 제59조의2 제2항·제3항).

마무리STEP 2 | 확인문제

01 **민간임대주택에 관한 특별법령상 용어에 대한 설명으로 틀린 것은?**

① 장기일반임대주택이란 공공지원민간임대주택이 아닌 임대주택을 임대사업자가 10년 이상 임대목적으로 취득하여 임대하는 민간임대주택을 말한다.

② 임대사업자란 공공주택사업자가 아닌 자로서 2호 이상의 민간임대주택을 취득하여 임대하는 사업을 할 목적으로 등록한 자를 말한다.

③ 자기관리형 주택임대관리업이란 주택의 소유자로부터 주택을 임차하여 자기책임으로 전대하는 형태의 업을 말한다.

④ 위탁관리형 주택임대관리업이란 주택의 소유자로부터 수수료를 받고 임대료 부과 · 징수 및 시설물 유지 · 관리 등을 대행하는 형태의 업을 말한다.

⑤ 공공지원민간임대주택 공급촉진지구란 공공지원민간임대주택의 공급을 촉진하기 위하여 지정 · 고시한 지구를 말한다.

02 **민간임대주택에 관한 특별법령상 임대사업자에 대한 설명 중 틀린 것은?**

① 주택을 임대하려는 자는 특별자치시장 · 특별자치도지사 · 시장 · 군수 또는 구청장에게 등록을 신청할 수 있다.

② 임대관리업을 등록하는 경우에 2인 이상이 공동으로 건설하거나 소유하는 주택의 경우에는 공동명의로 등록하여야 한다.

③ 임대사업자는 등록한 사항이 변경된 경우에는 변경사유가 발생한 날부터 30일 이내에 시장 · 군수 · 구청장에게 신고하여야 하며, 임대사업자 등록 후 1개월이 지나기 전 또는 임대의무기간이 지난 후 민간임대주택이 없게 된 경우에는 30일 이내에 말소신고를 하여야 한다.

④ 과거 5년 이내에 민간임대주택 또는 공공임대주택사업에서 부도가 발생한 사실이 있는 자는 임대사업자로 등록할 수 없다.

⑤ ④의 경우에 부도 후 부도 당시의 채무를 변제하고 사업을 정상화시킨 경우도 그러하다.

03 **민간임대주택에 관한 특별법령상 주택임대관리업에 대한 설명으로 틀린 것은?**

① 주택임대관리업을 등록하는 경우에는 자기관리형 주택임대관리업과 위탁관리형 주택임대관리업을 구분하여 등록하여야 한다.

② 위탁관리형 주택임대관리업을 등록한 경우에는 자기관리형 주택임대관리업도 등록한 것으로 본다.

③ 주택임대관리업의 등록을 하려는 자는 자기관리형의 경우에는 자본금을 2억원 이상으로, 위탁관리형의 경우에는 1억원 이상이어야 한다.

④ 임대사업자인 임대인이 자기관리형 주택임대관리업자에게 임대관리를 위탁한 경우 주택임대관리업자는 위탁받은 범위에서 임대사업자의 의무를 이행하여야 한다.

⑤ ④의 경우에 벌칙의 적용에 있어서 주택임대관리업자를 임대사업자로 본다.

정답 | 해설

01 ② 임대사업자란 공공주택사업자가 아닌 자로서 1호 이상의 민간임대주택을 취득하여 임대하는 사업을 할 목적으로 등록한 자를 말한다.

02 ⑤ 부도 후 부도 당시의 채무를 변제하고 사업을 정상화시킨 경우에는 임대사업자로 등록할 수 있다.

03 ② 자기관리형 주택임대관리업을 등록한 경우에는 위탁관리형 주택임대관리업도 등록한 것으로 본다.

04 **민간임대주택에 관한 특별법령상 민간임대주택의 건설에 대한 설명으로 틀린 것은?**

① 국가 · 지방자치단체 · 공공기관 또는 지방공사가 그가 소유하거나 조성한 토지를 공급하는 경우에는 민간임대주택을 건설하려는 임대사업자에게 우선적으로 공급할 수 있다.

② 국가 · 지방자치단체 · 한국토지주택공사 또는 지방공사는 그가 조성한 토지 중 10퍼센트 이상을 임대사업자에게 우선공급하여야 한다.

③ ①과 ②에 따라 토지 및 종전부동산을 공급받은 자는 토지 등을 공급받은 날부터 2년 이내에 민간임대주택을 건설하여야 한다.

④ 사업주체가 주택을 공급하는 경우에는 공공지원민간임대주택 또는 장기일반민간임대주택으로 운영하려는 임대사업자에게 주택(분양가상한제 적용주택은 제외한다) 전부를 우선적으로 공급할 수 있다.

⑤ 주택법에 따라 간선시설을 설치하는 자는 민간임대주택 건설사업이나 민간임대주택 건설을 위한 대지조성사업에 필요한 간선시설을 다른 주택건설사업이나 대지조성사업보다 우선하여 설치하여야 한다.

05 **민간임대주택에 관한 특별법령상 공공지원민간임대주택 공급촉진지구(이하 '촉진지구'라 함)의 지정에 대한 설명 중 옳은 것은?**

① 시 · 도지사는 부지면적이 5천제곱미터 이상의 범위에서 유상공급면적의 50퍼센트 이상을 공공지원민간임대주택(준주택을 포함한다)으로 건설 · 공급하기 위하여 촉진지구를 지정할 수 있다.

② 촉진지구를 지정하고자 하는 경우에 도시지역의 부지면적은 1만제곱미터 이상이 되도록 하여야 한다.

③ ②의 경우에 도시지역과 경계면이 접하거나, 도시지역과 경계면이 도로, 하천 등으로 분리되어 있으나 도시지역의 도로, 상하수도, 학교 등 주변 기반시설의 연결 또는 활용이 적합한 지역인 경우에는 그 부지면적이 2만제곱미터 이상이 되도록 하여야 한다.

④ ② 또는 ③ 이외의 지역인 경우에는 30만제곱미터 이상이 되도록 하여야 한다.

⑤ 촉진지구가 지정 · 고시된 경우에는 지정권자는 도시지역과 지구단위계획구역으로 결정 · 고시하여야 한다.

06 **민간임대주택에 관한 특별법령상 민간임대주택의 임대조건에 대한 설명으로 틀린 것은?**

① 민간임대주택의 최초임대료(임대보증금과 월임대료를 포함한다)는 국토교통부장관이 고시하는 표준임대료를 넘을 수 없다.

② 임대사업자가 임대의무기간 동안에 임대료의 증액을 청구하는 경우에는 연 5퍼센트의 범위에서 주거비 물가지수, 인근 지역의 임대료 변동률 등을 고려하여야 한다.

③ ②의 경우 공공지원민간임대주택은 임대의무기간을 넘는 임대기간 동안에 임대료의 증액을 청구하는 경우에도 이를 적용한다.

④ 민간건설임대주택의 임대사업자는 사용검사를 받은 날(사용검사 전에 임차인을 모집하는 경우에는 그 날을 말한다)부터 임대의무기간이 종료되는 날 동안 임대보증금에 대한 보증에 가입하여야 한다.

⑤ 임대사업자는 임대보증금에 대한 보증에 가입한 경우에는 임차인이 해당 민간임대주택에 입주한 후 지체 없이 보증서 및 보증약관 각각의 사본을 임차인에게 내주어야 하고, 가입 여부를 임차인이 잘 볼 수 있는 장소에 공고하여야 한다.

정답 | 해설

04 ② 10퍼센트가 아니라 3퍼센트이다.

05 ③ ① 준주택을 제외한다.
② 5천제곱미터 이상이다.
④ 10만제곱미터 이상이다.
⑤ 촉진지구가 지정 · 고시된 경우 도시지역과 지구단위계획구역으로 결정되어 고시된 것으로 본다.

06 ① 민간임대주택의 최초임대료(임대보증금과 월임대료를 포함한다)는 임대사업자가 정한다. 다만, 공공지원민간임대주택의 최초임대료는 국토교통부령으로 정하는 기준에 따라야 한다.

07 민간임대주택에 관한 특별법령상 특별수선충당금에 관한 설명으로 틀린 것은?

① 관리대상 민간임대주택의 임대사업자는 해당 민간임대주택의 공용부분, 부대시설 및 복리시설(분양된 시설은 제외한다)에 대한 장기수선계획을 수립하여 사용검사 신청시 함께 제출하여야 한다.

② ①에 따른 임대사업자는 주요 시설을 교체하고 보수하는 데에 필요한 특별수선충당금을 사용검사일 또는 임시사용승인일부터 1년이 지난 날이 속하는 달부터 사업계획승인 당시 표준건축비의 1만분의 4의 요율로 매달 적립하여야 한다.

③ 특별수선충당금은 임대사업자와 해당 민간임대주택의 소재지를 관할하는 시장 · 군수 · 구청장의 공동명의로 금융회사 등에 예치하여 따로 관리하여야 한다.

④ 임대사업자는 특별수선충당금을 사용하려면 미리 해당 민간임대주택의 소재지를 관할하는 시장 · 군수 · 구청장과 협의하여야 한다.

⑤ 임대사업자가 민간임대주택을 양도하는 경우에는 특별수선충당금을 최초로 구성되는 입주자대표회의에 넘겨주어야 한다.

정답 | 해설

07 ② 표준건축비의 1만분의 1의 요율로 매달 적립하여야 한다.

house.Hackers.com

2025 해커스 주택관리사(보)

house.Hackers.com

10개년 출제비중분석

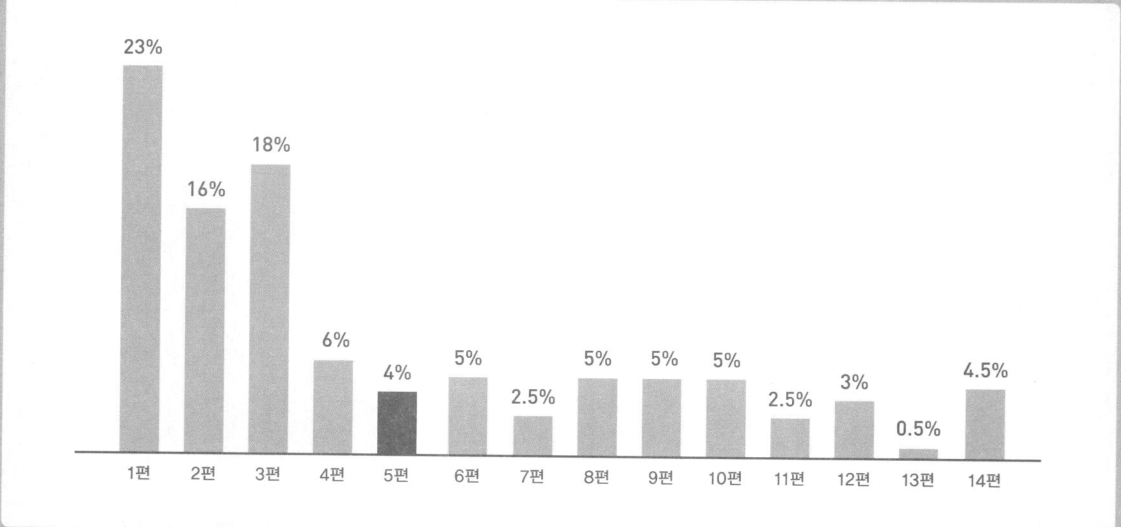

제5편

공공주택 특별법

제 1 장 총칙

목차 내비게이션 공공주택 특별법

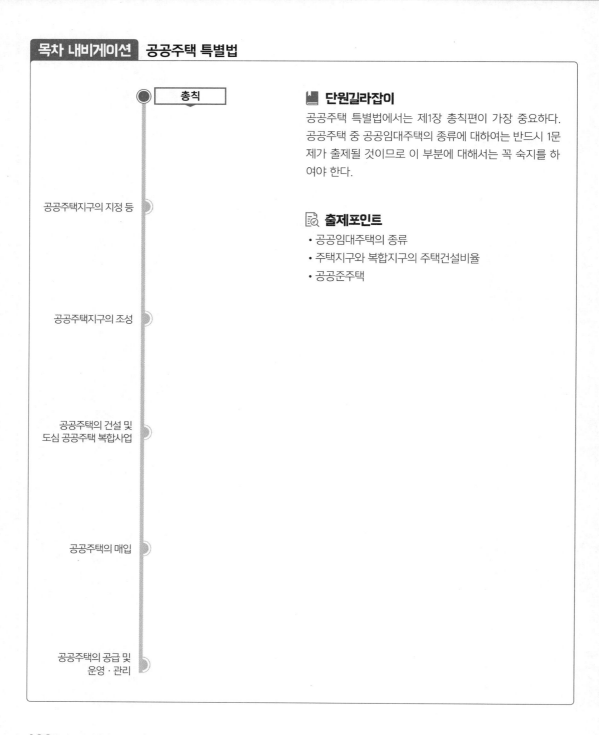

단원길라잡이

공공주택 특별법에서는 제1장 총칙편이 가장 중요하다. 공공주택 중 공공임대주택의 종류에 대하여는 반드시 1문제가 출제될 것이므로 이 부분에 대해서는 꼭 숙지를 하여야 한다.

출제포인트

- 공공임대주택의 종류
- 주택지구와 복합지구의 주택건설비율
- 공공준주택

01 제정목적

이 법은 공공주택의 원활한 건설과 효과적인 운영을 위하여 필요한 사항을 규정함으로써 서민의 주거안정 및 주거수준 향상을 도모하여 국민의 쾌적한 주거생활에 이바지함을 목적으로 한다(법 제1조).

02 용어의 정의

이 법에서 사용하는 용어의 뜻은 다음과 같다(법 제2조).

(1) 공공주택

공공주택이란 공공주택사업자(공동 공공주택사업자를 포함한다)가 국가 또는 지방자치단체의 재정이나 주택도시기금법에 따른 주택도시기금을 지원받아 이 법 또는 다른 법률에 따라 건설, 매입 또는 임차하여 공급하는 다음의 어느 하나에 해당하는 주택을 말한다.

① **공공임대주택**: 임대 또는 임대한 후 분양전환을 할 목적으로 공급하는 주택법 제2조 제1호에 따른 주택으로서, 다음의 주택을 말한다(영 제2조 제1항).

> ㉠ 영구임대주택: 국가나 지방자치단체의 재정을 지원받아 최저소득 계층의 주거안정을 위하여 50년 이상 또는 영구적인 임대를 목적으로 공급하는 공공임대주택
> ㉡ 국민임대주택: 국가나 지방자치단체의 재정이나 주택도시기금법에 따른 주택도시기금의 자금을 지원받아 저소득 서민의 주거안정을 위하여 30년 이상 장기간 임대를 목적으로 공급하는 공공임대주택
> ㉢ 행복주택: 국가나 지방자치단체의 재정이나 주택도시기금의 자금을 지원받아 대학생, 사회초년생, 신혼부부 등 젊은 층의 주거안정을 목적으로 공급하는 공공임대주택
> ㉣ 통합공공임대주택: 국가나 지방자치단체의 재정이나 주택도시기금의 자금을 지원받아 최저소득 계층, 저소득 서민, 젊은 층 및 장애인 · 국가유공자 등 사회 취약계층 등의 주거안정을 목적으로 공급하는 공공임대주택
> ㉤ 장기전세주택: 국가나 지방자치단체의 재정이나 주택도시기금의 자금을 지원받아 전세계약의 방식으로 공급하는 공공임대주택
> ㉥ 분양전환공공임대주택: 일정 기간 임대 후 분양전환할 목적으로 공급하는 공공임대주택
> ㉦ 기존주택등매입임대주택: 국가나 지방자치단체의 재정이나 주택도시기금의 자금을 지원받아 기존주택 등을 매입하여 국민기초생활 보장법에 따른 수급자 등 저소득층과 청년 및 신혼부부 등에게 공급하는 공공임대주택
> ㉧ 기존주택전세임대주택: 국가나 지방자치단체의 재정이나 주택도시기금의 자금을 지원받아 기존주택을 임차하여 국민기초생활 보장법에 따른 수급자 등 저소득층과 청년 및 신혼부부 등에게 전대하는 공공임대주택

② **공공분양주택**: 분양을 목적으로 공급하는 주택으로서 주택법 제2조 제5호에 따른 국민주택규모 이하의 주택을 말한다.

(2) 공공건설임대주택

공공건설임대주택이란 공공주택사업자가 직접 건설하여 공급하는 공공임대주택을 말한다.

(3) 공공매입임대주택

공공매입임대주택이란 공공주택사업자가 직접 건설하지 아니하고 매매 등으로 취득하여 공급하는 공공임대주택을 말한다.

(4) 지분적립형 분양주택

① 지분적립형 분양주택이란 공공주택사업자가 직접 건설하거나 매매 등으로 취득하여 공급하는 공공분양주택으로서, 주택을 공급받은 자가 20년 또는 30년 중에서 공공주택사업자가 지분적립형 분양주택의 공급가격을 고려해 정하는 기간 동안 공공주택사업자와 주택의 소유권을 공유하면서 대통령령으로 정하는 바에 따라 소유지분을 적립하여 취득하는 주택을 말한다.

② 공공주택사업자는 소유권 공유기간을 정하는 경우 20년 또는 30년 중에서 지분적립형 분양주택을 공급받을 자가 선택하게 하는 방식으로 소유권 공유기간을 정할 수 있다.

③ 지분적립형 분양주택을 공급받은 자는 ① 또는 ②에 따른 기간 동안 10퍼센트 이상 25퍼센트 이하의 범위에서 공공주택사업자가 정하는 비율에 따라 정해지는 회차별로 공급받은 주택의 지분을 적립하여 취득할 수 있다.

(5) 이익공유형 분양주택

이익공유형 분양주택이란 공공주택사업자가 직접 건설하거나 매매 등으로 취득하여 공급하는 공공분양주택으로서, 주택을 공급받은 자가 해당 주택을 처분하려는 경우 공공주택사업자가 환매하되 공공주택사업자와 처분손익을 공유하는 것을 조건으로 분양하는 주택을 말한다.

(6) 공공주택지구

공공주택지구란 공공주택의 공급을 위하여 공공주택이 전체 주택 중 100분의 50 이상이 되고, 법 제6조 제1항에 따라 지정 · 고시하는 지구를 말한다. 이 경우 공공임대주택과 공공분양주택의 주택비율은 전체 주택 중 100분의 50 이상의 범위에서 대통령령(영 제3조 제1항)으로 정한다.

① **공공**임대**주택**: 공공주택지구 전체 주택 호수의 100분의 35 이상
② **공공**분양**주택**: 공공주택지구 전체 주택 호수의 100분의 30 이하

(7) 도심 공공주택 복합지구

도심 공공주택 복합지구란 도심 내 역세권, 준공업지역, 저층주거지에서 공공주택과 업무시설, 판매시설, 산업시설 등을 복합하여 조성하는 거점으로 지정 · 고시하는 지구를 말한다. 이 경우 주택비율은 다음과 같이 정한다.

> ① 공공임대주택: 전체 주택 호수의 100분의 10 이상. 다만, 주거상업고밀지구의 경우에는 100분의 15 이상으로 한다.
> ② 공공분양주택: 다음의 구분에 따른 비율
> ㉠ 지분적립형 또는 이익공유형 분양주택: 전체 주택 호수의 100분의 10 이상
> ㉡ ㉠ 외의 공공분양주택: 전체 주택 호수의 100분의 60 이상

(8) 주택지구와 복합지구에서의 주택비율 조정

다음의 자는 해당 지역의 주택 수요 및 여건 등을 고려하여 공공주택의 비율 및 공공주택의 세부 유형별 주택비율을 조정할 필요가 있다고 인정되면 공공주택사업자와 협의하여 그 비율을 조정할 수 있다. 이 경우 비율을 조정하려는 공공주택지구의 면적이 30만 제곱미터 이상인 경우에는 위 (6) 및 (7)에 따른 비율에 전체 주택 호수의 100분의 5를 가감한 비율의 범위에서 조정할 수 있다.

> ① **공공주택지구**: 국토교통부장관(지구계획의 승인권한을 위임한 경우에는 시 · 도지사)
> ② **복합지구**: 지정권자

(9) 공공주택사업: 공공주택사업이란 다음에 해당하는 사업을 말한다.

① **공공주택**지구조성**사업**: 공공주택지구를 조성하는 사업
② **공공주택**건설**사업**: 공공주택을 건설하는 사업
③ **공공주택**매입**사업**: 공공주택을 공급할 목적으로 주택을 매입하거나 인수하는 사업
④ **공공주택**관리**사업**: 공공주택을 운영 · 관리하는 사업
⑤ 도심 공공주택 복합**사업**: 도심 내 역세권, 준공업지역, 저층주거지에서 공공주택과 업무시설, 판매시설, 산업시설 등을 복합하여 건설하는 사업

(10) 분양전환

분양전환이란 공공임대주택을 공공주택사업자가 아닌 자에게 매각하는 것을 말한다.

(11) 공공준주택

공공준주택이란 공공주택사업자가 국가 또는 지방자치단체의 재정이나 주택도시기금을 지원받아 건설, 매입 또는 임차하여 임대를 목적으로 공급하는 다음의 준주택을 말하며, 공공준주택의 면적은 주거기본법 제17조에 따라 국토교통부장관이 공고한 최저 주거기준 중 1인 가구의 최소 주거면적을 만족하여야 한다(법 제2조의2, 영 제4조).

① 주택법 시행령 제4조 제1호부터 제3호까지의 규정에 따른 준주택으로서 전용면적이 85제곱미터 이하인 것
② 주택법 시행령 제4조 제4호에 따른 오피스텔로서 다음의 요건을 모두 갖춘 것
㉠ 전용면적이 85제곱미터 이하일 것
㉡ 상 · 하수도 시설이 갖추어진 전용 입식 부엌, 전용 수세식 화장실 및 목욕시설(전용 수세식 화장실에 목욕시설을 갖춘 경우를 포함한다)을 갖출 것

03 공공주택 공급 · 관리계획

(1) 수립

국토교통부장관과 특별시장 · 광역시장 · 특별자치시장 · 도지사 또는 특별자치도지사(이하 '시 · 도지사'라 한다)는 주거기본법 제5조에 따른 주거종합계획 및 같은 법 제6조에 따른 시 · 도 주거종합계획을 수립하는 때에는 공공주택의 공급에 관한 사항을 포함하여야 한다(법 제3조 제1항).

(2) 내용

국토교통부장관은 공공주택의 원활한 건설, 매입, 관리 등을 위하여 주거기본법 제5조에 따른 10년 단위 주거종합계획과 연계하여 5년마다 공공주택 공급 · 관리계획을 수립하여야 한다. 이 경우 공공주택 공급 · 관리계획에는 다음의 사항을 포함하여야 하며, 공공주택 공급 · 관리계획을 수립하는 경우에는 공공주택의 유형 및 지역별 입주 수요량을 조사하여야 한다(법 제3조 제2항 · 제3항).

① 공공주택의 지역별, 수요 계층별 공급에 관한 사항
② 공공주택 재고의 운영 및 관리에 관한 사항(장기공공임대주택 입주자 삶의 질 향상 지원법에 따른 장기공공임대주택의 노후화에 따른 시설개선에 관한 사항을 포함한다)
③ 공공주택의 공급 · 관리 등에 필요한 비용과 그 재원의 확보에 관한 사항
④ 그 밖에 공공주택의 공급 · 관리를 위하여 필요하다고 국토교통부장관이 인정하는 사항

04 공공주택의 재원 · 세제지원 등

(1) 국가 및 지방자치단체는 매년 공공주택 건설, 매입 또는 임차에 사용되는 자금을 세출예산에 반영하도록 노력하여야 한다(법 제3조의2 제1항).

(2) 국가 및 지방자치단체는 청년층 · 장애인 · 고령자 · 신혼부부 및 저소득층 등 주거지원이 필요한 계층(이하 '주거지원필요계층'이라 한다)의 주거안정을 위하여 공공주택의 건설 · 취득 또는 관리와 관련한 국세 또는 지방세를 조세특례제한법, 지방세특례제한법, 그 밖에 조세 관계 법률 및 조례로 정하는 바에 따라 감면할 수 있다(법 제3조의2 제2항).

(3) 국토교통부장관은 공공주택의 건설, 매입 또는 임차에 주택도시기금을 우선적으로 배정하여야 한다(법 제3조의2 제3항).

(4) 다른 법령에 따른 개발사업을 하려는 자가 임대주택을 계획하는 경우 공공임대주택을 우선 고려하여야 하며, 임대주택 건설용지를 공급할 때 임대주택 유형이 결정되지 아니한 경우 공공임대주택을 공급하려는 공공주택사업자에게 수의계약의 방법으로 매각하거나 임대할 수 있다(법 제3조의2 제4항, 영 제5조).

(5) 국가 · 지방자치단체 또는 공공기관의 운영에 관한 법률 제5조 제3항에 따른 공기업 및 준정부기관은 그가 소유한 토지를 매각하거나 임대할 때 주택법 제30조 제1항 및 민간임대주택에 관한 특별법 제18조에도 불구하고 공공임대주택을 건설하려는 공공주택사업자에게 우선적으로 매각 또는 임대할 수 있다(법 제3조의2 제5항).

05 공공주택사업자

국토교통부장관은 다음의 자 중에서 공공주택사업자를 지정한다. 국토교통부장관은 아래의 ①부터 ④까지의 규정 중 어느 하나에 해당하는 자와 주택법 제4조에 따른 주택건설사업자를 공동 공공주택사업자로 지정할 수 있다(법 제4조 제1항 · 제2항, 영 제6조).

① 국가 또는 지방자치단체
② 한국토지주택공사법에 따른 한국토지주택공사
③ 지방공기업법 제49조에 따라 주택사업을 목적으로 설립된 지방공사
④ 공공기관의 운영에 관한 법률 제5조에 따른 공공기관 중 다음의 공공기관
  ㉠ 한국농어촌공사 및 농지관리기금법에 따른 한국농어촌공사
  ㉡ 한국철도공사법에 따른 한국철도공사
  ㉢ 국가철도공단법에 따른 국가철도공단
  ㉣ 공무원연금법에 따른 공무원연금공단

㉤ 제주특별자치도 설치 및 국제자유도시 조성을 위한 특별법에 따른 제주국제자유도시개발센터(제주특별자치도에서 개발사업을 하는 경우만 해당한다)
㉥ 주택도시기금법에 따른 주택도시보증공사
㉦ 한국자산관리공사의 설립에 관한 법률에 따른 한국자산관리공사

⑤ 위 ①부터 ④까지의 규정 중 어느 하나에 해당하는 자가 총지분의 100분의 50을 초과하여 출자·설립한 법인

⑥ 주택도시기금 또는 위 ①부터 ④까지의 규정 중 어느 하나에 해당하는 자가 총지분의 전부를 출자(공동으로 출자한 경우를 포함한다)하여 부동산투자회사법에 따라 설립한 부동산투자회사

06 다른 법률과의 관계

(1) 이 법은 공공주택사업에 관하여 다른 법률에 우선하여 적용한다. 다만, 다른 법률에서 이 법의 규제에 관한 특례보다 완화되는 규정이 있으면 그 법률에서 정하는 바에 따른다(법 제5조 제1항).

(2) 공공주택의 건설·공급 및 관리에 관하여 이 법에서 정하지 아니한 사항은 주택법, 건축법 및 주택임대차보호법을 적용한다(법 제5조 제2항).

기출예제

공공주택 특별법령상 공공주택사업자로 지정될 수 없는 자는? 제27회

① 공무원연금법에 따른 공무원연금공단
② 지방자치단체가 시설물 관리를 목적으로 총지분의 100분의 40을 출자·설립한 지방공단
③ 한국자산관리공사 설립 등에 관한 법률에 따른 한국자산관리공사
④ 한국철도공사법에 따른 한국철도공사
⑤ 국가철도공단법에 따른 국가철도공단

해설

공공주택사업자
1. 국가 또는 지방자치단체
2. 한국토지주택공사
3. 지방공사
4. 다음의 공공기관
   한국농어촌공사, 한국철도공사, 국가철도공단, 공무원연금공단, 제주국제자유도시개발센터, 주택도시보증공사, 한국자산관리공사
5. 1.~4.까지 해당하는 자가 총지분의 100분의 50을 초과하여 출자·설립한 법인
6. 주택도시기금 또는 1.~4.까지 해당하는 자가 총지분의 전부를 출자(공동으로 출자한 경우를 포함한다)하여 설립한 부동산투자회사

정답: ②

마무리STEP 1 | OX 문제

01 공공주택이란 공공주택사업자(공동 공공주택사업자를 포함한다)가 국가 또는 지방자치단체의 재정이나 주택도시기금법에 따른 주택도시기금을 지원받아 이 법 또는 다른 법률에 따라 건설, 매입 또는 임차하여 공급하는 공공분양주택과 공공임대주택을 말한다. ( )

02 국가나 지방자치단체의 재정이나 주택도시기금법에 따른 주택도시기금의 자금을 지원받아 저소득 서민의 주거안정을 위하여 30년 이상 장기간 임대를 목적으로 공급하는 공공임대주택은 국민임대주택이다. ( )

03 국가나 지방자치단체의 재정이나 주택도시기금의 자금을 지원받아 기존주택을 임차하여 국민기초생활 보장법에 따른 수급자 등 저소득층과 청년 및 신혼부부 등에게 전대하는 공공임대주택은 장기전세주택이다. ( )

04 공공매입임대주택이란 공공주택사업자가 직접 건설하지 아니하고 매매 등으로 취득하여 공급하는 공공임대주택을 말한다. ( )

05 지분적립형 분양주택이란 공공주택사업자가 직접 건설하거나 매매 등으로 취득하여 공급하는 공공분양주택으로서 주택을 공급받은 자가 20년 또는 30년 중에서 공공주택사업자가 지분적립형 분양주택의 공급가격을 고려해 정하는 기간 동안 공공주택사업자와 주택의 소유권을 공유하면서 대통령령으로 정하는 바에 따라 소유지분을 적립하여 취득하는 주택을 말한다. ( )

01 ○

02 × 영구임대주택에 대한 내용이다.

03 × 기존주택전세임대주택에 대한 설명이다. 장기전세주택은 국가나 지방자치단체의 재정이나 주택도시기금의 자금을 지원받아 전세계약의 방식으로 공급하는 공공임대주택을 말한다.

04 ○

05 ○

06 공공주택지구에서 공급되는 공공분양주택은 공공주택지구 전체 주택 호수의 100분의 35 이하이어야 한다. (　　)

07 도심 공공주택 복합지구란 도심 내 역세권, 준공업지역, 저층주거지에서 공공주택과 업무시설, 판매시설, 산업시설 등을 복합하여 조성하는 거점으로 지정 · 고시하는 지구를 말한다. 이 경우 공공임대주택은 전체 주택의 100분의 10 이상이어야 한다. (　　)

08 분양전환이란 공공임대주택을 임대사업자가 아닌 자에게 매각하는 것을 말한다. (　　)

09 국가 및 지방자치단체는 매년 공공주택 건설, 매입 또는 임차에 사용되는 자금을 주택도시기금에 반영하도록 노력하여야 한다. (　　)

10 다른 법령에 따른 개발사업을 하려는 자가 임대주택을 계획하는 경우 공공임대주택을 우선 고려하여야 하며, 임대주택 건설용지를 공급할 때 임대주택 유형이 결정되지 아니한 경우 공공임대주택을 공급하려는 공공주택사업자에게 수의계약의 방법으로 매각하거나 임대할 수 있다. (　　)

06 × 공공주택지구 전체 주택 호수의 100분의 30 이하이어야 하며, 공공임대주택은 공공주택지구 전체 주택 호수의 100분의 35 이상이어야 한다.

07 ○

08 × 분양전환이란 공공임대주택을 공공주택사업자가 아닌 자에게 매각하는 것을 말한다.

09 × 매년 공공주택 건설, 매입 또는 임차에 사용되는 자금을 세출예산에 반영하도록 노력하여야 한다.

10 ○

house.Hackers.com

제 2 장 공공주택지구의 지정 등

목차 내비게이션 공공주택 특별법

단원길라잡이

공공주택지구는 종전에 보금자리주택지구라 불리던 것인데, 해당 지역은 공공분양주택을 중심으로 형성된 개념이라 공공임대주택을 중심으로 출제되는 본 시험에서는 그 중요성이 조금 낮은 편에 속한다. 이 단원에서는 해당 사항에 대한 전반적 이해를 위주로 접근하면 충분하다.

출제포인트

- 공공주택지구의 지정절차
- 특별관리지역의 지정요건

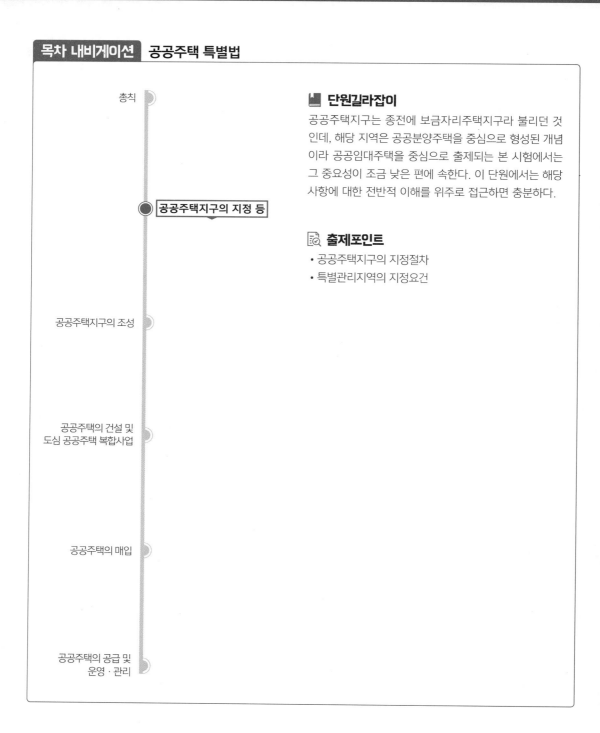

01 공공주택지구의 지정

(1) 지정권자

국토교통부장관은 공공주택지구조성사업(이하 '지구조성사업'이라 한다)을 추진하기 위하여 필요한 지역을 공공주택지구(이하 '주택지구'라 한다)로 지정하거나 지정된 주택지구를 변경 또는 해제할 수 있다(법 제6조 제1항). 이 경우 중앙도시계획위원회의 심의를 거쳐야 하며, 심의를 하는 경우에는 60일 이내에 심의를 완료하여야 하고 같은 기간 내에 심의를 완료하지 아니한 경우에는 심의한 것으로 본다(법 제6조 제3항 · 제4항).

(2) 지정제안

공공주택사업자는 국토교통부장관에게 주택지구의 지정을 제안할 수 있으며, 다음의 어느 하나에 해당하는 경우 주택지구의 변경 또는 해제를 제안할 수 있다(법 제6조 제2항).

① 주택지구의 경계선이 하나의 필지를 관통하는 경우
② 주택지구의 지정으로 주택지구 밖의 토지나 건축물의 출입이 제한되거나 사용가치가 감소하는 경우
③ 주택지구의 변경으로 기반시설의 설치비용이 감소하는 경우
④ 사정의 변경으로 인하여 공공주택사업을 계속 추진할 필요성이 없어지거나 추진하는 것이 현저히 곤란한 경우
⑤ 그 밖에 토지 이용의 합리화를 위하여 필요한 경우

(3) 지정협의

국토교통부장관이 (1)에 따라 주택지구를 지정 · 변경 · 해제하거나 공공주택사업자가 (2)에 따라 주택지구의 지정 · 변경 · 해제를 제안하려는 경우, 국토교통부장관 및 공공주택사업자는 해당 지역의 주택수요, 지역여건 등을 종합적으로 검토하여야 한다. 이 경우 국토교통부장관 및 공공주택사업자는 주택지구의 지정 · 변경 · 해제 및 그 제안에 대하여 관계 중앙행정기관의 장, 관할 지방자치단체의 장, 지방공사 등 관계 기관과 사전 협의할 수 있다(법 제6조 제5항).

02 특별관리지역의 지정 등

(1) 지정권자

국토교통부장관은 주택지구를 해제할 때 330만제곱미터 이상으로서 체계적인 관리계획을 수립하여 관리하지 아니할 경우 난개발이 우려되는 지역에 대하여 10년의 범위에서 특별관리지역으로 지정할 수 있다(법 제6조의2 제1항, 규칙 제3조).

기출예제

공공주택 특별법 제6조의2(특별관리지역의 지정 등) 제1항 규정이다. (　　) 안에 들어갈 용어와 아라비아 숫자를 쓰시오.

제26회

국토교통부장관은 제6조 제1항에 따라 주택지구를 해제할 때 국토교통부령으로 정하는 일정 규모 이상으로서 체계적인 관리계획을 수립하여 관리하지 아니할 경우 (㉠)(이)가 우려되는 지역에 대하여 (㉡)년의 범위에서 특별관리지역으로 지정할 수 있다.

정답: ㉠ 난개발, ㉡ 10

(2) 관리계획의 수립

국토교통부장관은 특별관리지역을 지정하고자 할 경우에는 다음의 사항을 포함한 특별관리지역 관리계획(이하 '관리계획'이라 한다)을 수립하여야 한다. 이 경우 법 제4조에 따른 종전 주택지구의 공공주택사업자(이하 '종전사업자'라 한다)는 관리계획의 입안을 제안할 수 있다(법 제6조의2 제2항).

① 특별관리지역의 관리기본방향에 관한 사항
② 인구 및 주택 수용계획에 관한 사항
③ 도시개발법에 따른 도시개발사업 등 취락정비에 관한 사항
④ 개발제한구역의 지정 및 관리에 관한 특별조치법 제4조 제4항에 따른 훼손지 복구계획에 따라 존치된 개발제한구역의 해제 및 관리방안에 관한 사항
⑤ 그 밖에 국토교통부장관이 관리에 필요하다고 인정하는 사항

(3) 특별관리지역의 관리 등

① **행위제한:** 특별관리지역 안에서는 건축물의 건축 및 용도변경, 공작물의 설치, 토지의 형질변경, 죽목의 벌채, 토지의 분할, 물건을 쌓아놓는 행위를 할 수 없다. 다만, 특별관리지역의 취지에 부합하는 범위에서 대통령령으로 정하는 행위에 한정하여 시장·군수 또는 구청장의 허가를 받아 할 수 있으며, 허가된 사항을 변경하고자 하는 경우에도 또한 같다(법 제6조의3 제1항).

② **행위제한의 예외:** ①에도 불구하고 국토교통부장관 또는 관계 중앙행정기관의 장이나 지방자치단체의 장(이하 '해당 기관장'이라 한다)은 특별관리지역 안에서 다음의 사업을 위한 지정·승인·허가·인가 등을 할 수 있다(법 제6조의3 제3항, 영 제9조).

㉠ 도시개발법에 따른 도시개발사업
㉡ 산업입지 및 개발에 관한 법률에 따른 산업단지개발사업 및 특수지역개발사업
㉢ 관광진흥법에 따른 관광지 · 관광단지 조성사업
㉣ 물류시설의 개발 및 운영에 관한 법률에 따른 물류시설 용지 및 지원시설 용지의 조성사업
㉤ 특별관리지역(특별관리지역 지정 이전에 해당 주택지구에 포함되었다가 주택지구의 변경으로 주택지구에서 제외된 지역을 포함한다)에서 시행하는 공익사업(공익사업을 위한 토지 등의 취득 및 보상에 관한 법률 제4조에 따른 공익사업을 말한다)의 시행에 따라 철거된 건축물을 이축하기 위한 이주단지 조성사업
㉥ 그 밖에 법 제6조의2 제2항에 따른 특별관리지역 관리계획에 반영된 개발사업

③ **특별관리지역에 대한 지원:** 특별관리지역을 지정할 경우 국가 또는 지방자치단체는 다음의 사항에 대한 행정적 · 재정적 지원을 할 수 있다. 이 경우 국토교통부장관은 법 제4조에 따른 종전사업자에게 다음의 지원사항의 전부 또는 일부를 부담하게 할 수 있다(법 제6조의3 제5항).

㉠ 취락정비를 실시하기 위한 계획의 수립 등
㉡ 주택지구 지정으로 인하여 추진이 중단된 사회기반시설사업의 조속한 시행
㉢ 법 제6조의2 제5항에 따라 존치된 개발제한구역의 해제
㉣ 특별관리지역 및 종전 주택지구 내 공장 및 제조업소 등(특별관리지역 지정 당시 공장 및 제조업소 등의 용도로 사용되는 동식물 관련 시설을 포함한다)의 계획적인 이전 · 정비 및 개발을 위한 공업용지의 조성
㉤ 그 밖에 지방자치단체가 취락(㉠의 취락정비계획이 수립되지 아니하는 취락에 한정한다)의 거주환경 개선을 위하여 추진하는 사업

④ 종전사업자가 ③의 ㉠에 따른 계획에 따라 도시개발법에 따른 환지(換地)방식의 도시개발사업으로 취락정비사업을 시행하는 경우로서 해당 지방자치단체의 장의 요청이 있는 때에는 도시개발구역을 지정하는 자는 개발계획 수립 또는 변경시 환지방식이 적용되는 지역의 토지면적의 2분의 1 이상에 해당하는 토지소유자와 그 지역의 토지소유자 총수의 2분의 1 이상의 동의를 받아야 한다. 이 경우 동의자수의 산정방법 및 동의절차 등은 도시개발법에 따른다(법 제6조의3 제6항).

⑤ 시 · 도지사 및 시장 · 군수 또는 구청장은 특별관리지역의 관리 및 계획적인 개발을 지원하기 위하여 특별관리지역 지원센터(이하 '지원센터'라 한다)를 설치 · 운영할 수 있다. 이 경우 지원센터의 구성 및 운영 등에 필요한 사항은 해당 지방자치단체의 조례로 정한다(법 제6조의3 제8항).

(4) 특별관리지역의 해제

① **해제의제:** 특별관리지역의 지정기간이 만료되거나 해당 기관장이 특별관리지역 중 전부 또는 일부에 대하여 도시 · 군관리계획을 수립한 경우(수립의제된 경우를 포함한다)에는 해당 지역은 특별관리지역에서 해제된 것으로 본다(법 제6조의4 제1항).

② **도시 · 군관리계획의 수립:** 특별관리지역의 지정기간이 만료된 때에는 해당 특별시장 · 광역시장 · 특별자치시장 · 특별자치도지사 · 시장 또는 군수는 지체 없이 도시 · 군관리계획을 수립하여야 한다. 다만, 해당 특별시장 · 광역시장 · 특별자치시장 · 특별자치도지사 · 시장 또는 군수가 요청한 경우에는 국토의 계획 및 이용에 관한 법률 제24조 제5항에도 불구하고 국토교통부장관이 도시 · 군관리계획을 직접 입안할 수 있다(법 제6조의4 제2항).

(5) 특별관리지역의 건축물 등에 대한 조치

① **원상복구조치:** 시장 · 군수 또는 구청장은 특별관리지역 지정 이전부터 이 법 또는 개발제한구역의 지정 및 관리에 관한 특별조치법에 따른 적법한 허가나 신고 등의 절차를 거치지 아니하고 설치하거나 용도변경한 건축물, 설치한 공작물, 쌓아놓은 물건 또는 형질변경한 토지 등(이하 '건축물 등'이라 한다)에 대하여 기간을 정하여 해당 법률에 따른 철거 · 원상복구 · 사용제한, 그 밖에 필요한 조치를 명(이하 '시정명령'이라 한다)할 수 있다(법 제6조의5 제1항).

② **추가유예:** 시장 · 군수 또는 구청장은 시정명령을 받은 후 그 시정기간 내에 해당 시정명령의 이행을 하지 아니한 자에 대하여 이행강제금을 부과한다. 이 경우 이행강제금의 부과기준, 절차 및 징수 등에 관하여는 개발제한구역의 지정 및 관리에 관한 특별조치법 제30조의2 제1항부터 제6항까지 및 제9항을 준용한다(법 제6조의5 제2항).

(6) 중소규모 주택지구 지정 등

① **지정:** 국토교통부장관은 주거지역 안에서 10만제곱미터 이하의 주택지구를 지정 또는 변경하는 경우에는 중앙도시계획위원회의 심의를 생략할 수 있다(법 제7조 제1항, 영 제10조 제1항).

② **주거지역 이외의 지역에서의 지정특례:** 국토교통부장관은 주거지역 이외의 지역에서 100만제곱미터 이하의 주택지구를 지정 또는 변경하는 경우에는 이와 동시에 지구계획을 승인할 수 있다. 이 경우 공공주택사업자는 주택지구의 지정 또는 변경을 제안할 때 지구계획 승인신청을 포함하여 할 수 있다(법 제7조 제3항, 영 제10조 제3항).

③ 도시지역으로서 개발제한구역이 아닌 지역에서 10만제곱미터 이하의 주택지구 지정 또는 변경을 위하여 공공주택통합심의위원회 심의를 거친 경우에는 중앙도시계획위원회의 심의를 생략할 수 있다(법 제7조 제4항, 영 제10조 제4항).

(7) 주택지구 주변지역의 정비

소규모 주택지구를 지정 또는 변경할 때 및 법 제35조에 따라 주택건설사업계획을 승인 또는 변경할 때 관할 지방자치단체의 장은 주택지구 또는 공공주택 주변지역의 주거환경을 개선하기 위하여 가로의 정비, 편의시설의 설치 등을 포함한 주변지역 정비계획을 수립하여 제안할 수 있다. 이 경우 공공주택사업자는 관할 지방자치단체의 계획 수립을 지원할 수 있다(법 제7조의2 제1항).

(8) 주택지구의 지정 등을 위한 사전협의

① 국토교통부장관은 주택지구를 지정 또는 변경하려면 지구 개요 · 지정목적 및 인구수용계획 등 대통령령으로 정하는 사항을 포함한 주택지구 지정안 또는 변경안에 대하여 법 제10조 제1항에 따른 주민 등의 의견청취 전에 국방부 · 농림축산식품부 등 관계 중앙행정기관의 장 및 관할 시 · 도지사와 협의하여야 한다. 다만, 대통령령으로 정하는 경미한 사항을 변경하는 경우에는 그러하지 아니하다(법 제8조 제1항).

② 위 ①에 따른 협의기간은 20일 이내로 하되, 관계 중앙행정기관의 장 또는 관할 시 · 도지사의 요청이 있는 경우 등 국토교통부장관이 필요하다고 인정하는 경우에는 1회에 한하여 10일의 범위에서 그 기간을 연장할 수 있다. 다만, 협의기간 내에 협의가 완료되지 아니한 경우에는 협의를 거친 것으로 본다(법 제8조 제2항).

③ 국토교통부장관은 ①에 따라 협의를 하는 경우 다음에서 정한 협의를 별도로 하여야 한다. 이 경우 협의기간은 30일 이내로 한다(법 제8조 제4항).

> ㉠ 환경영향평가법 제16조에 따른 전략환경영향평가 협의(자연환경보전법 제28조에 따른 자연경관영향협의를 포함하며, 제9조에 따른 보안관리 등을 위하여 환경영향평가법 제13조에 따른 주민 등의 의견 수렴을 생략할 수 있다)
> ㉡ 자연재해대책법에 따른 재해영향평가 등의 협의

④ 국토교통부장관은 주택지구로 지정하고자 하는 지역이 10제곱킬로미터 이상인 경우로서 국민의 주거안정과 주거수준 향상을 위하여 국무회의의 심의가 필요하다고 인정되는 경우에는 ①에 따른 협의 후 국무회의의 심의를 거쳐 주택지구의 지정 여부를 결정할 수 있다(법 제8조 제5항, 영 제11조 제4항).

(9) 보안관리 및 부동산투기 방지대책

① 국토교통부장관, 주택지구의 지정을 제안하거나 제안하려는 공공주택사업자, 관계 기관 협의대상이 되는 관계 중앙행정기관의 장 및 관할 시 · 도지사는 법 제10조에 따른 주민 등의 의견청취를 위한 공고 전까지는 주택지구의 지정을 위한 조사, 관계 서류 작성, 사전협의, 관계기관 협의, 국무회의 심의 등의 과정에서 관련 정보가 누설되지 아니하도록 필요한 조치를 하여야 한다. 다만, 국토교통부장관이 법 제40조의2 제1항에 따른 공공주택사업을 시행하기 위하여 필요하다고 인정하는 경우에는 관련 정보를 미리 공개할 수 있다(법 제9조 제1항).

② 국토교통부장관은 주택지구 또는 특별관리지역으로 지정하고자 하는 지역 및 주변지역이 부동산투기가 성행하거나 성행할 우려가 있다고 판단되는 경우에는 다음과 같은 투기방지대책을 수립하여야 한다(법 제9조 제3항, 영 제12조).

> ㉠ 주택지구의 지정 제안 등으로 부동산투기 또는 부동산가격의 급등이 우려되는 지역에 대한 주택법 제63조에 따른 투기과열지구 지정 등의 대책
> ㉡ 주택지구 또는 특별관리지역 및 주변 지역의 무분별한 개발을 방지하기 위한 개발행위허가 제한 등의 대책
> ㉢ 주택지구 또는 특별관리지역 지정을 위한 조사 · 용역 · 협의 등의 과정에서 직접적 · 간접적으로 관계되는 자에 대한 자체 보안대책
> ㉣ 그 밖에 부동산투기를 방지하기 위하여 필요한 대책

③ **정보누설 방지:** 다음의 기관 또는 업체에 종사하였거나 종사하는 자는 업무 처리 중 알게 된 주택지구 지정 또는 지정 제안과 관련한 미공개정보(자산 또는 재산상 이익의 취득 여부의 판단에 중대한 영향을 미칠 수 있는 정보로서 불특정 다수인이 알 수 있도록 공개되기 전의 것을 말한다)를 부동산 등의 매매, 그 밖의 거래에 사용하거나 타인에게 제공 또는 누설해서는 아니 된다(법 제9조 제2항).

> ㉠ 국토교통부
> ㉡ 법 제4조 제1항에 따른 공공주택사업자
> ㉢ 법 제6조 제5항 및 제8조 제1항에 따라 협의하는 관계 중앙행정기관, 관할 지방자치단체, 지방공사 등 관계 기관
> ㉣ 공공주택사업자가 법 제6조 제2항 및 제6항에 따라 주택지구의 지정 제안 또는 지정에 필요한 조사, 관계 서류 작성 등을 위하여 용역계약을 체결한 업체

④ 위 ③의 어느 하나에 해당하는 기관 또는 업체에 종사하였거나 종사하는 자로부터 주택지구의 지정 또는 지정 제안과 관련한 미공개정보를 제공받은 자 또는 미공개정보를 부정한 방법으로 취득한 자는 그 미공개정보를 부동산 등의 매매, 그 밖의 거래에 사용하거나 타인에게 제공 또는 누설해서는 아니 된다(법 제9조 제4항).

(10) 실태조사

① 국토교통부장관은 (9)의 ③과 ④에 따른 위반행위에 대하여 매년 정기조사를 실시하고, 필요한 경우 수시로 실태조사를 실시할 수 있으며, 조사의 범위는 다음과 같다(법 제9조 제5항, 영 제12조의2 제1항).

> ㉠ 법 제6조 제1항 및 제2항에 따른 주택지구의 지정 및 지정 제안(이하 '주택지구 지정 등'이라 한다)과 관련한 미공개정보의 제공 · 누설 · 부정취득 여부
> ㉡ 주택지구 지정 등이 된 지역에서 법 제9조 제2항 각 호에 따른 기관 또는 업체에 종사하였거나 종사하는 자의 부동산 등의 매매, 그 밖의 거래행위의 내역
> ㉢ 그 밖에 주택지구 지정 등과 관련된 미공개정보의 제공 · 누설 · 부정취득 및 부정사용을 예방하기 위해 필요한 사항으로서 국토교통부령으로 정하는 사항

② 국토교통부장관은 ①에 따른 정기조사 및 실태조사를 위하여 (9)의 ③의 각 기관 또는 업체에 필요한 서류 등의 제출을 요구할 수 있으며, 소속 공무원으로 하여금 해당 기관 또는 업체에 출입하여 조사하게 하거나 관계인에게 필요한 질문을 하게 할 수 있다. 이 경우 서류 등의 제출을 요구받거나 해당 기관 또는 업체의 출입 · 조사 또는 필요한 질문을 받은 자는 정당한 사유가 없으면 이에 따라야 한다(법 제9조 제6항).

③ 국토교통부장관은 ①에 따른 정기조사 및 실태조사를 위하여 필요한 경우 관계 중앙행정기관의 장, 지방자치단체의 장, 공공기관의 장, 그 밖의 관련 법인 · 단체의 장에게 필요한 자료의 제출 또는 의견의 진술 등을 요청할 수 있다. 이 경우 중앙행정기관의 장 등은 특별한 사유가 없으면 그 요청에 따라야 한다(법 제9조 제7항).

④ 국토교통부장관은 ①에 따른 정기조사 및 실태조사 결과를 공직자윤리법 제9조에 따른 공직자윤리위원회에 통보하여야 하고, (9)의 ③ 또는 ④에 따른 위반행위를 발견한 때에는 이를 수사기관에 고발하거나 보안관리의 개선에 필요한 조치를 할 수 있다(법 제9조 제8항).

마무리STEP 1 | OX 문제

01 국토교통부장관과 시 · 도지사는 공공주택지구조성사업을 추진하기 위하여 필요한 지역을 공공주택지구로 지정하거나 지정된 주택지구를 변경 또는 해제할 수 있다. 이 경우 중앙도시계획위원회의 심의를 거쳐야 하며, 심의를 하는 경우에는 60일 이내에 심의를 완료하여야 하고 같은 기간 내에 심의를 완료하지 아니한 경우에는 심의한 것으로 본다. ( )

02 국토교통부장관은 주택지구를 해제할 때 100만제곱미터 이상으로서 체계적인 관리계획을 수립하여 관리하지 아니할 경우 난개발이 우려되는 지역에 대하여 10년의 범위에서 특별관리지역으로 지정할 수 있다. ( )

03 국토교통부장관은 특별관리지역의 관리 및 계획적인 개발을 지원하기 위하여 특별관리지역 지원센터를 설치 · 운영할 수 있다. ( )

04 국토교통부장관은 주거지역 안에서 10만제곱미터 이하의 주택지구를 지정 또는 변경하는 경우에는 중앙도시계획위원회의 심의를 생략할 수 있다. ( )

05 국토교통부장관은 주택지구로 지정하고자 하는 지역이 10제곱킬로미터 이상인 경우로서 국민의 주거안정과 주거수준 향상을 위하여 국무회의의 심의가 필요하다고 인정되는 경우에는 중앙도시계획심의위원회의 심의를 거쳐 주택지구의 지정 여부를 결정할 수 있다. ( )

01 × 국토교통부장관에 한하여 지정할 수 있다.
02 × 330만제곱미터 이상이다.
03 × 시 · 도지사 및 시장 · 군수 또는 구청장은 특별관리지역 지원센터를 설치 · 운영할 수 있다.
04 ○
05 × 국무회의의 심의를 거쳐 주택지구의 지정 여부를 결정할 수 있다.

house.Hackers.com

제 3 장 공공주택지구의 조성

목차 내비게이션 공공주택 특별법

단원길라잡이

공공주택지구의 조성에 관한 사항은 정부의 주요한 정책 방향 중 하나이기 때문에 알아둘 필요가 있다.

출제포인트

- 시행자의 지정 및 변경
- 주택지구의 해제
- 주택지구의 수용

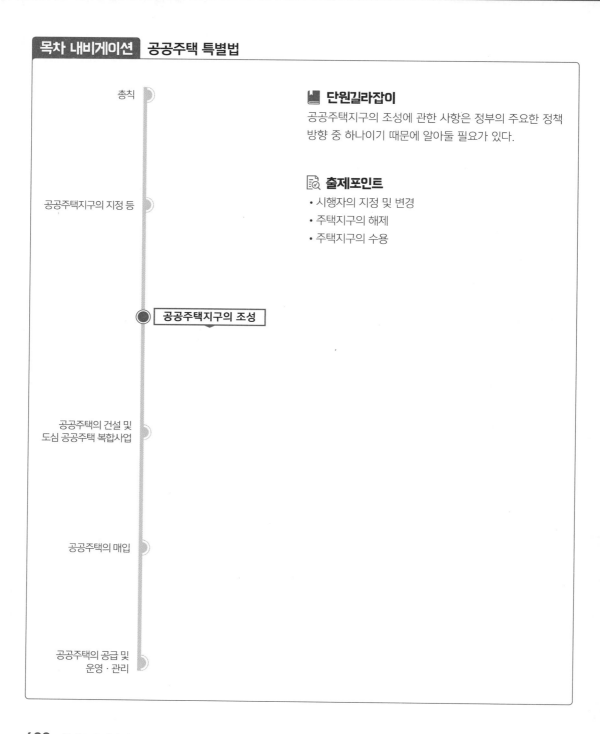

01 공공주택사업자의 우선지정 등

(1) 시행자 지정

국토교통부장관은 법 제6조 제2항에 따라 주택지구 지정을 제안한 자를 공공주택사업자로 우선지정할 수 있다(법 제15조 제1항).

(2) 시행자 변경

국토교통부장관은 공공주택사업자가 법 제17조 제1항에 따라 공공주택지구계획(이하 '지구계획'이라 한다)의 승인을 받은 후 2년 이내에 지구조성사업에 착수하지 아니하거나 지구계획에 정하여진 기간 내에 지구조성사업을 완료하지 못하거나 완료할 가능성이 없다고 판단되는 경우에는 다른 공공주택사업자를 지정하여 해당 지구조성사업을 시행하게 할 수 있다(법 제15조 제2항).

02 지구계획의 수립 및 준공검사

(1) 지구계획승인 신청

공공주택사업자는 주택지구가 지정 · 고시된 날부터 1년 이내에 지구계획을 수립하여 국토교통부장관에게 승인을 신청하여야 한다. 국토교통부장관은 공공주택사업자가 1년 이내에 승인을 신청하지 아니한 때에는 다른 공공주택사업자로 하여금 지구계획을 수립 · 신청하게 할 수 있다(법 제16조).

(2) 지구계획승인 및 절차

① **승인**: 공공주택사업자는 공공주택지구계획을 수립하여 국토교통부장관의 승인을 받아야 한다. 승인된 지구계획을 변경하는 때에도 같다. 다만, 주거지역 안에서 주택지구를 지정 · 변경하는 경우와 다음의 경미한 사항을 변경하는 경우에는 그러하지 아니하다(법 제17조 제1항, 영 제17조 제3항).

> ㉠ 사업비를 100분의 10의 범위에서 변경하는 경우
> ㉡ 주택지구 면적을 100분의 10의 범위에서 변경하는 경우
> ㉢ 사업비를 변경하지 아니하는 범위에서 설비 및 시설의 설치를 변경하는 경우

② **절차**: 국토교통부장관은 지구계획을 승인하려면 공공주택통합심의위원회의 심의를 거치고, 관계 시장 · 군수 또는 구청장의 의견을 들어야 한다. 이 경우 의견 제출을 요청받은 시장 · 군수 또는 구청장은 요청받은 날부터 30일 내에 의견을 제출하여야 하며, 그 기간 동안 의견을 제출하지 아니하면 의견이 없는 것으로 본다(법 제17조 제2항, 영 제17조 제1항 · 제2항).

③ **고시**: 국토교통부장관은 ①에 따라 지구계획을 승인한 때에는 대통령령으로 정하는 바에 따라 고시하고, 관계 서류의 사본을 관계 시장 · 군수 또는 구청장에게 송부하여야 하며, 송부받은 시장 · 군수 또는 구청장은 이를 일반인이 열람할 수 있도록 하여야 한다(법 제17조 제3항 · 제4항).

(3) 준공검사

① **준공검사**: 공공주택사업자는 지구조성사업을 완료한 때에는 지체 없이 국토교통부장관의 준공검사를 받아야 한다(법 제31조 제1항).

② **공고**: 국토교통부장관은 지구조성사업이 지구계획대로 완료되었다고 인정하는 경우에는 준공검사서를 공공주택사업자에게 교부하고 이를 대통령령으로 정하는 바에 따라 관보에 공고하여야 한다(법 제31조 제2항).

③ 공공주택사업자가 ①에 따라 준공검사를 받은 때에는 법 제18조에 따라 의제되는 인가 · 허가 등에 따른 해당 사업의 준공검사 또는 준공인가 등을 받은 것으로 본다(법 제31조 제3항).

④ **일부 준공검사**: 공공 주택사업자는 지구조성사업을 효율적으로 시행하기 위하여 지구계획의 범위에서 주택지구 중 일부지역에 한정하여 준공검사를 신청할 수 있다(법 제31조 제4항).

(4) 조성된 토지의 공급

① **공급방법**: 주택지구로 조성된 토지를 공급하려는 자는 지구계획에서 정한 바에 따라 공급하여야 한다(법 제32조 제1항).

② **공급가격**: 공공주택사업자는 주택법에 따른 국민주택의 건설용지로 사용할 토지를 공급할 때 그 가격을 조성원가 이하로 할 수 있다(법 제32조 제2항).

③ 공공주택사업자는 주택법에 따른 국민주택의 건설용지로 사용할 토지를 공급할 때 그 가격을 조성원가 이하로 할 수 있다(법 제32조 제3항).

(5) 조성된 토지의 전매행위 제한

① **전매제한**: 주택지구로 조성된 토지를 공급받은 자는 소유권이전등기를 하기 전까지는 그 토지를 공급받은 용도대로 사용하지 아니한 채 그대로 전매(명의변경, 매매 또는 그 밖에 권리의 변동을 수반하는 모든 행위를 포함하되, 상속의 경우는 제외한다. 이하 같다)할 수 없다. 다만, 이주대책용으로 공급하는 주택건설용지 등 대통령령으로 정하는 경우에는 그러하지 아니하다(법 제32조의3 제1항).

② 조성된 토지의 공급대상자로 선정된 자(이하 '공급대상자'라 한다)는 해당 토지를 공급받을 수 있는 권리 · 자격 · 지위 등을 전매할 수 없고, 누구든지 이를 전매받아서도 아니 된다(법 제32조의3 제2항).

③ **전매효과:** 토지를 공급받은 자가 ①을 위반하여 토지를 전매한 경우 해당 법률행위를 무효로 하며, 공공주택사업자(당초의 토지공급자를 말한다)는 토지공급 당시의 가액 및 은행법에 따른 은행의 1년 만기 정기예금 평균이자율을 합산한 금액을 지급하고 해당 토지를 환매할 수 있다(법 제32조의3 제3항).

(6) 선수금 등

① 공공주택사업자는 토지를 공급받을 자로부터 그 대금의 전부 또는 일부를 미리 받을 수 있으며, 공공주택사업자는 토지를 공급받을 자에게 토지로 상환하는 채권(이하 '토지상환채권'이라 한다)을 발행할 수 있다(법 제32조의4 제1항 · 제2항).

② 위 ①에 따라 선수금을 받거나 토지상환채권을 발행하려는 공공주택사업자는 국토교통부장관의 승인을 받아야 한다(법 제32조의4 제4항).

03 공공주택지구의 조성 특례

(1) 지구계획승인의 효과

① 지구계획이 승인된 때에는 산지관리법 제6조에 따른 보전산지가 변경·해제된 것으로 본다(법 제19조).

② 지구계획이 승인된 때에는 국토교통부장관과 특별시장 · 광역시장 · 시장 · 군수(광역시의 군수는 제외한다)는 이를 수도법 제5조에 따른 수도정비계획에 우선적으로 반영하여야 한다. 이 경우 환경부장관은 특별한 사유가 없으면 관할 특별시장 · 광역시장 · 시장 · 군수로부터 수도정비계획 승인 신청을 접수한 날부터 30일 이내에 수도정비계획을 승인하여야 한다(법 제20조).

③ 지구계획이 승인된 때에는 특별시장 · 광역시장 · 시장 · 군수는 하수도법 제5조 및 제6조에 따른 하수도정비기본계획에 우선적으로 반영하여야 한다. 이 경우 환경부장관은 특별한 사유가 없으면 관할 특별시장 · 광역시장 · 시장 · 군수로부터 하수도정비기본계획 승인 신청을 접수한 날부터 40일 이내에 하수도정비기본계획을 승인하여야 한다(법 제21조).

(2) 개발제한구역의 지정 및 관리에 관한 특별조치법의 적용 특례

① 국토교통부장관은 주택수급 등 지역여건을 감안하여 불가피한 경우 개발제한구역의 지정 및 관리에 관한 특별조치법 제3조 제1항에 따라 해제할 필요가 있는 개발제한구역을 주택지구로 지정할 수 있다(법 제22조 제1항).

② 국토교통부장관은 ①에 따라 주택지구를 지정하는 경우 개발제한구역으로서 다음의 요건을 모두 갖춘 지역을 지정하여야 한다(법 제22조 제2항, 영 제18조).

> ㉠ 개발제한구역의 지정 및 관리에 관한 특별조치법 시행령 제2조 제3항 제1호에 따른 개발제한구역에 대한 환경평가 결과 보존가치가 낮게 나타나는 곳으로서 공공주택의 적절한 공급을 위하여 필요한 지역
> ㉡ 생태계 보전의 필요성이 있는 야생동물 집단서식지 및 희귀식물 집단군락지 등이 아닌 지역
> ㉢ 기존의 간선도로, 상하수도 등 기반시설과 연계되어 있어 기반시설을 설치하기 쉬운 지역

③ 국토교통부장관이 ①에 따른 주택지구에 대하여 지구계획을 승인 또는 변경승인하여 고시한 때에는 개발제한구역의 지정 및 관리에 관한 특별조치법 제3조부터 제8조까지의 규정에 따른 개발제한구역의 해제를 위한 도시 · 군관리계획의 결정이 있는 것으로 본다(법 제22조 제4항).

(3) 환경영향평가법의 적용 특례

① 환경영향평가법 제29조에도 불구하고 지구조성사업에 대하여 평가서의 협의를 요청받은 행정기관의 장은 평가서를 접수한 날부터 45일 이내에 국토교통부장관에게 평가협의에 대한 의견을 통보하여야 한다(법 제23조 제1항).

② 국토교통부장관은 환경영향평가법에 따른 환경영향평가를 실시하는 경우 해당 주택지구 등에 대한 환경영향을 협의기관의 장과 협의하여 연 2회 이하로 조사할 수 있다(법 제23조 제2항).

(4) 수도권정비계획법의 적용 특례

국토교통부장관 또는 시 · 도지사는 주택지구 전체 개발면적의 100분의 50 이상을 개발제한구역을 해제하여 지정하는 주택지구에서 지구조성사업을 시행하기 위하여 공장 및 제조업소의 이전이 불가피한 경우 수도권정비계획법 제7조에도 불구하고 수도권정비위원회의 심의를 거쳐 주택지구 또는 주택지구 외의 지역에 공업지역을 지정할 수 있다. 이 경우 지정되는 공업지역의 면적은 주택지구 지정 당시 공장과 제조업소의 부지면적을 합한 총면적을 넘어서는 아니 된다(법 제24조의2 제1항).

(5) 간선시설의 설치 및 지원 등

공공주택사업을 시행하는 때에는 해당 간선시설의 설치 및 설치비용의 상환에 관하여 주택법 제28조를 준용한다. 이 경우 간선시설을 설치하는 자는 공공주택사업에 필요한 간선시설을 다른 주택건설사업이나 대지조성사업보다 우선하여 설치하여야 하며, 국가 또는 지방자치단체는 공공주택사업의 원활한 시행을 위하여 도로 · 철도 · 공원 등 대통령령으로 정하는 시설을 직접 설치하거나 이를 설치하는 자에게 설치비용을 보조할 수 있다(법 제25조).

(6) 토지에의 출입 등

주택지구의 지정을 제안하는 자 또는 공공주택사업자는 주택지구의 지정제안 또는 지구계획의 작성을 위한 조사 · 측량을 하고자 하는 때와 지구조성사업의 시행을 위하여 필요한 경우에는 타인의 토지에 출입하거나 타인의 토지를 재료적치장 · 통로 또는 임시도로로 일시 사용할 수 있으며 죽목 · 토석, 그 밖의 장애물을 변경하거나 제거할 수 있다(법 제26조).

(7) 토지 등의 수용 등

① 공공주택사업자는 주택지구의 조성 또는 공공주택건설을 위하여 필요한 경우에는 토지 등을 수용 또는 사용할 수 있다(법 제27조 제1항).

② 주택지구를 지정하거나 주택건설사업계획을 승인하여 고시한 때에는 공익사업을 위한 토지 등의 취득 및 보상에 관한 법률에 따른 사업인정 및 사업인정의 고시가 있는 것으로 본다(법 제27조 제2항).

③ ①에 따른 토지 등의 수용 또는 사용에 대한 재결의 신청은 공익사업을 위한 토지 등의 취득 및 보상에 관한 법률에도 불구하고 지구계획 또는 주택건설사업계획에서 정하는 사업의 시행기간 내에 할 수 있다(법 제27조 제3항).

④ 토지 등의 수용 또는 사용에 대한 재결의 관할 토지수용위원회는 중앙토지수용위원회로 한다(법 제27조 제4항).

⑤ 주민 등의 의견청취 공고로 인하여 취득하여야 할 토지가격이 변동되어 주택지구에 대한 감정평가의 기준이 되는 표준지공시지가의 평균변동률이 해당 주택지구가 속하는 특별자치도, 시 · 군 또는 구 전체 표준지공시지가의 평균변동률보다 30퍼센트 이상 높은 경우에는 공시지가는 주민 등의 의견청취 공고일 전의 시점을 공시기준일로 하는 공시지가로서 해당 토지의 가격시점 당시 공시된 공시지가 중 주민 등의 의견청취 공고일에 가장 가까운 시점에 공시된 공시지가로 한다(법 제27조 제5항, 영 제20조 제1항).

⑥ 위 ⑤에 따른 평균변동률을 산정할 때 주택지구가 둘 이상의 시 · 군 또는 구에 걸치는 경우에는 해당 주택지구가 속한 시 · 군 또는 구별로 평균변동률을 산정한 후 이를 해당 시 · 군 또는 구에 속한 주택지구 면적의 비율로 가중평균한다(영 제20조 제4항).

(8) 건축물의 존치 등

공공주택사업자는 주택지구에 있는 기존의 건축물이나 그 밖의 시설을 이전하거나 철거하지 아니하여도 지구조성사업에 지장이 없다고 인정하여 대통령령으로 정하는 요건을 충족하는 경우에는 이를 존치하게 할 수 있으며, 공공주택사업자는 존치하게 된 시설물의 소유자에게 도로, 공원, 상하수도, 그 밖에 대통령령으로 정하는 공공시설의 설치 등에 필요한 비용의 일부를 부담하게 할 수 있다(법 제27조의2).

(9) 국 · 공유지의 처분제한 등

주택지구 안에 있는 국가 또는 지방자치단체 소유의 토지로서 지구조성사업에 필요한 토지는 지구조성사업 외의 목적으로 매각하거나 양도할 수 없으며, 주택지구 안에 있는 국가 또는 지방자치단체 소유의 재산은 공공주택사업자에게 수의계약으로 양도할 수 있다. 이 경우 그 재산의 용도폐지 및 양도에 관하여는 국토교통부장관이 미리 관계 행정기관의 장과 협의하여야 하고, 협의의 요청이 있는 때에는 관계 행정기관의 장은 그 요청을 받은 날부터 60일 이내에 용도폐지 및 양도, 그 밖의 필요한 조치를 하여야 한다(법 제28조).

기출예제

공공주택 특별법령상 공공주택지구(이하 '주택지구'라 한다)의 조성에 관한 설명으로 옳지 않은 것은?

제26회

① 공공주택사업자는 주택지구의 조성 또는 공공주택 건설을 위하여 필요한 경우에는 토지 등을 수용 또는 사용할 수 있다.
② 공공주택사업자는 주택지구로 조성된 토지가 판매시설용지 등 영리를 목적으로 사용될 토지에 해당하는 경우 수의계약의 방법으로 공급할 수 있다.
③ 공공주택사업자는 지구조성사업을 효율적으로 시행하기 위하여 지구계획의 범위에서 주택지구 중 일부 지역에 한정하여 준공검사를 신청할 수 있다.
④ 공공주택사업자는 주택법에 따른 국민주택의 건설용지로 사용할 토지를 공급할 때 그 가격을 조성원가 이하로 할 수 있다.
⑤ 주택지구 안에 있는 국가 또는 지방자치단체 소유의 토지로서 지구조성사업에 필요한 토지는 지구조성사업 외의 목적으로 매각하거나 양도할 수 없다.

해설

주택지구의 특례

주택지구 안에 있는 국가 또는 지방자치단체 소유의 토지로서 지구조성사업에 필요한 토지는 지구조성사업 외의 목적으로 매각하거나 양도할 수 없으며, 주택지구 안에 있는 국가 또는 지방자치단체 소유의 재산은 국유재산법과 공유재산 및 물품 관리법에도 불구하고 공공주택사업자에게 수의계약으로 양도할 수 있다.

정답: ②

(10) 부담금의 감면

공공주택사업에 부과되는 법령상의 부담금에 대하여는 관련 법령으로 정하는 바에 따라 이를 감면하거나 부과하지 아니할 수 있다(법 제30조).

04 공공주택지구 주민에 대한 지원대책

(1) 공공주택지구 주민에 대한 지원대책

시 · 도지사, 시장 · 군수 · 구청장 또는 공공주택사업자는 공공주택사업 또는 노숙인 등의 복지 및 자립지원에 관한 법률에 따른 쪽방 밀집지역이 포함된 공공주택사업 중 대통령령으로 정하는 사업으로 인하여 생활기반을 상실하게 되는 주택지구 안의 주민에 대하여 직업전환훈련, 소득창출사업지원, 그 밖에 주민의 재정착에 필요한 지원대책을 대통령령으로 정하는 바에 따라 수립 · 시행할 수 있다(법 제27조의3, 영 제21조의2 제1항).

> ① **주택지구의 면적이 10만제곱미터 이상인 공공주택사업**: 다음의 지원대책
> ㉠ 전업(轉業)을 희망하는 주택지구 안의 주민에 대한 직업전환훈련의 실시
> ㉡ 주택지구 안의 주민에 대한 직업 알선
> ㉢ 공공주택사업에 참여하는 시공업체 등에 대한 주택지구 안의 주민의 고용 추천
> ② **주택지구의 면적이 50만제곱미터 이상인 공공주택사업**: 다음의 지원대책
> ㉠ 위 ①의 지원대책
> ㉡ 주택지구 안의 주민으로 구성된 법인 또는 단체에 대한 소득창출사업의 지원
> ③ **쪽방 밀집지역이 포함된 공공주택사업 중 해당 쪽방 밀집지역의 쪽방거주자가 100명 이상인 공공주택사업**: 다음의 지원대책
> ㉠ 위 ②의 지원대책
> ㉡ 공공주택사업의 시행으로 철거되는 주택의 소유자 및 세입자에 대한 공공임대주택 등을 활용한 임시거주 지원

(2) 쪽방 밀집지역을 포함하는 주택지구의 토지 등의 수용 등에 대한 특례

① **현물보상**: 공공주택사업자는 국토교통부장관이 쪽방 밀집지역을 포함하여 지구조성사업을 지정하여 고시하는 주택지구의 토지등소유자가 협의에 응하여 주택지구 내 토지등의 전부를 공공주택사업자에게 양도하는 경우로서 토지등소유자가 원하는 경우에는 사업시행으로 건설되는 건축물(건축물에 부속된 토지를 포함한다)로 보상(현물보상)할 수 있다(법 제27조의4 제1항).

② 현물보상으로 공급하는 주택 및 주택 이외의 건축물에 대하여는 주택법 및 건축물의 분양에 관한 법률을 적용하지 아니하고, 대통령령으로 정하는 바에 따라 공공주택사업자가 공급기준 및 분양가격 등을 따로 정할 수 있다(법 제27조의4 제4항, 제40조의11).

마무리STEP 1 | OX 문제

01 국토교통부장관은 법 제6조 제2항에 따라 주택지구 지정을 제안한 자를 공공주택사업자로 우선 지정할 수 있다. ( )

02 국토교통부장관은 공공주택사업자가 공공주택지구계획의 승인을 받은 후 2년 이내에 지구조성사업에 착수하지 아니하는 경우에는 공공주택지구를 해제할 수 있다. ( )

03 공공주택사업자는 주택지구가 지정 · 고시된 날부터 1년 이내에 지구계획을 수립하여 국토교통부장관에게 승인을 신청하여야 한다. 국토교통부장관은 공공주택사업자가 1년 이내에 승인을 신청하지 아니한 때에는 다른 공공주택사업자로 하여금 지구계획을 수립 · 신청하게 할 수 있다. ( )

04 주택지구로 조성된 토지를 공급하려는 자는 지구계획에서 정한 바에 따라 공급하여야 하며, 공공주택사업자는 주택법에 따른 국민주택의 건설용지로 사용할 토지를 공급할 때 그 가격을 조성원가 이하로 할 수 있다. ( )

01 ○

02 × 공공주택지구계획의 승인을 받은 후 2년 이내에 지구조성사업에 착수하지 아니하거나 지구계획에 정하여진 기간 내에 지구조성사업을 완료하지 못하거나 완료할 가능성이 없다고 판단되는 경우에는 다른 공공주택사업자를 지정하여 해당 지구조성사업을 시행하게 할 수 있다.

03 ○

04 ○

05 국토교통부장관이 주택지구에 대하여 지구계획을 승인 또는 변경승인하여 고시한 때에는 개발제한구역의 지정 및 관리에 관한 특별조치법에 따른 개발제한구역의 해제를 위한 도시 · 군관리계획의 결정이 있는 것으로 본다. (　　)

06 공공주택사업자는 주택지구의 조성을 위하여 필요한 경우에는 토지 등을 수용 또는 사용할 수 있다. 주택지구를 지정하여 고시한 때에는 공익사업을 위한 토지 등의 취득 및 보상에 관한 법률에 따른 사업인정 및 사업인정의 고시가 있는 것으로 본다. (　　)

05 ○

06 ○

제 4 장 공공주택의 건설 및 도심 공공주택 복합사업

목차 내비게이션 공공주택 특별법

단원길라잡이

공공주택의 건설에 관한 사항도 본 시험에서는 그 중요성이 조금 낮은 편이다. 따라서 해당 사항에 대한 전반적인 이해 위주로 접근하면 충분하다.

출제포인트

- 도심 공공주택 복합지구의 지정
- 도심 공공주택 복합지구의 해제

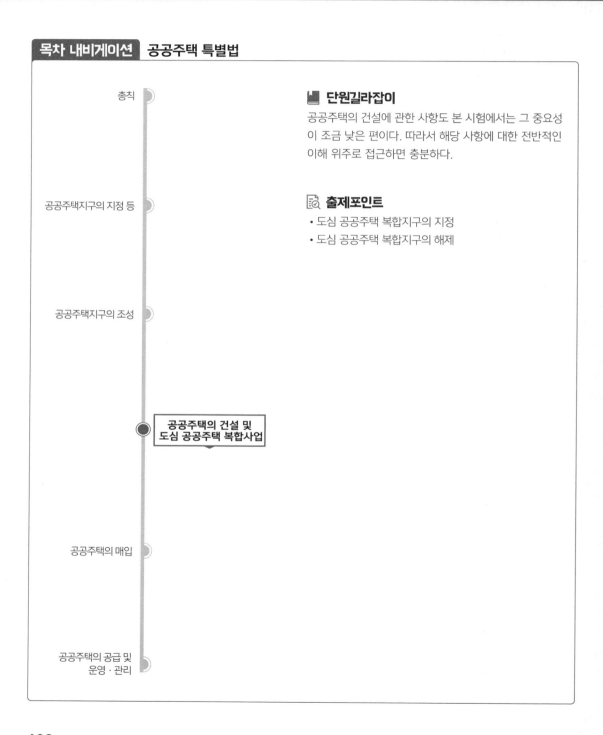

01 주택건설사업계획의 승인

(1) 공공주택사업자는 공공주택에 대한 사업계획(부대시설 및 복리시설의 설치에 관한 계획을 포함한다)을 작성하여 국토교통부장관의 승인을 받아야 한다. 사업계획을 변경하고자 하는 경우에도 같다(법 제35조 제1항).

(2) 국토교통부장관은 주택지구 내에서 건설되는 공공주택 외의 주택(이하 '민간분양주택 등'이라 한다)을 공공주택과 동시에 건설하는 것이 불가피하다고 판단하는 경우에는 민간분양주택 등의 건설에 대한 사업계획을 해당 사업의 주체로부터 직접 또는 이 법에 따른 공공주택사업자를 통하여 신청받아 이를 승인할 수 있다. 사업계획을 변경하고자 하는 경우에도 같다(법 제35조 제2항).

(3) 공공주택사업자는 주택건설사업계획을 법 제16조 제1항에 따른 지구계획 신청서에 포함하여 제출할 수 있다(법 제35조 제3항).

(4) 공공주택사업자는 이 법에 따른 주택건설사업을 하는 때에 공사의 성질이나 규모 등을 고려하여 분할시공함이 효율적인 경우에는 이를 분할하여 계약할 수 있다(법 제39조 제1항).

02 공공시설 부지 등에서의 공공주택사업에 대한 특례

(1) 영구임대주택, 국민임대주택, 행복주택을 공급하기 위하여 다음의 어느 하나에 해당하는 토지를 공공주택사업 면적의 100분의 50 이상 포함하는 토지에서 공공주택사업을 시행하는 경우에는 국토의 계획 및 이용에 관한 법률 제76조에도 불구하고 건축법 제2조 제2항에 따른 판매시설, 업무시설, 숙박시설 등 국토교통부장관이 정하여 고시하는 시설물을 공공주택과 함께 건설할 수 있다. 이 경우 법 제2조 제2호 후단에 따른 주택비율은 적용하지 아니한다(법 제40조의2 제1항, 영 제33조).

> ① 철도·유수지 등 공공시설의 부지 및 국유재산법 제6조 제2항 제1호 및 공유재산 및 물품 관리법 제5조 제2항 제1호에 따른 공용재산
> ② 국가, 지방자치단체, 공공기관의 운영에 관한 법률 제5조에 따른 공공기관 또는 지방공기업법 제49조에 따라 설립하는 지방공사가 소유한 다음의 어느 하나에 해당하는 토지
> ㉠ 이 법 또는 택지개발촉진법 등의 관계 법률에 따라 매각을 목적으로 조성하였으나 매각되지 아니한 토지
> ㉡ 공공시설 등을 설치할 목적으로 취득하였으나 그 목적대로 사용하지 아니하는 토지
> ㉢ 공공시설 등을 설치하여 사용하고 있으나 해당 시설의 이용에 지장이 없는 범위에서 공공주택을 건설할 수 있는 토지

③ 국가, 지방자치단체, 공공기관 또는 지방공사가 1년 이상 소유한 토지
④ 국가, 지방자치단체, 공공기관 또는 지방공사가 임대주택을 건설할 목적으로 소유한 토지

(2) 위 (1)에 따른 토지에서 공공주택과 시설물을 함께 건설하려는 공공주택사업자는 법 제35조 및 건축법 제11조 등 관계 규정에도 불구하고 시설물의 건설에 관한 사항을 포함하여 주택건설사업계획을 작성한 후 법 제35조에 따른 승인을 받아야 한다. 다만, (1)에 따른 시설물을 공공주택과 별개의 동으로 건설하려는 경우 해당 시설물은 건축법 제11조에 따른 건축허가를 받아 건축할 수 있다(법 제40조의2 제2항).

03 국유재산법 등에 대한 특례

(1) 국가와 지방자치단체는 국유재산법, 공유재산 및 물품 관리법, 그 밖의 관계 법률에도 불구하고 법 제40조의2 제1항에 따른 공공주택사업의 원활한 시행을 위하여 필요한 경우에는 그 공공주택사업자에게 수의계약의 방법으로 국유재산 또는 공유재산을 사용허가하거나 매각 · 대부할 수 있다. 이 경우 국가와 지방자치단체는 사용허가 및 대부의 기간을 50년 이내로 할 수 있으며, 대통령령으로 정하는 바에 따라 사용료 또는 대부료를 감면할 수 있다(법 제40조의3 제1항).

(2) 국가 또는 지방자치단체가 (1)에 따라 국유재산 또는 공유재산을 사용허가하거나 대부하려는 경우 해당 국유재산 또는 공유재산의 사용료 또는 대부료는 해당 재산가액에 1천분의 5 이상을 곱한 금액으로 한다. 다만, 지방자치단체가 해당 지역의 원활한 공공임대주택 공급을 위하여 필요하다고 인정하는 경우에는 공유재산의 사용료 또는 대부료를 무상으로 하거나 해당 재산가액에 1천분의 5 미만을 곱한 금액으로 할 수 있다(영 제34조 제1항).

(3) 국가와 지방자치단체는 국유재산법 및 공유재산 및 물품 관리법에도 불구하고 (1)에 따른 공공주택사업자에게 같은 항에 따라 사용허가나 대부를 받은 국유재산 또는 공유재산에 영구시설물을 축조하게 할 수 있다. 이 경우 해당 영구시설물의 소유권은 국가, 지방자치단체 또는 그 밖의 관계 기관과 공공주택사업자간에 별도의 합의가 없으면 그 국유재산 또는 공유재산을 반환할 때까지 공공주택사업자에게 귀속된다(법 제40조의3 제5항).

04 철도의 건설 및 철도시설 유지관리에 관한 법률 등에 대한 특례

(1) 철도의 건설 및 철도시설 유지관리에 관한 법률 제2조 제6호에 따른 철도시설에서 법 제40조의2 제1항에 따른 공공주택사업을 시행하는 공공주택사업자는 같은 법 제8조에 따른 철도건설사업의 시행자로 보며, 국토교통부장관은 해당 공공주택사업의 원활한 시행을 위하여 필요한 경우에는 철도사업법 제42조 및 제44조에도 불구하고 그 공공주택사업자에 대하여 50년 이내의 범위에서 철도시설의 점용허가를 할 수 있으며, 대통령령으로 정하는 바에 따라 점용료를 감면할 수 있다(법 제40조의4).

(2) 국토교통부장관은 (1)에 따라 철도시설의 점용허가를 하려는 경우 해당 철도시설의 점용료는 해당 철도시설(철도의 건설 및 철도시설 유지관리에 관한 법률 제2조 제6호의 철도시설 중 부지로 한정한다. 이하 같다)의 가액에 1천분의 10 이상을 곱한 금액으로 한다(영 제34조 제2항).

05 학교용지 확보 등에 관한 특례법에 대한 특례

영구임대주택, 국민임대주택, 행복주택을 공급하기 위하여 공공주택사업 면적의 100분의 50 이상 포함하는 공공주택사업을 시행하는 공공주택사업자는 학교용지 확보 등에 관한 특례법 제3조에도 불구하고 교육감의 의견을 들어 학교용지를 개발 · 확보하지 아니할 수 있고, 이에 따라 공공주택사업자가 학교용지를 확보하지 아니하는 경우, 공공주택사업자는 교육감의 의견을 들어 해당 공공주택사업의 시행 지역과 가까운 곳에 있는 학교를 증축하기 위하여 필요한 경비 등을 부담할 수 있다(법 제40조의5).

06 건축기준 등에 대한 특례

(1) 국토교통부장관은 철도 · 유수지 등 공공시설의 부지에 건설하는 공공주택사업의 원활한 시행을 위하여 필요한 경우에는 다음에 따른 관계 규정에도 불구하고 대통령령으로 정하는 범위에서 다음의 사항에 대하여 완화된 기준을 정하여 시행할 수 있다(법 제40조의6).

① 국토의 계획 및 이용에 관한 법률 제77조 및 제78조에 따른 건폐율 및 용적률의 제한
② 건축법 제2조 제1호, 제42조, 제43조, 제55조, 제56조, 제58조, 제60조 및 제61조에 따른 대지의 범위, 대지의 조경, 공개공지, 대지 안의 공지, 건축물의 건폐율 · 용적률 · 높이 등 건축제한
③ 도시공원 및 녹지 등에 관한 법률 제14조에 따른 도시공원 또는 녹지 확보기준
④ 주차장법 제12조의3, 제19조 및 주택법 제35조에 따른 주차장의 설치기준

(2) 위 (1)에서 '대통령령으로 정하는 범위'란 다음의 구분에 따른 범위를 말한다(영 제35조 제1항).

① **건폐율**: 국토의 계획 및 이용에 관한 법률 제77조에 따라 조례로 정한 건폐율에도 불구하고 같은 법 시행령 제84조 제1항 각 호에서 정한 건폐율의 상한을 적용한다. 이 경우 건폐율을 산정할 때 철도 · 유수지 등 공공시설 부지의 상부 또는 인접공간을 활용하기 위하여 지반상태와 유사한 여건을 조성하기 위한 구조물(이하 '인공지반'이라 한다)을 설치한 경우에는 해당 인공지반의 면적은 건축면적에 포함하지 아니한다.

② **용적률**: 국토의 계획 및 이용에 관한 법률 제78조에 따라 조례로 정한 용적률에도 불구하고 같은 법 시행령 제85조 제1항 각 호에서 정한 용적률의 상한을 적용한다. 이 경우 용적률을 산정할 때 다음의 구조물 또는 시설을 설치한 경우에는 해당 구조물 또는 시설의 면적은 연면적에 포함하지 아니한다.

㉠ 인공지반

㉡ 국토의 계획 및 이용에 관한 법률 제2조 제7호에 따른 도시 · 군계획시설인 주차장

③ **대지의 조경**: 인공지반을 설치한 경우 인공지반의 조경면적은 건축법 제42조에 따른 대지의 조경면적으로 보고, 인공지반에 대해서는 대지 안의 식재(植栽) 기준에 관한 자연지반율은 적용하지 아니한다.

④ **공개 공지 등**: 주택지구 내에서 건설하는 건축법 제2조 제2항에 따른 판매시설, 업무시설, 숙박시설 등 국토교통부장관이 정하여 고시하는 시설로서 건축물의 일부를 공중(公衆)에 휴식시설 등의 용도로 제공하는 경우에는 같은 법 제43조 및 같은 법 시행령 제27조의2에도 불구하고 공개 공지 또는 공개 공간을 설치하지 아니할 수 있다.

⑤ **대지 안의 공지**: 인공지반으로 이루어진 대지에는 피난에 지장이 없는 경우에 한정하여 건축법 제58조 및 같은 법 시행령 제80조의2에도 불구하고 대지 안의 공지를 두지 아니할 수 있다.

⑥ **건축물의 높이**: 국토의 계획 및 이용에 관한 법률 제49조에 따른 지구단위계획으로 일단의 가로구역(街路區域)에 대하여 건축물의 높이를 지정한 경우에는 건축법 제60조 제1항에 따른 가로구역별 건축물의 높이를 지정 · 공고한 것으로 본다.

⑦ **도시공원 또는 녹지 확보기준**: 도시공원 및 녹지 등에 관한 법률 제14조에 따른 도시공원 또는 녹지 확보기준을 100분의 50의 범위에서 완화하여 적용할 수 있다.

⑧ **주차장**: 주차장법 시행령 [별표 1]에서 정한 부설주차장의 설치기준을 100분의 50의 범위에서 완화하여 적용할 수 있다. 다만, 주택건설기준 등에 관한 규정 제27조 제7항에 따라 완화 적용을 받은 경우에는 추가로 완화 적용할 수 없다.

07 도심 공공주택 복합사업

(1) 도심 공공주택 복합지구의 지정

① **지정**: 국토교통부장관 또는 시 · 도지사(이하 '지정권자'라 한다)는 다음의 구분에 따라 도심 공공주택 복합사업(이하 '복합사업'이라 한다)을 추진하기 위하여 필요한 지역을 도심 공공주택 복합지구(이하 '복합지구'라 한다)로 지정하거나 지정된 복합지구를 변경 또는 해제할 수 있다(법 제40조의7 제1항).

> ㉠ 지방공사 또는 지방공사가 총지분의 100분의 50을 초과하여 출자 · 설립한 법인이 제안을 하는 경우 지정권자: 시 · 도지사
> ㉡ 위 ㉠ 외의 공공주택사업자가 제안을 하는 경우 지정권자: 국토교통부장관

② **제안**: 공공주택사업자는 지정권자에게 복합지구의 지정 · 변경을 제안할 수 있으며, 다음의 어느 하나에 해당하는 경우에는 해제를 제안할 수 있다(법 제40조의7 제2항).

> ㉠ 사정의 변경으로 인하여 복합사업을 계속 추진할 필요성이 없어지거나 추진하는 것이 현저히 곤란한 경우
> ㉡ 복합지구 지정 후 3년이 경과한 구역으로서 복합지구에 위치한 토지 또는 건축물의 소유자의 2분의 1 이상이 공공주택사업자에게 해제를 요청하는 경우(법 제40조의8에 따른 도심 공공주택 복합사업계획을 신청한 경우는 제외한다)

③ **예정지구**: 지정권자가 복합지구를 지정 · 변경하려면 공고를 하여 주민 및 관계 전문가 등의 의견을 들어야 한다. 이 경우 지정 공고한 지역은 도심 공공주택 복합사업 예정지구(이하 '예정지구'라 한다)로 지정된 것으로 본다(법 제40조의7 제5항).

④ **반려**: 지정권자는 다음의 어느 하나에 해당하는 경우에는 복합지구 지정 · 변경제안을 반려하여야 하며, 반려된 경우 예정지구 지정은 해제된 것으로 보고 지정권자는 이를 공고하여야 한다(법 제40조의7 제6항 · 제7항).

> ㉠ 공공주택사업자가 복합지구의 지정 · 변경에 관한 주민 등의 의견청취의 공고일부터 1년이 지날 때까지 토지 등 소유자 3분의 2 이상의 동의와 토지면적의 2분의 1 이상에 해당하는 토지를 확보(토지소유권을 취득하거나 사용동의를 받은 것)하지 못하는 경우
> ㉡ 사정의 변경으로 인하여 복합사업을 추진할 필요성이 없어지거나 추진하는 것이 현저히 곤란한 경우
> ㉢ 복합지구의 지정 · 변경에 관한 주민 등의 의견청취의 공고일부터 6개월이 지난 날 이후로 2분의 1을 초과하는 토지등소유자가 예정지구 지정해제를 요청하는 경우

(2) 도심 공공주택 복합사업계획

① **지정:** 공공주택사업자는 다음의 사항을 포함한 도심 공공주택 복합사업계획(이하 '복합사업계획'이라 한다)을 수립하여 지정권자의 승인을 받아야 한다(법 제40조의8 제1항).

> ㉠ 복합사업계획의 개요
> ㉡ 토지이용계획 및 기반시설 설치계획
> ㉢ 건축 및 주택건설계획
> ㉣ 임시거주시설을 포함한 주민이주대책
> ㉤ 세입자의 주거 및 이주대책
> ㉥ 조성된 토지의 공급에 관한 계획
> ㉦ 총사업비

② **협의:** 지정권자는 복합사업계획을 승인하려는 경우에는 공공주택사업자가 제출한 관계 서류를 첨부하여 미리 관계 행정기관의 장과 협의하여야 한다. 이 경우 관계 행정기관의 장은 협의요청을 받은 날부터 30일 이내에 의견을 제출하여야 하며, 같은 기간 이내에 의견제출이 없는 경우에는 의견이 없는 것으로 본다(법 제40조의8 제5항).

(3) 도심 공공주택 복합사업의 특례

① **건축기준에 대한 특례:** 지정권자는 복합사업의 원활한 시행을 위하여 필요한 경우에는 다음에 따른 관계 규정에도 불구하고 대통령령으로 정하는 범위에서 다음의 사항에 대하여 완화된 기준을 정하여 시행할 수 있으며, 주차장의 설치기준을 완화하는 경우 법 제33조에도 불구하고 도시교통정비 촉진법에 따른 교통영향평가심의위원회의 심의를 받아야 한다(법 제40조의9).

> ㉠ 국토의 계획 및 이용에 관한 법률에 따른 용도지역 및 용도지구에서의 건축물 건축 제한
> ㉡ 국토의 계획 및 이용에 관한 법률에 따른 건폐율의 제한
> ㉢ 국토의 계획 및 이용에 관한 법률에 따른 용적률의 제한
> ㉣ 도시공원 및 녹지 등에 관한 법률에 따른 도시공원 또는 녹지 확보기준
> ㉤ 주차장법 및 주택법에 따른 주차장의 설치기준

② **토지 등의 수용 :** 공공주택사업자는 복합지구에서 복합사업을 시행하기 위하여 필요한 경우에는 토지 등을 수용 또는 사용할 수 있으며, 복합지구를 지정하여 고시한 때에는 공익사업을 위한 토지 등의 취득 및 보상에 관한 법률에 따른 사업인정 및 사업인정의 고시가 있는 것으로 본다(법 제40조의10 제1항 · 제2항).

③ 현물보상

㉠ **대상자:** 공공주택사업자는 토지등소유자가 공익사업을 위한 토지 등의 취득 및 보상에 관한 법률에 따른 협의에 응하여 그가 소유하는 복합지구 내 토지 등의 전부를 공공주택사업자에게 양도하는 경우로서 토지등소유자가 원하는 경우에는 다음에서 정하는 기준과 절차에 따라 현물보상을 할 수 있다. 이 경우 현물보상으로 공급하는 주택은 국민주택규모를 초과하는 경우에도 공공주택으로 보며, 현물보상으로 공급하는 건축물은 도시개발법에 따라 행하여진 환지로 본다(법 제40조의10 제3항, 영 제35조의9 제1항).

> ⓐ **건축물로 보상받을 수 있는 자:** 그가 소유하는 복합지구 내 토지 등의 전부를 공공주택사업자에게 양도한 자로서 대통령령([별표 4의3])으로 정하는 요건을 충족하는 자가 된다. 이 경우 대상자가 경합할 때에는 보상금 총액이 높은 자에게 우선하여 건축물로 보상하며, 그 밖의 우선순위 및 대상자 결정방법 등은 공공주택사업자가 정하여 공고한다.
> ⓑ **보상하는 건축물 가격의 산정 기준금액:** 법 제40조의11에 따른 분양가격으로 한다.
> ⓒ **보상기준 등의 공고:** 공익사업을 위한 토지 등의 취득 및 보상에 관한 법률 제15조에 따라 보상계획을 공고할 때 건축물로 보상하는 기준([별표 4의4])을 포함하여 공고하거나 건축물로 보상하는 기준을 따로 일간신문에 공고할 것이라는 내용을 포함하여 공고한다.

㉡ **기타 현물보상:** 위 ㉠에도 불구하고 다음 시설로서 해당 용도가 건축물의 주된 용도로 사용되고 있는 시설의 토지 등의 전부를 공익사업을 위한 토지 등의 취득 및 보상에 관한 법률에 따른 협의에 응하여 공공주택사업자에게 양도하는 경우로서 토지등소유자가 원하는 경우에는 대통령령으로 정하는 바에 따라 해당 복합사업으로 조성되는 같은 용도의 토지로 보상할 수 있다(법 제40조의10 제4항, 영 제35조의9 제4항).

> ⓐ 건축법 시행령 [별표 1] 제4호 나목에 따른 종교집회장(같은 건축물에 해당 용도로 쓰는 바닥면적의 합계가 300제곱미터 이상 500제곱미터 미만인 건축물만 해당한다)
> ⓑ 건축법 시행령 [별표 1] 제6호에 따른 종교시설
> ⓒ 건축법 시행령 [별표 1] 제11호에 따른 노유자시설
> ⓓ 건축법 시행령 [별표 1] 제19호 가목에 따른 주유소 및 액화석유가스 충전소

ⓒ **현물보상 등의 전매제한**: 현물보상 또는 토지보상(이하 '현물보상 등'이라 한다)을 받기로 결정된 권리는 현물보상 등을 약정한 날부터 현물보상 등으로 공급받는 건축물 또는 토지의 소유권이전등기를 마칠 때까지 전매(매매, 그 밖에 권리의 변동을 수반하는 모든 행위를 포함하되, 상속 및 그 밖에 주택법령상의 전매제한의 예외에 해당하는 경우는 제외한다)할 수 없으며, 이를 위반할 때에는 공공주택사업자는 현물보상 등의 약정을 취소하고 현금으로 보상할 수 있다. 이 경우 현금보상액에 대한 이자율은 3년 만기 정기예금 이자율의 2분의 1로 한다(법 제40조의10 제5항, 영 제35조의9 제6항).

ⓔ 토지 등의 수용, 사용 또는 손실보상에 관하여 이 법에 특별한 규정이 있는 것을 제외하고는 공익사업을 위한 토지 등의 취득 및 보상에 관한 법률을 적용하며, 재결의 신청은 공익사업을 위한 토지 등의 취득 및 보상에 관한 법률에도 불구하고 복합지구로 지정된 때부터 해당 복합사업의 시행기간 내에 할 수 있다(법 제40조의10 제6항 · 제7항).

ⓜ **주택공급특례**: 현물보상으로 공급하는 주택 및 주택 이외의 건축물에 대하여는 주택법 및 건축물의 분양에 관한 법률 제6조를 적용하지 아니하고, 대통령령으로 정하는 바에 따라 공공주택사업자가 공급기준 및 분양가격 등을 따로 정할 수 있다(법 제40조의11 제1항).

(4) 도심 공공주택 복합사업의 지원

① 주민협의체 및 주민대표회의의 구성

㉠ 복합지구 지정에 관한 주민 등의 의견청취를 위하여 공고일 이후 토지등소유자 전원을 구성원으로 다음의 사항을 의결하기 위하여 주민협의체를 구성한다(법 제40조의13 제1항, 영 제35조의13 제1항).

ⓐ 주민협의체 운영규정의 제정 및 변경
ⓑ 법 제40조의12 제1항에 따른 시공자의 추천
ⓒ 법 제40조의13 제2항에 따른 주민대표자 회의기구(이하 '주민대표회의'라 한다)의 구성
ⓓ 주민협의체 및 주민대표회의의 운영경비
ⓔ 법 제40조의14 제1항에 따른 지원에 관한 공공주택사업자와의 협의
ⓕ 공익사업을 위한 토지 등의 취득 및 보상에 관한 법률 제68조 제2항에 따른 감정평가사의 추천
ⓖ 그 밖에 주민협의체 운영규정으로 정하는 사항

㉡ 주민협의체의 효율적인 운영을 위하여 주민협의체에 주민대표자 회의기구(이하 '주민대표회의'라 한다)를 둘 수 있다. 주민대표회의는 위원장과 부위원장 각 1명과 1명 이상 3명 이하의 감사를 포함하여 5명 이상 25명 이하의 위원으로 구성한다(법 제40조의13 제2항, 영 제35조의14 제1항).

② 이주대책

㉠ 이주대책: 공공주택사업자는 이주대책으로 복합지구 토지등소유자에게 현물보상을 하거나 국토교통부령으로 정하는 바에 따라 복합지구 토지등소유자를 공공임대주택의 입주자로 선정할 수 있다. 이 경우 현물보상을 받지 못하거나 공공임대주택의 입주자로 선정되지 못한 복합지구 토지등소유자에게 이주정착금을 지급해야 한다(영 제35조의10 제1항 · 제2항).

㉡ 임시거주 등 조치: 공공주택사업자는 복합지구 지정고시일 당시 복합지구에서 3개월 이상 거주한 세입자에게 가구원 수에 따라 4개월분의 주거이전비를 보상해야 하며, 복합사업의 시행으로 철거되는 주택의 소유자 및 세입자에게 해당 복합지구 안이나 밖에 위치한 공공임대주택 등의 시설에 임시로 거주하게 하거나 주택자금의 융자를 알선하는 등 임시거주에 상응하는 조치를 해야 한다(영 제35조의10 제3항 · 제4항).

③ 복합사업의 토지등소유자 등에 대한 지원: 공공주택사업자는 복합사업의 효율적인 추진을 위하여 총사업비의 범위에서 토지등소유자 등에 대하여 다음의 지원을 할 수 있다. 이 경우 주민협의체와 협의를 거쳐야 한다(법 제40조의14 제1항).

> ㉠ 주민협의체 및 주민대표회의의 구성 · 운영에 필요한 비용의 지원
> ㉡ 주민대표회의 사무실 임차료 등 복합사업의 추진에 필요한 비용의 지원
> ㉢ 복합지구 지정 전에 복합지구 내에서 도시 및 주거환경정비법에 따른 추진위원회 구성 승인 또는 조합설립인가가 취소된 경우 해당 추진위원회 또는 조합이 사용한 비용의 지원(같은 법 제21조 제3항에 따라 보조받는 경우는 제외한다)

④ 계약의 방법 및 시공자 선정: 공공주택사업자가 시공자를 선정하는 경우 대통령령으로 정하는 바에 따라 법 제40조의13에 따른 주민협의체는 의결을 거쳐 경쟁입찰 또는 수의계약(2회 이상 경쟁입찰이 유찰된 경우로 한정한다)의 방법으로 시공자를 추천할 수 있다. 이 경우 경쟁입찰의 방법으로 시공자를 추천하는 경우에는 다음의 요건을 모두 갖춰야 한다(법 제40조의12, 영 제35조의12).

㉠ 일반경쟁입찰 · 제한경쟁입찰 또는 지명경쟁입찰방식으로 할 것
㉡ 일간신문에 1회 이상 ㉠의 입찰을 위한 공고를 하고, 입찰 참가자를 대상으로 현장설명회를 개최할 것
㉢ 입찰 참가자로 하여금 복합지구 토지등소유자를 대상으로 합동홍보설명회를 개최하도록 할 것. 다만, 입찰 참가자가 이를 거부하는 경우 해당 입찰 참가자는 제외한다.
㉣ 주민협의체의 의결을 거칠 것

(5) 지상권 등 계약의 해지(법 제40조의15)

① 복합사업의 시행으로 지상권 · 전세권 또는 임차권의 설정 목적을 달성할 수 없는 때에는 그 권리자는 그 지상권 및 전세권의 소멸을 청구하거나 임대차계약을 해지할 수 있다.

② ①에 따라 소멸을 청구하거나 계약을 해지할 수 있는 자가 가지는 전세금 · 보증금, 그 밖의 계약상의 금전의 반환청구권은 공공주택사업자에게 행사할 수 있다.

③ ②에 따른 금전의 반환청구권의 행사로 해당 금전을 지급한 공공주택사업자는 해당 토지등소유자에게 구상할 수 있으며, 공공주택사업자는 구상이 되지 아니하는 때에는 해당 토지등소유자에게 공급될 토지 또는 건축물을 압류할 수 있다. 이 경우 압류한 권리는 저당권과 동일한 효력을 가진다.

④ 복합사업계획의 승인을 받은 경우 지상권 · 전세권의 존속기간 또는 임대차계약의 계약기간은 민법 제280조 · 제281조 · 제312조 제2항, 주택임대차보호법 제4조 제1항, 상가건물 임대차보호법 제9조 제1항을 적용하지 아니한다.

마무리STEP 1 | OX 문제

2025 주택관리사(보) 주택관리관계법규

01 공공주택사업자는 공공주택에 대한 사업계획(부대시설 및 복리시설의 설치에 관한 계획을 포함한다)을 작성하여 국토교통부장관의 승인을 받아야 한다. 사업계획을 변경하고자 하는 경우에도 같다. ( )

02 국토교통부장관 또는 시 · 도지사는 도심 공공주택 복합사업을 추진하기 위하여 필요한 지역을 도심 공공주택 복합지구로 지정하거나 지정된 복합지구를 변경 또는 해제할 수 있다. ( )

03 공공주택사업자는 지정권자에게 복합지구의 지정 · 변경을 제안할 수 있으며, 복합지구 지정 후 2년이 경과한 구역으로서 복합지구에 위치한 토지등소유자 2분의 1 이상이 공공주택사업자에게 해제를 요청하는 경우에는 해제를 제안할 수 있다. ( )

04 지정권자가 복합지구를 지정 · 변경하려면 공고를 하여 주민 및 관계 전문가 등의 의견을 들어야 한다. 이 경우 지정 공고한 지역은 도심 공공주택 복합사업 예정지구로 지정된 것으로 본다. ( )

05 공공주택사업자는 복합지구에서 복합사업을 시행하기 위하여 필요한 경우에는 토지 등을 수용 또는 사용할 수 있으며, 실시계획을 인가 · 고시한 때에는 공익사업을 위한 토지 등의 취득 및 보상에 관한 법률에 따른 사업인정 및 사업인정의 고시가 있는 것으로 본다. ( )

---

01 ○

02 ○

03 × 복합지구 지정 후 3년이 경과한 구역으로서 복합지구에 위치한 토지등소유자 2분의 1 이상이 공공주택사업자에게 해제를 요청하는 경우에는 해제를 제안할 수 있다.

04 ○

05 × 복합지구를 지정하여 고시한 때에는 공익사업을 위한 토지 등의 취득 및 보상에 관한 법률에 따른 사업인정 및 사업인정의 고시가 있는 것으로 본다.

제 5 장 공공주택의 매입

목차 내비게이션 공공주택 특별법

단원길라잡이

공공주택의 매입에 관한 사항도 본 시험에서는 그 중요성이 다소 낮은 편이다. 따라서 해당 사항에 대한 전반적인 이해를 위주로 접근하면 충분하다.

출제포인트

- 기존주택 등 매입대상
- 기존주택의 임차대상

01 공공주택사업자의 부도임대주택의 매입

(1) 공공주택사업자는 부도임대주택 중에 국토교통부장관이 지정·고시하는 주택을 매입하여 공공임대주택으로 공급할 수 있다(법 제41조 제1항).

(2) 위 (1)에 따라 지정·고시를 하기 전에 부도임대주택의 임차인이 공공주택사업자에게 매입을 동의한 경우에는 임차인에게 부여된 우선매수할 권리를 공공주택사업자에게 양도한 것으로 본다. 이 경우 공공주택사업자는 민사집행법 제113조에서 정한 보증의 제공 없이 우선매수신고를 할 수 있다(법 제41조 제2항).

(3) 국가 또는 지방자치단체는 공공주택사업자가 부도임대주택을 매입하는 경우 재정이나 주택도시기금에 따른 공공주택 건설자금지원 수준을 고려하여 공공주택사업자를 지원할 수 있다(법 제41조 제3항).

(4) 공공주택사업자가 (3)에 따라 재정이나 주택도시기금을 지원받은 경우 공공주택사업자는 지원받는 금액의 범위에서 주택 수리비 등을 제외하고 남은 금액을 임차인의 임대보증금 보전비용으로 사용할 수 있다(법 제41조 제4항).

02 공공주택사업자의 기존주택 등 매입

(1) 매입대상

공공주택사업자는 주택법 제49조에 따른 사용검사 또는 건축법 제22조에 따른 사용승인을 받은 건축물로서 다음의 기존주택 등을 매입하여 공공매입임대주택으로 공급할 수 있으며, 매도하기로 약정을 체결한 주택의 경우 세대당 전용면적이 30제곱미터 미만인 세대는 같은 조 세대당 주차대수 기준을 0.3대로 적용할 수 있다(법 제43조 제1항, 영 제37조 제1항·제4항).

> ① 단독주택, 다중주택 및 다가구주택
> ② 공동주택(국민주택규모 이하인 것만 해당한다)
> ③ 제1종 근린생활시설, 제2종 근린생활시설, 노유자시설, 수련시설, 업무시설 또는 숙박시설의 용도로 사용하는 건축물

(2) 지원

국가 또는 지방자치단체는 공공주택사업자가 (1)에 따라 기존주택 등을 매입하는 경우 재정이나 주택도시기금에 따른 공공주택 건설자금지원 수준을 고려하여 공공주택사업자를 지원할 수 있다(법 제43조 제2항).

(3) 주차장 설치기준

주택법에 따른 사업계획승인권자 또는 건축법에 따른 허가권자는 주택을 건설하여 (1)에 따라 공공주택사업자에게 매도하기로 약정을 체결한 자가 주택법에 따른 사업계획승인을 신청하거나 건축법 건축허가를 신청하는 경우 주차장법 제12조의3, 제19조 및 주택법 제35조에도 불구하고 대통령령으로 정하는 주차장의 설치기준을 적용할 수 있다(법 제43조 제3항).

(4) 매도

공공주택사업자는 국토교통부장관이 정하는 특별한 사정이 없으면 (3)에 따른 주차장 설치기준을 적용받아 주택을 건설한 자가 사용검사 또는 사용승인을 받은 날부터 1개월 이내에 그 주택의 매도를 요청하여야 하며, 매도요청을 받은 자는 매도요청을 받은 날부터 2개월 이내에 그 주택을 매도하여야 한다(법 제43조 제4항 · 제5항).

(5) 용적률 적용의 특례

주택법에 따른 사업계획승인권자 또는 건축법에 따른 허가권자는 공공주택사업자가 공공매입임대주택으로 공급하기 위하여 매입하였거나 매입하기로 약정을 체결한 기존주택 등에 대하여 국토의 계획 및 이용에 관한 법률에 따라 해당 지방자치단체의 조례, 지구단위계획 또는 도시혁신계획에서 정한 용적률에도 불구하고 기존주택 등의 용적률을 적용할 수 있다. 다만, 기존주택 등을 철거 후 신축하는 경우에는 그러하지 아니하다(법 제43조의2).

03 공공주택사업자의 건설 중에 있는 주택 매입

(1) 제안

공공주택사업자 외의 자는 건설 중에 있는 주택(건설을 계획하고 있는 경우를 포함한다)으로서 02의 (1)의 주택(기존주택 등 매입임대주택 대상)을 공공임대주택으로 매입하여 줄 것을 공공주택사업자에게 제안할 수 있다(법 제44조 제1항, 영 제38조 제1항).

(2) 요건

위 (1)에 따라 제안을 하려는 공공주택사업자 외의 자는 건설 중에 있는 주택에 대한 대지의 소유권을 확보하여야 한다(법 제44조 제2항).

(3) 지원

국가 또는 지방자치단체는 공공주택사업자가 (1)에 따라 제안을 받아 건설 중에 있는 주택을 매입하는 경우 재정이나 주택도시기금에 따른 공공주택 건설자금지원 수준을 고려하여 공공주택사업자를 지원할 수 있다(법 제44조 제3항).

(4) 승인

공공주택사업자는 건설 중에 있는 주택의 매입에 대하여 (3)에 따른 지원을 받으려면 다음의 사항을 포함한 매입계획을 수립하여 국토교통부장관의 승인을 받아야 하며, 공공주택사업자는 국토교통부장관의 승인을 받았으면 해당 주택의 매입을 제안한 자와 매입가격 등 매입조건에 관하여 협의하고 매입절차를 마쳐야 한다(영 제38조 제3항 · 제4항).

① 매입대상 주택 호수
② 매입 시기
③ 매입에 드는 비용

04 임대주택의 인수

임대의무기간이 30년 이상인 공공임대주택을 공급하려는 공공주택사업자가 도시재정비 촉진을 위한 특별법에 따른 재정비촉진사업의 사업시행자, 정비사업의 사업시행자 또는 조합에 임대주택의 인수를 요청하여 해당 사업시행자 또는 조합이 동의한 경우에는 임대주택을 우선인수할 수 있다. 이 경우 국가 또는 지방자치단체는 재정이나 주택도시기금에 따른 공공주택 건설자금지원 수준을 감안하여 공공주택사업자를 지원할 수 있으며, 공공주택사업자가 인수한 임대주택은 공공임대주택으로 공급하여야 한다(법 제45조, 영 제39조).

05 기존주택의 임차

공공주택사업자는 기존주택(전용면적 85제곱미터 이하이어야 한다. 다만, 입주자가 속한 가구가 가구원수가 5명 이상이거나 다자녀가구인 경우에는 그러하지 아니하다)을 임차하여 공공임대주택으로 공급할 수 있으며, 국가 또는 지방자치단체는 공공주택사업자가 공공임대주택을 공급하는 경우 재정이나 주택도시기금으로 이를 지원할 수 있다. 다만, 지원을 받으려면 임차 전에 임차규모, 공급지역, 공급시기 및 비용조달계획 등을 포함한 사업계획을 수립하여 국토교통부장관의 승인을 받아야 한다(법 제45조의2, 영 제40조 제1항 · 제2항).

06 공공주택본부의 설치

(1) 공공주택사업의 신속한 추진 및 효율적 지원을 위하여 국토교통부에 공공주택본부를 설치한다. 공공주택본부의 구성 및 운영 등에 필요한 사항은 대통령령으로 정한다(법 제46조).

(2) 공공주택본부의 본부장은 국토교통부의 고위공무원단에 속하는 일반직공무원 중에서 국토교통부장관이 임명한다(영 제41조 제2항).

(3) 공공주택본부의 본부장은 국토교통부장관의 명을 받아 공공주택본부의 구성 및 운영에 관한 사항을 총괄한다(영 제41조 제3항).

마무리STEP 1 | OX 문제

01 공공주택사업자는 부도임대주택 중에 국토교통부장관이 지정 · 고시하는 주택을 매입하여 공공임대주택으로 공급할 수 있고, 부도임대주택의 임차인이 공공주택사업자에게 매입을 동의한 경우에는 임차인에게 부여된 우선매수할 권리를 공공주택사업자에게 양도한 것으로 본다. 이 경우 공공주택사업자는 민사집행법 제113조에서 정한 보증의 제공 없이 우선매수신고를 할 수 있다. (　　)

02 공공주택사업자는 주택법 제49조에 따른 사용검사 또는 건축법 제22조에 따른 사용승인을 받은 건축물로서 기존주택 등을 매입하여 공공매입임대주택으로 공급할 수 있으며, 매도하기로 약정을 체결한 주택의 경우 세대당 전용면적이 30제곱미터 미만인 세대는 같은 조 세대당 주차대수 기준을 0.3대로 적용할 수 있다. (　　)

03 공공주택사업자 외의 자는 건설 중에 있는 주택(건설을 계획하고 있는 경우를 포함한다)을 공공임대주택으로 매입하여 줄 것을 공공주택사업자에게 제안할 수 있다. 이 경우 매입을 제안하려는 공공주택사업자 외의 자는 건설 중에 있는 주택에 대한 대지의 소유권을 확보하여야 한다. (　　)

04 공공주택사업자는 기존주택(전용면적 85제곱미터 이하이어야 한다. 다만, 입주자가 속한 가구가 가구원수가 5명 이상이거나 다자녀가구인 경우에는 그러하지 아니하다)을 임차하여 공공임대주택으로 공급할 수 있으며, 국가 또는 지방자치단체는 공공주택사업자가 공공임대주택을 공급하는 경우 재정이나 주택도시기금으로 이를 지원할 수 있다. (　　)

05 공공주택사업의 신속한 추진 및 효율적 지원을 위하여 국토교통부에 공공주택본부를 설치한다. (　　)

01 ○
02 ○
03 ○
04 ○
05 ○

제 6 장 공공주택의 공급 및 운영 · 관리

목차 내비게이션 공공주택 특별법

- 총칙
- 공공주택지구의 지정 등
- 공공주택지구의 조성
- 공공주택의 건설 및 도심 공공주택 복합사업
- 공공주택의 매입
- **공공주택의 공급 및 운영 · 관리**

단원길라잡이

공공주택의 공급 및 운영 · 관리는 공공임대주택의 임대조건 등에 관한 사항으로서, 1문제 정도가 출제될 것으로 예상된다.

출제포인트

- 공공임대주택의 임대료의 결정 및 예외
- 재계약의 거절
- 공공임대주택의 양도
- 공공임대주택의 매각
- 우선분양전환 절차

01 공공주택의 공급 등

(1) 공공주택의 공급

① 공공주택의 입주자의 자격, 선정방법 및 입주자 관리에 관한 사항은 국토교통부령으로 정한다. 이 경우 공공주택의 유형 등에 따라 달리 정할 수 있다(법 제48조 제1항).

② 공공주택사업자는 주거지원필요계층과 다자녀가구에게 공공주택을 우선공급하여야 한다. 이 경우 주거지원필요계층과 다자녀가구의 요건, 우선공급비율 등 필요한 사항은 국토교통부령으로 정한다(법 제48조 제2항).

(2) 공공분양주택 분양가심사위원회의 설치

주택지구 전체 개발면적의 100분의 50 이상을 개발제한구역의 지정 및 관리에 관한 특별조치법 제3조에 따라 개발제한구역을 해제하여 조성하는 주택지구에서 제4조 제4호 또는 제6호에 해당하는 자가 건설하여 공급하는 공공주택의 분양가에 관한 사항을 심의하기 위하여 주택법 제59조에도 불구하고 공공주택사업자가 분양가심사위원회를 설치 · 운영하여야 하며, 시장 · 군수 · 구청장은 공공주택의 입주자모집승인을 할 때에는 분양가심사위원회의 심사결과에 따라 승인 여부를 결정하여야 한다(법 제48조의2).

(3) 공공임대주택의 중복 입주 등의 확인

① 국토교통부장관은 공공임대주택에 중복하여 입주 또는 계약하고 있는 임차인(임대차계약 당사자를 말한다. 이하 같다)이 있는지를 확인하여야 한다(법 제48조의3 제1항).

② 공공주택사업자는 다음에 해당하는 임차인에 관한 정보를 국토교통부장관이 지정 · 고시하는 기관(이하 '전산관리지정기관'이라 한다)에 통보하여야 한다(법 제48조의3 제2항).

> ㉠ 임차인의 성명
> ㉡ 임차인의 주민등록번호
> ㉢ 임대주택의 유형
> ㉣ 거주지 주소
> ㉤ 최초 입주일자

(4) 공공주택 지원 신청자의 금융정보 등의 제공에 따른 동의서 제출

공공주택의 공급을 신청(재계약을 체결하는 경우를 포함한다. 이하 같다)하는 자는 신청자 본인 및 배우자, 그 밖에 대통령령으로 정하는 자(이하 '신청자 등'이라 한다)와 관련된 다음의 자료 또는 정보를 법 제48조의5 제1항에 따른 금융기관 등으로부터 제공받는 데 필요한 동의서면을 국토교통부장관에게 제출하여야 한다(법 제48조의4 제1항).

① 금융실명거래 및 비밀보장에 관한 법률 제2조 제2호 · 제3호에 따른 금융자산 및 금융거래의 내용에 대한 자료 또는 정보 중 예금 · 적금 · 저축의 잔액 또는 불입금 · 지급금과 유가증권 등 금융자산에 대한 증권 · 증서의 가액(금융정보)
② 신용정보의 이용 및 보호에 관한 법률 제2조 제1호에 따른 신용정보 중 채무액과 연체정보(신용정보)
③ 보험업법 제4조 제1항 각 호에 따른 보험에 가입하여 납부한 보험료, 환급금 및 지급금(보험정보)

02 공공주택의 운영과 관리

(1) 공공임대주택의 임대조건

① **임대료:** 공공임대주택의 최초의 임대료(임대보증금 및 월임대료를 말한다)는 국토교통부장관이 정하여 고시하는 표준임대료를 초과할 수 없다. 다만, 전용면적이 85제곱미터를 초과하거나 분납임대주택(분양전환공공임대주택 중 임대보증금 없이 분양전환금을 분할하여 납부하는 공공건설임대주택을 말한다. 이하 같다) 또는 장기전세주택으로 공급하는 공공임대주택의 최초의 임대보증금에는 적용하지 아니한다(법 제49조 제1항, 영 제44조 제1항).

② **분납임대주택의 임대료:** 분납임대주택의 임대료는 임차인이 미리 납부한 분양전환가격에 해당하는 금액(이하 '분양전환금'이라 한다) 등을 고려하여 국토교통부장관이 따로 정하여 고시하는 표준임대료를 초과할 수 없다(법 제49조 제1항, 영 제44조 제4항).

③ **장기전세주택의 임대보증금:** 장기전세주택으로 공급하는 공공임대주택의 최초의 임대보증금은 공공주택사업자가 장기전세주택으로 공급하는 공공건설임대주택과 같거나 인접한 시 · 군 또는 자치구에 있는 주택 중 해당 공공임대주택과 유형, 규모, 생활여건 등이 비슷한 2개 또는 3개 단지의 공동주택의 전세계약금액을 평균한 금액의 80퍼센트를 초과할 수 없다(법 제49조 제1항, 영 제44조 제5항, 규칙 제30조).

④ **기존주택등매입임대주택의 임대료:** 기존주택등매입임대주택의 최초의 임대료는 해당 기존주택등매입임대주택의 주변 지역 임대주택의 임대료(임대보증금 및 월임대료를 말한다. 이하 같다)에 대한 감정평가금액의 50퍼센트[입주자의 소득기준을 달리 정하는 경우에는 100퍼센트 이내(가구원수가 1명인 경우에는 70퍼센트, 2명인 경우에는 60퍼센트, 그 외 50퍼센트)] 이내의 금액으로 한다(법 제49조 제1항, 영 제44조 제6항, 규칙 제31조).

⑤ **상호전환:** 공공임대주택의 최초의 임대보증금과 월임대료는 임차인이 동의한 경우에 임대차계약에 따라 상호전환할 수 있다. 이 경우 최초의 임대보증금은 해당 임대주택과 그 부대시설에 대한 건설원가에서 주택도시기금의 융자금을 뺀 금액을 초과할 수 없다(법 제49조 제1항, 영 제44조 제3항).

⑥ **임대료의 증액:** 공공임대주택의 공공주택사업자가 임대료 증액을 청구하는 경우(재계약을 하는 경우를 포함한다)에는 임대료의 100분의 5 이내의 범위에서 주거비 물가지수, 인근 지역의 주택임대료 변동률 등을 고려하여 증액하여야 한다. 이 경우 증액이 있은 후 1년 이내에는 증액하지 못한다(법 제49조 제2항).

⑦ **분할납부:** ⑥에 따라 임대료 중 임대보증금이 증액되는 경우 임차인은 증액된 임대보증금이 적용된 임대차계약을 체결한 날부터 1년 이내에 3회에 걸쳐 임대보증금의 증액분을 분할하여 납부할 수 있다. 이 경우 공공주택사업자는 남은 금액에 대하여 전년도 기준 은행법에 따른 은행의 1년 만기 정기예금의 평균이자율을 적용한 금액을 가산(加算)할 수 있다(법 제49조 제3항, 영 제45조).

⑧ **임대조건의 차등결정:** 공공임대주택의 임대료 등 임대조건을 정하는 경우에는 임차인의 소득수준 및 공공임대주택의 규모 등을 고려하여 차등적으로 정할 수 있다. 이 경우 소득수준 등의 변화로 임대료가 변경되는 경우에는 ⑥ 및 ⑦을 적용하지 아니한다(법 제49조 제4항).

⑨ 공공주택사업자가 임대보증금과 월임대료를 상호전환하고자 하는 경우에는 다음의 사항을 직접 서면 또는 우편(전자우편을 포함한다)으로 임차인에게 알려주어야 한다(법 제49조 제5항, 영 제46조 제1항 · 제2항).

> ㉠ 해당 주택의 건설을 위한 주택도시기금 융자금
> ㉡ 저당권, 전세권 등 해당 주택에 대한 제한물권 설정금액
> ㉢ 가압류, 가처분 등 해당 주택에 대한 보전처분 여부
> ㉣ 해당 주택의 신탁 여부

⑩ 공공주택사업자는 공공임대주택의 임대조건 등 임대차계약에 관한 사항을 시장 · 군수 또는 구청장에게 신고하여야 한다. 이 경우 신고방법 등은 민간임대주택에 관한 특별법 제46조를 준용한다(법 제49조 제6항).

⑪ **지분적립형 분양주택의 임대료**

㉠ **임대료:** 공공주택사업자는 지분적립형 분양주택을 공급받은 자와 해당 주택의 소유권을 공유하는 동안 공공주택사업자가 소유한 지분에 대하여 임대보증금에 공공주택사업자가 소유한 지분의 비율을 곱한 금액을 초과하지 않는 금액의 임대료를 받을 수 있다(법 제49조 제7항, 영 제46조의2 제1항).

㉡ **임대료의 지급방법 등**: 임대료의 지급은 그 금액을 공공주택사업자에게 예치하는 방식으로 한다. 다만, 이 경우 임대료는 그 일부를 매월 지급하는 방식으로 전환할 수 있고, 임대료 전환의 기준과 구체적인 임대료 지급 방식은 공공주택사업자가 정한다(영 제46조의2).

(2) 공공임대주택의 표준임대차계약서

① 공공임대주택에 대한 임대차계약을 체결하려는 자는 국토교통부령으로 정하는 표준임대차계약서를 사용하여야 한다(법 제49조의2 제1항).

② 표준임대차계약서에는 다음의 사항이 포함되어야 한다(법 제49조의2 제2항, 규칙 제32조 제2항).

> ㉠ 임대료 및 그 증액에 관한 사항
> ㉡ 임대차 계약기간
> ㉢ 공공주택사업자 및 임차인의 권리 · 의무에 관한 사항
> ㉣ 공공임대주택의 수선 · 유지 및 보수에 관한 사항
> ㉤ 분양전환공공임대주택의 분양전환시기 및 분양전환가격 산정기준(전용면적이 85제곱미터를 초과하는 경우에는 분양전환가격 산정기준을 포함하지 아니할 수 있다)
> ㉥ 분납임대주택의 분납금의 납부시기 및 산정기준

③ 공공주택사업자가 임대차계약을 체결할 때 임대차 계약기간이 끝난 후 임대주택을 그 임차인에게 분양전환할 예정이면 주택임대차보호법 제4조 제1항에도 불구하고 임대차 계약기간을 2년 이내로 할 수 있다(법 제49조의2 제3항).

(3) 재계약의 거절

① **공공주택사업자에 의한 계약 해제 등**: 공공주택사업자는 임차인이 다음의 어느 하나에 해당하는 경우에는 임대차계약을 해제 또는 해지하거나 재계약을 거절할 수 있다(법 제49조의3 제1항, 영 제47조 제1항 · 제2항).

> ㉠ 거짓이나 그 밖의 부정한 방법으로 공공임대주택을 임대받은 경우
> ㉡ 임차인의 자산과 소득이 임차인의 입주자격 요건을 초과하는 범위에서 국토교통부장관이 정하는 기준을 초과하는 경우
> ㉢ 임차인이 공공임대주택에 중복하여 입주하거나 계약한 것으로 확인된 경우
> ㉣ 표준임대차계약서상의 의무를 위반한 경우
> ㉤ 공공임대주택의 임차권을 다른 사람에게 양도하거나 공공임대주택을 전대한 경우
> ㉥ 공공주택사업자의 귀책사유 없이 임대차 계약기간이 시작된 날부터 3개월 이내에 입주하지 아니한 경우
> ㉦ 월임대료를 3개월 이상 연속하여 연체한 경우

ⓞ 분납임대주택의 분납금(분할하여 납부하는 분양전환금을 말한다)을 3개월 이상 연체한 경우
ⓩ 공공임대주택 및 그 부대시설을 고의로 파손하거나 멸실한 경우
ⓒ 공공임대주택 및 그 부대시설을 공공주택사업자의 동의를 받지 아니하고 개축 · 증축 또는 변경하거나 본래의 용도가 아닌 용도로 사용하는 경우
ⓚ 임차인이 분양전환 신청기간 이내에 우선분양전환을 신청하지 않은 경우
ⓣ 공공임대주택(전용면적이 85제곱미터를 초과하는 주택은 제외한다)의 임대차 계약기간 중 다른 주택을 소유하게 된 경우. 다만, 다음의 어느 하나에 해당하는 경우는 제외한다.
ⓐ 상속 · 판결 또는 혼인 등 그 밖의 부득이한 사유로 다른 주택을 소유하게 되어 부적격자로 통보받은 날부터 6개월 이내에 해당 주택을 처분하는 경우. 다만, 법원의 소송이 진행 중인 경우 등 주택의 처분이 곤란하다고 객관적으로 입증되는 경우에는 소송 판결확정일 등 그 사유가 종료된 날부터 6개월 이내로 한다.
ⓑ 혼인 등의 사유로 주택을 소유하게 된 세대구성원이 소유권을 취득한 날부터 14일 이내에 전출신고를 하여 세대가 분리된 경우. 다만, 취득한 주택의 보수공사가 진행 중인 경우 등 입주가 곤란하다고 객관적으로 입증되는 경우에는 공사비를 완전히 납부한 날 등 그 사유가 종료된 날부터 14일 이내로 한다.
ⓒ 공공임대주택의 입주자를 선정하고 남은 공공임대주택에 대하여 선착순의 방법으로 입주자로 선정된 경우
ⓟ 임차인이 해당 주택에서 퇴거하거나 다른 공공임대주택에 당첨되어 입주하는 경우

② **임차인에 의한 계약 해제 등:** 공공임대주택에 거주 중인 임차인은 임대주택이 다음의 어느 하나에 해당하는 경우에는 임대차계약을 해제 또는 해지하거나 재계약을 거절할 수 있다(법 제49조의3 제2항, 영 제47조 제3항).

㉠ 시장 · 군수 또는 구청장이 공공임대주택에 거주하기 곤란할 정도의 중대한 하자가 있다고 인정한 경우
㉡ 공공주택사업자가 시장 · 군수 또는 구청장이 지정한 기간에 하자보수명령을 이행하지 아니한 경우
㉢ 공공주택사업자가 임차인의 의사에 반하여 공공임대주택의 부대시설 · 복리시설을 파손하거나 철거시킨 경우
㉣ 공공주택사업자의 귀책사유로 입주기간 종료일부터 3개월 이내에 입주할 수 없는 경우
㉤ 공공주택사업자가 법 제49조의2에 따른 표준임대차계약서상의 의무를 위반한 경우

③ 분납임대주택의 공공주택사업자는 법 제49조의3에 따라 임대차계약을 해제 또는 해지하거나 재계약을 거절하는 경우에는 국토교통부령으로 정하는 기준에 따라 산정된 반환금을 임차인에게 지급하여야 한다(영 제47조 제4항).

(4) 공공임대주택의 양도 · 전대 제한

① **원칙:** 공공임대주택의 임차인은 임차권을 다른 사람에게 양도(매매 · 증여, 그 밖에 권리변동이 따르는 모든 행위를 포함하되, 상속의 경우는 제외한다)하거나 공공임대주택을 다른 사람에게 전대할 수 없다(법 제49조의4).

② **위반효과:** 국토교통부장관 또는 지방자치단체의 장은 ①을 위반하여 공공임대주택의 임차권을 양도하거나 공공임대주택을 전대하는 임차인에 대하여 4년의 범위에서 국토교통부령(위반사실이 확인된 날부터 4년)으로 정하는 바에 따라 공공임대주택의 입주자격을 제한할 수 있다(법 제49조의8).

③ **예외:** 다음의 어느 하나에 해당하는 경우에는 양도하거나 전대할 수 있고, ㉡에 따라 공공임대주택을 전대하는 기관 또는 사람은 해당 기관의 이전이 완료된 경우에는 전대차 계약기간이 종료된 후 3개월 이내에 입주자를 입주시키거나 입주하여야 한다. 이 경우 전대차 계약기간은 2년을 넘을 수 없다(법 제49조의4, 영 제48조 제1항 · 제4항).

> ㉠ 공공임대주택(임대의무기간이 10년 이하인 경우로 한정한다) 임차인의 세대구성원 모두가 공공임대주택 입주 후 다음의 어느 하나에 해당되어 무주택 세대구성원에게 임차권을 양도하거나 임대주택을 전대하는 경우
> ⓐ 다음 ㉮부터 ㉰까지의 규정에 모두 해당하는 경우
> ㉮ 근무 · 생업 또는 질병치료(의료법 제3조에 따른 의료기관의 장이 1년 이상의 치료나 요양이 필요하다고 인정하는 경우로 한정한다) 등의 사유로 주거를 이전할 것
> ㉯ 현재 거주하는 시 · 군 또는 구의 행정구역이 아닌 시 · 군 또는 구로 주거를 이전할 것
> ㉰ 현재 거주지와 새로 이전하는 거주지간의 거리(최단 직선거리를 말한다)가 40킬로미터 이상일 것. 다만, 출퇴근 거리 및 교통여건 등을 고려하여 해당 시 · 도의 조례로 별도 기준을 정하는 경우에는 그에 따른다.
> ⓑ 상속 또는 혼인으로 소유하게 된 주택으로 이전할 경우
> ⓒ 국외로 이주하거나 1년 이상 국외에 머무를 경우
>
> ㉡ 다음의 어느 하나에 해당하는 법률에 따라 이전하는 기관 또는 그 기관에 종사하는 사람이 해당 기관이 이전하기 이전에 공공임대주택을 공급받아 전대하는 경우
> ⓐ 지방자치분권 및 지역균형발전에 관한 특별법
> ⓑ 신행정수도 후속대책을 위한 연기 · 공주지역 행정중심복합도시 건설을 위한 특별법
> ⓒ 도청이전을 위한 도시건설 및 지원에 관한 특별법
> ⓓ 혁신도시 조성 및 발전에 관한 특별법
>
> ㉢ 임차인이 혼인 또는 이혼으로 공공임대주택에서 퇴거하고, 해당 공공임대주택에 계속 거주하려는 다음의 어느 하나에 해당하는 사람이 자신으로 임차인을 변경할 경우
> ⓐ 배우자, 직계혈족 및 형제자매
> ⓑ 직계혈족의 배우자, 배우자의 직계혈족 및 배우자의 형제자매

(5) 지분적립형 분양주택의 전매행위 제한

① **전매제한기간**: 지분적립형 분양주택의 소유지분 또는 입주자로 선정된 지위는 10년이 지나기 전에는 전매하거나 전매를 알선할 수 없으며, 전매행위 제한기간은 해당 주택의 입주자로 선정된 날부터 기산한다(법 제49조의5 제1항, 영 제49조 제1항 · 제2항).

② 지분적립형 분양주택을 공급받은 자가 ①에 따른 전매제한기간이 지난 후 해당 주택의 소유권 전부를 취득하기 이전에 소유지분을 전매하려면 공공주택사업자와 주택의 매매가격 등을 협의한 후 공공주택사업자의 동의를 받아 공공주택사업자의 소유지분과 함께 해당 주택의 소유권 전부를 전매하여야 한다. 다만, 해당 주택의 소유지분을 배우자에게 증여하는 경우에는 그러하지 아니하다(법 제49조의5 제3항).

③ 위 ②에 따라 지분적립형 분양주택을 전매하는 경우로서 매매가격이 대통령령으로 정하는 취득가격(지분적립형 분양주택을 전매하기 직전의 지분을 취득할 때의 취득기준가격)보다 높은 경우에는 그 차액을 공공주택사업자와 해당 주택을 공급받은 자가 전매 시점의 소유지분비율에 따라 나누어야 한다(법 제49조의5 제4항, 영 제49조 제3항).

④ 지분적립형 분양주택을 공급받은 자와 공공주택사업자가 해당 주택의 소유권을 공유하는 동안에는 민법 제268조에도 불구하고 그 주택에 대하여 공유물의 분할을 청구할 수 없다(법 제49조의5 제5항).

⑤ **거주의무**: 지분적립형 분양주택을 공급받은 자(상속받은 자는 제외한다. 이하 '거주의무자'라 한다)는 해당 주택의 최초 입주가능일부터 5년 동안 계속하여 해당 주택에 거주하여야 한다. 다만, 다음의 사유가 있는 경우 그 기간은 해당 주택에 거주한 것으로 본다. 이 경우 ㉡부터 ㉦까지의 규정에 해당하는지는 해당 공공주택사업자의 확인을 받아야 한다(법 제49조의5 제6항, 영 제49조 제5항).

> ㉠ 해당 주택에 입주하기 위해 준비기간이 필요한 경우. 이 경우 해당 주택에 거주한 것으로 보는 기간은 최초 입주가능일부터 90일까지로 한다.
> ㉡ 거주의무자가 거주의무기간 중 세대원(거주의무자가 포함된 세대의 구성원을 말한다)의 근무 · 생업 · 취학 또는 질병치료를 위해 해외에 체류하는 경우
> ㉢ 거주의무자가 주택의 특별공급을 받은 군인으로서 인사발령에 따라 거주의무기간 중 해당 주택건설지역[주택을 건설하는 특별시 · 광역시 · 특별자치시 · 특별자치도(관할 구역에 지방자치단체인 시 · 군이 없는 특별자치도만 해당한다) 또는 시 · 군의 행정구역을 말한다]이 아닌 지역에 거주하는 경우
> ㉣ 거주의무자가 거주의무기간 중 세대원의 근무 · 생업 · 취학 또는 질병치료를 위해 세대원 전원이 다른 주택건설지역에 거주하는 경우. 다만, 수도권에서 거주를 이전하는 경우는 제외한다.

ⓜ 거주의무자가 거주의무기간 중 혼인 또는 이혼으로 입주한 주택에서 퇴거하고 해당 주택에 계속 거주하려는 거주의무자의 직계존속 · 직계비속, 배우자(종전 배우자를 포함한다) 또는 형제자매가 자신으로 세대주를 변경한 후 거주의무기간 중 남은 기간을 승계하여 거주하는 경우
ⓑ 가정어린이집을 설치 · 운영하려는 자가 같은 법 제13조에 따라 해당 주택에 가정어린이집의 설치를 목적으로 인가를 받은 경우. 이 경우 해당 주택에 거주한 것으로 보는 기간은 가정어린이집을 설치 · 운영하는 기간으로 한정한다.
ⓢ 법 제49조의5 제2항에 따라 준용되는 주택법 제64조 제2항 본문 및 주택법 시행령 제73조 제4항(같은 항 제7호 및 제8호는 제외한다)에 따라 법 제49조의5 제1항에 따른 전매제한이 적용되지 않는 경우
ⓞ 거주의무자의 직계비속이 초 · 중등교육법 제2조에 따른 학교에 재학 중인 학생으로서 주택의 최초 입주가능일 현재 해당 학기가 끝나지 않은 경우. 이 경우 해당 주택에 거주한 것으로 보는 기간은 학기가 끝난 후 90일까지로 한정한다.

⑥ **매입신청**: 거주의무자가 ⑤에 따른 사유 없이 거주의무기간 이내에 거주를 이전하려는 경우 거주의무자는 대통령령으로 정하는 바에 따라 공공주택사업자에게 해당 주택의 매입을 신청하여야 한다(법 제49조의5 제7항).

⑦ **강제매입**: 공공주택사업자는 ⑥에 따라 매입신청을 받거나 거주의무자가 ⑤(거주의무)를 위반하였다는 사실을 알게 된 경우에는 14일 이상의 기간을 정하여 위반사실에 대한 의견청취를 거쳐 다음의 사유가 없으면 해당 주택을 매입하여야 한다(법 제49조의5 제8항, 영 제49조 제7항 · 제9항).

ⓖ 공공주택사업자의 부도 · 파산
ⓝ ⓖ과 유사한 사유로서 공공주택사업자가 해당 주택을 매입하는 것이 어렵다고 국토교통부장관 또는 지방자치단체의 장이 인정하는 사유

⑧ **매입금액**: 공공주택사업자가 ⑦에 따라 주택을 매입하는 경우 거주의무자에게 그가 납부한 입주금과 그 입주금에 은행법에 따른 은행의 1년 만기 정기예금의 평균이자율을 적용한 이자를 합산한 금액을 지급한 때에는 그 지급한 날에 공공주택사업자가 해당 주택을 취득한 것으로 본다(법 제49조의5 제9항).

⑨ **부기등기**: 공공주택사업자는 거주의무자가 거주의무기간 동안 계속하여 거주하여야 함을 소유권에 관한 등기에 부기등기하여야 한다. 이 경우 부기등기는 소유권보존등기와 동시에 하여야 하며, 거주의무자는 거주의무기간 동안 계속 거주하고, 국토교통부장관 또는 지방자치단체의 장으로부터 이러한 사실을 확인받은 경우 부기등기 사항을 말소할 수 있다(법 제49조의5 제10항 · 제11항).

⑩ **재공급**: 공공주택사업자는 지분적립형 분양주택을 취득한 경우 국토교통부령으로 정하는 바에 따라 지분적립형 분양주택으로 재공급하여야 하며, 이에 따라 주택을 공급받은 사람은 전매제한기간 중 잔여기간 동안 그 주택을 전매할 수 없으며, 거주의무기간 중 잔여기간 동안 계속하여 그 주택에 거주하여야 한다(법 제49조의5 제13항 · 제14항).

(6) 공공분양주택의 예외적 전매 허용시 주택의 매입 등

① 공공분양주택을 공급받은 자가 법 제49조의5 제1항 또는 주택법 제64조 제1항에 따른 전매제한기간에 같은 조 제2항 본문의 사유에 해당되어 해당 입주자로 선정된 지위 또는 주택(지분적립형 분양주택의 경우 주택의 소유지분을 말한다)을 전매(입주자로 선정된 지위 또는 주택의 일부를 배우자에게 증여하는 경우는 제외한다)할 수 있다고 인정되는 경우 공공분양주택을 공급받은 자는 공공주택사업자에게 입주자로 선정된 지위 또는 주택의 매입을 신청하여야 한다(법 제49조의6 제1항).

② 위 ①에 따라 매입신청을 받은 공공주택사업자는 공공주택사업자의 부도 · 파산, 그 밖에 이와 유사한 사유로 입주자로 선정된 지위 또는 주택의 매입이 어렵다고 인정되는 특별한 사유가 없으면 해당 입주자로 선정된 지위 또는 주택을 매입하여야 한다(법 제49조의6 제2항, 영 제50조 제2항).

③ 공공주택사업자가 ②에 따라 입주자로 선정된 지위 또는 주택을 매입하는 경우 매입비용과 입주자로 선정된 지위 또는 주택의 취득에 관하여는 주택법 제57조의2 제4항을 준용한다(법 제49조의6 제3항).

④ 공공주택사업자는 ② 및 ③에 따라 취득한 입주자로 선정된 지위 또는 주택을 [별표 6]에 따른 입주자 자격(신혼희망타운주택인 경우에는 [별표 6의3] 제1호에 따른 입주자 자격을 말한다)을 충족하는 사람을 대상으로 공급해야 한다(법 제49조의6 제4항, 규칙 제35조의2).

(7) 이익공유형 분양주택의 공급 · 처분

① 이익공유형 분양주택의 원활한 공급을 위하여 세부 공급유형 및 공급대상에 따라 환매조건을 부과할 수 있으며, 그 공급가격은 다음의 구분에 따른다(법 제49조의10 제1항, 영 제52조의2 제1항).

> ㉠ **복합지구에서 현물보상으로 공급하는 경우**: 분양가격의 100분의 50 이상 100분의 80 이하의 범위에서 공공주택사업자가 복합지구 토지등소유자와 협의하여 정하는 가격
> ㉡ **주거재생혁신지구에서 현물보상으로 공급하는 경우**: 분양가격의 100분의 50 이상 100분의 80 이하의 범위에서 혁신지구사업시행자가 토지등소유자와 협의하여 정하는 가격
> ㉢ **그 밖의 경우**: 분양가격의 100분의 80 이하의 범위에서 공공주택사업자가 정하는 가격

② 이익공유형 분양주택을 공급받은 자가 해당 주택[해당 주택의 입주자로 선정된 지위(입주자로 선정되어 그 주택에 입주할 수 있는 권리 · 자격 · 지위 등을 말한다)를 포함한다]을 처분하려는 경우에는 ①에 따른 환매조건에 따라 공공주택사업자에게 해당 주택의 매입을 신청하여야 한다(법 제49조의10 제2항).

③ 위 ②에 따라 매입신청을 받은 공공주택사업자가 이익공유형 분양주택을 환매하는 경우 해당 주택을 공급받은 자는 해당 주택의 공급가격 등을 고려하여 대통령령으로 정하는 기준에 따라 처분손익을 공공주택사업자와 공유하여야 한다(법 제49조의10 제3항).

④ 이익공유형 분양주택을 공급받은 자가 이를 처분하려는 경우 공공주택사업자가 환매하는 주택임을 소유권에 관한 등기에 부기등기하여야 한다. 이 경우 부기등기는 주택의 소유권보존등기와 동시에 하여야 한다(법 제49조의10 제4항).

⑤ 이익공유형 분양주택의 전매행위 제한에 관하여는 주택법 제64조를 적용하지 아니한다(법 제49조의10 제5항).

⑥ 이익공유형 분양주택을 공급받은 자(상속받은 자는 제외한다)는 해당 주택의 최초 입주가능일부터 5년 동안 계속하여 해당 주택에 거주하여야 한다. 다만, 위 **(5)**의 ⑤(㉠부터 ㉥과 ㉧)의 사유가 있는 경우 그 기간은 해당 주택에 거주한 것으로 본다(법 제49조의10 제6항, 제52조의2 제5항).

⑦ 공공주택사업자는 이익공유형 분양주택의 입주자로 선정된 지위를 환매하거나 해당 주택을 법 제7항에 따라 주택법 제57조의2 제3항 및 제4항을 준용하여 취득한 경우 국토교통부령으로 정하는 바에 따라 이익공유형 분양주택으로 재공급하여야 하며, 이에 따라 주택을 공급받은 사람은 ⑥에 따른 거주의무기간 중 잔여기간 동안 계속하여 그 주택에 거주하여야 한다(법 제49조의10 제9항 · 제10항).

(8) 가정어린이집 운영에 관한 공급 특례

① 공공주택사업자는 임차인의 보육수요 충족을 위하여 필요하다고 판단하는 경우 해당 공공임대주택의 일부 세대를 6년 이내의 범위에서 영유아보육법 제10조 제5호에 따른 가정어린이집을 설치 · 운영하려는 자에게 임대할 수 있다. 이 경우 공공주택사업자는 국토교통부령으로 정하는 바에 따라 관할 시장 · 군수 또는 구청장과 협의하여야 한다(법 제49조의9 제1항).

② 위 ①에 따라 공공주택사업자가 공공임대주택의 일부 세대를 가정어린이집을 설치 · 운영하려는 자에게 임대하려는 경우 공공주택사업자는 공공임대주택의 보육수요를 판단하기 위하여 필요한 자료를 관할 시장 · 군수 또는 구청장에게 요청할 수 있다(법 제49조의9 제2항).

③ 위 ①에 따라 공공임대주택을 임차하여 가정어린이집을 설치 · 운영하는 자는 주택법 제57조의2 제1항에도 불구하고 해당 공공임대주택에 거주하지 아니할 수 있다(법 제49조의9 제4항).

④ 가정어린이집을 설치 · 운영하려는 자는 법 제49조의9 제3항에 따라 다음의 요건을 모두 갖추어야 하며, 공공주택사업자는 다음의 요건을 갖춘 자 중에서 공공주택사업자가 정하는 임차인 선정순위에 따라 가정어린이집으로 임대할 세대의 임차인을 선정한다(규칙 제36조의4 제1항 · 제2항).

> ㉠ 임대차계약 체결 후 공공주택사업자가 정한 기간 이내에 영유아보육법 제13조 제1항에 따른 인가를 받았음을 증명할 수 있을 것
> ㉡ 해당 공공임대주택 내 다른 가정어린이집을 설치 · 운영하고 있지 아니할 것

⑤ 위 ④에 따라 임차인으로 선정된 자가 가정어린이집을 설치 · 운영하지 아니하게 된 경우에는 즉시 그 사실을 공공주택사업자에게 통보하여야 하며, 가정어린이집의 임대료는 해당 공공임대주택의 규모, 주변지역의 임대료 등을 고려하여 공공주택사업자가 정한다(규칙 제36조의4 제3항 · 제4항).

(9) 공공주택의 거주실태 조사

① 국토교통부장관 또는 지방자치단체의 장은 다음의 사항을 확인하기 위하여 입주자 및 임차인에게 필요한 서류 등의 제출을 요구할 수 있으며, 소속 공무원으로 하여금 해당 주택에 출입하여 조사하게 하거나 관계인에게 필요한 질문을 하게 할 수 있다. 이 경우 서류 등의 제출을 요구받거나 해당 주택의 출입 · 조사 또는 필요한 질문을 받은 입주자 및 임차인은 모든 세대원의 해외출장 등 특별한 사유가 없으면 이에 따라야 한다(법 제49조의7 제1항).

> ㉠ 임차인의 실제 거주 여부 및 임차인이 아닌 사람의 거주상황
> ㉡ 법 제49조의4에 따른 임차권의 양도 및 전대 여부
> ㉢ 거주의무자의 실제 거주 여부
> ㉣ 임대주택이 다른 용도로 사용되고 있는지 여부

② 국토교통부장관 또는 지방자치단체의 장은 ①에 따른 조사를 위하여 필요하면 관계 행정기관 및 관련 단체 등에 대하여 주민등록정보 및 실제 거주 여부를 확인하기 위한 자료의 제공을 요구할 수 있다. 이 경우 자료의 제공을 요구받은 관계 행정기관 및 관련 단체 등은 특별한 사유가 없으면 이에 따라야 한다(법 제49조의7 제2항).

③ 위 ①에 따라 출입 · 조사 · 질문을 하는 자는 국토교통부령으로 정하는 증표를 지니고 이를 관계인에게 내보여야 하며, 조사자의 이름 · 출입시간 및 출입목적 등이 표시된 문서를 관계인에게 교부하여야 한다(법 제49조의7 제3항).

④ 위 ①과 ②에 따라 거주 여부 등을 확인하기 위하여 국토교통부장관 또는 지방자치단체의 장이 관계 행정기관 및 관련 단체 등에 대하여 요청할 수 있는 자료 등 필요한 사항은 대통령령으로 정한다(법 제49조의7 제4항).

(10) 공공임대주택의 매각제한

① **공공임대주택의 임대의무기간:** 공공주택사업자는 공공임대주택을 5년 이상의 범위에서 임대개시일부터 다음의 기간이 지나지 아니하면 매각할 수 없다(법 제50조의2 제1항, 영 제54조 제1항).

> ㉠ 영구임대주택: 50년
> ㉡ 국민임대주택: 30년
> ㉢ 행복주택: 30년
> ㉣ 통합공공임대주택: 30년
> ㉤ 장기전세주택: 20년
> ㉥ 위 ㉠부터 ㉤까지의 규정에 해당하지 않는 공공임대주택 중 임대조건을 신고할 때 임대차 계약기간을 6년 이상 10년 미만으로 정하여 신고한 주택: 6년
> ㉦ 위 ㉠부터 ㉤까지의 규정에 해당하지 않는 공공임대주택 중 임대조건을 신고할 때 임대차 계약기간을 10년 이상으로 정하여 신고한 주택: 10년
> ㉧ 위 ㉠부터 ㉦까지의 규정에 해당하지 않는 공공임대주택: 5년

② **매각제한의 예외:** 위 ①에도 불구하고 다음의 어느 하나에 해당하는 경우에는 임대의무기간이 지나기 전에도 공공임대주택을 매각할 수 있다(법 제50조의2 제2항, 영 제54조 제2항).

> ㉠ 국토교통부령으로 정하는 바에 따라 다른 공공주택사업자에게 매각하는 경우. 이 경우 해당 공공임대주택을 매입한 공공주택사업자는 기존 공공주택사업자의 지위를 포괄적으로 승계한다.
> ㉡ 공공주택사업자가 경제적 사정 등으로 공공임대주택에 대한 임대를 계속할 수 없는 경우로서 공공주택사업자가 국토교통부장관의 허가를 받아 임차인에게 분양전환하는 경우. 이 경우 법 제50조의3 제1항에 해당하는 임차인에게 우선적으로 분양전환하여야 한다.
> ㉢ 임대 개시 후 해당 주택의 임대의무기간의 2분의 1이 지난 분양전환공공임대주택에 대하여 공공주택사업자와 임차인이 해당 임대주택의 분양전환에 합의하여 공공주택사업자가 임차인에게 법 제50조의3에 따라 분양전환하는 경우

㉣ 주택도시기금의 융자를 받아 주택이 없는 근로자를 위하여 건설한 공공임대주택(1994년 9월 13일 이전에 사업계획승인을 받은 경우로 한정한다)을 시장 · 군수 또는 구청장의 허가를 받아 분양전환하는 경우. 이 경우 법 제50조의3 제1항의 요건을 충족하는 임차인에게 우선적으로 분양전환하여야 한다.
㉤ 공공매입임대주택이 복합지구, 정비구역, 주택법에 따른 주택건설사업 등 국토교통부령으로 정하는 지구 · 구역 및 사업 등에 포함된 경우로서 공공주택사업자가 해당 지역의 공공매입임대주택 재고 유지를 위한 공공매입임대주택 공급계획, 매각 또는 교환 방법, 입주자 이주대책 등 국토교통부령으로 정하는 사항에 대하여 국토교통부장관의 승인을 받은 경우

(11) 공공건설임대주택의 우선분양전환

① **우선분양전환대상 임차인**: 공공주택사업자는 임대 후 분양전환을 할 목적으로 건설한 공공건설임대주택을 임대의무기간이 지난 후 분양전환하는 경우에는 분양전환 당시까지 거주한 무주택자, 국가기관 또는 법인으로서 다음의 어느 하나에 해당하는 임차인에게 우선분양전환하여야 한다. 이 경우 분양전환의 방법 · 절차 등에 관하여 필요한 사항은 대통령령으로 정한다(법 제50조의3 제1항).

㉠ 입주일 이후부터 분양전환 당시까지 해당 임대주택에 거주한 무주택자인 임차인
㉡ 공공건설임대주택에 입주한 후 상속 · 판결 또는 혼인으로 다른 주택을 소유하게 된 경우 분양전환 당시까지 거주한 사람으로서 그 주택을 처분하여 무주택자가 된 임차인
㉢ 법 제49조의4 단서에 따라 임차권을 양도받은 경우에는 양도일 이후부터 분양전환 당시까지 거주한 무주택자인 임차인
㉣ 선착순의 방법으로 입주자로 선정된 경우에는 분양전환 당시까지 거주하고 분양전환 당시 무주택자인 임차인
㉤ 전용면적 85제곱미터 초과 주택에 분양전환 당시 거주하고 있는 임차인
㉥ 분양전환 당시 해당 임대주택의 임차인인 국가기관 또는 법인

② **분납임대주택의 우선분양전환**: 분납임대주택의 임대사업자는 법 제50조의3 제1항 제1호에 따라 임차인에게 우선분양전환하려는 경우에는 해당 임차인으로부터 임대 개시 전 또는 임대기간 중 분양전환금의 일부를 미리 받을 수 있다. 이 경우 분양전환금의 분납기준 및 분납방법 등에 관하여 필요한 사항은 국토교통부령으로 정한다(영 제55조).

③ **분양전환절차**: 공공주택사업자는 공공건설임대주택의 임대의무기간이 지난 후 해당 주택의 임차인에게 ①에 따른 우선분양전환 자격, 우선분양전환 가격 등 우선분양전환에 관한 사항을 통보하여야 한다. 이 경우 우선분양전환 자격이 있다고 통보받은 임차인이 우선분양전환에 응하려는 경우에는 그 통보를 받은 후 6개월(임대의무기간이 10년인 공공건설임대주택의 경우에는 12개월을 말한다) 이내에 우선분양전환계약을 하여야 한다(법 제50조의3 제2항).

기출예제

공공주택 특별법 제50조의3(공공임대주택의 우선분양전환 등) 제2항 규정이다. (   )에 들어갈 아라비아 숫자를 쓰시오.

제27회

> 공공주택사업자는 공공건설임대주택의 임대의무기간이 지난 후 해당 주택의 임차인에게 제1항에 따른 우선분양전환 자격, 우선분양전환 가격 등 우선분양전환에 관한 사항을 통보하여야 한다. 이 경우 우선분양전환 자격이 있다고 통보받은 임차인이 우선분양전환에 응하려는 경우에는 그 통보를 받은 후 (   )개월(임대의무기간이 10년인 공공건설임대주택의 경우에는 12개월을 말한다) 이내에 우선분양전환 계약을 하여야 한다.

정답: 6

④ **분양전환가격:** 분양전환가격 산정을 위한 감정평가는 공공주택사업자가 비용을 부담하는 조건으로 다음에 따라 시행한다(법 제50조의3 제5항, 영 제56조 제1항 · 제2항 · 제3항).

> ㉠ 시장 · 군수 또는 구청장은 감정평가를 국토교통부장관이 고시하는 기준을 충족하는 감정평가법인 두 곳에 의뢰하여야 한다.
> ㉡ 위 ㉠에 따라 감정평가를 의뢰받은 감정평가법인은 공공주택사업자 또는 임차인(임차인대표회의가 구성된 경우 임차인대표회의를 말한다)이 감정평가법인을 선정하여 줄 것을 요청한 날을 기준으로 평가한다.
> ㉢ 감정평가법인은 ㉠에 따라 감정평가를 의뢰받은 날부터 20일 이내에 감정평가를 완료하여야 한다. 다만, 시장 · 군수 또는 구청장이 인정하는 부득이한 사유가 있는 경우에는 10일의 범위에서 이를 연장할 수 있다.

⑤ **제3자 매각:** 공공주택사업자는 다음의 어느 하나에 해당하는 경우 해당 임대주택을 통보한 분양전환가격 이하의 가격으로 국토교통부령으로 정하는 바에 따라 제3자에게 매각할 수 있다(법 제50조의3 제4항).

> ㉠ 우선분양전환 자격을 갖춘 자가 존재하지 아니하는 경우
> ㉡ 공공주택사업자가 임차인에게 우선분양전환에 관한 사항을 통보한 날부터 6개월(임대의무기간이 10년인 공공건설임대주택의 경우에는 12개월을 말한다) 이내에 임차인이 우선분양전환계약을 하지 아니한 경우

⑥ **재평가:** 감정평가에 대하여 공공주택사업자 또는 임차인 과반수 이상의 동의를 받은 임차인(임차인대표회의가 구성된 경우 임차인대표회의를 말한다)이 이의신청을 하는 경우 시장 · 군수 · 구청장은 다음에 따라 한 차례만 재평가하게 할 수 있다(법 제50조의3 제5항 단서, 영 제56조 제4항 · 제5항 · 제6항).

㉠ 이의신청은 다음의 경우에 시장 · 군수 또는 구청장으로부터 감정평가결과를 통보받은 날부터 30일 이내에 하여야 한다.
  ⓐ 관계 법령을 위반하여 감정평가가 이루어진 경우
  ⓑ 부당하게 평가되었다고 인정하는 경우
㉡ 재평가는 그 사유를 명시하여 ③의 ㉠에 준용하되, 당초 감정평가한 감정평가법인에 의뢰해서는 아니 된다.
㉢ 재평가의 기한에 관하여는 ③의 ㉢을 준용하며, 재평가의 비용은 이의신청을 한 자가 부담한다.

⑦ **재산정:** 공공주택사업자는 ⑤에도 불구하고 ④에 따라 제3자에게 공공건설임대주택을 매각하려는 경우 그 매각 시점이 ⑤에 따른 감정평가가 완료된 날부터 1년이 지난 때에는 같은 항에 따라 매각가격을 재산정할 수 있다(법 제50조의3 제6항).

(12) 공공임대주택의 관리

주택의 관리, 임차인대표회의 및 분쟁조정위원회 등에 관하여는 민간임대주택에 관한 특별법 제51조, 제52조 및 제55조를 준용하되, 같은 법 제51조 제3항에 따른 자체관리를 위한 시장 · 군수 또는 구청장의 인가나 관리비와 관련된 회계감사는 국토교통부령으로 정하는 바에 따라 준용하지 아니한다(법 제50조 제1항, 영 제53조 제1항).

(13) 선수관리비

① **부담:** 공공주택사업자는 공공임대주택을 관리하는 데 필요한 경비를 임차인이 최초로 납부하기 전까지 해당 공공임대주택의 유지관리 및 운영에 필요한 경비(이하 '선수관리비'라 한다)를 대통령령으로 정하는 바에 따라 부담할 수 있다(법 제50조 제2항).

② **시기:** 공공주택사업자는 ①에 따라 선수관리비를 부담하는 경우에는 해당 임차인의 입주가능일 전까지 관리주체에게 선수관리비를 지급해야 한다(영 제53조 제2항).

③ **반환:** 관리주체는 해당 임차인의 임대기간이 종료되는 경우 ②에 따라 지급받은 선수관리비를 공공주택사업자에게 반환해야 한다. 다만, 다른 임차인이 해당 주택에 입주할 예정인 경우 등 공공주택사업자와 관리주체가 협의하여 정하는 경우에는 선수관리비를 반환하지 않을 수 있다(영 제53조 제3항).

④ **결정:** 관리주체에게 지급하는 선수관리비의 금액은 해당 공공임대주택의 유형 및 세대수 등을 고려하여 공공주택사업자와 관리주체가 협의하여 정한다(영 제53조 제4항).

(14) 장기수선계획의 수립

① **수립:** 특별수선충당금 적립대상에 해당하는 공공임대주택을 건설한 공공주택사업자는 해당 공공임대주택의 공용부분, 부대시설 및 복리시설(분양된 시설은 제외한다)에 대

하여 장기수선계획을 수립하여 사용검사를 신청할 때 사용검사신청서와 함께 제출하여야 하며, 임대기간 중 해당 임대주택단지에 있는 관리사무소에 장기수선계획을 갖춰 놓아야 한다(영 제57조 제2항).

② **조정:** 공공주택사업자는 장기수선계획을 수립한 후 이를 조정할 필요가 있는 경우에는 임차인대표회의의 구성원(임차인대표회의가 구성되지 않은 경우에는 전체 임차인) 과반수의 서면동의를 받아 장기수선계획을 조정할 수 있다(영 제57조 제4항).

(15) 특별수선충당금의 적립

① **적립대상:** 공공임대주택 단지별로 다음의 어느 하나에 해당하는 공공임대주택의 공공주택사업자는 주요 시설을 교체하고 보수하는 데에 필요한 특별수선충당금을 적립하여야 한다. 다만, 1997년 3월 1일 전에 주택건설사업계획의 승인을 받은 공공임대주택은 제외한다(법 제50조의4 제1항, 영 제57조 제1항).

> ㉠ 300세대 이상의 공동주택
> ㉡ 승강기가 설치된 공동주택
> ㉢ 중앙집중식 난방방식의 공동주택

② **적립시기와 요율:** 공공주택사업자는 특별수선충당금을 사용검사일(임시사용승인일)부터 1년이 지난 날이 속하는 달부터 매달 적립하되, 적립요율은 다음의 비율에 따른다. 다만, 다음의 주택이 혼합주택단지 안에 있는 경우(각자 결정하는 경우는 제외한다) 해당 주택에 대한 특별수선충당금의 적립요율에 관하여는 관리규약으로 정하는 장기수선충당금의 요율을 준용한다(영 제57조 제5항).

> ㉠ **영구임대주택, 국민임대주택, 행복주택, 통합공공임대주택, 장기전세주택:** 국토교통부장관이 고시하는 표준건축비의 1만분의 4
> ㉡ **㉠에 해당하지 아니하는 공공임대주택:** 사업계획승인 당시 표준건축비의 1만분의 1

③ **관리 및 사용:** 공공주택사업자는 특별수선충당금을 금융회사 등에 예치하여 따로 관리하여야 하고, 특별수선충당금을 사용하려면 미리 해당 공공임대주택의 주소지를 관할하는 시장 · 군수 또는 구청장과 협의하여야 한다. 다만, 다음의 어느 하나에 해당하는 경우에는 그렇지 않다(영 제57조 제6항 · 제7항).

> ㉠ 주택법 시행령 제53조의2 제4항 각 호에 따른 중대한 하자가 발생한 경우
> ㉡ 천재지변이나 그 밖의 재해로 장기수선계획 수립 대상물이 파손되거나 멸실되어 긴급하게 교체 · 보수가 필요한 경우

④ **통보**: 공공주택사업자는 위 ③의 단서에 따라 특별수선충당금을 사용한 경우에는 그 사유를 사용일부터 30일 이내에 관할 시장 · 군수 또는 구청장에게 통보해야 한다(영 제57조 제8항).

⑤ **인계 및 보고**: 공공주택사업자가 임대의무기간이 지난 공공건설임대주택을 분양전환하는 경우에는 특별수선충당금을 공동주택관리법 제11조에 따라 최초로 구성되는 입주자대표회의에 넘겨주어야 하고, 시장 · 군수 또는 구청장은 공공주택사업자의 특별수선충당금 적립 여부, 적립금액 등을 관할 시 · 도지사에게 보고하여야 하며, 시 · 도지사는 시장 · 군수 또는 구청장의 보고를 받으면 이를 국토교통부장관에게 보고하여야 한다(법 제50조의4 제2항, 영 제57조 제9항).

더 알아보기 **보칙**

1. 토지매수업무 등의 위탁

   공공주택사업자는 토지매수업무 · 손실보상업무 및 이주대책업무 등을 공익사업을 위한 토지 등의 취득 및 보상에 관한 법률 제81조 제1항에 따라 지방자치단체 등에 위탁할 수 있다(법 제52조).

2. 권한의 위임 또는 위탁

   ① 국토교통부장관은 이 법에 따른 권한의 일부를 대통령령으로 정하는 바에 따라 시 · 도지사에게 위임할 수 있다. 이 경우 중앙행정기관은 관계 행정기관으로 보며, 중앙도시계획위원회는 지방도시계획위원회로 본다(법 제53조 제1항).

   ② 위 ①에 따라 권한을 위임받은 시 · 도지사는 그 권한의 일부를 국토교통부장관의 승인을 받아 시장(제주특별자치도 설치 및 국제자유도시 조성을 위한 특별법 제10조 제2항에 따른 행정시의 시장을 포함한다) · 군수 또는 구청장에게 재위임할 수 있다(법 제53조 제2항).

   ③ 국토교통부장관은 이 법에 따른 권한의 일부를 대통령령으로 정하는 바에 따라 관계 중앙행정기관의 장 또는 공공주택사업자에게 위탁할 수 있다(법 제53조 제3항).

3. 보고 · 검사 등

   ① 국토교통부장관은 이 법의 시행을 위하여 필요한 경우에는 공공주택사업자에게 필요한 보고를 하게 하거나 자료의 제출을 명할 수 있으며, 소속 공무원으로 하여금 공공주택사업자의 사무실 · 사업장, 그 밖에 필요한 장소에 출입하여 공공주택사업에 관한 업무를 검사하게 할 수 있다(법 제54조 제1항).

   ② 위 ①에 따른 공공주택사업에 관한 업무를 검사하는 공무원은 그 권한을 표시하는 증표를 지니고 이를 관계인에게 내보여야 한다(법 제54조 제2항).

마무리STEP 1 | OX 문제

01 공공주택사업자는 주거지원필요계층과 다자녀가구에게 공공주택을 우선공급하여야 한다. 이 경우 주거지원필요계층과 다자녀가구의 요건, 우선공급비율 등 필요한 사항은 국토교통부령으로 정한다. ( )

02 공공임대주택의 최초의 임대료(임대보증금 및 월임대료를 말한다)는 국토교통부장관이 정하여 고시하는 표준임대료를 초과할 수 없다. 다만, 전용면적이 85제곱미터를 초과하거나 분납임대주택 또는 장기전세주택으로 공급하는 공공임대주택의 최초의 임대보증금에는 적용하지 아니한다. ( )

03 장기전세주택으로 공급하는 공공임대주택의 최초의 임대보증금은 공공주택사업자가 장기전세주택으로 공급하는 공공건설임대주택과 같거나 인접한 시 · 군 또는 자치구에 있는 주택 중 해당 공공임대주택과 유형, 규모, 생활여건 등이 비슷한 2개 또는 3개 단지의 공동주택의 전세계약금액을 평균한 금액의 50퍼센트를 초과할 수 없다. ( )

04 기존주택등매입임대주택의 최초의 임대료는 해당 기존주택등매입임대주택의 주변 지역 임대주택의 임대료에 대한 감정평가금액의 80퍼센트 이내의 금액으로 한다. ( )

05 공공임대주택의 최초의 임대보증금과 월임대료는 임차인이 동의한 경우에 임대차계약에 따라 상호전환할 수 있다. 이 경우 최초의 임대보증금은 해당 임대주택과 그 부대시설에 대한 건설원가에서 주택도시기금의 융자금을 뺀 금액을 초과할 수 없다. ( )

01 ○

02 ○

03 × 전세계약금액을 평균한 금액의 80퍼센트를 초과할 수 없다.

04 × 감정평가금액의 50퍼센트[입주자의 소득기준을 달리 정하는 경우에는 100퍼센트 이내(가구원수가 1명인 경우에는 70퍼센트, 2명인 경우에는 60퍼센트, 그 외 50퍼센트)] 이내의 금액으로 한다.

05 ○

06 지분적립형 분양주택을 공급받은 자(상속받은 자는 제외한다)는 해당 주택의 최초 입주가능일부터 10년 동안 계속하여 해당 주택에 거주하여야 한다. ( )

07 이익공유형 분양주택을 공급받은 자가 해당 주택을 처분하려는 경우에는 환매조건에 따라 공공주택사업자에게 해당 주택의 매입을 신청하여야 하며, 매입신청을 받은 공공주택사업자가 이익공유형 분양주택을 환매하는 경우 해당 주택을 공급받은 자는 해당 주택의 공급가격 등을 고려하여 대통령령으로 정하는 기준에 따라 처분손익을 공공주택사업자와 공유하여야 한다. ( )

08 공공주택사업자는 임차인의 보육수요 충족을 위하여 필요하다고 판단하는 경우 해당 공공임대주택의 일부 세대를 10년 이내의 범위에서 영유아보육법 제10조 제5호에 따른 가정어린이집을 설치 · 운영하려는 자에게 임대할 수 있다. ( )

09 장기전세주택의 임대의무기간은 30년이다. ( )

10 공공주택사업자는 선수관리비를 부담하는 경우에는 해당 임차인의 입주가능일 전까지 관리주체에게 선수관리비를 지급해야 하며, 관리주체는 해당 임차인의 임대기간이 종료되는 경우 선수관리비를 공공주택사업자에게 반환해야 한다. ( )

11 공공주택사업자는 특별수선충당금을 사용검사일부터 1년이 지난 달부터 매달 적립하여야 한다. ( )

06 × 최초 입주가능일부터 5년 동안 계속하여 해당 주택에 거주하여야 한다.

07 ○

08 × 6년 이내의 범위에서 영유아보육법 제10조 제5호에 따른 가정어린이집을 설치 · 운영하려는 자에게 임대할 수 있다.

09 × 장기전세주택의 임대의무기간은 20년이다.

10 ○

11 × 사용검사일부터 1년이 지난 날이 속하는 달부터 매달 적립하여야 한다.

마무리STEP 2 | 확인문제

01 **공공주택 특별법령상 다음 설명 중 틀린 것은?**

① 영구임대주택이란 국가나 지방자치단체의 재정을 지원받아 최저소득 계층의 주거안정을 위하여 50년 이상 또는 영구적인 임대를 목적으로 공급하는 공공임대주택을 말한다.

② 국민임대주택이란 국가나 지방자치단체의 재정이나 주택도시기금법에 따른 주택도시기금의 자금을 지원받아 저소득 서민의 주거안정을 위하여 20년 이상 장기간 임대를 목적으로 공급하는 공공임대주택을 말한다.

③ 행복주택이란 국가나 지방자치단체의 재정이나 주택도시기금의 자금을 지원받아 대학생, 사회초년생, 신혼부부 등 젊은층의 주거안정을 목적으로 공급하는 공공임대주택을 말한다.

④ 장기전세주택이란 국가나 지방자치단체의 재정이나 주택도시기금의 자금을 지원받아 전세계약의 방식으로 공급하는 공공임대주택을 말한다.

⑤ 분양전환공공임대주택이란 일정 기간 임대 후 분양전환할 목적으로 공급하는 공공임대주택을 말한다.

02 공공주택 특별법령상 공공주택의 운영 · 관리에 관한 설명으로 옳지 않은 것은?

제20회

① 공공주택사업자는 공공임대주택의 임대조건 등 임대차계약에 관한 사항을 시장 · 군수 · 구청장에게 신고하여야 한다.

② 공공주택사업자가 공공임대주택에 대한 임대차계약을 체결할 때 임대차 계약기간이 끝난 후 임대주택을 그 임차인에게 분양전환할 예정이면 임대차 계약기간을 2년 이내로 할 수 있다.

③ 공공분양주택 입주예정자가 입주의무기간 이내에 소유권이전등기를 완료한 상태에서 입주를 하지 아니한 경우에는 공공주택사업자가 해당 주택을 취득할 수 있다.

④ 공공주택사업자는 공공주택사업자의 귀책사유가 없음에도 임대차 계약기간이 시작된 날부터 2개월 이내에 임차인이 입주하지 아니한 경우, 임대차계약을 해제 또는 해지할 수 있다.

⑤ 공공건설임대주택의 임차인이 임대의무기간이 종료한 후 공공주택사업자가 임차인에게 분양전환을 통보한 날부터 6개월 이상 우선분양전환에 응하지 아니하는 경우에는 공공주택사업자는 해당 공공건설임대주택을 제3자에게 매각할 수 있다.

정답 | 해설

01 ② 20년 이상이 아니라 30년 이상을 말한다.

02 ④ 3개월 이내에 임차인이 입주하지 아니한 경우 임대차계약을 해제 또는 해지할 수 있다.

03 공공주택 특별법령상 공공주택의 임대조건 등에 대한 다음 설명 중 틀린 것은?

① 공공임대주택의 최초의 임대료(임대보증금 및 월임대료를 말한다)는 국토교통부장관이 정하여 고시하는 표준임대료를 초과할 수 없다.

② ①의 경우 전용면적이 85제곱미터 이하이거나 분납임대주택 또는 장기전세주택으로 공급하는 공공임대주택의 최초의 임대보증금에는 적용하지 아니한다.

③ 공공임대주택의 최초의 임대보증금과 월임대료는 임차인이 동의한 경우에 임대차계약에 따라 상호전환할 수 있다.

④ ③의 경우 최초의 임대보증금은 해당 임대주택과 그 부대시설에 대한 건설원가에서 주택도시기금의 융자금을 뺀 금액을 초과할 수 없다.

⑤ 분납임대주택의 임대료는 임차인이 미리 납부한 분양전환가격에 해당하는 금액(분양전환금) 등을 고려하여 국토교통부장관이 따로 정하여 고시하는 표준임대료를 초과할 수 없다.

04 공공주택 특별법령상 공공주택의 임대조건 등에 대한 다음 설명 중 틀린 것은?

① 장기전세주택의 최초의 임대보증금은 해당 장기전세주택과 같거나 인접한 시·군 또는 자치구에 있는 주택 중 비슷한 2개 또는 3개 단지의 공동주택의 전세계약금액을 평균한 금액의 80퍼센트를 초과할 수 없다.

② 기존주택등매입임대주택의 최초의 임대료는 해당 기존주택등매입임대주택의 주변 지역 임대주택의 임대료에 대한 감정평가금액의 80퍼센트 이내의 금액으로 한다.

③ 공공임대주택의 공공주택사업자가 임대료 증액을 청구하는 경우(재계약을 하는 경우를 포함한다)에는 임대료의 100분의 5 이내의 범위에서 증액하여야 한다. 이 경우 증액이 있은 후 1년 이내에는 증액하지 못한다.

④ 임대보증금이 증액되는 경우 임차인은 증액된 임대보증금이 적용된 임대차계약을 체결한 날부터 1년 이내에 3회에 걸쳐 임대보증금의 증액분을 분할하여 납부할 수 있다.

⑤ 공공임대주택의 임대료 등 임대조건을 정하는 경우에는 임차인의 소득수준 및 공공임대주택의 규모 등을 고려하여 차등적으로 정할 수 있다.

05 **공공주택 특별법령상 공공주택사업자는 임차인이 법정사유에 해당하는 경우에는 임대차계약을 해제 또는 해지하거나 재계약을 거절할 수 있는데 그 사유가 아닌 것은?**

① 거짓이나 그 밖의 부정한 방법으로 공공임대주택을 임대받은 경우
② 공공주택사업자의 귀책사유 없이 임대차 계약기간이 시작된 날부터 3개월 이내에 입주하지 아니한 경우
③ 분납임대주택의 분납금을 3개월 이상 연체한 경우
④ 전용면적 85제곱미터 초과 공공임대주택에 입주하고 있는 임차인이 임대차 계약기간 중 다른 주택을 소유하게 된 경우
⑤ 임차인이 해당 주택에서 퇴거하거나 다른 공공임대주택에 당첨되어 입주하는 경우

06 **공공주택 특별법령상 공공임대주택의 임대의무기간이 틀린 것은?**

① 영구임대주택: 50년
② 국민임대주택: 30년
③ 행복주택: 30년
④ 장기전세주택: 20년
⑤ 통합공공임대주택: 20년

정답 | 해설

03 ② 85제곱미터를 초과하는 경우이다.

04 ② 기존주택등매입임대주택의 최초의 임대료는 해당 기존주택등매입임대주택의 주변 지역 임대주택의 임대료에 대한 감정평가금액의 50퍼센트 이내의 금액으로 한다.

05 ④ 공공임대주택의 임대차 계약기간 중 다른 주택을 소유하게 된 경우에는 공공주택사업자가 임차인과의 계약을 해지 등 할 수 있는데, 85제곱미터를 초과하거나 선착순 모집 등인 경우에는 그러하지 아니하다.

06 ⑤ 통합공공임대주택의 임대의무기간은 30년이다.

07 **공공주택 특별법령상 공공임대주택을 분양전환하는 경우에 우선분양전환대상이 되는 임차인이 아닌 자는?**

① 입주일 이후부터 분양전환 당시까지 해당 임대주택에 거주한 무주택자인 임차인
② 공공건설임대주택에 입주한 후 상속 · 판결 또는 혼인으로 다른 주택을 소유하게 된 경우 분양전환 당시까지 거주한 사람으로서 그 주택을 처분하여 무주택자가 된 임차인
③ 임차권을 양도받은 경우에는 양도일 이후부터 분양전환 당시까지 거주한 무주택자인 임차인
④ 선착순의 방법으로 입주자로 선정된 경우에는 분양전환 당시까지 거주하고 분양전환 당시 무주택자인 임차인
⑤ 전용면적 85제곱미터 초과 주택에 분양전환 당시 거주하고 있는 무주택자인 임차인

08 공공주택 특별법령상 특별수선충당금에 대한 다음 설명 중 틀린 것은?

① 승강기가 설치된 공동주택의 공공주택사업자는 주요 시설을 교체하고 보수하는 데에 필요한 특별수선충당금을 적립하여야 한다.

② ①의 경우에 1997년 3월 1일 전에 주택건설사업계획의 승인을 받은 공공임대주택은 제외한다.

③ 특별수선충당금 적립대상 공공임대주택을 건설한 공공주택사업자는 장기수선계획을 수립하여 사용검사를 신청할 때 사용검사신청서와 함께 제출하여야 하며, 임대기간 중 해당 임대주택단지에 있는 관리사무소에 장기수선계획을 갖춰 놓아야 한다.

④ 공공주택사업자는 특별수선충당금을 사용검사일부터 1년이 지난 달부터 매달 적립하여야 한다.

⑤ 공공주택사업자는 특별수선충당금을 금융회사 등에 예치하여 따로 관리하여야 하고, 특별수선충당금을 사용하려면 미리 해당 공공임대주택의 주소지를 관할하는 시장·군수 또는 구청장과 협의하여야 한다.

정답 | 해설

07 ⑤ 85제곱미터를 초과하는 임대주택인 경우에는 분양전환 당시 거주하고 있는 임차인이다. 즉, 이 경우에는 무주택자인 경우를 필요로 하지 않는다.

08 ④ 사용검사일부터 1년이 지난 날이 속하는 달부터 매달 적립하여야 한다.

2025 해커스 주택관리사(보)
house.Hackers.com

10개년 출제비중분석

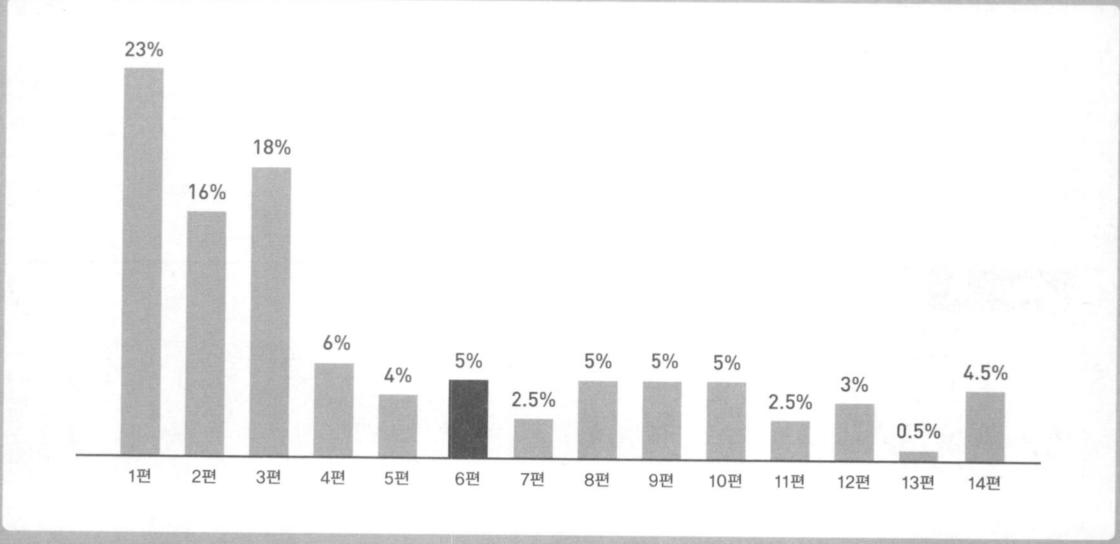

제6편

도시 및 주거환경정비법

제 1 장 총칙

목차 내비게이션 도시 및 주거환경정비법

단원길라잡이

본 장에서는 정비사업의 종류에 대하여 반드시 학습하여야 한다. 매년 1문제씩 출제되고 있으며 그 중요성 또한 매우 크다. 그 밖에도 노후 · 불량건축물, 토지등소유자 등의 용어를 반드시 정리해 놓아야 한다.

출제포인트

- 정비사업의 구분
- 토지등소유자의 구분
- 정비기반시설과 공동이용시설의 구분

제1절 제정목적

이 법은 도시기능의 회복이 필요하거나 주거환경이 불량한 지역을 계획적으로 정비하고 노후 · 불량건축물을 효율적으로 개량하기 위하여 필요한 사항을 규정함으로써 도시환경을 개선하고 주거생활의 질을 높이는 데 이바지함을 목적으로 한다(법 제1조).

제2절 용어의 정의

01 정비구역

정비구역이란 정비사업을 계획적으로 시행하기 위하여 지정 · 고시된 구역을 말한다(법 제2조 제1호).

02 정비사업

정비사업이란 이 법에서 정한 절차에 따라 도시기능을 회복하기 위하여 정비구역에서 정비기반시설을 정비하거나 주택 등 건축물을 개량 또는 건설하는 다음의 사업을 말한다(법 제2조 제2호).

주거환경 개선사업	도시저소득 주민이 집단거주하는 지역으로서 정비기반시설이 극히 열악하고 노후 · 불량건축물이 과도하게 밀집한 지역의 주거환경을 개선하거나 단독주택 및 다세대주택이 밀집한 지역에서 정비기반시설과 공동이용시설 확충을 통하여 주거환경을 보전 · 정비 · 개량하기 위한 사업
재개발사업	정비기반시설이 열악하고 노후 · 불량건축물이 밀집한 지역에서 주거환경을 개선하거나 상업지역 · 공업지역 등에서 도시기능의 회복 및 상권활성화 등을 위하여 도시환경을 개선하기 위한 사업을 말한다. 이 경우 다음 요건을 모두 갖춘 것을 공공재개발사업이라 한다. ① 시장 · 군수 등 또는 주택공사 등(조합과의 공동시행을 포함한다)이 주거환경개선사업, 재개발사업의 시행자나 재개발사업의 대행자일 것 ② 건설 · 공급되는 주택의 전체 세대수 또는 전체 연면적 중 토지등소유자 대상 분양분(지분형주택은 제외한다)을 제외한 나머지 주택의 세대수 또는 연면적의 100분의 20 이상 100분의 50 이하의 범위에서 대통령령으로 정하는 기준(과밀억제권역: 100분의 30 이상 100분의 40 이하, 과밀억제권역 외의 지역: 100분의 20 이상 100분의 30 이하)에 따라 시 · 도 조례로 정하는 비율 이상을 지분형주택, 공공임대주택, 공공지원민간임대주택으로 건설 · 공급할 것. 이 경우 공공임대주택 건설비율은 건설 · 공급되는 주택의 전체 세대수의 100분의 20 이하에서 국토교통부장관이 정하여 고시하는 비율 이상으로 한다.

재건축사업	정비기반시설은 양호하나 노후·불량건축물에 해당하는 공동주택이 밀집한 지역에서 주거환경을 개선하기 위한 사업을 말한다. 이 경우 다음의 요건을 모두 갖춘 것을 공공재건축사업이라 한다. ① 시장·군수 등 또는 주택공사 등(조합과의 공동시행을 포함한다)이 재건축사업의 시행자나 재건축사업의 대행자일 것 ② 단지의 종전 세대수의 100분의 160 세대를 건설·공급할 것. 다만, 정비구역의 지정권자가 도시·군기본계획, 토지이용현황 등 대통령령으로 정하는 불가피한 사유로 해당하는 세대수를 충족할 수 없다고 인정하는 경우에는 그러하지 아니하다.

03 기타 용어

(1) 노후·불량건축물

노후·불량건축물이란 다음의 어느 하나에 해당하는 건축물을 말한다(법 제2조 제3호, 영 제2조 제1항·제2항·제3항).

① 건축물이 훼손되거나 일부가 멸실되어 붕괴, 그 밖의 안전사고의 우려가 있는 건축물
② 내진성능이 확보되지 아니한 건축물 중 중대한 기능적 결함 또는 부실 설계·시공으로 구조적 결함 등이 있는 다음의 건축물.
　㉠ 급수·배수·오수설비 등의 설비 또는 지붕·외벽 등 마감의 노후화나 손상으로 그 기능을 유지하기 곤란할 것으로 우려되는 건축물
　㉡ 안전진단 결과 건축물의 내구성·내하력 등이 국토교통부장관이 정하는 기준에 미치지 못할 것으로 예상되어 구조안전의 확보가 곤란할 것으로 우려되는 건축물
③ 주변 토지의 이용상황 등에 비추어 주거환경이 불량한 곳에 위치하며, 건축물을 철거하고 새로운 건축물을 건설하는 경우 건설에 드는 비용과 비교하여 효용의 현저한 증가가 예상되는 건축물로서 시·도 조례로 정하는 다음의 건축물.
　㉠ 대지의 분할제한면적에 미달되거나 도시·군계획시설 등의 설치로 인하여 효용을 다할 수 없게 된 대지에 있는 건축물
　㉡ 공장의 매연·소음 등으로 인하여 위해를 초래할 우려가 있는 지역에 있는 건축물
　㉢ 해당 건축물을 준공일 기준으로 40년까지 사용하기 위하여 보수·보강하는 데 드는 비용이 철거 후 새로운 건축물을 건설하는 데 드는 비용보다 클 것으로 예상되는 건축물
④ 도시미관을 저해하거나 노후화된 건축물로서 시·도 조례로 정하는 다음의 건축물
　㉠ 준공된 후 20년 이상 30년 이하의 범위에서 조례로 정하는 기간이 지난 건축물
　㉡ 도시·군기본계획의 경관에 관한 사항에 어긋나는 건축물

● 주택 재건축 판정을 위한 안전진단기준(국토교통부 고시 제2018-141호)

(2) 정비기반시설

정비기반시설이란 도로 · 상하수도 · 공원 · 공용주차장 · 공동구(국토의 계획 및 이용에 관한 법률 제2조 제9호에 따른 공동구를 말한다. 이하 같다), 그 밖에 주민의 생활에 필요한 열 · 가스 등의 공급시설로서 대통령령으로 정하는 시설을 말한다(법 제2조 제4호).

더 알아보기 **정비기반시설(영 제3조)**

1. 녹지
2. 하천
3. 공공공지
4. 광장
5. 소방용수시설
6. 비상대피시설
7. 가스공급시설
8. 지역난방시설
9. 주거환경개선사업에 따른 정비구역에 설치하는 공동이용시설로서 사업시행계획서에 해당 시장 · 군수 등이 관리하는 것으로 포함된 것

(3) 공동이용시설

공동이용시설이란 주민이 공동으로 사용하는 놀이터 · 마을회관 · 공동작업장, 그 밖에 대통령령으로 정하는 시설을 말한다(법 제2조 제5호).

더 알아보기 **공동이용시설(영 제4조)**

1. 공동으로 사용하는 구판장 · 세탁장 · 화장실 및 수도
2. 탁아소 · 어린이집 · 경로당 등 노유자시설
3. 그 밖에 1. 및 2.의 시설과 유사한 용도의 시설로서 시 · 도 조례로 정하는 시설

(4) 대지

대지란 정비사업으로 조성된 토지를 말한다(법 제2조 제6호).

(5) 주택단지

주택단지란 주택 및 부대시설 · 복리시설을 건설하거나 대지로 조성되는 일단의 토지로서 다음의 어느 하나에 해당하는 일단의 토지를 말한다(법 제2조 제7호).

> ① 주택법 제15조에 따른 사업계획승인을 받아 주택 및 부대시설 · 복리시설을 건설한 일단의 토지
> ② ①에 따른 일단의 토지 중 국토의 계획 및 이용에 관한 법률 제2조 제7호에 따른 도시 · 군계획시설(이하 '도시 · 군계획시설'이라 한다)인 도로나 그 밖에 이와 유사한 시설로 분리되어 따로 관리되고 있는 각각의 토지
> ③ ①에 따른 일단의 토지 둘 이상이 공동으로 관리되고 있는 경우 그 전체 토지
> ④ 법 제67조에 따라 분할된 토지 또는 분할되어 나가는 토지
> ⑤ 건축법 제11조에 따라 건축허가를 받아 아파트 또는 연립주택을 건설한 일단의 토지

(6) 사업시행자

사업시행자란 정비사업을 시행하는 자를 말한다(법 제2조 제8호).

(7) 토지등소유자

토지등소유자란 다음의 어느 하나에 해당하는 자를 말한다. 다만, 법 제27조 제1항에 따라 자본시장과 금융투자업에 관한 법률 제8조 제7항에 따른 신탁업자(이하 '신탁업자'라 한다)가 사업시행자로 지정된 경우 토지등소유자가 정비사업을 목적으로 신탁업자에게 신탁한 토지 또는 건축물에 대하여는 위탁자를 토지등소유자로 본다(법 제2조 제9호).

> ① 주거환경개선사업 및 재개발사업의 경우에는 정비구역에 위치한 토지 또는 건축물의 소유자 또는 그 지상권자
> ② 재건축사업의 경우에는 정비구역에 위치한 건축물 및 그 부속토지의 소유자

(8) 토지주택공사 등

토지주택공사 등이란 한국토지주택공사법에 따라 설립된 한국토지주택공사 또는 지방공기업법에 따라 주택사업을 수행하기 위하여 설립된 지방공사를 말한다(법 제2조 제10호).

(9) 정관 등

정관 등이란 다음의 것을 말한다(법 제2조 제11호).

> ① 법 제40조에 따른 조합의 정관
> ② 사업시행자인 토지등소유자가 자치적으로 정한 규약
> ③ 특별자치시장, 특별자치도지사, 시장, 군수, 자치구의 구청장(이하 '시장 · 군수 등'이라 한다), 토지주택공사 등 또는 신탁업자가 법 제53조에 따라 작성한 시행규정

마무리STEP 1 | OX 문제

01 도시저소득 주민이 집단거주하는 지역으로서 정비기반시설이 극히 열악하고 노후 · 불량건축물이 과도하게 밀집한 지역의 주거환경을 개선하거나 단독주택 및 다세대주택이 밀집한 지역에서 정비기반시설과 공동이용시설 확충을 통하여 주거환경을 보전 · 정비 · 개량하기 위한 사업은 재개발사업을 말한다. ( )

02 정비기반시설은 양호하나 노후 · 불량건축물에 해당하는 공동주택이 밀집한 지역에서 주거환경을 개선하기 위한 사업은 재건축사업이다. ( )

03 도시미관을 저해하거나 노후화된 건축물로서 준공된 후 20년 이상 30년 이하의 범위에서 조례로 정하는 기간이 지난 건축물은 노후 · 불량건축물에 해당한다. ( )

04 공동이용시설이란 도로 · 상하수도 · 공원 · 공용주차장 · 공동구, 그 밖에 주민의 생활에 필요한 열 · 가스 등의 공급시설로서 대통령령으로 정하는 시설을 말한다. ( )

05 주거환경개선사업 및 재개발사업의 경우에 토지등소유자는 정비구역에 위치한 건축물 및 그 부속토지의 소유자를 말한다. ( )

01 × 주거환경개선사업에 대한 설명이다.

02 ○

03 ○

04 × 정비기반시설에 대한 설명이다.

05 × 재건축사업에서의 토지등소유자에 대한 설명이다. 주거환경개선사업과 재개발사업의 경우에는 정비구역에 위치한 토지 또는 건축물의 소유자 또는 그 지상권자를 말한다.

제 2 장 정비기본계획과 정비계획

목차 내비게이션 도시 및 주거환경정비법

단원길라잡이

이 단원에서는 정비사업의 절차 등을 정리하는 것을 비롯하여 정비기본방침, 정비기본계획, 정비계획, 정비구역의 지정에 대한 개념을 파악하여야 하며, 정비구역 지정효과에 대해서도 정리하여야 한다.

출제포인트

- 정비계획의 수립권자
- 정비구역의 지정권자
- 정비계획의 입안제안
- 정비구역의 해제사유

제1절 도시 · 주거환경정비 기본방침 수립

(1) 정비기본방침

국토교통부장관은 도시 및 주거환경을 개선하기 위하여 10년마다 기본방침을 수립하고, 5년마다 그 타당성을 검토하여 그 결과를 기본방침에 반영하여야 한다(법 제3조).

핵심 콕! 콕! 정비기본방침의 내용

1. 도시 및 주거환경정비를 위한 국가정책방향
2. 도시 · 주거환경정비 기본계획의 수립방향
3. 노후 · 불량주거지 조사 및 개선계획의 수립
4. 도시 및 주거환경 개선에 필요한 재정지원계획
5. 그 밖에 도시 및 주거환경 개선을 위하여 필요한 사항으로서 대통령령으로 정하는 사항

(2) 노후 · 불량주거지 개선계획

국토교통부장관은 주택 또는 기반시설이 열악한 주거지의 주거환경 개선을 위하여 5년마다 개선대상 지역을 조사하고 연차별 재정지원계획 등을 포함한 노후 · 불량주거지 개선계획을 수립하여야 한다(법 제127조).

제2절 도시 · 주거환경정비 기본계획

(1) 기본계획의 수립

① 특별시장 · 광역시장 · 특별자치시장 · 특별자치도지사 또는 시장은 관할 구역에 대하여 도시 · 주거환경정비 기본계획(이하 '기본계획'이라 한다)을 10년 단위로 수립하여야 한다. 다만, 도지사가 대도시가 아닌 시로서 기본계획을 수립할 필요가 없다고 인정하는 시에 대하여는 기본계획을 수립하지 아니할 수 있다(법 제4조 제1항).

② 특별시장 · 광역시장 · 특별자치시장 · 특별자치도지사 또는 시장(이하 '기본계획의 수립권자'라 한다)은 기본계획에 대하여 5년마다 타당성을 검토하여 그 결과를 기본계획에 반영하여야 한다(법 제4조 제2항).

(2) 내용

① 기본계획에는 다음의 사항이 포함되어야 한다(법 제5조 제1항).

> ㉠ 정비사업의 기본방향
> ㉡ 정비사업의 계획기간
> ㉢ 인구 · 건축물 · 토지이용 · 정비기반시설 · 지형 및 환경 등의 현황
> ㉣ 주거지 관리계획
> ㉤ 토지이용계획 · 정비기반시설계획 · 공동이용시설 설치계획 및 교통계획
> ㉥ 녹지 · 조경 · 에너지공급 · 폐기물처리 등에 관한 환경계획
> ㉦ 사회복지시설 및 주민문화시설 등의 설치계획
> ㉧ 도시의 광역적 재정비를 위한 기본방향
> ㉨ 정비구역으로 지정할 예정인 구역(이하 '정비예정구역'이라 한다)의 개략적 범위
> ㉩ 단계별 정비사업추진계획(정비예정구역별 정비계획의 수립시기를 포함하여야 한다)
> ㉪ 건폐율 · 용적률 등에 관한 건축물의 밀도계획
> ㉫ 세입자에 대한 주거안정대책
> ㉬ 그 밖에 주거환경 등을 개선하기 위하여 필요한 사항으로서 대통령령으로 정하는 사항

② 기본계획의 수립권자는 기본계획에 다음의 사항을 포함하는 경우에는 ①의 ㉨ 및 ㉩의 사항을 생략할 수 있다(법 제5조 제2항).

> ㉠ 생활권의 설정, 생활권별 기반시설 설치계획 및 주택수급계획
> ㉡ 생활권별 주거지의 정비 · 보전 · 관리의 방향

③ 기본계획의 작성기준 및 작성방법은 국토교통부장관이 정하여 고시한다(법 제5조 제3항).

(3) 수립절차

① **주민공람:** 기본계획의 수립권자는 기본계획을 수립하거나 변경하려는 경우에는 14일 이상 주민(세입자, 토지등소유자 또는 조합원, 그 밖에 이해관계를 가지는 자를 포함한다)에게 공람하여 의견을 들어야 하며, 제시된 의견이 타당하다고 인정되면 이를 기본계획에 반영하여야 한다(법 제6조 제1항, 영 제6조 제1항).

② **지방의회:** 기본계획의 수립권자는 ①에 따른 공람과 함께 지방의회의 의견을 들어야 한다. 이 경우 지방의회는 기본계획의 수립권자가 기본계획을 통지한 날부터 60일 이내에 의견을 제시하여야 하며, 의견 제시 없이 60일이 지난 경우 이의가 없는 것으로 본다(법 제6조 제2항).

③ 위 ① 및 ②에도 불구하고 대통령령으로 정하는 경미한 사항을 변경하는 경우에는 주민공람과 지방의회의 의견청취절차를 거치지 아니할 수 있다(법 제6조 제3항).

핵심 콕! 콕! 대통령령으로 정하는 경미한 사항(영 제6조 제4항)

1. 정비기반시설의 규모를 확대하거나 그 면적의 10퍼센트 미만을 축소하는 경우
2. 정비사업의 계획기간을 단축하는 경우
3. 공동이용시설에 대한 설치계획의 변경인 경우
4. 사회복지시설 및 주민문화시설 등의 설치계획의 변경인 경우
5. 정비구역으로 지정할 예정인 구역의 면적을 구체적으로 명시한 경우 해당 구역 면적의 20퍼센트 미만의 변경인 경우
6. 단계별 정비사업 추진계획의 변경인 경우
7. 건폐율 및 용적률의 각 20퍼센트 미만의 변경인 경우
8. 정비사업의 시행을 위하여 필요한 재원조달에 관한 사항의 변경인 경우
9. 도시 · 군기본계획의 변경에 따른 변경인 경우

(4) 확정 및 승인절차

① **협의 · 심의**: 기본계획의 수립권자(대도시의 시장이 아닌 시장은 제외한다)는 기본계획을 수립하거나 변경하려면 관계 행정기관의 장과 협의한 후 지방도시계획위원회의 심의를 거쳐야 한다. 다만, 대통령령으로 정하는 경미한 사항을 변경하는 경우에는 관계 행정기관의 장과의 협의 및 지방도시계획위원회의 심의를 거치지 아니한다(법 제7조 제1항).

② **승인**: 대도시의 시장이 아닌 시장은 기본계획을 수립하거나 변경하려면 도지사의 승인을 받아야 하며, 도지사가 이를 승인하려면 관계 행정기관의 장과 협의한 후 지방도시계획위원회의 심의를 거쳐야 한다. 다만, ①의 단서에 해당하는 변경의 경우에는 도지사의 승인을 받지 아니할 수 있다(법 제7조 제2항).

③ **고시 · 열람**: 기본계획의 수립권자는 기본계획을 수립하거나 변경한 때에는 지체 없이 이를 해당 지방자치단체의 공보에 고시하고 일반인이 열람할 수 있도록 하여야 한다(법 제7조 제3항).

④ **보고**: 기본계획의 수립권자는 기본계획을 고시한 때에는 국토교통부령으로 정하는 방법 및 절차에 따라 국토교통부장관에게 보고하여야 한다(법 제7조 제4항).

제3절 정비계획의 수립과 정비구역의 지정

(1) 정비계획의 내용

① 정비계획에는 다음의 사항이 포함되어야 한다(법 제9조 제1항).

> ㉠ 정비사업의 명칭
> ㉡ 정비구역 및 그 면적
> ㉢ 도시 · 군계획시설의 설치에 관한 계획
> ㉣ 공동이용시설 설치계획
> ㉤ 건축물의 주용도 · 건폐율 · 용적률 · 높이에 관한 계획
> ㉥ 환경보전 및 재난방지에 관한 계획
> ㉦ 정비구역 주변의 교육환경 보호에 관한 계획
> ㉧ 세입자 주거대책
> ㉨ 정비사업 시행예정시기
> ㉩ 정비사업을 통하여 민간임대주택에 관한 특별법에 따른 공공지원민간임대주택을 공급하거나 주택임대관리업자에게 임대할 목적으로 주택을 위탁하려는 경우에는 다음의 사항. 다만, ⓑ와 ⓒ의 사항은 건설하는 주택 전체 세대수에서 공공지원민간임대주택 또는 임대할 목적으로 주택임대관리업자에게 위탁하려는 주택(이하 '임대관리 위탁주택'이라 한다)이 차지하는 비율이 100분의 20 이상, 임대기간이 8년 이상의 범위 등에서 대통령령으로 정하는 요건에 해당하는 경우로 한정한다.
> ⓐ 공공지원민간임대주택 또는 임대관리 위탁주택에 관한 획지별 토지이용계획
> ⓑ 주거 · 상업 · 업무 등의 기능을 결합하는 등 복합적인 토지이용을 증진시키기 위하여 필요한 건축물의 용도에 관한 계획
> ⓒ 국토의 계획 및 이용에 관한 법률 제36조 제1항 제1호 가목에 따른 주거지역을 세분 또는 변경하는 계획과 용적률에 관한 사항
> ⓓ 그 밖에 공공지원민간임대주택 또는 임대관리 위탁주택의 원활한 공급 등을 위하여 대통령령으로 정하는 사항
> ㉪ 국토의 계획 및 이용에 관한 법률의 지구단위계획의 내용사항에 관한 계획(필요한 경우에 한한다)
> ㉫ 그 밖에 정비사업의 시행방법 등 대통령령으로 정하는 사항

② 정비계획의 작성기준 및 작성방법은 국토교통부장관이 이를 정한다(법 제9조 제4항).

(2) 정비계획의 입안과 정비구역의 지정

① **원칙:** 특별시장 · 광역시장 · 특별자치시장 · 특별자치도지사 · 시장 또는 군수(광역시의 군수는 제외하며, 이하 '정비구역의 지정권자'라 한다)는 기본계획에 적합한 범위에서 노후 · 불량건축물이 밀집하는 등 대통령령으로 정하는 요건에 해당하는 구역에 대하

여 정비계획을 결정하여 정비구역을 지정(변경지정을 포함한다)할 수 있다(법 제8조 제1항). 정비구역의 지정권자는 정비구역 지정을 위하여 직접 정비계획을 입안할 수 있다(법 제8조 제4항).

② 예외: 자치구의 구청장 또는 광역시의 군수(이하 '구청장 등'이라 한다)는 정비계획을 입안하여 특별시장 · 광역시장에게 정비구역 지정을 신청하여야 한다. 이 경우 지방의회의 의견을 첨부하여야 한다(법 제8조 제5항).

③ 긴급지정: 위 ①에도 불구하고 천재지변 등 긴급하게 정비사업을 시행하려는 경우에는 기본계획을 수립하거나 변경하지 아니하고 정비구역을 지정할 수 있다(법 제8조 제2항).

④ 지정범위: 정비구역의 지정권자는 정비구역의 진입로 설치를 위하여 필요한 경우에는 진입로 지역과 그 인접 지역을 포함하여 정비구역을 지정할 수 있다(법 제8조 제3항).

(3) 정비계획의 입안과 정비구역의 지정절차

① 입안절차

㉠ 주민의견청취: 정비계획의 입안권자는 정비계획을 입안하거나 변경하려면 주민에게 서면으로 통보한 후 주민설명회 및 30일 이상 주민에게 공람하여 의견을 들어야 하며, 제시된 의견이 타당하다고 인정되면 이를 정비계획에 반영하여야 한다(법 제15조 제1항).

㉡ 지방의회: 정비계획의 입안권자는 주민공람과 함께 지방의회의 의견을 들어야 한다. 이 경우 지방의회는 정비계획의 입안권자가 정비계획을 통지한 날부터 60일 이내에 의견을 제시하여야 하며, 의견 제시 없이 60일이 지난 경우 이의가 없는 것으로 본다(법 제15조 제2항).

㉢ 생략: 대통령령으로 정하는 경미한 사항을 변경하는 경우에는 주민에 대한 서면통보, 주민설명회, 주민공람 및 지방의회의 의견청취절차를 거치지 아니할 수 있다(법 제15조 제3항).

㉣ 정비계획의 입안권자는 정비기반시설 및 국유 · 공유재산의 귀속 및 처분에 관한 사항이 포함된 정비계획을 입안하려면 미리 해당 정비기반시설 및 국유 · 공유재산의 관리청의 의견을 들어야 한다(법 제15조 제4항).

② 정비계획의 결정 및 정비구역의 지정절차

㉠ 심의: 정비구역의 지정권자는 정비구역을 지정하거나 변경지정하려면 지방도시계획위원회의 심의를 거쳐야 한다. 다만, 법 제15조 제3항에 따른 경미한 사항을 변경하는 경우에는 지방도시계획위원회의 심의를 거치지 아니할 수 있다(법 제16조 제1항).

㉡ **고시:** 정비구역의 지정권자는 정비구역을 지정(변경지정을 포함한다)하거나 정비계획을 결정(변경결정을 포함한다)한 때에는 정비계획을 포함한 정비구역 지정의 내용을 해당 지방자치단체의 공보에 고시하여야 한다. 이 경우 지형도면 고시 등에 있어서는 토지이용규제 기본법 제8조에 따른다(법 제16조 제2항).

㉢ **보고 및 열람:** 정비구역의 지정권자는 ㉡에 따라 정비계획을 포함한 정비구역을 지정·고시한 때에는 국토교통부령으로 정하는 방법 및 절차에 따라 국토교통부장관에게 그 지정의 내용을 보고하여야 하며, 관계 서류를 일반인이 열람할 수 있도록 하여야 한다(법 제16조 제3항).

(4) 정비계획의 입안제안

① 토지등소유자[㉤의 경우에는 법 제8조 제4항 제1호(긴급시행)에 따라 사업시행자가 되려는 자를 말한다]는 다음의 어느 하나에 해당하는 경우에 정비계획의 입안권자에게 정비계획의 입안을 제안할 수 있다(법 제14조 제1항).

> ㉠ 단계별 정비사업 추진계획상 정비예정구역별 정비계획의 입안시기가 지났음에도 불구하고 정비계획이 입안되지 아니하거나 정비예정구역별 정비계획의 수립시기를 정하고 있지 아니한 경우
> ㉡ 토지등소유자가 토지주택공사 등을 사업시행자로 지정요청하고자 하는 경우
> ㉢ 대도시가 아닌 시 또는 군으로서 시·도 조례로 정하는 경우
> ㉣ 정비사업을 통하여 공공지원민간임대주택을 공급하거나 임대할 목적으로 주택을 주택임대관리업자에게 위탁하려는 경우로서 법 제9조 제1항 제10호 각 목을 포함하는 정비계획의 입안을 요청하려는 경우
> ㉤ 천재지변, 재난 및 안전관리 기본법 제27조 또는 시설물의 안전 및 유지관리에 관한 특별법 제23조에 따른 사용제한·사용금지, 그 밖의 불가피한 사유로 긴급하게 정비사업을 시행할 필요가 있다고 인정하는 때
> ㉥ 토지등소유자(조합이 설립된 경우에는 조합원을 말한다)가 3분의 2 이상의 동의로 정비계획의 변경을 요청하는 경우. 다만, 법 제15조 제3항에 따른 경미한 사항을 변경하는 경우에는 토지등소유자의 동의절차를 거치지 아니한다.
> ㉦ 토지등소유자가 공공재개발사업 또는 공공재건축사업을 추진하려는 경우

② 토지등소유자가 정비계획의 입안을 제안하려는 경우 토지등소유자의 3분의 2 이하 및 토지면적 3분의 2 이하의 범위에서 시·도 조례로 정하는 비율 이상의 동의를 받은 후 시·도 조례로 정하는 제안서 서식에 정비계획도서, 계획설명서, 그 밖의 필요한 서류를 첨부하여 정비계획의 입안권자에게 제출하여야 한다(영 제12조 제1항).

③ 정비계획의 입안권자는 ②의 제안이 있는 경우에는 제안일부터 60일 이내에 정비계획에의 반영 여부를 제안자에게 통보하여야 한다. 다만, 부득이한 사정이 있는 경우에는 한 차례만 30일을 연장할 수 있다(영 제12조 제2항).

(5) 정비계획의 입안요청

① 토지등소유자는 다음의 어느 하나에 해당하는 경우에는 정비계획의 입안권자에게 정비구역의 지정을 위한 정비계획의 입안을 요청할 수 있다(법 제13조의2 제1항).

> ㉠ 단계별 정비사업 추진계획상 정비예정구역별 정비계획의 입안시기가 지났음에도 불구하고 정비계획이 입안되지 아니한 경우
> ㉡ 정비기본계획에 정비예정구역의 개략적 범위와 단계별 정비사업 추진계획(정비예정구역별 정비계획의 수립시기가 포함되어야 한다)에 따른 사항을 생략한 경우
> ㉢ 천재지변 등 대통령령으로 정하는 불가피한 사유로 긴급하게 정비사업을 시행할 필요가 있다고 판단되는 경우

② 토지등소유자는 정비계획의 입안을 요청하려는 경우에는 토지등소유자의 2분의 1 이하의 범위에서 시·도 조례로 정하는 비율 이상의 동의를 받은 후 시·도 조례로 정하는 요청서 서식에 정비계획의 입안을 요청하는 구역의 범위 및 해당 구역에 위치한 건축물 현황에 관한 서류를 첨부하여 정비계획의 입안권자에게 제출해야 한다(영 제11조의2 제2항).

③ 정비계획의 입안권자는 ①의 요청이 있는 경우에는 요청일부터 4개월 이내에 정비계획의 입안 여부를 결정하여 토지등소유자 및 정비구역의 지정권자에게 알려야 한다. 다만, 정비계획의 입안권자는 정비계획의 입안 여부의 결정기한을 2개월의 범위에서 한 차례만 연장할 수 있다(법 제13조의2 제2항).

④ 정비구역의 지정권자는 다음의 어느 하나에 해당하는 경우에는 토지이용, 주택건설 및 기반시설의 설치 등에 관한 기본방향(정비계획의 기본방향)을 작성하여 정비계획의 입안권자에게 제시하여야 한다(법 제13조의2 제3항).

> ㉠ 위 ③에 따라 정비계획의 입안권자가 토지등소유자에게 정비계획을 입안하기로 통지한 경우
> ㉡ 단계별 정비사업 추진계획에 따라 정비계획의 입안권자가 요청하는 경우
> ㉢ 정비계획의 입안권자가 정비계획을 입안하기로 결정한 경우로서 대통령령으로 정하는 경우
> ㉣ 정비계획을 변경하는 경우로서 대통령령으로 정하는 경우

⑤ 위 ①·③·④까지에서 규정한 사항 외에 정비구역의 지정요청을 위한 요청서의 작성, 토지등소유자의 동의, 요청서의 처리 및 정비계획의 기본방향 작성을 위하여 필요한 사항은 대통령령으로 정한다(법 제13조의2 제4항).

(6) 정비구역 지정의 효력

① 지구단위계획 및 지구단위계획구역으로의 결정 · 고시의 의제

㉠ 정비구역의 지정 · 고시가 있는 경우 해당 정비구역 및 정비계획 중 국토의 계획 및 이용에 관한 법률의 지구단위계획의 내용에 해당하는 사항은 지구단위계획 및 지구단위계획구역으로 결정 · 고시된 것으로 본다(법 제17조 제1항).

㉡ 지구단위계획구역에 대하여 정비계획의 내용을 모두 포함한 지구단위계획을 결정 · 고시(변경결정 · 고시하는 경우를 포함한다)하는 경우 해당 지구단위계획구역은 정비구역으로 지정 · 고시된 것으로 본다(법 제17조 제2항).

② **정비구역의 분할 · 통합 및 결합:** 정비구역의 지정권자는 정비사업의 효율적인 추진 또는 도시의 경관보호를 위하여 필요하다고 인정하는 경우에는 다음의 방법에 따라 정비구역을 지정할 수 있다(법 제18조 제1항).

> ㉠ 하나의 정비구역을 둘 이상의 정비구역으로 분할
> ㉡ 서로 연접한 정비구역을 하나의 정비구역으로 통합
> ㉢ 서로 연접하지 아니한 둘 이상의 구역(법 제8조 제1항에 따라 대통령령으로 정하는 요건에 해당하는 구역으로 한정한다) 또는 정비구역을 하나의 정비구역으로 결합

③ **행위제한**(개발행위허가)

㉠ 정비구역에서 다음의 행위를 하고자 하는 자는 시장 · 군수 등의 허가를 받아야 한다. 허가받은 사항을 변경하고자 하는 때에도 또한 같다. 이 경우 시장 · 군수 등은 허가를 하려는 경우로서 사업시행자가 있는 경우에는 미리 그 사업시행자의 의견을 들어야 한다(법 제19조 제1항, 영 제15조 제1항 · 제2항).

> ⓐ 건축물의 건축, 가설건축물의 건축, 용도변경
> ⓑ **공작물의 설치:** 인공을 가하여 제작한 시설물(건축법 제2조 제1항 제2호에 따른 건축물을 제외한다)의 설치
> ⓒ **토지의 형질변경:** 절토(땅깎기) · 성토(흙쌓기) · 정지(땅고르기) · 포장 등의 방법으로 토지의 형상을 변경하는 행위, 토지의 굴착 또는 공유수면의 매립
> ⓓ **토석의 채취:** 흙 · 모래 · 자갈 · 바위 등의 토석을 채취하는 행위. 다만, 토지의 형질변경을 목적으로 하는 것은 ⓒ에 따른다.
> ⓔ 토지분할
> ⓕ **물건을 쌓아놓는 행위:** 이동이 쉽지 아니한 물건을 1개월 이상 쌓아놓는 행위
> ⓖ 죽목의 벌채 및 식재

㉡ 다음의 어느 하나에 해당하는 행위는 ㉠에도 불구하고 허가를 받지 아니하고 이를 할 수 있다(법 제19조 제2항, 영 제15조 제3항).

ⓐ 재해복구 또는 재난수습에 필요한 응급조치를 위하여 하는 행위
ⓑ 기존 건축물의 붕괴 등 안전사고의 우려가 있는 경우 해당 건축물에 대한 안전조치를 위한 행위
ⓒ 농림수산물의 생산에 직접 이용되는 것으로서 국토교통부령으로 정하는 간이공작물의 설치
ⓓ 경작을 위한 토지의 형질변경
ⓔ 정비구역의 개발에 지장을 주지 아니하고 자연경관을 손상하지 아니하는 범위 안에서의 토석의 채취
ⓕ 정비구역에 존치하기로 결정된 대지 안에서 물건을 쌓아놓는 행위
ⓖ 관상용 죽목의 임시식재(경작지에서의 임시식재를 제외한다)

㉢ **대집행**: 시장 · 군수 등은 ㉠을 위반한 자에게 원상회복을 명할 수 있다. 이 경우 명령을 받은 자가 그 의무를 이행하지 아니하는 때에는 시장 · 군수 등은 행정대집행법에 따라 대집행할 수 있다(법 제19조 제4항).

㉣ **조합원 모집 금지**: 정비예정구역 또는 정비구역(이하 '정비구역 등'이라 한다)에서는 주택법 제2조 제11호 가목에 따른 지역주택조합의 조합원을 모집해서는 아니 된다(법 제19조 제8항).

④ **기득권 보호**: 허가를 받아야 하는 행위로서 정비구역의 지정 및 고시 당시 이미 관계 법령에 따라 행위허가를 받았거나 허가를 받을 필요가 없는 행위에 관하여 그 공사 또는 사업에 착수한 자는 정비구역이 지정 · 고시된 날부터 30일 이내에 그 공사 또는 사업의 진행상황과 시행계획을 첨부하여 관할 시장 · 군수 등에게 신고한 후 이를 계속 시행할 수 있다(법 제19조 제3항, 영 제15조 제4항).

⑤ **투기행위 제한**: 국토교통부장관, 시 · 도지사, 시장 · 군수 또는 구청장(자치구의 구청장을 말한다. 이하 같다)은 비경제적인 건축행위 및 투기수요의 유입을 막기 위하여 법 제6조 제1항에 따라 기본계획을 공람 중인 정비예정구역 또는 정비계획을 수립 중인 지역에 대하여 3년 이내의 기간(1년의 범위에서 한 차례만 연장할 수 있다)을 정하여 대통령령으로 정하는 방법과 절차에 따라 다음의 행위를 제한할 수 있다(법 제19조 제7항).

㉠ 건축물의 건축
㉡ 토지의 분할
㉢ 건축법 제38조에 따른 건축물대장 중 일반건축물대장을 집합건축물대장으로 전환
㉣ 건축법 제38조에 따른 건축물대장 중 집합건축물대장의 전유부분 분할

제4절 임대주택 및 주택의 규모와 건설비율

정비계획의 입안권자는 주택수급의 안정과 저소득 주민의 입주기회 확대를 위하여 정비사업으로 건설하는 주택에 대하여 다음의 구분에 따른 범위에서 국토교통부장관이 정하여 고시하는 임대주택 및 주택규모별 건설비율 등을 정비계획에 반영하여야 한다(법 제10조 제1항, 영 제9조 제1항 · 제2항).

① 주거환경개선사업의 경우 다음의 범위
- ㉠ **국민주택규모의 주택**: 건설하는 주택 전체 세대수의 100분의 90 이하
- ㉡ **공공임대주택**: 건설하는 주택 전체 세대수의 100분의 30 이하로 하되, 주거전용면적이 40제곱미터 이하인 공공임대주택이 전체 공공임대주택 세대수의 100분의 50 이하

② 재개발사업의 경우 다음의 범위
- ㉠ **국민주택규모의 주택**: 건설하는 주택 전체 세대수의 100분의 80 이하
- ㉡ **임대주택**: 건설하는 주택 전체 세대수의 100분의 20 이하

③ **재건축사업의 경우**: 국민주택규모의 주택이 건설하는 주택 전체 세대수의 100분의 60 이하

④ 위 ③에도 불구하고 과밀억제권역에서 다음의 요건을 모두 갖춘 경우에는 국민주택규모의 주택건설비율을 적용하지 아니한다.
- ㉠ 재건축사업의 조합원에게 분양하는 주택은 기존 주택(재건축하기 전의 주택을 말한다)의 주거전용면적을 축소하거나 30퍼센트의 범위에서 그 규모를 확대할 것
- ㉡ 조합원 이외의 자에게 분양하는 주택은 모두 85제곱미터 이하 규모로 건설할 것

제5절 정비구역의 해제

(1) 정비구역의 의무적 해제

① 정비구역의 지정권자는 다음의 어느 하나에 해당하는 경우에는 정비구역 등을 해제하여야 한다(법 제20조 제1항).

- ㉠ 정비예정구역에 대하여 기본계획에서 정한 정비구역 지정예정일부터 3년이 되는 날까지 특별자치시장, 특별자치도지사, 시장 또는 군수가 정비구역을 지정하지 아니하거나 구청장 등이 정비구역의 지정을 신청하지 아니하는 경우
- ㉡ 재개발사업 · 재건축사업(조합이 시행하는 경우로 한정한다)이 다음의 어느 하나에 해당하는 경우
  - ⓐ 토지등소유자가 정비구역으로 지정 · 고시된 날부터 2년이 되는 날까지 조합설립추진위원회의 승인을 신청하지 아니하는 경우

ⓑ 토지등소유자가 정비구역으로 지정 · 고시된 날부터 3년이 되는 날까지 조합설립인가를 신청하지 아니하는 경우(추진위원회를 구성하지 아니하는 경우로 한정한다)
ⓒ 추진위원회가 추진위원회 승인일부터 2년이 되는 날까지 조합설립인가를 신청하지 아니하는 경우
ⓓ 조합이 조합설립인가를 받은 날부터 3년이 되는 날까지 사업시행인가를 신청하지 아니하는 경우

㉢ 토지등소유자가 시행하는 재개발사업으로서 토지등소유자가 정비구역으로 지정 · 고시된 날부터 5년이 되는 날까지 사업시행계획인가를 신청하지 아니하는 경우

② 구청장 등은 ①의 어느 하나에 해당하는 경우에는 특별시장 · 광역시장에게 정비구역 등의 해제를 요청하여야 하며, 특별자치시장, 특별자치도지사, 시장, 군수 또는 구청장 등이 정비구역 등을 해제하거나, 해제를 요청하는 경우에는 30일 이상 주민에게 공람하여 의견을 들어야 한다(법 제20조 제2항 · 제3항).

③ 정비구역의 지정권자는 다음의 어느 하나에 해당하는 경우에는 해당 기간을 2년의 범위에서 연장하여 정비구역 등을 해제하지 아니할 수 있다(법 제20조 제6항).

㉠ 정비구역 등의 토지등소유자(조합을 설립한 경우에는 조합원을 말한다) 100분의 30 이상의 동의로 해당 기간 도래 전까지 연장을 요청하는 경우
㉡ 정비사업의 추진상황으로 보아 주거환경의 계획적 정비 등을 위하여 정비구역 등의 존치가 필요하다고 인정하는 경우

(2) 정비구역 등의 직권해제

정비구역의 지정권자는 다음의 어느 하나에 해당하는 경우 지방도시계획위원회의 심의를 거쳐 정비구역 등을 해제할 수 있다. 이 경우 ① 및 ②에 따른 구체적인 기준 등에 필요한 사항은 시 · 도 조례로 정한다(법 제21조 제1항).

① 정비사업의 시행에 따른 토지등소유자의 과도한 부담이 예상되는 경우
② 정비예정구역 또는 정비구역의 추진상황으로 보아 지정목적을 달성할 수 없다고 인정하는 경우
③ 토지등소유자의 100분의 30 이상이 정비구역 등(추진위원회가 구성되지 아니한 구역에 한한다)의 해제를 요청하는 경우
④ 스스로 주택개량방법으로 시행하고 있는 주거환경개선사업은 정비구역이 지정 · 고시된 날부터 10년 이상 지나고, 추진상황으로 보아 지정목적을 달성할 수 없다고 인정되는 경우로서 토지등소유자의 과반수가 정비구역의 해제에 동의하는 경우
⑤ 추진위원회 구성 또는 조합 설립에 동의한 토지등소유자의 2분의 1 이상 3분의 2 이하의 범위에서 시 · 도 조례로 정하는 비율 이상의 동의로 정비구역의 해제를 요청하는 경우(사업시행계획인가를 신청하지 아니한 경우로 한정한다)

⑥ 추진위원회가 구성되거나 조합이 설립된 정비구역에서 토지등소유자 과반수의 동의로 정비구역의 해제를 요청하는 경우(사업시행계획인가를 신청하지 아니한 경우로 한정한다)

(3) 해제의 효과 등

① 위 (1)과 (2)에 따라 정비구역 등이 해제된 경우 정비구역의 지정권자는 해제된 정비구역 등을 도시재생 활성화 및 지원에 관한 특별법에 따른 도시재생선도지역으로 지정하도록 국토교통부장관에게 요청할 수 있다(법 제21조의2).

② 정비구역 등이 해제된 경우에는 정비계획으로 변경된 용도지역, 정비기반시설 등은 정비구역 지정 이전의 상태로 환원된 것으로 본다(법 제22조 제1항 본문).

③ 정비구역 등(재개발사업 및 재건축사업을 시행하려는 경우로 한정한다)이 해제된 경우 정비구역의 지정권자는 해제된 정비구역 등을 스스로 개량하는 방법으로 시행하는 주거환경개선구역(주거환경개선사업을 시행하는 정비구역을 말한다)으로 지정할 수 있다(법 제22조 제2항).

마무리STEP 1 | OX 문제

01 국토교통부장관은 도시 및 주거환경을 개선하기 위하여 10년마다 기본계획을 수립하고, 5년마다 그 타당성을 검토하여 그 결과를 기본계획에 반영하여야 한다. (　　)

02 대도시의 시장은 기본계획을 수립하거나 변경하려면 도지사의 승인을 받아야 하며, 도지사가 이를 승인하려면 관계 행정기관의 장과 협의한 후 지방도시계획위원회의 심의를 거쳐야 한다. (　　)

03 특별시장 · 광역시장 · 특별자치시장 · 특별자치도지사 · 시장 또는 군수(광역시의 군수는 제외한다)는 기본계획에 적합한 범위에서 노후 · 불량건축물이 밀집하는 등 대통령령으로 정하는 요건에 해당하는 구역에 대하여 정비계획을 결정하여 정비구역을 지정(변경지정을 포함한다)할 수 있다. (　　)

04 국토교통부장관, 시 · 도지사, 시장 · 군수 또는 구청장(자치구의 구청장을 말한다)은 비경제적인 건축행위 및 투기수요의 유입을 막기 위하여 기본계획을 공람 중인 정비예정구역 또는 정비계획을 수립 중인 지역에 대하여 3년 이내의 기간(1년의 범위에서 한 차례만 연장할 수 있다)을 정하여 건축물의 건축과 토지분할행위를 제한할 수 있다. (　　)

05 정비구역 등이 해제된 경우 정비구역의 지정권자는 해제된 정비구역 등을 도시재생 활성화 및 지원에 관한 특별법에 따른 주거환경개선사업구역으로 지정하도록 국토교통부장관에게 요청할 수 있다. (　　)

01 × 기본방침에 대한 설명이다. 기본계획은 특별시장 · 광역시장 · 특별자치시장 · 특별자치도지사 또는 시장이 10년 단위로 수립하여야 한다.

02 × 대도시의 시장이 아닌 시장은 기본계획을 수립하거나 변경하려면 도지사의 승인을 받아야 한다.

03 ○

04 ○

05 × 도시재생선도지역으로 지정하도록 국토교통부장관에게 요청할 수 있다.

제 3 장 정비사업의 시행

목차 내비게이션 도시 및 주거환경정비법

단원길라잡이

본 장에서는 정비사업의 시행방법과 사업의 시행자가 중요한데, 특히 정비사업조합은 아주 중요하므로 조합 부분은 전반적으로 정리하여야 하며, 관리처분계획의 내용과 그 수립기준까지도 정리할 필요가 있다.

출제포인트

- 정비사업의 시행방법
- 재건축사업의 안전진단
- 정비사업조합의 설립요건
- 정비사업조합의 운영
- 관리처분계획의 수립기준

제1절 정비사업의 시행방법

주거환경 개선사업	주거환경개선사업은 다음에 해당하는 각 방법 또는 이를 혼용하는 방법에 따른다(법 제23조 제1항). ① 사업시행자가 정비구역에서 정비기반시설 및 공동이용시설을 새로 설치하거나 확대하고 토지등소유자가 스스로 주택을 보전 · 정비하거나 개량하는 방법 ② 사업시행자가 정비구역의 전부 또는 일부를 수용하여 주택을 건설한 후 토지등소유자에게 우선공급하거나 토지를 토지등소유자 또는 토지등소유자 외의 자에게 공급하는 방법 ③ 사업시행자가 환지로 공급하는 방법 ④ 사업시행자가 정비구역에서 인가받은 관리처분계획에 따라 주택 및 부대시설 · 복리시설을 건설하여 공급하는 방법
재개발사업	재개발사업은 정비구역에서 인가받은 관리처분계획에 따라 건축물을 건설하여 공급하거나 환지로 공급하는 방법으로 한다(법 제23조 제2항).
재건축사업	재건축사업은 정비구역에서 인가받은 관리처분계획에 따라 주택, 부대시설 · 복리시설 및 오피스텔을 건설하여 공급하는 방법으로 한다. 다만, 주택단지에 있지 아니하는 건축물의 경우에는 지형여건 · 주변의 환경으로 보아 사업 시행상 불가피한 경우로서 정비구역으로 보는 사업에 한정한다(법 제23조 제3항). 단, 오피스텔을 건설하여 공급하는 경우에는 국토의 계획 및 이용에 관한 법률에 따른 준주거지역 및 상업지역에서만 건설할 수 있다. 이 경우 오피스텔의 연면적은 전체 건축물 연면적의 100분의 30 이하이어야 한다(법 제23조 제4항).

제2절 시행자 등

01 정비사업의 시행자

(1) 주거환경개선사업

① 스스로 주택을 보전·정비하거나 개량하는 방법의 경우: 시장 · 군수 등이 직접 시행하되, 토지주택공사 등을 사업시행자로 지정하여 시행하게 하려는 경우에는 법 제15조 제1항(정비계획의 입안)에 따른 공람공고일 현재 토지등소유자의 과반수의 동의를 받아야 한다(법 제24조 제1항).

② 그 외 시행방법인 경우: 시장 · 군수 등이 직접 시행하거나 다음에서 정한 자에게 시행하게 할 수 있다(법 제24조 제2항).

㉠ 시장 · 군수 등이 직접 시행하거나 다음의 어느 하나에 해당하는 자를 사업시행자로 지정하는 경우
  ⓐ 토지주택공사 등
  ⓑ 주거환경개선사업을 시행하기 위하여 국가, 지방자치단체, 토지주택공사 등 또는 공공기관이 총지분의 100분의 50을 초과하는 출자로 설립한 법인
㉡ 시장 · 군수 등이 ㉠에 해당하는 자와 다음의 어느 하나에 해당하는 자를 공동시행자로 지정하는 경우
  ⓐ 건설산업기본법 제9조에 따른 건설업자
  ⓑ 주택법 제12조 제1항에 따라 건설업자로 보는 등록사업자

③ 위 ②에 따라 시행하려는 경우에는 법 제15조 제1항(정비계획의 입안)에 따른 공람공고일 현재 해당 정비예정구역의 토지 또는 건축물의 소유자 또는 지상권자의 3분의 2 이상의 동의와 세입자(공람공고일 3개월 전부터 해당 정비예정구역에 3개월 이상 거주하고 있는 자를 말한다) 세대수의 과반수의 동의를 각각 받아야 한다. 다만, 다음에 해당하는 경우에는 세입자의 동의절차를 거치지 아니할 수 있다(법 제24조 제3항, 영 제18조).

㉠ 세입자의 세대수가 토지등소유자의 2분의 1 이하인 경우
㉡ 정비구역 지정고시일 현재 해당 지역이 속한 시 · 군 · 구에 공공주택(임대주택만 해당한다) 등 세입자가 입주 가능한 임대주택이 충분하여 임대주택을 건설할 필요가 없다고 시 · 도지사가 인정하는 경우
㉢ 수용방식 외의 방법으로 사업을 시행하는 경우

④ 시장 · 군수 등은 천재지변, 그 밖의 불가피한 사유로 건축물이 붕괴할 우려가 있어 긴급히 정비사업을 시행할 필요가 있다고 인정하는 경우에는 토지등소유자 및 세입자의 동의 없이 자신이 직접 시행하거나 토지주택공사 등을 사업시행자로 지정하여 시행하게 할 수 있다(법 제24조 제4항).

(2) 재개발사업 · 재건축사업

① **재개발사업**: 재개발사업은 다음의 어느 하나에 해당하는 방법으로 시행할 수 있다(법 제25조 제1항, 영 제19조).

㉠ 조합이 시행하거나 조합이 조합원의 과반수의 동의를 받아 시장 · 군수 등, 토지주택공사 등, 건설업자, 등록사업자 또는 신탁업자, 한국부동산원과 공동으로 시행하는 방법

㉡ 토지등소유자가 20인 미만인 경우에는 토지등소유자가 시행하거나 토지등소유자가 토지등소유자의 과반수의 동의를 받아 시장 · 군수 등, 토지주택공사 등, 건설업자, 등록사업자 또는 신탁업자, 한국부동산원과 공동으로 시행하는 방법

② **재건축사업**: 재건축사업은 조합이 시행하거나 조합이 조합원의 과반수의 동의를 받아 시장 · 군수 등, 토지주택공사 등, 건설업자 또는 등록사업자와 공동으로 시행할 수 있다(법 제25조 제2항).

(3) 재개발사업 · 재건축사업의 공공시행자

시장 · 군수 등은 재개발사업 및 재건축사업이 다음의 어느 하나에 해당하는 때에는 (2)에도 불구하고 직접 정비사업을 시행하거나 토지주택공사 등(토지주택공사 등이 건설업자 또는 등록사업자와 공동으로 시행하는 경우를 포함한다)을 사업시행자로 지정하여 정비사업을 시행하게 할 수 있다(법 제26조 제1항).

① 천재지변, 재난 및 안전관리 기본법 제27조 또는 시설물의 안전 및 유지관리에 관한 특별법 제23조에 따른 사용제한 · 사용금지, 그 밖의 불가피한 사유로 긴급하게 정비사업을 시행할 필요가 있다고 인정되는 때
② 고시된 정비계획에서 정한 정비사업 시행예정일부터 2년 이내에 사업시행인가를 신청하지 아니하거나 사업시행인가를 신청한 내용이 위법 또는 부당하다고 인정되는 때(재건축사업의 경우는 제외한다)
③ 추진위원회가 시장 · 군수의 구성승인을 받은 날부터 3년 이내에 조합의 설립인가를 신청하지 아니하거나, 조합이 조합설립인가를 받은 날부터 3년 이내에 사업시행계획인가를 신청하지 아니한 때
④ 지방자치단체의 장이 시행하는 도시 · 군계획사업과 병행하여 정비사업을 시행할 필요가 있다고 인정되는 때
⑤ 순환정비방식으로 정비사업을 시행할 필요가 있다고 인정되는 때
⑥ 사업시행계획인가가 취소된 때
⑦ 해당 정비구역의 국 · 공유지면적 또는 국 · 공유지와 토지주택공사 등이 소유한 토지를 합한 면적이 전체 토지면적의 2분의 1 이상으로서 토지등소유자의 과반수가 시장 · 군수 등 또는 토지주택공사 등을 사업시행자로 지정하는 것에 동의하는 때
⑧ 해당 정비구역의 토지면적 2분의 1 이상의 토지소유자와 토지등소유자의 3분의 2 이상에 해당하는 자가 시장 · 군수 등 또는 토지주택공사 등을 사업시행자로 지정할 것을 요청하는 때. 이 경우 토지등소유자가 정비계획의 수립에 대한 입안을 제안한 경우 입안제안에 동의한 토지등소유자는 토지주택공사 등의 사업시행자 지정에 동의한 것으로 본다. 다만, 사업시행자의 지정요청 전에 시장 · 군수 등 및 주민대표회의에 사업시행자의 지정에 대한 반대의 의사표시를 한 토지등소유자의 경우에는 그러하지 아니하다.

(4) 재개발사업 · 재건축사업의 지정개발자

시장 · 군수 등은 재개발사업 및 재건축사업이 다음의 어느 하나에 해당하는 때에는 토지등소유자, 사회기반시설에 대한 민간투자법 제2조 제12호에 따른 민관합동법인 또는 신탁업자로서 대통령령으로 정하는 요건을 갖춘 자(이하 '지정개발자'라 한다)를 사업시행자로 지정하여 정비사업을 시행하게 할 수 있다(법 제27조 제1항).

① 천재지변, 재난 및 안전관리 기본법 제27조 또는 시설물의 안전 및 유지관리에 관한 특별법 제23조에 따른 사용제한 · 사용금지, 그 밖의 불가피한 사유로 긴급하게 정비사업을 시행할 필요가 있다고 인정하는 때
② 고시된 정비계획에서 정한 정비사업 시행예정일부터 2년 이내에 사업시행계획인가를 신청하지 아니하거나 사업시행계획인가를 신청한 내용이 위법 또는 부당하다고 인정하는 때(재건축사업의 경우는 제외한다)
③ 재개발사업 및 재건축사업의 조합설립을 위한 동의요건 이상에 해당하는 자가 신탁업자를 사업시행자로 지정하는 것에 동의하는 때

더 알아보기 **지정개발자의 요건(영 제21조 제1항)**

1. 정비구역의 토지면적의 50퍼센트 이상을 소유한 자로서 토지등소유자의 50퍼센트 이상의 추천을 받은 자
2. 민관합동법인(민간투자사업의 부대사업으로 시행하는 경우에 한한다)으로서 토지등소유자의 2분의 1 이상의 추천을 받은 자
3. 신탁업자로서 토지등소유자의 2분의 1 이상의 추천을 받거나 법 제27조 제1항 제3호 또는 법 제28조 제1항 제2호에 따른 동의를 받은 자

02 재개발사업 · 재건축사업의 사업대행자

(1) 대행사유

시장 · 군수 등은 다음의 어느 하나에 해당하는 경우에는 해당 조합 또는 토지등소유자를 대신하여 직접 정비사업을 시행하거나 토지주택공사 등 또는 지정개발자에게 해당 조합 또는 토지등소유자를 대신하여 정비사업을 시행하게 할 수 있다(법 제28조 제1항).

① 장기간 정비사업이 지연되거나 권리관계에 대한 분쟁 등으로 해당 조합 또는 토지등소유자가 시행하는 정비사업을 계속 추진하기 어렵다고 인정하는 경우
② 토지등소유자(조합을 설립한 경우에는 조합원을 말한다)의 과반수 동의로 요청하는 경우

(2) 사업대행

① 사업대행 개시결정 · 고시가 있은 때에는 사업대행자는 그 고시일의 다음 날부터 사업대행완료의 고시일까지 자기의 이름 및 사업시행자의 계산으로 사업시행자의 업무를 집행하고 재산을 관리한다(영 제22조 제3항).

② 시장 · 군수 등이 아닌 사업대행자는 재산의 처분, 자금의 차입, 그 밖에 사업시행자에게 재산상 부담을 가하는 행위를 하고자 하는 때에는 미리 시장 · 군수 등의 승인을 받아야 한다(영 제22조 제4항).

(3) 사업대행의 완료

① 사업대행자는 사업시행자에게 청구할 수 있는 보수 또는 비용의 상환에 대한 권리로써 사업시행자에게 귀속될 대지 또는 건축물을 압류할 수 있다(법 제28조 제2항).

② 시장 · 군수 등은 사업대행이 완료된 때에는 해당 지방자치단체의 공보 등에 고시하고, 토지등소유자 및 사업시행자에게 각각 통지하여야 한다(영 제23조 제2항).

③ 사업대행자는 사업대행완료의 고시가 있은 때에는 지체 없이 사업시행자에게 업무를 인계하여야 하고, 사업시행자는 정당한 사유가 없는 한 이를 인수하여야 하며, 인계 · 인수가 완료된 때에는 사업대행자가 정비사업을 대행함에 있어서 취득하거나 부담한 권리와 의무는 사업시행자에게 승계된다(영 제23조 제3항 · 제4항).

03 계약의 방법 및 시공자의 선정

(1) 계약의 방법

① 추진위원장 또는 사업시행자(청산인을 포함한다)는 이 법 또는 다른 법령에 특별한 규정이 있는 경우를 제외하고는 계약(공사, 용역, 물품구매 및 제조 등을 포함한다)을 체결하려면 일반경쟁에 부쳐야 한다. 다만, 조합원이 100명 이하인 정비사업의 경우에는 입찰 참가자를 지명(指名)하여 경쟁에 부치거나 수의계약으로 할 수 있다(법 제29조 제1항, 영 제24조 제1항).

② 위 ①에 따라 일반경쟁의 방법으로 계약을 체결하는 경우로서 대통령령으로 정하는 규모를 초과하는 계약은 전자조달의 이용 및 촉진에 관한 법률 제2조 제4호의 국가종합전자조달시스템(이하 '전자조달시스템'이라 한다)을 이용하여야 한다(법 제29조 제2항).

(2) 시공자의 선정

① 조합은 조합설립인가를 받은 후 조합총회에서 경쟁입찰 또는 수의계약(2회 이상 경쟁입찰이 유찰된 경우로 한정한다)의 방법으로 건설업자 또는 등록사업자를 시공자로 선정하여야 한다. 다만, 조합원이 100명 이하인 정비사업은 조합총회에서 정관으로 정하는 바에 따라 선정할 수 있다(법 제29조 제4항, 영 제24조 제3항).

② 토지등소유자가 법 제25조 제1항 제2호(20인 미만인 경우)에 따라 재개발사업을 시행하는 경우에는 사업시행계획인가를 받은 후 규약에 따라 건설업자 또는 등록사업자를 시공자로 선정하여야 한다(법 제29조 제5항).

③ 시장 · 군수 등이 직접 정비사업을 시행하거나 토지주택공사 등 또는 지정개발자를 사업시행자로 지정한 경우 사업시행자는 사업시행자 지정 · 고시 후 경쟁입찰 또는 수의계약의 방법으로 건설업자 또는 등록사업자를 시공자로 선정하여야 한다(법 제29조 제6항).

④ 위 ③에 따라 시공자를 선정하거나 인가받은 관리처분계획방법으로 시행하는 주거환경개선사업의 사업시행자가 시공자를 선정하는 경우 주민대표회의 또는 토지등소유자 전체회의는 대통령령으로 정하는 경쟁입찰 또는 수의계약(2회 이상 경쟁입찰이 유찰된 경우로 한정한다)의 방법으로 시공자를 추천할 수 있다(법 제29조 제7항).

⑤ 조합은 ①에 따른 시공자 선정을 위한 입찰에 참가하는 건설업자 또는 등록사업자가 토지등소유자에게 시공에 관한 정보를 제공할 수 있도록 합동설명회를 2회 이상 개최하여야 한다(법 제29조 제8항).

⑥ ⑤에 따른 합동설명회의 개최 방법이나 시기 등은 국토교통부령으로 정한다(법 제29조 제9항).

⑦ 주민대표회의 또는 토지등소유자 전체회의가 시공자를 추천한 경우 사업시행자는 추천받은 자를 시공자로 선정하여야 한다(법 제29조 제10항 전단).

⑧ 사업시행자(사업대행자를 포함한다)는 선정된 시공자와 공사에 관한 계약을 체결할 때에는 기존 건축물의 철거공사(석면안전관리법에 따른 석면 조사 · 해체 · 제거를 포함한다)에 관한 사항을 포함시켜야 한다(법 제29조 제11항).

⑨ 조합이 정비사업의 시행을 위하여 시장 · 군수 등 또는 토지주택공사 등이 아닌 자를 시공자로 선정한 경우 그 시공자는 공사의 시공보증(시공자가 공사의 계약상 의무를 이행하지 못하거나 의무이행을 하지 아니할 경우 보증기관에서 시공자를 대신하여 계약이행의무를 부담하거나 총공사금액의 100분의 50 이하 대통령령으로 정하는 비율 이상의 범위에서 사업시행자가 정하는 금액을 납부할 것을 보증하는 것을 말한다)을 위하여 국토교통부령으로 정하는 기관의 시공보증서를 조합에 제출하여야 하며, 시장 · 군수 등은 착공신고를 받는 경우에는 시공보증서의 제출 여부를 확인하여야 한다(법 제82조).

(3) 공공지원민간임대주택의 임대사업자의 선정

사업시행자는 공공지원민간임대주택을 원활히 공급하기 위하여 국토교통부장관이 정하는 경쟁입찰의 방법 또는 수의계약(2회 이상 경쟁입찰이 유찰된 경우와 공공재개발사업을 통해 건설 · 공급되는 공공지원민간임대주택을 국가가 출자 · 설립한 법인 등 대통령령으로 정한 자에게 매각하는 경우로 한정한다)의 방법으로 민간임대주택에 관한 특별법 제2조 제7호에 따른 임대사업자를 선정할 수 있다(법 제30조 제1항).

04 재건축사업의 안전진단

(1) 실시시기 및 범위

① 정비계획의 입안권자는 재건축사업 정비계획의 입안을 위하여 정비예정구역별 정비계획의 수립시기가 도래한 때에 안전진단을 실시하여야 한다(법 제12조 제1항).

② 정비계획의 입안권자는 ①에도 불구하고 다음의 어느 하나에 해당하는 경우에는 안전진단을 실시하여야 한다(법 제12조 제2항 전단).

> ㉠ 정비계획의 입안을 제안하려는 자가 입안을 제안하기 전에 해당 정비예정구역에 위치한 건축물 및 그 부속토지의 소유자 10분의 1 이상의 동의를 받아 안전진단의 실시를 요청하는 경우
> ㉡ 정비예정구역을 지정하지 아니한 지역에서 재건축사업을 하려는 자가 사업예정구역에 있는 건축물 및 그 부속토지의 소유자 10분의 1 이상의 동의를 받아 안전진단의 실시를 요청하는 경우
> ㉢ 법 제2조 제3호 나목에 해당하는 건축물의 소유자로서 재건축사업을 시행하려는 자가 해당 사업예정구역에 위치한 건축물 및 그 부속토지의 소유자 10분의 1 이상의 동의를 받아 안전진단의 실시를 요청하는 경우

③ 주택재건축사업의 안전진단은 주택단지 내의 건축물을 대상으로 한다. 다만, 다음에 해당하는 주택단지의 건축물인 경우에는 안전진단대상에서 제외할 수 있다(법 제12조 제3항, 영 제10조 제3항).

> ㉠ 천재지변 등으로 주택이 붕괴되어 신속히 재건축을 추진할 필요가 있다고 정비계획의 입안권자가 인정하는 것
> ㉡ 주택의 구조안전상 사용금지가 필요하다고 정비계획의 입안권자가 인정하는 것
> ㉢ [별표 1] 제3호 라목에 따른 노후 · 불량건축물 수에 관한 기준을 충족한 경우 잔여 건축물
> ㉣ 진입도로 등 기반시설 설치를 위하여 불가피하게 정비구역에 포함된 것으로 정비계획의 입안권자가 인정하는 건축물
> ㉤ 시설물의 안전 및 유지관리에 관한 특별법 제2조 제1호의 시설물로서 같은 법 제16조에 따라 지정받은 안전등급이 D(미흡) 또는 E(불량)인 건축물

④ 안전진단에 드는 비용은 입안권자가 부담한다. 다만, 안전진단의 실시가 요청된 경우 입안권자는 안전진단에 드는 비용의 전부 또는 일부를 안전진단의 실시를 요청하는 자에게 부담하게 할 수 있다(법 제12조 제2항 후단, 영 제11조 제1항 · 제2항).

(2) 실시결정 및 실시의뢰

① 정비계획의 입안권자는 현지조사 등을 통하여 해당 건축물의 구조안전성, 건축마감, 설비노후도 및 주거환경 적합성 등을 심사하여 안전진단의 실시 여부를 결정하여야 하며, 안전진단의 실시가 필요하다고 결정한 경우에는 다음의 안전진단기관에 안전진단을 의뢰하여야 한다(법 제12조 제4항, 영 제10조 제4항).

> ㉠ 안전진단전문기관
> ㉡ 국토안전관리원
> ㉢ 한국건설기술연구원

② 안전진단을 의뢰받은 안전진단기관은 국토교통부장관이 정하여 고시하는 기준(건축물의 내진성능 확보를 위한 비용을 포함한다)에 따라 안전진단을 실시하여야 하며, 국토교통부령으로 정하는 방법 및 절차에 따라 안전진단 결과보고서를 작성하여 정비계획의 입안권자 및 안전진단의 실시를 요청한 자에게 제출하여야 한다(법 제12조 제5항).

(3) 정비계획의 입안결정

정비계획의 입안권자는 안전진단의 결과와 도시계획 및 지역여건 등을 종합적으로 검토하여 정비계획의 입안 여부를 결정하여야 한다(법 제12조 제6항).

(4) 안전진단 결과의 적정성 여부 검토

① 정비계획의 입안권자(특별자치시장 및 특별자치도지사는 제외한다)는 정비계획의 입안 여부를 결정한 경우에는 지체 없이 특별시장 · 광역시장 · 도지사에게 결정내용과 해당 안전진단 결과보고서를 제출하여야 한다(법 제13조 제1항).

② 특별시장 · 광역시장 · 특별자치시장 · 도지사 · 특별자치도지사(이하 '시 · 도지사'라 한다)는 필요한 경우 국토안전관리원 또는 한국건설기술연구원에 안전진단 결과의 적정성 여부에 대한 검토를 의뢰할 수 있다(법 제13조 제2항).

③ 국토교통부장관은 시 · 도지사에게 안전진단 결과보고서의 제출을 요청할 수 있으며, 필요한 경우 시 · 도지사에게 안전진단 결과의 적정성에 대한 검토를 요청할 수 있다(법 제13조 제3항).

④ 시 · 도지사는 ② 및 ③에 따른 검토결과에 따라 정비계획의 입안권자에게 정비계획 입안결정의 취소 등 필요한 조치를 요청할 수 있으며, 정비계획의 입안권자는 특별한 사유가 없으면 그 요청에 따라야 한다. 다만, 특별자치시장 및 특별자치도지사는 직접 정비계획의 입안결정의 취소 등 필요한 조치를 할 수 있다(법 제13조 제4항).

(5) 안전진단의 재실시

시장 · 군수 등은 정비구역이 지정 · 고시된 날부터 10년이 되는 날까지 사업시행계획인가를 받지 아니하고 다음의 어느 하나에 해당하는 경우에는 안전진단을 다시 실시하여야 한다(법 제131조).

> ① 재난 및 안전관리 기본법 제27조 제1항에 따라 재난이 발생할 위험이 높거나 재난 예방을 위하여 계속적으로 관리할 필요가 있다고 인정하여 특정관리대상지역으로 지정하는 경우
> ② 시설물의 안전 및 유지관리에 관한 특별법 제12조 제2항에 따라 재해 및 재난 예방과 시설물의 안전성 확보 등을 위하여 정밀안전진단을 실시하는 경우
> ③ 공동주택관리법 제37조 제3항에 따라 공동주택의 구조안전에 중대한 하자가 있다고 인정하여 안전진단을 실시하는 경우

05 정비사업 조합설립추진위원회, 정비사업조합

1. 조합설립추진위원회

(1) 구성

① 조합을 설립하려는 경우에는 정비구역 지정 · 고시 후 다음의 사항에 대하여 토지등소유자 과반수의 동의를 받아 조합설립을 위한 추진위원회를 구성하여 국토교통부령으로 정하는 방법과 절차에 따라 시장 · 군수 등의 승인을 받아야 한다(법 제31조 제1항).

> ㉠ 추진위원회 위원장(이하 '추진위원장'이라 한다)을 포함한 5명 이상의 추진위원회 위원
> ㉡ 법 제34조 제1항에 따른 운영규정

② 추진위원회의 구성에 동의한 토지등소유자는 조합의 설립에 동의한 것으로 본다. 다만, 조합설립인가를 신청하기 전에 시장 · 군수 등 및 추진위원회에 조합설립에 대한 반대의 의사표시를 한 추진위원회 동의자의 경우에는 그러하지 아니하다(법 제31조 제2항).

③ **추진위원회를 구성하지 아니하는 경우:** 정비사업에 대하여 법 제118조에 따른 공공지원을 하려는 경우에는 추진위원회를 구성하지 아니할 수 있다. 이 경우 조합설립방법 및 절차 등에 필요한 사항은 대통령령으로 정한다(법 제31조 제4항).

(2) 기능

① 업무

㉠ 추진위원회는 다음의 업무를 수행할 수 있다(법 제32조 제1항, 영 제26조).

> ⓐ 정비사업전문관리업자의 선정 및 변경
> ⓑ 설계자의 선정 및 변경

ⓒ 개략적인 정비사업 시행계획서의 작성
ⓓ 조합의 설립인가를 받기 위한 준비업무
ⓔ 추진위원회 운영규정의 작성
ⓕ 토지등소유자의 동의서의 접수
ⓖ 조합의 설립을 위한 창립총회의 개최
ⓗ 조합정관의 초안 작성
ⓘ 그 밖에 추진위원회 운영규정으로 정하는 사항

㉡ 추진위원회가 정비사업전문관리업자를 선정하려는 경우에는 추진위원회 승인을 받은 후 경쟁입찰 또는 수의계약(2회 이상 경쟁입찰이 유찰된 경우로 한정한다)의 방법으로 선정하여야 한다(법 제32조 제2항).

㉢ 추진위원회는 수행하는 업무의 내용이 토지등소유자의 비용부담을 수반하거나 권리 · 의무에 변동을 발생시키는 경우로서 대통령령으로 정하는 사항에 대하여는 그 업무를 수행하기 전에 대통령령으로 정하는 비율 이상의 토지등소유자의 동의를 받아야 한다(법 제32조 제4항).

② **창립총회 개최:** 추진위원회는 조합설립인가를 신청하기 전에 대통령령으로 정하는 방법 및 절차에 따라 조합설립을 위한 창립총회를 개최하여야 한다(법 제32조 제3항).

(3) 조직 및 운영

① 추진위원회의 조직

㉠ 추진위원회는 추진위원회를 대표하는 추진위원장 1명과 감사를 두어야 한다(법 제33조 제1항).

㉡ 추진위원의 선출에 관한 선거관리는 조합임원의 선출에 관한 법 제41조 제3항을 준용한다(법 제33조 제2항).

㉢ 토지등소유자는 추진위원회의 운영규정에 따라 추진위원회에 추진위원의 교체 및 해임을 요구할 수 있으며, 추진위원장이 사임, 해임, 임기만료, 그 밖에 불가피한 사유 등으로 직무를 수행할 수 없는 때부터 6개월 이상 선임되지 아니한 경우 그 업무의 대행에 관하여는 법 제41조 제5항 단서를 준용한다. 이 경우 '조합임원'은 '추진위원장'으로 보며, 추진위원의 교체 · 해임절차 등에 필요한 사항은 운영규정에 따르고, 그 결격사유는 조합임원의 결격사유를 준용한다(법 제33조 제3항 · 제4항 · 제5항).

② **추진위원회의 운영:** 추진위원회는 운영규정에 따라 운영하여야 하며, 토지등소유자는 운영에 필요한 경비를 운영규정에 따라 납부하여야 한다(법 제34조 제2항).

(4) 조합과의 관계

① 추진위원회는 수행한 업무를 총회에 보고하여야 하며, 그 업무와 관련된 권리 · 의무는 조합이 포괄승계한다(법 제34조 제3항).

② 추진위원회는 사용경비를 기재한 회계장부 및 관련 서류를 조합설립의 인가일부터 30일 이내에 조합에 인계하여야 한다(법 제34조 제4항).

2. 정비사업조합

시장 · 군수 등, 토지주택공사 등 또는 지정개발자가 아닌 자가 정비사업을 시행하려는 경우에는 토지등소유자로 구성된 조합을 설립하여야 한다. 다만, 법 제25조 제1항 제2호에 따라 토지등소유자가 재개발사업을 시행하려는 경우에는 그러하지 아니하다(법 제35조 제1항).

(1) 법적 성격

① 조합은 법인으로 하며(법 제38조 제1항), 조합은 조합설립인가를 받은 날부터 30일 이내에 주된 사무소의 소재지에서 대통령령으로 정하는 사항을 등기하는 때에 성립한다(법 제38조 제2항).

② 조합은 그 명칭 중에 '정비사업조합'이라는 문자를 사용하여야 한다(법 제38조 제3항).

③ 조합에 관하여는 이 법에 규정된 것을 제외하고는 민법 중 사단법인에 관한 규정을 준용한다(법 제49조).

기출예제

도시 및 주거환경정비법 제38조(조합의 법인격 등) 규정의 일부이다. (　　)에 들어갈 아라비아 숫자와 용어를 쓰시오. 제27회

> ① 〈생략〉
> ② 조합은 조합설립인가를 받은 날부터 (㉠)일 이내에 주된 사무소의 소재지에서 대통령령으로 정하는 사항을 등기하는 때에 성립한다.
> ③ 조합은 명칭에 '(㉡)'(이)라는 문자를 사용하여야 한다.

정답: ㉠ 30, ㉡ 정비사업조합

(2) 설립 동의 등

① **재개발사업**: 재개발사업의 추진위원회(법 제31조 제4항에 따라 추진위원회를 구성하지 아니하는 경우에는 토지등소유자를 말한다)가 조합을 설립하려면 **토지등소유자의 4분의 3 이상 및 토지면적의 2분의 1 이상의 토지소유자의 동의**를 받아 다음의 사항을 첨부하여 시장 · 군수 등의 인가를 받아야 한다(법 제35조 제2항).

> ㉠ 정관
> ㉡ 정비사업비와 관련된 자료 등 국토교통부령으로 정하는 서류
> ㉢ 그 밖에 시 · 도 조례로 정하는 서류

② 재건축사업

㉠ 재건축사업의 추진위원회(법 제31조 제4항에 따라 추진위원회를 구성하지 아니하는 경우에는 토지등소유자를 말한다)가 조합을 설립하려는 때에는 주택단지의 공동주택의 각 동(복리시설의 경우에는 주택단지의 복리시설 전체를 하나의 동으로 본다)별 구분소유자의 과반수 동의(공동주택의 각 동별 구분소유자가 5 이하인 경우는 제외한다)와 주택단지의 전체 구분소유자의 4분의 3 이상 및 토지면적의 4분의 3 이상의 토지소유자의 동의를 받아 위 ①의 각 사항을 첨부하여 시장 · 군수 등의 인가를 받아야 한다(법 제35조 제3항).

㉡ 위 ㉠에도 불구하고 주택단지가 아닌 지역이 정비구역에 포함된 때에는 주택단지가 아닌 지역의 토지 또는 건축물 소유자의 4분의 3 이상 및 토지면적의 3분의 2 이상의 토지소유자의 동의를 받아야 한다(법 제35조 제4항).

③ 변경인가: 위 ① 및 ②의 ㉠에 따라 설립된 조합이 인가받은 사항을 변경하고자 하는 때에는 총회에서 조합원의 3분의 2 이상의 찬성으로 의결하고, ①의 각 사항을 첨부하여 시장 · 군수 등의 인가를 받아야 한다. 다만, 대통령령으로 정하는 경미한 사항을 변경하려는 때에는 총회의 의결 없이 시장 · 군수 등에게 신고하고 변경할 수 있으며, 신고를 받은 날부터 20일 이내에 신고수리 여부를 신고인에게 통지하여야 한다. 이 경우 시장 · 군수 등이 기간 내에 신고수리 여부 또는 민원처리 관련 법령에 따른 처리기간의 연장을 신고인에게 통지하지 아니하면 그 기간(민원처리 관련 법령에 따라 처리기간이 연장 또는 재연장된 경우에는 해당 처리기간을 말한다)이 끝난 날의 다음 날에 신고를 수리한 것으로 본다(법 제35조 제5항 · 제6항 · 제7항).

더 알아보기 **대통령령으로 정하는 경미한 사항(영 제31조)**

1. 착오 · 오기 또는 누락임이 명백한 사항
2. 조합의 명칭 및 주된 사무소의 소재지와 조합장의 성명 및 주소(조합장의 변경이 없는 경우로 한정한다)
3. 토지 또는 건축물의 매매 등으로 조합원의 권리가 이전된 경우의 조합원의 교체 또는 신규가입
4. 조합임원 또는 대의원의 변경(법 제45조에 따른 총회의 의결 또는 법 제46조에 따른 대의원회의 의결을 거친 경우로 한정한다)
5. 건설되는 건축물의 설계 개요의 변경

6. 정비사업비의 변경
7. 현금청산으로 인하여 정관에서 정하는 바에 따라 조합원이 변경되는 경우
8. 법 제16조에 따른 정비구역 또는 정비계획의 변경에 따라 변경되어야 하는 사항. 다만, 정비구역 면적이 10퍼센트 이상의 범위에서 변경되는 경우는 제외한다.
9. 그 밖에 시 · 도 조례로 정하는 사항

④ 정보제공 등

㉠ 조합이 정비사업을 시행하는 경우 주택법 제54조를 적용할 때에는 조합을 같은 사업주체로 보며, 조합설립인가일부터 주택건설사업 등의 등록을 한 것으로 본다(법 제35조 제8항).

㉡ 추진위원회는 조합설립에 필요한 동의를 받기 전에 추정분담금 등 대통령령으로 정하는 정보를 토지등소유자에게 제공하여야 한다(법 제35조 제10항).

⑤ 토지등소유자의 동의방법 등

㉠ 다음에 대한 동의(동의한 사항의 철회 또는 반대의 의사표시를 포함한다)는 서면동의서에 토지등소유자가 성명을 적고 지장(指章)을 날인하는 방법으로 하며, 주민등록증, 여권 등 신원을 확인할 수 있는 신분증명서의 사본을 첨부하여야 한다(법 제36조 제1항).

ⓐ 법 제20조 제6항 제1호에 따라 정비구역 등 해제의 연장을 요청하는 경우
ⓑ 법 제21조 제1항 제4호에 따라 정비구역의 해제에 동의하는 경우
ⓒ 법 제24조 제1항에 따라 주거환경개선사업의 시행자를 토지주택공사 등으로 지정하는 경우
ⓓ 법 제25조 제1항 제2호에 따라 토지등소유자가 재개발사업을 시행하려는 경우
ⓔ 법 제26조 또는 제27조에 따라 재개발사업 · 재건축사업의 공공시행자 또는 지정개발자를 지정하는 경우
ⓕ 법 제31조 제1항에 따라 조합설립을 위한 추진위원회를 구성하는 경우
ⓖ 법 제32조 제4항에 따라 추진위원회의 업무가 토지등소유자의 비용부담을 수반하거나 권리 · 의무에 변동을 가져오는 경우
ⓗ 법 제35조 제2항부터 제5항까지의 규정에 따라 조합을 설립하는 경우
ⓘ 법 제47조 제3항에 따라 주민대표회의를 구성하는 경우
ⓙ 법 제50조 제4항에 따라 사업시행계획인가를 신청하는 경우
ⓚ 법 제58조 제3항에 따라 사업시행자가 사업시행계획서를 작성하려는 경우

㉡ 위 ㉠에도 불구하고 토지등소유자가 해외에 장기체류하거나 법인인 경우 등 불가피한 사유가 있다고 시장 · 군수 등이 인정하는 경우에는 토지등소유자의 인감도장을 찍은 서면동의서에 해당 인감증명서를 첨부하는 방법으로 할 수 있다(법 제36조 제2항).

㉢ 서면동의서를 작성하는 경우 시장 · 군수 등이 대통령령으로 정하는 방법에 따라 검인(檢印)한 서면동의서를 사용하여야 하며, 검인을 받지 아니한 서면동의서는 그 효력이 발생하지 아니한다(법 제36조 제3항).

㉣ **철회의 시기**: 동의의 철회 또는 반대의사표시의 시기는 다음 기준에 따른다(영 제33조 제2항).

> ⓐ 동의의 철회 또는 반대의사의 표시는 해당 동의에 따른 인 · 허가 등을 신청하기 전까지 할 수 있다.
> ⓑ 다음의 동의는 최초로 동의한 날부터 30일까지만 철회할 수 있다. 다만, ㉯의 동의는 최초로 동의한 날부터 30일이 지나지 아니한 경우에도 창립총회 후에는 철회할 수 없다.
> ㉮ 정비구역의 해제에 대한 동의
> ㉯ 조합설립에 대한 동의

㉤ **철회의 방법 및 효력**: 동의를 철회하거나 반대의 의사표시를 하려는 토지등소유자는 동의의 상대방 및 시장 · 군수 등에게 철회서에 토지등소유자의 지장을 날인하고 자필로 성명을 적은 후 주민등록증 및 여권 등 신원을 확인할 수 있는 신분증명서 사본을 첨부하여 내용증명의 방법으로 발송하여야 한다. 이 경우 시장 · 군수 등이 철회서를 받은 때에는 지체 없이 동의의 상대방에게 철회서가 접수된 사실을 통지하여야 하며, 동의의 철회나 반대의 의사표시는 철회서가 동의의 상대방에게 도달한 때 또는 시장 · 군수 등이 동의의 상대방에게 철회서가 접수된 사실을 통지한 때 중 빠른 때에 효력이 발생한다(영 제33조 제3항 · 제4항).

⑥ 토지등소유자의 동의서 재사용의 특례

㉠ 조합설립인가(변경인가를 포함한다)를 받은 후에 동의서 위조, 동의 철회, 동의율 미달 또는 동의자 수 산정방법에 관한 하자 등으로 다툼이 있는 경우로서 다음의 어느 하나에 해당하는 때에는 동의서의 유효성에 다툼이 없는 토지등소유자의 동의서를 다시 사용할 수 있다(법 제37조 제1항).

> ⓐ 조합설립인가의 무효 또는 취소소송 중에 일부 동의서를 추가 또는 보완하여 조합설립변경인가를 신청하는 때
> ⓑ 법원의 판결로 조합설립인가의 무효 또는 취소가 확정되어 조합설립인가를 다시 신청하는 때

㉡ 조합(㉠의 ⓑ의 경우에는 추진위원회를 말한다)이 ㉠에 따른 토지등소유자의 동의서를 다시 사용하려면 다음의 요건을 충족하여야 한다(법 제37조 제2항).

> ⓐ 토지등소유자에게 기존 동의서를 다시 사용할 수 있다는 취지와 반대의사표시의 절차 및 방법을 설명 · 고지할 것
> ⓑ ㉠의 ⓑ의 경우에는 다음의 요건
> • 조합설립인가의 무효 또는 취소가 확정된 조합과 새롭게 설립하려는 조합이 추진하려는 정비사업의 목적과 방식이 동일할 것
> • 조합설립인가의 무효 또는 취소가 확정된 날부터 3년의 범위에서 대통령령으로 정하는 기간 내에 새로운 조합을 설립하기 위한 창립총회를 개최할 것

(3) 정비사업조합의 조합원

① **조합원의 인정:** 정비사업의 조합원(사업시행자가 신탁업자인 경우에는 위탁자를 말한다)은 토지등소유자(재건축사업의 경우에는 재건축사업에 동의한 자만 해당한다)로 하되, 다음의 어느 하나에 해당하는 때에는 그 여러 명을 대표하는 1명을 조합원으로 본다. 다만, 지방자치분권 및 지역균형발전에 관한 특별법 제25조에 따른 공공기관 지방이전 및 혁신도시 활성화를 위한 시책 등에 따라 이전하는 공공기관이 소유한 토지 또는 건축물을 양수한 경우 양수한 자(공유의 경우 대표자 1명을 말한다)를 조합원으로 본다(법 제39조 제1항).

> ㉠ 토지 또는 건축물의 소유권과 지상권이 여러 명의 공유에 속하는 때
> ㉡ 여러 명의 토지등소유자가 1세대에 속하는 때. 이 경우 동일한 세대별 주민등록표상에 등재되어 있지 아니한 배우자 및 미혼인 19세 미만의 직계비속은 1세대로 보며, 1세대로 구성된 여러 명의 토지등소유자가 조합설립인가 후 세대를 분리하여 동일한 세대에 속하지 아니하는 때에도 이혼 및 19세 이상 자녀의 분가(세대별 주민등록을 달리하고, 실거주지를 분가한 경우로 한정한다)를 제외하고는 1세대로 본다.
> ㉢ 조합설립인가(조합설립인가 전에 신탁업자를 사업시행자로 지정한 경우에는 사업시행자의 지정을 말한다) 후 1명의 토지등소유자로부터 토지 또는 건축물의 소유권이나 지상권을 양수하여 여러 명이 소유하게 된 때

기출예제

도시 및 주거환경정비법령상 재건축사업을 위하여 조합을 설립하는 경우 토지등소유자의 동의자 수 산정방법으로 옳지 않은 것은? 제27회

① 토지의 소유권을 여럿이서 공유하는 경우 공유하는 여럿을 각각 토지등소유자로 산정한다.
② 1인이 둘 이상의 소유권을 소유하고 있는 경우 소유권의 수에 관계없이 토지등소유자를 1인으로 산정한다.
③ 둘 이상의 소유권을 소유한 공유자가 동일한 경우에는 그 공유자 여럿을 대표하는 1인을 토지등소유자로 한다.
④ 조합의 설립에 동의한 자로부터 건축물을 취득한 자는 조합의 설립에 동의한 것으로 본다.
⑤ 국·공유지에 대해서는 그 재산관리청 각각을 토지등소유자로 산정한다.

해설

토지의 소유권을 여럿이서 공유하는 경우 토지등소유자 수는 그 공유자 수와 관계없이 1인으로 산정한다.

정답: ①

② 조합원의 지위이전

㉠ 투기과열지구로 지정된 지역에서 재건축사업을 시행하는 경우에는 조합설립인가 후, 재개발사업을 시행하는 경우에는 관리처분계획의 인가 후 해당 정비사업의 건축물 또는 토지를 양수(매매 · 증여, 그 밖의 권리의 변동을 수반하는 모든 행위를 포함하되, 상속 · 이혼으로 인한 양도 · 양수의 경우는 제외한다)한 자는 조합원이 될 수 없다. 다만, 양도인이 다음의 어느 하나에 해당하는 경우 그 양도인으로부터 그 건축물 또는 토지를 양수한 자는 그러하지 아니하다(법 제39조 제2항, 영 제37조).

ⓐ 세대원(세대주가 포함된 세대의 구성원을 말한다. 이하 같다)의 근무상 또는 생업상의 사정이나 질병치료 · 취학 · 결혼으로 세대원이 모두 해당 사업구역에 위치하지 아니한 특별시 · 광역시 · 특별자치시 · 특별자치도 · 시 또는 군으로 이전하는 경우
ⓑ 상속으로 취득한 주택으로 세대원 모두 이전하는 경우
ⓒ 세대원 모두 해외로 이주하거나 세대원 모두 2년 이상 해외에 체류하려는 경우
ⓓ 1세대 1주택자로서 양도하는 주택에 대한 소유기간 및 거주기간이 대통령령으로 정하는 기간 이상인 경우
ⓔ 지분형 주택을 공급받기 위하여 건축물 또는 토지를 토지주택공사 등과 공유하려는 경우

ⓕ 공공임대주택, 공공분양주택의 공급 및 대통령령으로 정하는 사업을 목적으로 건축물 또는 토지를 양수하려는 공공재개발사업 시행자에게 양도하려는 경우
ⓖ 그 밖에 불가피한 사정으로 양도하는 경우로서 대통령령으로 정하는 경우

㉡ 사업시행자는 ㉠에 따라 조합원의 자격을 취득할 수 없는 경우 정비사업의 토지, 건축물 또는 그 밖의 권리를 취득한 자에게 법 제73조를 준용하여 손실보상을 하여야 한다(법 제39조 제3항).

(4) 정비사업조합의 임원

① 조합의 임원

㉠ 조합은 조합원으로서 정비구역에 위치한 건축물 또는 토지(재건축사업의 경우에는 건축물과 그 부속토지를 말한다)를 소유한 자[하나의 건축물 또는 토지의 소유권을 다른 사람과 공유한 경우에는 가장 많은 지분을 소유(2인 이상의 공유자가 가장 많은 지분을 소유한 경우를 포함한다)한 경우로 한정한다] 중 다음의 어느 하나의 요건을 갖춘 조합장 1명과 이사, 감사를 임원으로 둔다. 이 경우 조합장은 선임일부터 관리처분계획인가를 받을 때까지는 해당 정비구역에서 거주(영업을 하는 자의 경우 영업을 말한다)하여야 한다(법 제41조 제1항).

ⓐ 정비구역에 위치한 건축물 또는 토지를 5년 이상 소유할 것
ⓑ 정비구역에서 거주하고 있는 자로서 선임일 직전 3년 동안 정비구역에서 1년 이상 거주할 것

㉡ 이사의 수는 3명 이상으로 하고, 감사의 수는 1명 이상 3명 이하로 한다. 다만, 토지등소유자의 수가 100명을 초과하는 경우에는 이사의 수를 5명 이상으로 한다(법 제41조 제2항, 영 제40조).

② **조합임원의 임기**: 조합임원의 임기는 3년 이하의 범위에서 정관으로 정하되, 연임할 수 있다(법 제41조 제4항).

③ 조합임원의 선출

㉠ 조합임원의 선출방법 등은 정관으로 정한다. 다만, 시장 · 군수 등은 다음의 어느 하나에 해당하는 경우 시 · 도 조례로 정하는 바에 따라 변호사 · 회계사 · 기술사 등으로서 대통령령으로 정하는 요건을 갖춘 자를 전문조합관리인으로 선정하여 조합임원의 업무를 대행하게 할 수 있으며, 전문조합관리인의 임기는 3년으로 한다(법 제41조 제5항, 영 제41조 제4항).

> ⓐ 조합임원이 사임, 해임, 임기만료, 그 밖에 불가피한 사유 등으로 직무를 수행할 수 없는 때부터 6개월 이상 선임되지 아니한 경우
> ⓑ 총회에서 조합원 과반수의 출석과 출석 조합원 과반수의 동의로 전문조합관리인의 선정을 요청하는 경우

ⓛ 조합은 총회 의결을 거쳐 조합임원의 선출에 관한 선거관리를 선거관리위원회법 제3조에 따라 선거관리위원회에 위탁할 수 있다(법 제41조 제3항).

④ 조합임원의 직무

㉠ 조합장은 조합을 대표하고, 그 사무를 총괄하며, 총회 또는 대의원회의 의장이 된다(법 제42조 제1항).

ⓛ ㉠에 따라 조합장이 대의원회의 의장이 되는 경우에는 대의원으로 본다(법 제42조 제2항).

ⓒ 조합장 또는 이사가 자기를 위하여 조합과 계약이나 소송을 할 때에는 감사가 조합을 대표한다(법 제42조 제3항).

ⓔ 조합임원은 같은 목적의 정비사업을 하는 다른 조합의 임원 또는 직원을 겸할 수 없다(법 제42조 제4항).

⑤ 조합임원 등의 결격사유 및 해임

㉠ **결격사유:** 다음의 어느 하나에 해당하는 자는 조합임원 또는 전문조합관리인이 될 수 없다(법 제43조 제1항).

> ⓐ 미성년자 · 피성년후견인 또는 피한정후견인
> ⓑ 파산선고를 받은 자로서 복권되지 아니한 자
> ⓒ 금고 이상의 실형의 선고를 받고 그 집행이 종료(종료된 것으로 보는 경우를 포함한다)되거나 집행이 면제된 날부터 2년이 지나지 아니한 자
> ⓓ 금고 이상의 형의 집행유예를 받고 그 유예기간 중에 있는 자
> ⓔ 이 법을 위반하여 벌금 100만원 이상의 형을 선고받고 10년이 지나지 아니한 자
> ⓕ 조합설립 인가권자에 해당하는 지방자치단체의 장, 지방의회의원 또는 그 배우자 · 직계존속 · 직계비속

ⓛ **당연퇴임:** 조합임원이 다음의 어느 하나에 해당하는 경우에는 당연 퇴임한다. 다만, 퇴임된 임원이 퇴임 전에 관여한 행위는 그 효력을 잃지 아니한다(법 제43조 제2항 · 제3항).

> ⓐ 조합임원의 결격사유의 어느 하나에 해당하게 되거나 선임 당시 그에 해당하는 자이었음이 판명된 경우
> ⓑ 조합임원이 ①의 ㉠에 따른 자격요건을 갖추지 못한 경우

㉢ **퇴임 의결:** 조합임원은 ㉡에도 불구하고 조합원 10분의 1 이상의 요구로 소집된 총회에서 조합원 과반수의 출석과 출석 조합원 과반수의 동의를 받아 해임할 수 있다. 이 경우 요구자 대표로 선출된 자가 해임 총회의 소집 및 진행을 할 때에는 조합장의 권한을 대행한다(법 제43조 제4항).

㉣ 시장 · 군수 등이 전문조합관리인을 선정한 경우 전문조합관리인이 업무를 대행할 임원은 당연 퇴임한다(법 제43조 제5항).

⑥ **조합임원의 선임 · 선정시 행위제한:** 누구든지 추진위원, 조합임원의 선임 또는 계약 체결과 관련하여 다음의 행위를 하여서는 아니 된다(법 제132조).

> ㉠ 금품, 향응 또는 그 밖의 재산상 이익을 제공하거나 제공의사를 표시하거나 제공을 약속하는 행위
> ㉡ 금품, 향응 또는 그 밖의 재산상 이익을 제공받거나 제공의사표시를 승낙하는 행위
> ㉢ 제3자를 통하여 ㉠ 또는 ㉡에 해당하는 행위를 하는 행위

(5) 정비사업조합의 총회

① **총회의 소집**

㉠ 조합에는 조합원으로 구성되는 총회를 둔다(법 제44조 제1항).

㉡ 총회는 조합장이 직권으로 소집하거나 조합원 5분의 1 이상(정관의 기재사항 중 조합임원의 권리 · 의무 · 보수 · 선임방법 · 변경 및 해임에 관한 사항을 변경하기 위한 총회의 경우는 10분의 1 이상으로 한다) 또는 대의원 3분의 2 이상의 요구로 조합장이 소집하며, 조합원 또는 대의원의 요구로 총회를 소집하는 경우 조합은 소집을 요구하는 자가 본인인지 여부를 대통령령으로 정하는 기준에 따라 정관으로 정하는 방법으로 확인하여야 한다(법 제44조 제2항).

㉢ 위 ㉡에도 불구하고 조합임원의 사임, 해임 또는 임기만료 후 6개월 이상 조합임원이 선임되지 아니한 경우에는 시장 · 군수 등이 조합임원 선출을 위한 총회를 소집할 수 있다(법 제44조 제3항).

㉣ 총회를 소집하려는 자는 총회가 개최되기 7일 전까지 회의목적 · 안건 · 일시 및 장소를 정하여 조합원에게 통지하여야 한다(법 제44조 제4항).

㉤ 총회의 소집절차 · 시기 등에 필요한 사항은 정관으로 정한다(법 제44조 제5항).

② 총회의 의결

㉠ **의결사항**: 다음의 사항은 총회의 의결을 거쳐야 한다(법 제45조 제1항, 영 제42조 제1항).

ⓐ 정관의 변경(법 제40조 제4항에 따른 경미한 사항의 변경은 이 법 또는 정관에서 총회의결사항으로 정한 경우로 한정한다)
ⓑ 자금의 차입과 그 방법 · 이자율 및 상환방법
ⓒ 정비사업비의 세부 항목별 사용계획이 포함된 예산안 및 예산의 사용내역
ⓓ 예산으로 정한 사항 외에 조합원에게 부담이 되는 계약
ⓔ 시공자 · 설계자 및 감정평가법인 등(법 제74조 제4항에 따라 시장 · 군수 등이 선정 · 계약하는 감정평가법인 등은 제외한다)의 선정 및 변경. 다만, 감정평가법인 등 선정 및 변경은 총회의 의결을 거쳐 시장 · 군수 등에게 위탁할 수 있다.
ⓕ 정비사업전문관리업자의 선정 및 변경
ⓖ 조합임원의 선임 및 해임
ⓗ 정비사업비의 조합원별 분담내역
ⓘ 법 제52조에 따른 사업시행계획서의 작성 및 변경(법 제50조 제1항 본문에 따른 정비사업의 중지 또는 폐지에 관한 사항을 포함하며, 같은 항 단서에 따른 경미한 변경은 제외한다)
ⓙ 법 제74조에 따른 관리처분계획의 수립 및 변경(법 제74조 제1항 각 호 외의 부분 단서에 따른 경미한 변경은 제외한다)
ⓚ 법 제86조의2에 따른 조합의 해산과 조합 해산시의 회계보고
ⓛ 법 제89조에 따른 청산금의 징수 · 지급(분할징수 · 분할지급을 포함한다)
ⓜ 법 제93조에 따른 비용의 금액 및 징수방법
ⓝ 그 밖에 조합원에게 경제적 부담을 주는 사항 등 주요한 사항을 결정하기 위하여 대통령령 또는 정관으로 정하는 사항

㉡ **의결**: 총회의 의결은 이 법 또는 정관에 다른 규정이 없으면 조합원 과반수의 출석과 출석 조합원의 과반수 찬성으로 한다. 그러나 위 ⓘ 및 ⓙ의 경우에는 조합원 과반수의 찬성으로 의결한다. 다만, 정비사업비가 100분의 10 이상 늘어나는 경우에는 조합원 3분의 2 이상의 찬성으로 의결하여야 한다(법 제45조 제3항 · 제4항).

㉢ **의결방법**

ⓐ 조합원은 서면으로 의결권을 행사하거나 다음의 어느 하나에 해당하는 경우에는 대리인을 통하여 의결권을 행사할 수 있다. 서면으로 의결권을 행사하는 경우에는 정족수를 산정할 때에 출석한 것으로 보며, 조합은 서면의결권을 행사하는 자가 본인인지를 확인하여야 한다(법 제45조 제5항 · 제6항).

- 조합원이 권한을 행사할 수 없어 배우자, 직계존비속 또는 형제자매 중에서 성년자를 대리인으로 정하여 위임장을 제출하는 경우
- 해외에 거주하는 조합원이 대리인을 지정하는 경우
- 법인인 토지등소유자가 대리인을 지정하는 경우. 이 경우 법인의 대리인은 조합의 임원 또는 대의원으로 선임될 수 있다.

ⓑ 총회의 의결은 조합원의 100분의 10 이상이 직접 출석(위 ⓐ의 어느 하나에 해당하여 대리인을 통하여 의결권을 행사하는 경우 직접 출석한 것으로 본다)하여야 한다. 다만, 시공자의 선정을 의결하는 총회의 경우에는 조합원의 과반수가 직접 출석하여야 하고, 창립총회, 시공자 선정 취소를 위한 총회, 사업시행계획서의 작성 및 변경, 관리처분계획의 수립 및 변경을 의결하는 총회 등 대통령령으로 정하는 총회의 경우에는 조합원의 100분의 20 이상이 직접 출석하여야 한다(법 제45조 제7항).

ⓒ 위 ⓐ에도 불구하고 재난 및 안전관리 기본법 제3조 제1호에 따른 재난의 발생 등 대통령령으로 정하는 사유가 발생하여 시장 · 군수 등이 조합원의 직접 출석이 어렵다고 인정하는 경우에는 전자적 방법으로 의결권을 행사할 수 있다. 이 경우 정족수를 산정할 때에는 직접 출석한 것으로 본다(법 제45조 제8항).

ⓓ 총회의 의결방법 등에 필요한 사항은 정관으로 정한다(법 제45조 제9항).

(6) 정비사업조합의 정관

① 정관의 기재사항

㉠ 조합의 정관에는 다음의 사항이 포함되어야 한다(법 제40조 제1항).

ⓐ 조합의 명칭 및 사무소의 소재지
ⓑ 조합원의 자격
ⓒ 조합원의 제명 · 탈퇴 및 교체
ⓓ 정비구역의 위치 및 면적
ⓔ 법 제41조에 따른 조합의 임원(이하 '조합임원'이라 한다)의 수 및 업무의 범위
ⓕ 조합임원의 권리 · 의무 · 보수 · 선임방법 · 변경 및 해임
ⓖ 대의원의 수, 선임방법, 선임절차 및 대의원회의 의결방법
ⓗ 조합의 비용부담 및 조합의 회계
ⓘ 정비사업의 시행연도 및 시행방법
ⓙ 총회의 소집절차 · 시기 및 의결방법
ⓚ 총회의 개최 및 조합원의 총회소집 요구
ⓛ 법 제73조 제3항에 따른 이자 지급

ⓜ 정비사업비의 부담시기 및 절차
ⓝ 정비사업이 종결된 때의 청산절차
ⓞ 청산금의 징수 · 지급의 방법 및 절차
ⓟ 시공자 · 설계자의 선정 및 계약서에 포함될 내용
ⓠ 정관의 변경절차
ⓡ 그 밖에 정비사업의 추진 및 조합의 운영을 위하여 필요한 사항으로서 대통령령으로 정하는 사항

㉡ 시 · 도지사는 ㉠의 각 사항이 포함된 표준정관을 작성하여 보급할 수 있다(법 제40조 제2항).

② **정관의 변경:** 조합이 정관을 변경하려는 경우에는 총회를 개최하여 조합원 과반수의 찬성으로 시장 · 군수 등의 인가를 받아야 한다. 다만, ①의 ㉠의 ⓑ · ⓒ · ⓓ · ⓗ · ⓜ 또는 ⓟ의 경우에는 조합원 3분의 2 이상의 찬성으로 하며, 대통령령으로 정하는 경미한 사항을 변경하려는 때에는 이 법 또는 정관으로 정하는 방법에 따라 변경하고 시장 · 군수 등에게 신고하여야 한다(법 제40조 제3항 · 제4항).

(7) 대의원회, 주민대표회의, 토지등소유자 전체회의

① 대의원회

㉠ 조합원의 수가 100인 이상인 조합은 대의원회를 두어야 하며(법 제46조 제1항), 대의원회는 총회권한대행기관이고, 반드시 두어야 하는 필수기관이다.

㉡ 대의원회는 조합원의 10분의 1 이상으로 하되, 조합원의 10분의 1이 100인을 넘는 경우에는 조합원의 10분의 1 범위 안에서 100인 이상으로 구성할 수 있으며, 총회의 의결사항 중 대통령령이 정하는 사항을 제외하고는 총회의 권한을 대행할 수 있다(법 제46조 제2항 · 제4항).

㉢ 조합장이 아닌 조합임원은 대의원이 될 수 없다(법 제46조 제3항).

㉣ 대의원회는 조합장이 필요하다고 인정하는 때에 소집한다. 다만, 정관이 정하는 바에 따라 소집청구가 있거나, 대의원의 3분의 1 이상이 회의의 목적사항을 제시하여 청구하는 때에는 조합장은 해당일부터 14일 이내에 대의원회를 소집하여야 한다(영 제44조 제4항).

㉤ 대의원회의 소집은 집회 7일 전까지 그 회의의 목적 · 안건 · 일시 및 장소를 기재한 서면을 대의원에게 통지하는 방법에 따른다. 이 경우 정관이 정하는 바에 따라 대의원회의 소집내용을 공고하여야 한다(영 제44조 제7항).

㉥ 대의원회는 재적대의원 과반수의 출석과 출석대의원 과반수의 찬성으로 의결한다. 다만, 그 이상의 범위에서 정관이 달리 정하는 경우에는 그에 따른다(영 제44조 제8항).

ⓢ 대의원회는 사전에 통지한 안건에 관하여만 의결할 수 있다. 다만, 사전에 통지하지 않은 안건으로서 대의원회의 회의에서 정관이 정하는 바에 따라 채택된 안건의 경우에는 그러하지 아니하다(영 제44조 제9항).

ⓞ 특정한 대의원의 이해와 관련된 사항에 대하여는 그 대의원은 의결권을 행사할 수 없다(영 제44조 제10항).

핵심 콕! 콕! 대의원회에서 대행할 수 없는 사항(영 제43조)

1. 정관의 변경에 관한 사항
2. 자금의 차입과 그 방법 · 이자율 및 상환방법에 관한 사항
3. 예산으로 정한 사항 외에 조합원에게 부담이 되는 계약에 관한 사항
4. 시공자 · 설계자 또는 감정평가법인 등의 선정 및 변경에 관한 사항
5. 정비사업전문관리업자의 선정 및 변경에 관한 사항
6. 조합임원의 선임 및 해임과 대의원의 선임 및 해임에 관한 사항. 다만, 정관으로 정하는 바에 따라 임기 중 궐위된 자(조합장은 제외한다)를 보궐선임하는 경우를 제외한다.
7. 사업시행계획서의 작성 및 변경에 관한 사항
8. 관리처분계획의 수립 및 변경에 관한 사항
9. 법 제45조 제2항에 따라 총회에 상정하여야 하는 사항
10. 조합의 합병 또는 해산에 관한 사항. 다만, 사업완료로 인한 해산의 경우는 제외한다.
11. 건설되는 건축물의 설계 개요의 변경에 관한 사항
12. 정비사업비의 변경에 관한 사항

② 주민대표회의

㉠ 구성

ⓐ 토지등소유자가 시장 · 군수 등 또는 토지주택공사 등의 사업시행을 원하는 경우에는 정비구역 지정 · 고시 후 주민대표기구(주민대표회의)를 구성하여야 한다(법 제47조 제1항).

ⓑ 주민대표회의는 위원장을 포함하여 5명 이상 25명 이하로 구성한다(법 제47조 제2항).

ⓒ 주민대표회의는 토지등소유자의 과반수의 동의를 받아 구성하며, 국토교통부령으로 정하는 방법 및 절차에 따라 시장 · 군수 등의 승인을 받아야 한다(법 제47조 제3항).

ⓓ 주민대표회의의 구성에 동의한 자는 법 제26조 제1항 제8호 후단에 따른 사업시행자의 지정에 동의한 것으로 본다. 다만, 사업시행자의 지정요청 전에 시장 · 군수 등 및 주민대표회의에 사업시행자의 지정에 대한 반대의 의사표시를 한 토지등소유자의 경우에는 그러하지 아니하다(법 제47조 제4항).

ⓛ **권한:** 주민대표회의 또는 세입자(상가세입자를 포함한다)는 사업시행자가 다음의 사항에 관하여 법 제53조에 따른 시행규정을 정하는 때에 의견을 제시할 수 있다. 이 경우 사업시행자는 주민대표회의 또는 세입자의 의견을 반영하기 위하여 노력하여야 한다(법 제47조 제5항).

> ⓐ 건축물의 철거
> ⓑ 주민의 이주(세입자의 퇴거에 관한 사항을 포함한다)
> ⓒ 토지 및 건축물의 보상(세입자에 대한 주거이전비 등 보상에 관한 사항을 포함한다)
> ⓓ 정비사업비의 부담
> ⓔ 세입자에 대한 임대주택의 공급 및 입주자격
> ⓕ 그 밖에 정비사업의 시행을 위하여 필요한 사항으로서 대통령령으로 정하는 사항

③ **토지등소유자 전체회의:** 사업시행자로 지정된 신탁업자는 법정사항에 관하여 해당 정비사업의 토지등소유자(주택재건축사업의 경우에는 신탁업자를 사업시행자로 지정하는 것에 동의한 토지등소유자를 말한다) 전원으로 구성되는 회의의 의결을 거쳐야 하며, 토지등소유자 전체회의는 사업시행자가 직권으로 소집하거나 토지등소유자 5분의 1 이상의 요구로 사업시행자가 소집한다(법 제48조 제1항 · 제2항).

핵심 콕! 콕! 토지등소유자 전체회의의 의결사항

1. 시행규정의 확정 및 변경
2. 정비사업비의 사용 및 변경
3. 정비사업전문관리업자와의 계약 등 토지등소유자의 부담이 될 계약
4. 시공자의 선정 및 변경
5. 정비사업비의 토지등소유자별 분담내역
6. 자금의 차입과 그 방법 · 이자율 및 상환방법
7. 법 제52조에 따른 사업시행계획서의 작성 및 변경(법 제50조 제1항 본문에 따른 정비사업의 중지 또는 폐지에 관한 사항을 포함하며, 같은 항 단서에 따른 경미한 변경은 제외한다)
8. 법 제74조에 따른 관리처분계획의 수립 및 변경(법 제74조 제1항 각 호 외의 부분 단서에 따른 경미한 변경은 제외한다)
9. 법 제89조에 따른 청산금의 징수 · 지급(분할징수 · 분할지급을 포함한다)과 조합 해산시의 회계보고
10. 법 제93조에 따른 비용의 금액 및 징수방법
11. 그 밖에 토지등소유자에게 부담이 되는 것으로 시행규정으로 정하는 사항

(8) 조합의 해산

① **총회소집**: 조합장은 소유권이전 · 고시가 있은 날부터 1년 이내에 조합 해산을 위한 총회를 소집하여야 한다(법 제86조의2 제1항).

② **해산의결**: 조합장이 위 ①에 따른 기간 내에 총회를 소집하지 아니한 경우 조합원 5분의 1 이상의 요구로 소집된 총회에서 조합원 과반수의 출석과 출석 조합원 과반수의 동의를 받아 해산을 의결할 수 있다. 이 경우 요구자 대표로 선출된 자가 조합 해산을 위한 총회의 소집 및 진행을 할 때에는 조합장의 권한을 대행한다(법 제86조의2 제2항).

③ **설립인가 취소**: 시장 · 군수 등은 조합이 정당한 사유 없이 ①과 ②에 따라 해산을 의결하지 아니하는 경우에는 조합설립인가를 취소할 수 있고, 해산하는 조합에 청산인이 될 자가 없는 경우에는 민법 제83조에도 불구하고 시장 · 군수 등은 법원에 청산인의 선임을 청구할 수 있다(법 제86조의2 제3항 · 제4항).

제3절 사업시행계획

01 사업시행계획서의 작성

사업시행자는 정비계획에 따라 사업시행계획서를 작성하여야 하고, 사업시행계획서에 공공주택 특별법 제2조 제1호에 따른 공공주택건설계획을 포함하는 경우에는 공공주택의 구조 · 기능 및 설비에 관한 기준과 부대시설 · 복리시설의 범위, 설치기준 등에 필요한 사항은 같은 법 제37조에 따른다(법 제52조). 시장 · 군수, 주택공사 등 또는 신탁업자가 단독으로 시행하는 정비사업의 경우 시장 · 군수, 주택공사 등 또는 신탁업자는 시행규정을 작성하여야 한다(법 제52조).

핵심 콕! 콕! **사업시행계획서의 내용**

1. 토지이용계획(건축물배치계획을 포함한다)
2. 정비기반시설 및 공동이용시설의 설치계획
3. 임시거주시설을 포함한 주민이주대책
4. 세입자의 주거 및 이주대책
5. 사업시행기간 동안 정비구역 내 가로등 설치, 폐쇄회로 텔레비전 설치 등 범죄예방대책
6. 법 제10조에 따른 임대주택의 건설계획(재건축사업의 경우는 제외한다)
7. 법 제54조 제4항에 따른 소형주택의 건설계획(주거환경개선사업의 경우는 제외한다)
8. 공공지원민간임대주택 또는 임대관리 위탁주택의 건설계획(필요한 경우로 한정한다)
9. 건축물의 높이 및 용적률 등에 관한 건축계획

10. 정비사업의 시행과정에서 발생하는 폐기물의 처리계획
11. 교육시설의 교육환경 보호에 관한 계획(정비구역부터 200미터 내에 교육시설이 설치되어 있는 경우로 한정한다)
12. 정비사업비
13. 그 밖에 사업시행을 위한 사항으로서 대통령령으로 정하는 바에 따라 시 · 도 조례로 정하는 사항

기출예제

도시 및 주거환경정비법상 사업시행계획서에 포함되어야 하는 사항을 모두 고른 것은? (단, 조례는 고려하지 않는다)

제26회

㉠ 분양대상자별 종전의 토지 또는 건축물 명세
㉡ 정비구역부터 200미터 이내의 교육시설의 교육환경 보호에 관한 계획
㉢ 현금으로 청산하여야 하는 토지등소유자별 기존의 토지 · 건축물에 대한 청산방법
㉣ 사업시행기간 동안 정비구역 내 가로등 설치, 폐쇄회로 텔레비전 설치 등 범죄예방대책

① ㉠, ㉢
② ㉠, ㉣
③ ㉡, ㉣
④ ㉠, ㉡, ㉢
⑤ ㉡, ㉢, ㉣

해설

㉠ 분양대상에 관한 사항과 ㉢ 청산방법에 관한 사항은 관리처분계획에 포함할 사항이다.

정답: ③

02 사업시행계획의 인가

(1) 인가권자 등

① 사업시행자(공동시행의 경우를 포함하되, 사업시행자가 시장 · 군수 등인 경우를 제외한다)는 정비사업을 시행하고자 하는 경우에는 사업시행계획서에 정관 등과 그 밖에 국토교통부령이 정하는 서류를 첨부하여 시장 · 군수 등에게 제출하고 사업시행인가를 받아야 하며, 인가받은 내용을 변경하거나 정비사업을 중지 또는 폐지하고자 하는 경우에도 또한 같다. 다만, 대통령령으로 정하는 경미한 사항을 변경하려는 때에는 시장 · 군수 등에게 신고하여야 한다(법 제50조 제1항).

② 시장 · 군수 등은 특별한 사유가 없으면 사업시행계획서의 제출이 있은 날부터 60일 이내에 인가 여부를 결정하여 사업시행자에게 통보하여야 하며, 위 ①의 단서 조항의 신고를 받은 날부터 20일 이내에 신고수리 여부를 신고인에게 통지하여야 한다(법 제50조 제2항 · 제4항).

③ 사업시행자(시장 · 군수 등 또는 토지주택공사 등은 제외한다)는 사업시행계획인가를 신청하기 전에 미리 총회의 의결을 거쳐야 하며, 인가받은 사항을 변경하거나 정비사업을 중지 또는 폐지하려는 경우에도 또한 같다. 다만, 경미한 사항의 변경은 총회의 의결을 필요로 하지 아니한다(법 제50조 제5항).

④ 토지등소유자가 재개발사업을 시행하려는 경우에는 사업시행계획인가를 신청하기 전에 사업시행계획서에 대하여 토지등소유자의 4분의 3 이상 및 토지면적의 2분의 1 이상의 토지소유자의 동의를 받아야 한다. 다만, 인가받은 사항을 변경하려는 경우에는 규약으로 정하는 바에 따라 토지등소유자의 과반수의 동의를 받아야 하며, 경미한 사항의 변경인 경우에는 토지등소유자의 동의를 필요로 하지 아니한다(법 제50조 제6항).

⑤ 지정개발자가 정비사업을 시행하려는 경우에는 사업시행계획인가를 신청하기 전에 토지등소유자의 과반수의 동의 및 토지면적의 2분의 1 이상의 토지소유자의 동의를 받아야 한다. 다만, 경미한 사항의 변경인 경우에는 토지등소유자의 동의를 필요로 하지 아니한다(법 제50조 제7항).

⑥ 시장 · 군수 등은 재개발사업의 사업시행계획인가를 하는 경우 해당 정비사업의 사업시행자가 지정개발자(지정개발자가 토지등소유자인 경우로 한정한다)인 때에는 정비사업비의 100분의 20의 범위에서 시 · 도 조례로 정하는 금액을 예치하게 할 수 있다. 예치금은 청산금의 지급이 완료된 때에 반환한다(법 제60조 제1항 · 제2항).

(2) 사업시행계획의 인가절차

① 의견청취

㉠ 시장 · 군수 등은 사업시행계획인가를 하거나 사업시행계획서를 작성하려는 경우에는 대통령령으로 정하는 방법 및 절차에 따라 관계 서류의 사본을 14일 이상 일반인이 공람할 수 있게 하여야 한다. 다만, 경미한 사항을 변경하려는 경우에는 그러하지 아니하다(법 제56조 제1항).

㉡ 토지등소유자 또는 조합원, 그 밖에 정비사업과 관련하여 이해관계를 가지는 자는 ㉠의 공람기간 이내에 시장 · 군수 등에게 서면으로 의견을 제출할 수 있고, 시장 · 군수 등은 제출된 의견을 심사하여 채택할 필요가 있다고 인정하는 때에는 이를 채택하고, 그러하지 아니한 경우에는 의견을 제출한 자에게 그 사유를 알려주어야 한다(법 제56조 제2항 · 제3항).

② 협의

㉠ 시장 · 군수 등은 사업시행계획인가를 하거나 사업시행계획서를 작성하려는 경우 법 제57조 제1항 각 호 및 제2항 각 호에 따라 의제되는 인 · 허가 등에 해당하는 사항이 있는 때에는 미리 관계 행정기관의 장과 협의하여야 하고, 협의를 요청받은 관계 행정기관의 장은 요청받은 날부터 30일 이내에 의견을 제출하여야 한다. 이 경우 관계 행정기관의 장이 30일 이내에 의견을 제출하지 아니하면 협의된 것으로 본다(법 제57조 제4항).

㉡ 시장 · 군수 등은 사업시행계획인가(시장 · 군수 등이 사업시행계획서를 작성한 경우를 포함한다)를 하려는 경우 정비구역부터 200미터 이내에 교육시설이 설치되어 있는 때에는 해당 지방자치단체의 교육감 또는 교육장과 협의하여야 하며, 인가받은 사항을 변경하는 경우에도 또한 같다(법 제57조 제5항).

㉢ 시장 · 군수 등은 천재지변이나 그 밖의 불가피한 사유로 긴급히 정비사업을 시행할 필요가 있다고 인정하는 때에는 관계 행정기관의 장 및 교육감 또는 교육장과 협의를 마치기 전에 사업시행계획인가를 할 수 있다. 이 경우 협의를 마칠 때까지는 인 · 허가 등을 받은 것으로 보지 아니한다(법 제57조 제6항).

③ **고시:** 시장 · 군수 등은 사업시행계획인가(시장 · 군수 등이 사업시행계획서를 작성한 경우를 포함한다)를 하거나 정비사업을 변경 · 중지 또는 폐지하는 경우에는 국토교통부령으로 정하는 방법 및 절차에 따라 그 내용을 해당 지방자치단체의 공보에 고시하여야 한다. 다만, 경미한 사항을 변경하려는 경우에는 그러하지 아니하다(법 제50조 제7항).

(3) 정비구역의 범죄예방

시장 · 군수 등은 사업시행인가를 한 경우 그 사실을 관할 경찰서장에게 통보하여야 하며, 사업시행인가 후 정비구역 내 주민안전 등을 위하여 다음의 사항을 관할 지방경찰청장 또는 경찰서장에게 요청할 수 있다(법 제130조).

① 순찰 강화
② 순찰초소의 설치 등 범죄 예방을 위하여 필요한 시설의 설치 및 관리
③ 그 밖에 주민의 안전을 위하여 필요하다고 인정하는 사항

(4) 사업시행계획인가의 특례

① 사업시행자는 일부 건축물의 존치 또는 리모델링에 관한 내용이 포함된 사업시행계획서를 작성하여 사업시행계획인가를 신청할 수 있다(법 제58조 제1항).

② 시장 · 군수 등은 존치 또는 리모델링하는 건축물 및 건축물이 있는 토지가 주택법 및 건축법에 따른 다음의 건축 관련 기준에 적합하지 아니하더라도 대통령령으로 정하는 기준에 따라 사업시행계획인가를 할 수 있다(법 제58조 제2항).

> ㉠ 주택법 제2조 제12호에 따른 주택단지의 범위
> ㉡ 주택법 제35조 제1항 제3호 및 제4호에 따른 부대시설 및 복리시설의 설치기준
> ㉢ 건축법 제44조에 따른 대지와 도로의 관계
> ㉣ 건축법 제46조에 따른 건축선의 지정
> ㉤ 건축법 제61조에 따른 일조 등의 확보를 위한 건축물의 높이제한

③ 사업시행자가 사업시행계획서를 작성하려는 경우에는 존치 또는 리모델링하는 건축물 소유자의 동의(집합건물의 경우에는 구분소유자의 3분의 2 이상의 동의와 해당 건축물 연면적의 3분의 2 이상의 구분소유자의 동의로 한다)를 받아야 한다. 다만, 정비계획에서 존치 또는 리모델링하는 것으로 계획된 경우에는 그러하지 아니한다(법 제58조 제3항).

제4절 관리처분계획에 의한 사업시행

01 분양신청

(1) 분양통지 · 공고

사업시행자는 사업시행계획인가의 고시가 있은 날(사업시행계획인가 이후 시공자를 선정한 경우에는 시공자와 계약을 체결한 날)부터 120일 이내에 다음의 사항을 토지등소유자에게 통지하고, 분양의 대상이 되는 대지 또는 건축물의 내역 등 대통령령으로 정하는 사항을 해당 지역에서 발간되는 일간신문에 공고하여야 한다. 다만, 토지등소유자 1인이 시행하는 재개발사업의 경우에는 그러하지 아니하다(법 제72조 제1항, 영 제59조 제1항).

> ① 분양대상자별 종전의 토지 또는 건축물의 명세 및 사업시행계획인가의 고시가 있은 날을 기준으로 한 가격(사업시행계획인가 전에 철거된 건축물은 시장 · 군수 등에게 허가를 받은 날)
> ② 분양대상자별 분담금의 추산액
> ③ 분양신청기간
> ④ 사업시행인가의 내용
> ⑤ 정비사업의 종류 · 명칭 및 정비구역의 위치 · 면적
> ⑥ 분양신청기간 및 장소

⑦ 분양대상 대지 또는 건축물의 내역
⑧ 분양신청자격
⑨ 분양신청방법
⑩ 토지등소유자 외의 권리자의 권리 신고방법
⑪ 분양을 신청하지 아니한 자에 대한 조치
⑫ 그 밖에 시 · 도 조례로 정하는 사항

(2) 분양신청기간

분양신청기간은 통지한 날부터 30일 이상 60일 이내로 하여야 한다. 다만, 사업시행자는 관리처분계획의 수립에 지장이 없다고 판단하는 경우에는 분양신청기간을 20일의 범위에서 한 차례만 연장할 수 있다(법 제72조 제2항).

(3) 분양신청

① 방법 및 절차

㉠ 대지 또는 건축물에 대한 분양을 받으려는 토지등소유자는 (2)에 따른 분양신청기간에 대통령령으로 정하는 방법 및 절차에 따라 사업시행자에게 대지 또는 건축물에 대한 분양신청을 하여야 한다(법 제72조 제3항).

㉡ 사업시행자는 분양신청기간 종료 후 사업시행계획인가의 변경(경미한 사항의 변경은 제외한다)으로 세대수 또는 주택규모가 달라지는 경우 분양공고 등의 절차를 다시 거칠 수 있으며, 정관 등으로 정하고 있거나 총회의 의결을 거친 경우에는 분양신청을 하지 아니한 자, 분양신청기간 종료 이전에 분양신청을 철회한 자에게 분양신청을 다시 하게 할 수 있다(법 제72조 제4항 · 제5항).

㉢ 투기과열지구의 정비사업에서 관리처분계획에 따라 분양대상자 및 그 세대에 속한 자는 분양대상자 선정일(조합원 분양분의 분양대상자는 최초 관리처분계획 인가일을 말한다)부터 5년 이내에는 투기과열지구에서 분양신청을 할 수 없다. 다만, 상속, 결혼, 이혼으로 조합원 자격을 취득한 경우에는 분양신청을 할 수 있다(법 제72조 제6항).

② 분양신청을 하지 아니한 자 등에 대한 조치

㉠ 사업시행자는 관리처분계획이 인가 · 고시된 다음 날부터 90일 이내에 다음에서 정하는 자와 토지, 건축물 또는 그 밖의 권리의 손실보상에 관한 협의를 하여야 한다. 다만, 사업시행자는 분양신청기간 종료일의 다음 날부터 협의를 시작할 수 있다(법 제73조 제1항).

> ⓐ 분양신청을 하지 아니한 자
> ⓑ 분양신청기간 종료 이전에 분양신청을 철회한 자
> ⓒ 법 제72조 제6항 본문에 따라 분양신청을 할 수 없는 자
> ⓓ 법 제74조에 따라 인가된 관리처분계획에 따라 분양대상에서 제외된 자

㉡ 사업시행자는 ㉠에 따른 협의가 성립되지 아니하면 그 기간의 만료일 다음 날부터 60일 이내에 수용재결을 신청하거나 매도청구소송을 제기하여야 하며, 그 기간을 넘겨서 수용재결을 신청하거나 매도청구소송을 제기한 경우에는 해당 토지등소유자에게 지연일수(遲延日數)에 따른 이자를 지급하여야 한다. 이 경우 이자는 100분의 15 이하의 범위에서 대통령령으로 정하는 이율을 적용하여 산정한다(법 제73조 제2항 · 제3항).

02 관리처분계획의 수립

(1) 관리처분계획의 인가

① 사업시행자는 분양신청기간이 종료된 때에는 분양신청의 현황을 기초로 관리처분계획을 수립하여 시장 · 군수 등의 인가를 받아야 하며, 관리처분계획을 변경 · 중지 또는 폐지하려는 경우에도 또한 같다. 다만, 대통령령으로 정하는 경미한 사항을 변경하려는 경우에는 시장 · 군수 등에게 신고하여야 한다(법 제74조 제1항).

② 사업시행자는 관리처분계획인가를 신청하기 전에 관계 서류의 사본을 30일 이상 토지등소유자에게 공람하게 하고 의견을 들어야 한다. 다만, 대통령령으로 정하는 경미한 사항을 변경하려는 경우에는 토지등소유자의 공람 및 의견청취절차를 거치지 아니할 수 있다(법 제78조 제1항).

③ 시장 · 군수 등은 사업시행자의 관리처분계획인가의 신청이 있은 날부터 30일 이내에 인가 여부를 결정하여 사업시행자에게 통보하여야 한다. 다만, 시장 · 군수 등은 관리처분계획의 타당성 검증을 요청하는 경우에는 관리처분계획인가의 신청을 받은 날부터 60일 이내에 인가 여부를 결정하여 사업시행자에게 통지하여야 한다(법 제78조 제2항).

④ 시장 · 군수 등이 관리처분계획을 인가하는 때에는 그 내용을 해당 지방자치단체의 공보에 고시하여야 한다(법 제78조 제4항).

⑤ 사업시행자는 ②에 따라 공람을 실시하려거나 ④에 따라 시장 · 군수 등의 고시가 있은 때에는 대통령령으로 정하는 방법과 절차에 따라 토지등소유자에게는 공람계획을 통지하고, 분양신청을 한 자에게는 관리처분계획인가의 내용 등을 통지하여야 한다(법 제78조 제5항).

(2) 관리처분계획의 타당성 검증

시장 · 군수 등은 다음의 어느 하나에 해당하는 경우에는 대통령령으로 정하는 공공기관에 관리처분계획의 타당성 검증을 요청하여야 한다. 이 경우 시장 · 군수 등은 타당성 검증 비용을 사업시행자에게 부담하게 할 수 있다(법 제78조 제3항).

> ① 정비사업비가 법 제52조 제1항 제12호에 따른 정비사업비 기준으로 100분의 10 이상으로서 대통령령으로 정하는 비율 이상 늘어나는 경우
> ② 조합원 분담규모가 분양대상자별 분담금의 추산액 총액 기준으로 100분의 20 이상으로서 대통령령으로 정하는 비율 이상 늘어나는 경우
> ③ 조합원 5분의 1 이상이 관리처분계획인가 신청이 있은 날부터 15일 이내에 시장 · 군수 등에게 타당성 검증을 요청한 경우
> ④ 그 밖에 시장 · 군수 등이 필요하다고 인정하는 경우

(3) 관리처분계획(사업시행계획)인가의 시기 조정 등

① 특별시장 · 광역시장 또는 도지사는 정비사업의 시행으로 정비구역 주변 지역에 주택이 현저하게 부족하거나 주택시장이 불안정하게 되는 등 특별시 · 광역시 또는 도의 조례로 정하는 사유가 발생하는 경우에는 주거기본법 제9조에 따른 시 · 도 주거정책심의위원회의 심의를 거쳐 사업시행계획인가 또는 관리처분계획인가의 시기를 조정하도록 해당 시장, 군수 또는 구청장에게 요청할 수 있다. 이 경우 요청을 받은 시장, 군수 또는 구청장은 특별한 사유가 없으면 그 요청에 따라야 하며, 사업시행계획인가 또는 관리처분계획인가의 조정시기는 인가를 신청한 날부터 1년을 넘을 수 없다(법 제75조 제1항).

② 특별자치시장 및 특별자치도지사는 정비사업의 시행으로 정비구역 주변 지역에 주택이 현저하게 부족하거나 주택시장이 불안정하게 되는 등 특별자치시 및 특별자치도의 조례로 정하는 사유가 발생하는 경우에는 시 · 도 주거정책심의위원회의 심의를 거쳐 사업시행계획인가 또는 관리처분계획인가의 시기를 조정할 수 있다. 이 경우 사업시행계획인가 또는 관리처분계획인가의 조정시기는 인가를 신청한 날부터 1년을 넘을 수 없다(법 제75조 제2항).

03 관리처분계획의 내용과 수립기준

(1) 관리처분계획의 내용

관리처분계획에는 다음의 사항이 포함되어야 한다(법 제74조 제1항, 영 제62조).

① 분양설계
② 분양대상자의 주소 및 성명
③ 분양대상자별 분양예정인 대지 또는 건축물의 추산액(임대관리 위탁주택에 관한 내용을 포함한다)
④ 다음에 해당하는 보류지 등의 명세와 추산액 및 처분방법. 다만, ㉡의 경우에는 선정된 공공지원민간임대사업자의 성명 및 주소(법인인 경우에는 법인의 명칭 및 소재지와 대표자의 성명 및 주소)를 포함한다.
　㉠ 일반분양분
　㉡ 공공지원민간임대주택
　㉢ 임대주택
　㉣ 그 밖에 부대시설 · 복리시설 등
⑤ 분양대상자별 종전의 토지 또는 건축물 명세 및 사업시행계획인가 고시가 있은 날을 기준으로 한 가격(사업시행계획인가 전에 철거된 건축물은 시장 · 군수 등에게 허가를 받은 날을 기준으로 한 가격)
⑥ 정비사업비의 추산액(재건축사업의 경우에는 재건축초과이익 환수에 관한 법률에 따른 재건축부담금에 관한 사항을 포함한다) 및 그에 따른 조합원 분담규모 및 분담시기
⑦ 분양대상자의 종전 토지 또는 건축물에 관한 소유권 외의 권리명세
⑧ 세입자별 손실보상을 위한 권리명세 및 그 평가액
⑨ 그 밖에 정비사업과 관련한 권리 등에 관하여 대통령령으로 정하는 다음의 사항
　㉠ 법 제73조에 따라 현금으로 청산하여야 하는 토지등소유자별 기존의 토지 · 건축물 또는 그 밖의 권리의 명세와 이에 대한 청산방법
　㉡ 법 제79조 제4항 전단에 따른 보류지 등의 명세와 추산가액 및 처분방법
　㉢ 법 제63조 제1항 제4호에 따른 비용의 부담비율에 따른 대지 및 건축물의 분양계획과 그 비용부담의 한도 · 방법 및 시기. 이 경우 비용부담으로 분양받을 수 있는 한도는 정관 등에서 따로 정하는 경우를 제외하고는 기존의 토지 또는 건축물의 가격의 비율에 따라 부담할 수 있는 비용의 50퍼센트를 기준으로 정한다.
　㉣ 정비사업의 시행으로 인하여 새롭게 설치되는 정비기반시설의 명세와 용도가 폐지되는 정비기반시설의 명세
　㉤ 기존 건축물의 철거 예정시기
　㉥ 그 밖에 시 · 도 조례로 정하는 사항

(2) 관리처분계획의 수립기준(법 제76조 제1항)

① 종전 토지 또는 건축물의 면적 · 이용상황 · 환경, 기타 사항을 종합적으로 고려하여 대지 또는 건축물이 균형 있게 분양신청자에게 배분되고 합리적으로 이용되도록 한다.

② 지나치게 좁거나 넓은 토지 또는 건축물에 대하여 필요한 경우에는 이를 증가하거나 감소시켜 대지 또는 건축물이 적정 규모가 되도록 한다.

③ 너무 좁은 토지 또는 건축물이나 정비구역 지정 후 분할된 토지를 취득한 자에 대하여는 현금으로 청산할 수 있다.

④ 재해 또는 위생상의 위해를 방지하기 위하여 토지의 규모를 조정할 특별한 필요가 있는 때에는 너무 좁은 토지를 증가시키거나 토지에 갈음하여 보상을 하거나 건축물의 일부와 그 건축물이 있는 대지의 공유지분을 교부할 수 있다.

⑤ 분양설계에 관한 계획은 분양신청기간이 만료되는 날을 기준으로 하여 수립한다.

⑥ 1세대 또는 1인이 하나 이상의 주택 또는 토지를 소유한 경우 1주택을 공급하고, 같은 세대에 속하지 아니하는 2인 이상이 1주택 또는 1토지를 공유한 경우에는 1주택만 공급한다.

⑦ 위 ⑥에도 불구하고 다음의 경우에는 각 방법에 따라 주택을 공급할 수 있다.

> ㉠ 2명 이상이 1토지를 공유한 경우로서 시 · 도 조례로 주택공급을 따로 정하고 있는 경우에는 시 · 도 조례(건축법 제정 이전에 건축된 가구별로 독립된 주거의 형태로 건축물이 건축되어 있고 가구별로 지분등기가 되어 있는 토지)로 정하는 바에 따라 주택을 공급할 수 있다.
>
> ㉡ 다음의 어느 하나에 해당하는 토지등소유자에게는 주택수만큼 공급할 수 있다.
>
> ⓐ 과밀억제권역에 위치하지 아니한 재건축사업의 토지등소유자. 다만, 투기과열지구 또는 조정대상지역에서 사업시행계획인가(최초 사업시행계획인가를 말한다)를 신청하는 재건축사업의 토지등소유자는 제외한다.
>
> ⓑ 근로자(공무원인 근로자를 포함한다) 숙소, 기숙사 용도로 주택을 소유하고 있는 토지등소유자
>
> ⓒ 국가, 지방자치단체 및 토지주택공사 등
>
> ⓓ 공공기관 지방이전 및 혁신도시 활성화를 위한 시책 등에 따라 이전하는 공공기관이 소유한 주택을 양수한 자
>
> ㉢ 위 ㉡의 ⓐ 단서에도 불구하고 과밀억제권역 외의 조정대상지역 또는 투기과열지구에서 조정대상지역 또는 투기과열지구로 지정되기 전에 1명의 토지등소유자로부터 토지 또는 건축물의 소유권을 양수하여 여러 명이 소유하게 된 경우에는 양도인과 양수인에게 각각 1주택을 공급할 수 있다.

㉣ 분양대상자별 종전의 토지 또는 건축물의 명세 및 사업시행인가의 고시가 있은 날을 기준으로 한 가격의 범위 또는 종전 주택의 주거전용면적의 범위에서 2주택을 공급할 수 있고, 이 중 1주택은 주거전용면적을 60제곱미터 이하로 한다. 다만, 60제곱미터 이하로 공급받은 1주택은 법 제54조 제2항에 따른 이전고시일 다음 날부터 3년이 지나기 전에는 주택을 전매(매매 · 증여나 그 밖에 권리의 변동을 수반하는 모든 행위를 포함하되, 상속의 경우는 제외한다)하거나 이의 전매를 알선할 수 없다.

㉤ 과밀억제권역에 위치한 재건축사업의 경우에는 토지등소유자가 소유한 주택수의 범위에서 3주택까지 공급할 수 있다. 다만, 투기과열지구 또는 조정대상지역에서 사업시행계획인가(최초 사업시행계획인가를 말한다)를 신청하는 재건축사업의 경우에는 그러하지 아니하다.

04 관리처분계획인가의 효과

(1) 효과

① 기존 건축물의 철거

㉠ 사업시행자는 관리처분계획인가를 받은 후 기존의 건축물을 철거하여야 한다(법 제81조 제2항).

㉡ 사업시행자는 다음의 어느 하나에 해당하는 경우에는 ㉠에도 불구하고 기존 건축물의 소유자의 동의 및 시장 · 군수 등의 허가를 받아 해당 건축물을 철거할 수 있다. 이 경우 건축물의 철거에도 불구하고 토지등소유자로서의 권리 · 의무에 영향을 주지 아니한다(법 제81조 제3항).

ⓐ 재난 및 안전관리 기본법, 주택법, 건축법 등 관계 법령에 따라 기존 건축물의 붕괴 등 안전사고의 우려가 있는 경우
ⓑ 폐공가(廢公家)의 밀집으로 우범지대화의 우려가 있는 경우

② **사용 · 수익의 정지**: 종전의 토지 또는 건축물의 소유자 · 지상권자 · 전세권자 · 임차권자 등 권리자는 관리처분계획인가의 고시가 있은 때에는 소유권 이전고시가 있는 날까지 종전의 토지 또는 건축물을 사용하거나 수익할 수 없다. 다만, 다음의 어느 하나에 해당하는 경우에는 그러하지 아니하다(법 제81조 제1항).

㉠ 사업시행자의 동의를 받은 경우
㉡ 공익사업을 위한 토지 등의 취득 및 보상에 관한 법률에 따른 손실보상이 완료되지 아니한 경우

③ 지상권 등 계약의 해지

㉠ 관리처분계획의 인가를 받은 경우 지상권 · 전세권설정계약 또는 임대차계약의 계약기간에 대하여는 민법 제280조 · 제281조 및 제312조 제2항, 주택임대차보호법 제4조 제1항, 상가건물 임대차보호법 제9조 제1항의 규정은 이를 적용하지 아니한다(법 제70조 제5항).

㉡ 정비사업의 시행으로 인하여 지상권 · 전세권 또는 임차권의 설정목적을 달성할 수 없는 때에는 그 권리자는 계약을 해지할 수 있다(법 제70조 제1항).

㉢ 위 ㉡에 따라 계약을 해지할 수 있는 자가 가지는 전세금 · 보증금, 그 밖의 계약상의 금전의 반환청구권은 사업시행자에게 이를 행사할 수 있다(법 제70조 제2항).

㉣ 위 ㉢에 따른 금전의 반환청구권의 행사로 해당 금전을 지급한 사업시행자는 해당 토지등소유자에게 이를 구상할 수 있다(법 제70조 제3항).

㉤ 사업시행자는 ㉣에 따라 구상이 되지 아니하는 때에는 해당 토지등소유자에게 귀속될 대지 또는 건축물을 압류할 수 있다. 이 경우 압류한 권리는 저당권과 동일한 효력을 가진다(법 제70조 제4항).

(2) 관리처분계획에 따른 처분 등

① **주택의 공급 등**: 정비사업의 시행으로 조성된 대지 및 건축물은 관리처분계획에 따라 처분 또는 관리하여야 하며, 정비사업의 시행으로 건설된 건축물을 인가받은 관리처분계획에 따라 토지등소유자에게 공급하여야 한다(법 제79조 제1항 · 제2항).

② **모집조건의 변경 등**: 사업시행자는 정비구역에 주택을 건설하는 경우에는 입주자 모집조건 · 방법 · 절차, 입주금(계약금 · 중도금 및 잔금을 말한다)의 납부방법 · 시기 · 절차, 주택공급방법 · 절차 등에 관하여 주택법 제54조에도 불구하고 대통령령으로 정하는 범위에서 시장 · 군수 등의 승인을 받아 따로 정할 수 있다(법 제79조 제3항).

③ **잔여분의 분양 등**: 사업시행자는 분양신청을 받은 후 잔여분이 있는 경우에는 정관 등 또는 사업시행계획으로 정하는 목적을 위하여 그 잔여분을 보류지(건축물을 포함한다)로 정하거나 조합원 또는 토지등소유자 이외의 자에게 분양할 수 있다. 이 경우 분양공고와 분양신청절차 등에 필요한 사항은 대통령령으로 정한다(법 제79조 제4항).

(3) 주택 등 건축물을 분양받을 권리의 산정기준일

① 정비사업을 통하여 분양받을 건축물이 다음의 어느 하나에 해당하는 경우에는 정비구역 지정 · 고시가 있은 날 또는 시 · 도지사가 투기를 억제하기 위하여 기본계획 수립 후 정비구역 지정 · 고시 전에 따로 정하는 날(이하 '기준일'이라 한다)의 다음 날을 기준으로 건축물을 분양받을 권리를 산정한다(법 제77조 제1항).

㉠ 1필지의 토지가 수개의 필지로 분할되는 경우
㉡ 집합건물의 소유 및 관리에 관한 법률에 따른 집합건물이 아닌 건축물이 같은 법에 따른 집합건물로 전환되는 경우
㉢ 하나의 대지 범위 안에 속하는 동일인 소유의 토지와 주택 등 건축물을 토지와 주택 등 건축물로 각각 분리하여 소유하는 경우
㉣ 나대지에 건축물을 새로이 건축하거나 기존 건축물을 철거하고 다세대주택, 그 밖의 공동주택을 건축하여 토지등소유자가 증가되는 경우
㉤ 집합건물의 소유 및 관리에 관한 법률 제2조 제3호에 따른 전유부분의 분할로 토지등소유자의 수가 증가하는 경우

② 시 · 도지사는 기준일을 따로 정하는 경우에는 기준일 · 지정사유 · 건축물의 분양받을 권리의 산정기준 등을 해당 지방자치단체의 공보에 고시하여야 한다(법 제77조 제2항).

05 지분형 주택과 토지임대부 분양주택의 공급

(1) 지분형 주택

① **공급**: 사업시행자가 토지주택공사 등인 경우에는 분양대상자와 사업시행자가 공동소유하는 방식으로 주택(이하 '지분형 주택'이라 한다)을 공급할 수 있다(법 제80조 제1항).

② **공급규모 및 공동소유기간**: 지분형 주택의 규모는 주거전용면적 60제곱미터 이하인 주택으로 한정하며, 공동소유기간은 소유권을 취득한 날부터 10년의 범위에서 사업시행자가 정하는 기간으로 한다(법 제80조 제1항, 영 제70조 제1항).

③ **지분형 주택의 분양대상자**: 지분형 주택의 분양대상자는 다음의 요건을 모두 충족하는 자로 하며, 지분형 주택의 공급방법 · 절차, 지분 취득비율, 지분 사용료 및 지분 취득가격 등에 관하여 필요한 사항은 사업시행자가 따로 정한다(법 제80조 제1항, 영 제70조 제1항 · 제2항).

㉠ 분양대상자별 종전의 토지 또는 건축물 명세 및 사업시행계획인가 고시가 있은 날을 기준으로 한 가격이 ②에 따른 주택의 분양가격 이하에 해당하는 사람
㉡ 세대주로서 정비계획의 공람 공고일 당시 해당 정비구역에 2년 이상 실제 거주한 사람
㉢ 정비사업의 시행으로 철거되는 주택 외 다른 주택을 소유하지 아니한 사람

(2) 소규모 토지 등의 소유자에 대한 토지임대부 분양주택 공급

① **공급**: 국토교통부장관, 시 · 도지사, 시장 · 군수 · 구청장 또는 토지주택공사 등은 정비구역에 세입자와 다음에 해당하는 자의 요청이 있는 경우에는 법 제79조 제5항에 따라 인수한 임대주택의 일부를 주택법에 따른 토지임대부 분양주택으로 전환하여 공급하여야 한다(법 제80조 제2항, 영 제71조 제1항).

㉠ 면적이 90제곱미터 미만의 토지를 소유한 자로서 건축물을 소유하지 아니한 자
㉡ 바닥면적이 40제곱미터 미만의 사실상 주거를 위하여 사용하는 건축물을 소유한 자로서 토지를 소유하지 아니한 자

② 조정: 위 ①에도 불구하고 토지 또는 주택의 면적은 ①의 각 내용에서 정한 면적의 2분의 1 범위에서 시 · 도 조례로 달리 정할 수 있다(영 제71조 제2항).

제5절 공사완료절차와 소유권이전

01 준공인가와 공사완료고시

(1) 준공인가 · 고시

① 시장 · 군수 등이 아닌 사업시행자가 정비사업 공사를 완료한 때에는 대통령령으로 정하는 방법 및 절차에 따라 시장 · 군수 등의 준공인가를 받아야 한다(법 제83조 제1항).

② 준공인가신청을 받은 시장 · 군수 등은 지체 없이 준공검사를 실시하여야 한다. 이 경우 시장 · 군수 등은 효율적인 준공검사를 위하여 필요한 때에는 관계 행정기관 · 공공기관 · 연구기관, 그 밖의 전문기관 또는 단체에 준공검사의 실시를 의뢰할 수 있다(법 제83조 제2항).

③ 시장 · 군수 등은 준공검사를 실시한 결과 정비사업이 인가받은 사업시행계획대로 완료되었다고 인정되는 때에는 준공인가를 하고 공사의 완료를 해당 지방자치단체의 공보에 고시하여야 하며, 시장 · 군수 등이 직접 시행하는 정비사업에 관한 공사가 완료된 때에는 그 완료를 해당 지방자치단체의 공보에 고시하여야 한다(법 제83조 제3항 · 제4항).

(2) 준공인가 전 건축물의 사용

시장 · 군수 등은 준공인가를 하기 전이라도 다음의 기준에 적합한 경우에는 입주예정자가 완공된 건축물을 사용할 수 있도록 사업시행자에게 허가할 수 있다. 다만, 시장 · 군수 등이 사업시행자인 경우에는 허가를 받지 아니하고 입주예정자가 완공된 건축물을 사용하게 할 수 있다. 이 경우 시장 · 군수 등은 동별 · 세대별 또는 구획별로 사용허가를 할 수 있다(법 제83조 제5항, 영 제75조).

> ① 완공된 건축물에 전기 · 수도 · 난방 및 상 · 하수도 시설 등이 갖추어져 있어 해당 건축물을 사용하는 데 지장이 없을 것
> ② 완공된 건축물이 관리처분계획에 적합할 것
> ③ 입주자가 공사에 따른 차량통행 · 소음 · 분진 등의 위해로부터 안전할 것

(3) 준공인가에 따른 정비구역의 해제

정비구역의 지정은 준공인가의 고시가 있은 날(관리처분계획을 수립하는 경우에는 이전 고시가 있은 때를 말한다)의 다음 날에 해제된 것으로 본다. 이 경우 지방자치단체는 해당 지역을 국토의 계획 및 이용에 관한 법률에 따른 지구단위계획으로 관리하여야 하며, 정비구역의 해제는 조합의 존속에 영향을 주지 아니한다(법 제84조).

02 소유권이전

(1) 이전절차

① 사업시행자는 준공인가 · 공사완료의 고시가 있은 때에는 지체 없이 대지확정측량을 하고 토지의 분할절차를 거쳐 관리처분계획에 정한 사항을 분양을 받을 자에게 통지하고 대지 또는 건축물의 소유권을 이전하여야 한다. 다만, 정비사업의 효율적인 추진을 위하여 필요한 경우에는 해당 정비사업에 관한 공사가 전부 완료되기 전에 완공된 부분에 대하여 준공인가를 받아 대지 또는 건축물별로 이를 분양받을 자에게 그 소유권을 이전할 수 있다(법 제86조 제1항).

② 사업시행자는 대지 및 건축물의 소유권을 이전하고자 하는 때에는 그 내용을 해당 지방자치단체의 공보에 고시한 후 이를 시장 · 군수 등에게 보고하여야 한다. 이 경우 대지 또는 건축물을 분양받을 자는 고시가 있은 날의 다음 날에 그 대지 또는 건축물에 대한 소유권을 취득한다(법 제86조 제2항).

(2) 이전효력(대지 및 건축물에 대한 권리의 확정)

대지 또는 건축물을 분양받을 자에게 소유권을 이전한 경우 종전의 토지 또는 건축물에 설정된 지상권 · 전세권 · 저당권 · 임차권 · 가등기담보권 · 가압류 등 등기된 권리 및 주택임대차보호법의 요건을 갖춘 임차권은 소유권을 이전받은 대지 또는 건축물에 설정된 것으로 본다(법 제87조 제1항).

(3) 이전등기

① 사업시행자는 소유권이전의 고시가 있은 때에는 지체 없이 대지 및 건축물에 관한 등기를 지방법원지원 또는 등기소에 촉탁 또는 신청하여야 하는데(법 제88조 제1항), 이의 등기에 관하여 필요한 사항은 대법원규칙으로 정한다(법 제88조 제2항).

② 정비사업에 관하여 소유권이전의 고시가 있은 날부터 소유권이전등기가 있을 때까지는 저당권 등의 다른 등기를 하지 못한다(법 제88조 제3항).

03 청산금의 징수와 지급

(1) 청산시기 및 분할, 가격평가

대지 또는 건축물을 분양받은 자가 종전에 소유하고 있던 토지 또는 건축물의 가격과 분양받은 대지 또는 건축물의 가격 사이에 차이가 있는 경우에는 사업시행자는 소유권이전의 고시가 있은 후에 그 차액에 상당하는 금액(이하 '청산금'이라 한다)을 분양받은 자로부터 징수하거나 분양받은 자에게 지급하여야 한다. 다만, 정관 등에서 분할징수 및 분할지급에 대하여 정하고 있거나 총회의 의결을 거쳐 따로 정한 경우에는 관리처분계획인가 후부터 소유권이전의 고시일까지 일정기간별로 분할징수하거나 분할지급할 수 있다(법 제89조 제1항 · 제2항).

(2) 강제징수

시장 · 군수 등인 사업시행자는 청산금을 납부할 자가 이를 납부하지 아니하는 경우 지방세 체납처분의 예에 따라 징수(분할징수를 포함한다. 이하 같다)할 수 있으며, 시장 · 군수 등이 아닌 사업시행자는 시장 · 군수 등에게 청산금의 징수를 위탁할 수 있다. 이 경우 법 제93조 제5항을 준용한다(법 제90조 제1항).

(3) 공탁 및 소멸시효

① 청산금을 지급받을 자가 이를 받을 수 없거나 거부한 때에는 사업시행자는 그 청산금을 공탁할 수 있다(법 제90조 제2항).

② 청산금을 지급(분할지급을 포함한다)받을 권리 또는 이를 징수할 권리는 소유권이전의 고시일 다음 날부터 5년간 이를 행사하지 아니하면 소멸한다(법 제90조 제3항).

(4) 저당권의 물상대위

정비구역에 있는 토지 또는 건축물에 저당권을 설정한 권리자는 사업시행자가 저당권이 설정된 토지 또는 건축물의 소유자에게 청산금을 지급하기 전에 압류절차를 거쳐 저당권을 행사할 수 있다(법 제91조).

제6절 정비사업에 대한 기타 관련 제도

01 순환정비방식의 정비사업

(1) 사업시행자는 정비구역의 안과 밖에 새로 건설한 주택 또는 이미 건설되어 있는 주택의 경우 그 정비사업의 시행으로 철거되는 주택의 소유자 또는 세입자(정비구역에서 실제 거주하는 자로 한정한다)를 임시로 거주하게 하는 등 그 정비구역을 순차적으로 정비하여 주택의 소유자 또는 세입자의 이주대책을 수립하여야 한다(법 제59조 제1항).

(2) 사업시행자는 (1)에 따른 방식으로 정비사업을 시행하는 경우에는 순환용 주택을 임시거주시설로 사용하거나 임대할 수 있으며, 대통령령으로 정하는 방법과 절차에 따라 토지주택공사 등이 보유한 공공임대주택을 순환용 주택으로 우선공급할 것을 요청할 수 있다(법 제59조 제2항).

(3) 사업시행자는 순환용 주택에 거주하는 자가 정비사업이 완료된 후에도 순환용 주택에 계속 거주하기를 희망하는 때에는 대통령령으로 정하는 바에 따라 분양하거나 계속 임대할 수 있다. 이 경우 사업시행자가 소유하는 순환용 주택은 인가받은 관리처분계획에 따라 토지등소유자에게 처분된 것으로 본다(법 제59조 제3항).

02 임시거주시설 · 임시상가의 설치

(1) 사업시행자는 주거환경개선사업 및 재개발사업의 시행으로 철거되는 주택의 소유자 또는 세입자에게 해당 정비구역 안과 밖에 위치한 임대주택 등의 시설에 임시로 거주하게 하거나 주택자금의 융자를 알선하는 등 임시거주에 상응하는 조치를 하여야 한다(법 제61조 제1항).

(2) 시설이나 토지의 일시사용과 회복

① 사업시행자는 그 임시거주시설의 설치 등을 위하여 필요한 때에는 국가 · 지방자치단체, 그 밖의 공공단체 또는 개인의 시설이나 토지를 일시사용할 수 있다(법 제61조 제2항).

② 국가 또는 지방자치단체는 사업시행자로부터 임시거주시설에 필요한 건축물이나 토지의 사용신청을 받은 때에는 다음의 사유가 없으면 이를 거절하지 못한다. 이 경우 그 사용료 또는 대부료는 이를 면제한다(법 제61조 제3항, 영 제53조).

㉠ 제3자와 이미 매매계약을 체결한 경우 ㉡ 사용신청 이전에 사용계획이 확정된 경우 ㉢ 제3자에게 이미 사용허가를 한 경우

③ 사업시행자는 정비사업의 공사를 완료한 때에는 그 완료한 날부터 30일 이내에 임시 거주시설을 철거하고, 그 건축물이나 토지를 원상회복하여야 한다(법 제61조 제4항).

기출예제

도시 및 주거환경정비법 제61조(임시거주시설 · 임시상가의 설치 등) 규정의 일부이다. (　　) 안에 들어갈 용어와 아라비아 숫자를 쓰시오. 제26회

- 사업시행자는 주거환경개선사업 및 재개발사업의 시행으로 철거되는 주택의 소유자 또는 (㉠)에게 해당 정비구역 안과 밖에 위치한 임대주택 등의 시설에 임시로 거주하게 하거나 주택자금의 융자를 알선하는 등 임시거주에 상응하는 조치를 하여야 한다.
- 사업시행자는 정비사업의 공사를 완료한 때에는 완료한 날부터 (㉡)일 이내에 임시거주시설을 철거하고, 사용한 건축물이나 토지를 원상회복하여야 하다.

정답: ㉠ 세입자, ㉡ 30

(3) 임시상가의 설치

재개발사업의 사업시행자는 사업시행으로 이주하는 상가세입자가 사용할 수 있도록 정비구역 또는 정비구역 인근에 임시상가를 설치할 수 있다(법 제61조 제5항).

(4) 보상

① 사업시행자는 위에 따라 공공단체(지방자치단체는 제외한다) 또는 개인의 시설이나 토지를 일시 사용함으로써 손실을 입은 자가 있는 경우에는 손실을 보상하여야 하며, 손실을 보상하는 경우에는 손실을 입은 자와 협의하여야 한다(법 제62조 제1항). 이때 협의가 성립되지 아니하거나 협의할 수 없는 경우에는 공익사업을 위한 토지 등의 취득 및 보상에 관한 법률 제49조에 따라 설치되는 관할 토지수용위원회에 재결을 신청할 수 있다(법 제62조 제2항).

② 위 ①에 따른 손실보상은 이 법에 규정된 사항을 제외하고는 공익사업을 위한 토지 등의 취득 및 보상에 관한 법률을 준용한다(법 제62조 제3항).

03 토지 등의 수용 · 사용

(1) 사업시행자는 정비구역 안에서 정비사업(재건축사업의 경우에는 천재지변, 그 밖의 불가피한 사유로 인하여 긴급히 정비사업을 시행할 필요가 있다고 인정되는 때에 해당하는 사업에 한한다)을 시행하기 위하여 필요한 경우에는 공익사업을 위한 토지 등의 취득 및 보상에 관한 법률에 따른 토지 · 물건 또는 그 밖의 권리를 수용 또는 사용할 수 있다(법 제63조).

(2) 위 (1)에 따라 공익사업을 위한 토지 등의 취득 및 보상에 관한 법률을 준용하는 경우 사업시행계획인가 고시가 있은 때에는 사업인정 및 그 고시가 있은 것으로 보며, 수용 또는 사용에 대한 재결의 신청은 공익사업을 위한 토지 등의 취득 및 보상에 관한 법률에도 불구하고 사업시행계획인가를 할 때 정한 사업시행기간 이내에 이를 행하여야 한다(법 제65조 제1항 · 제2항 · 제3항).

(3) 대지 또는 건축물을 현물보상하는 경우에는 공익사업을 위한 토지 등의 취득 및 보상에 관한 법률에도 불구하고 준공인가 이후에도 할 수 있다(법 제65조 제4항).

04 용적률에 관한 특례

(1) 사업시행자가 다음의 어느 하나에 해당하는 경우에는 해당 정비구역에 적용되는 용적률의 100분의 125 이하의 범위에서 대통령령으로 정하는 바에 따라 특별시 · 광역시 · 특별자치시 · 특별자치도 · 시 또는 군의 조례로 용적률을 완화하여 정할 수 있다(법 제66조 제1항).

① 법 제65조에 따라 대통령령으로 정하는 손실보상의 기준 이상으로 세입자에게 주거이전비를 지급하거나 영업의 폐지 또는 휴업에 따른 손실을 보상하는 경우
② 법 제65조에 따른 손실보상에 더하여 임대주택을 추가로 건설하거나 임대상가를 건설하는 등 추가적인 세입자 손실보상대책을 수립하여 시행하는 경우

핵심 콕! 콕! 영업손실보상기준(영 제54조 제2항)

1. 정비사업으로 인한 영업의 폐지 또는 휴업에 대하여 손실을 평가하는 경우 영업의 휴업기간은 4개월 이내로 한다. 다만, 다음의 어느 하나에 해당하는 경우에는 실제 휴업기간으로 하되, 그 휴업기간은 2년을 초과할 수 없다.
   - 해당 정비사업을 위한 영업의 금지 또는 제한으로 인하여 4개월 이상의 기간 동안 영업을 할 수 없는 경우
   - 영업시설의 규모가 크거나 이전에 고도의 정밀성을 요구하는 등 해당 영업의 고유한 특수성으로 인하여 4개월 이내에 다른 장소로 이전하는 것이 어렵다고 객관적으로 인정되는 경우
2. 이 경우 영업손실과 주거이전비를 보상하는 경우 보상대상자의 인정시점은 정비구역 지정을 위한 공람 공고일로 본다.

(2) 정비구역이 역세권 등 대통령령으로 정하는 요건에 해당하는 경우(법 제24조 제4항, 제26조 제1항 제1호 및 제27조 제1항 제1호에 따른 정비사업을 시행하는 경우는 제외한다)에는 제11조, 제54조 및 국토의 계획 및 이용에 관한 법률 제78조에도 불구하고 다음의 어느 하나에 따라 용적률을 완화하여 적용할 수 있다(법 제66조 제2항).

> ① 지방도시계획위원회의 심의를 거쳐 법적 상한용적률의 100분의 120까지 완화
> ② 용도지역의 변경을 통하여 용적률을 완화하여 정비계획을 수립(변경수립을 포함한다)한 후 변경된 용도지역의 법적 상한용적률까지 완화

(3) 사업시행자는 (2)에 따라 완화된 용적률에서 정비계획으로 정하여진 용적률을 뺀 용적률의 100분의 75 이하로서 대통령령으로 정하는 바에 따라 시 · 도 조례로 정하는 비율에 해당하는 면적에 국민주택규모 주택을 건설하여 인수자에게 공급하여야 한다. 이 경우 국민주택규모 주택의 공급 및 인수방법에 관하여는 법 제55조를 준용한다(법 제66조 제3항).

(4) 위 (3)에도 불구하고 인수자는 사업시행자로부터 공급받은 주택 중 대통령령으로 정하는 비율에 해당하는 주택에 대해서는 공공주택 특별법 제48조에 따라 분양할 수 있다. 이 경우 해당 주택의 공급가격은 주택법 제57조 제4항에 따라 국토교통부장관이 고시하는 건축비로 하며, 부속 토지의 가격은 감정평가액의 100분의 50 이상의 범위에서 대통령령으로 정한다(법 제66조 제4항).

05 용적률 완화 및 소형주택 건설 · 공급

(1) 용적률 완화 및 소형주택 건설

① 완화대상 정비사업: 사업시행자는 다음의 어느 하나에 해당하는 정비사업(재정비촉진지구에서 시행되는 재개발사업 및 재건축사업은 제외한다)을 시행하는 경우 정비계획으로 정하여진 용적률에도 불구하고 지방도시계획위원회의 심의를 거쳐 국토의 계획 및 이용에 관한 법률에 따른 용적률의 상한(법적 상한용적률)까지 건축할 수 있다(법 제54조 제1항).

> ㉠ 과밀억제권역에서 시행하는 재개발사업 및 재건축사업(주거지역 및 대통령령으로 정하는 공업지역으로 한정한다)
> ㉡ ㉠ 외의 경우 시 · 도 조례로 정하는 지역에서 시행하는 재개발사업 및 재건축사업

② 소형주택 건설비율: 사업시행자는 법적 상한용적률에서 정비계획으로 정하여진 용적률을 뺀 용적률(이하 '초과용적률'이라 한다)의 다음에 따른 비율에 해당하는 면적에 국민주택규모 주택을 건설하여야 한다. 다만, 법 제24조 제4항, 제26조 제1항 제1호 및 제27조 제1항 제1호에 따른 정비사업을 시행하는 경우에는 그러하지 아니하다(법 제54조 제4항).

㉠ 과밀억제권역에서 시행하는 재건축사업은 초과용적률의 100분의 30 이상 100분의 50 이하로서 시 · 도 조례로 정하는 비율
㉡ 과밀억제권역에서 시행하는 재개발사업은 초과용적률의 100분의 50 이상 100분의 75 이하로서 시 · 도 조례로 정하는 비율
㉢ 과밀억제권역 외의 지역에서 시행하는 재건축사업은 초과용적률의 100분의 50 이하로서 시 · 도 조례로 정하는 비율
㉣ 과밀억제권역 외의 지역에서 시행하는 재개발사업은 초과용적률의 100분의 75 이하로서 시 · 도 조례로 정하는 비율

(2) 소형주택 공급

① **대상**: 사업시행자는 (1)에 따라 건설한 소형주택을 국토교통부장관, 시 · 도지사, 시장 · 군수 · 구청장 또는 토지주택공사 등(인수자)에 공급하여야 한다(법 제55조 제1항).

② **가격**: 이 경우 소형주택의 공급가격은 공공주택 특별법에 따라 국토교통부장관이 고시하는 공공건설임대주택의 표준건축비로 하며, 부속토지는 인수자에게 기부채납한 것으로 본다(법 제55조 제2항).

③ **활용**: 인수된 소형주택은 대통령령으로 정하는 장기공공임대주택으로 활용하여야 한다. 다만, 토지등소유자의 부담 완화 등 대통령령으로 정하는 요건에 해당하는 경우에는 인수된 소형주택을 장기공공임대주택이 아닌 임대주택으로 활용할 수 있다(법 제55조 제4항).

(3) 임대조건

사업시행자는 정비사업의 시행으로 임대주택을 건설하는 경우에는 임차인의 자격 · 선정방법 · 임대보증금 · 임대료 등 임대조건에 관한 기준 및 무주택 세대주에게 우선 매각하도록 하는 기준 등에 관하여 민간임대주택에 관한 특별법, 공공주택 특별법에도 불구하고 대통령령으로 정하는 범위에서 시장 · 군수 등의 승인을 받아 따로 정할 수 있다. 다만, 재개발임대주택으로서 최초의 임차인 선정이 아닌 경우에는 대통령령으로 정하는 범위에서 인수자가 따로 정한다(법 제79조 제6항).

06 매도청구

(1) 참가촉구

재건축사업의 사업시행자는 사업시행계획인가의 고시가 있은 날부터 30일 이내에 다음의 자에게 조합설립 또는 사업시행자의 지정에 관한 동의 여부를 회답할 것을 서면으로 촉구하여야 하고(법 제64조 제1항), 촉구를 받은 토지등소유자는 촉구를 받은 날부터 2개월 이내에 회답하여야 하며, 기간 내에 회답하지 아니한 경우 그 토지등소유자는 조합

설립 또는 사업시행자의 지정에 동의하지 아니하겠다는 뜻을 회답한 것으로 본다(법 제64조 제2항 · 제3항).

> ① 조합설립의 동의를 하지 아니한 자
> ② 시장 · 군수 등, 토지주택공사 등 또는 신탁업자의 사업시행자 지정에 동의하지 아니한 자

(2) 매도청구

위 (1)의 기간이 지나면 사업시행자는 그 기간이 만료된 때부터 2개월 이내에 조합설립 또는 사업시행자 지정에 동의하지 아니하겠다는 뜻을 회답한 토지등소유자와 건축물 또는 토지만 소유한 자에게 건축물 또는 토지의 소유권과 그 밖의 권리를 매도할 것을 청구할 수 있다(법 제64조 제4항).

(3) 입주자모집

사업시행자가 매도청구소송을 통하여 법원의 승소판결을 받은 후 입주예정자에게 피해가 없도록 손실보상금을 공탁하고 분양예정인 건축물을 담보한 경우에는 법원의 승소판결이 확정되기 전이라도 주택법 제54조에도 불구하고 입주자를 모집할 수 있으나, 제83조에 따른 준공인가 신청 전까지 해당 주택건설대지의 소유권을 확보하여야 한다(법 제79조 제8항).

07 재건축사업의 범위에 대한 특례

(1) 토지분할 청구

① 사업시행자 또는 추진위원회는 다음의 어느 하나에 해당하는 경우에는 그 주택단지 안의 일부 토지에 대하여 건축법 제57조에도 불구하고 분할하려는 토지면적이 같은 조에서 정하고 있는 면적에 미달되더라도 토지분할을 청구할 수 있다(법 제67조 제1항).

> ㉠ 사업계획승인을 받아 건설한 둘 이상의 건축물이 있는 주택단지에 재건축사업을 하는 경우
> ㉡ 조합설립의 동의요건을 충족시키기 위하여 필요한 경우

② 사업시행자 또는 추진위원회는 토지분할청구를 하는 때에는 토지분할대상이 되는 토지 및 그 위의 건축물과 관련된 토지등소유자와 협의하여야 하는데(법 제67조 제2항), 이에 따른 토지분할의 협의가 성립되지 아니한 경우에는 법원에 토지분할을 청구할 수 있다(법 제67조 제3항).

(2) 토지분할 완료 전 조합설립인가 · 사업시행인가

시장 · 군수 등은 토지분할이 청구된 경우에 분할되어 나가는 토지 및 그 위의 건축물이 다음의 요건을 충족하는 때에는 토지분할이 완료되지 아니하여 동의요건에 미달되더라도 건축법 제4조에 따라 특별자치시 · 특별자치도 · 시 · 군 · 구(자치구를 말한다)에 설치하는 건축위원회의 심의를 거쳐 조합설립인가와 사업시행계획인가를 할 수 있다(법 제67조 제4항).

> ① 해당 토지 및 건축물과 관련된 토지등소유자(법 제77조에 따른 기준일의 다음 날 이후에 정비구역에 위치한 건축물 및 그 부속토지의 소유권을 취득한 자는 제외한다)의 수가 전체의 10분의 1 이하일 것
> ② 분할되어 나가는 토지 위의 건축물이 분할선상에 위치하지 아니할 것
> ③ 분할되어 나가는 건축물의 대지는 2미터 이상이 도로(자동차만의 통행에 사용되는 도로는 제외한다)에 접할 것

08 주거환경개선사업의 특례

(1) 용도지역의 지정

① 주거환경개선구역은 해당 정비구역의 지정 · 고시가 있은 날부터 주거지역을 세분하여 정하는 지역 중 다음의 지역으로 결정 · 고시된 것으로 본다(법 제69조 제1항 전단, 영 제58조).

> ㉠ **주거환경개선사업이** 스스로 개량 또는 환지방법**으로 시행되는 경우**: 제2종 일반주거지역
> ㉡ **주거환경개선사업이** 수용 또는 관리처분계획의 방법**으로 시행되는 경우**: 제3종 일반주거지역. 다만, 공공지원민간임대주택 또는 공공건설임대주택을 200세대 이상 공급하려는 경우로서 해당 임대주택의 건설지역을 포함하여 정비계획에서 따로 정하는 구역은 준주거지역으로 한다.

② 위 ①에도 불구하고 다음의 어느 하나에 해당하는 경우에는 그러하지 아니하다(법 제69조 제1항 후단).

> ㉠ 해당 정비구역이 개발제한구역인 경우
> ㉡ 시장 · 군수 등이 주거환경개선사업을 위하여 필요하다고 인정하여 해당 정비구역의 일부분을 종전 용도지역으로 그대로 유지하거나 동일 면적의 범위에서 위치를 변경하는 내용으로 정비계획을 수립한 경우
> ㉢ 시장 · 군수 등이 주거지역을 세분 또는 변경하는 계획과 용적률에 관한 사항을 포함하는 정비계획을 수립한 경우

(2) 주거환경개선사업에 따른 건축허가를 받은 때와 부동산등기(소유권보존등기 또는 이전등기로 한정한다)를 하는 때에는 주택도시기금법 제8조의 국민주택채권의 매입에 관한 규정을 적용하지 아니한다(법 제68조 제1항).

(3) 주거환경개선구역 안에서 국토의 계획 및 이용에 관한 법률에 따른 도시 · 군계획시설의 결정 · 구조 및 설치의 기준 등에 관하여서는 국토교통부령으로 정하는 바에 따른다(법 제68조 제2항).

(4) 사업시행자는 주거환경개선구역 안에서 다음에 해당하는 사항에 대하여는 시 · 도 조례가 정하는 바에 의하여 그 기준을 따로 정할 수 있다(법 제68조 제3항).

> ① 대지와 도로의 관계(건축법 제44조. 소방활동에 지장이 없는 경우에 한한다)
> ② 건축물의 높이제한(건축법 제60조 및 제61조. 사업시행자가 공동주택을 건설 · 공급하는 경우에 한한다)

제7절 보칙

01 정비사업전문관리업

(1) 등록

정비사업의 시행을 위하여 다음의 업무사항을 추진위원회 또는 사업시행자로부터 위탁받거나 이와 관련한 자문을 하고자 하는 자는 대통령령이 정하는 자본 · 기술인력 등의 기준을 갖춰 시 · 도지사에게 등록 또는 변경(대통령령이 정하는 경미한 사항의 변경을 제외한다)하여야 한다. 다만, 주택의 건설 등 정비사업 관련 업무를 하는 공공기관 등으로 대통령령으로 정하는 기관의 경우에는 그러하지 아니하다(법 제102조 제1항).

> ① 조합설립의 동의 및 정비사업의 동의에 관한 업무의 대행
> ② 조합설립인가의 신청에 관한 업무의 대행
> ③ 사업성 검토 및 정비사업의 시행계획서의 작성
> ④ 설계자 및 시공자 선정에 관한 업무의 지원
> ⑤ 사업시행계획인가의 신청에 관한 업무의 대행
> ⑥ 관리처분계획의 수립에 관한 업무의 대행

⑦ 시장·군수 등이 정비사업전문관리업자를 선정한 경우에는 추진위원회 설립에 필요한 다음의 업무
㉠ 동의서 징구(徵求)
㉡ 운영규정 작성 지원
㉢ 그 밖에 조례로 정하는 사항

(2) 업무제한

정비사업전문관리업자는 동일한 정비사업에 대하여 다음의 업무를 병행하여 수행할 수 없다(법 제103조, 영 제83조 제2항).

① 건축물의 철거
② 정비사업의 설계
③ 정비사업의 시공
④ 정비사업의 회계감사
⑤ 안전진단업무

02 정비사업의 공공지원

(1) 공공지원

시장 · 군수 등은 정비사업의 투명성 강화 및 효율성 제고를 위하여 시 · 도 조례로 정하는 정비사업에 대하여 사업시행 과정을 지원(이하 '공공지원'이라 한다)하거나 토지주택공사 등, 신탁업자, 주택도시기금법에 따른 주택도시보증공사 또는 01의 (1) 각 호 외의 부분 단서에 따라 대통령령으로 정하는 기관에 공공지원을 위탁할 수 있다(법 제118조 제1항).

(2) 공공지원의 업무범위

정비사업을 공공지원하는 시장 · 군수 등 및 공공지원을 위탁받은 자(이하 '위탁지원자'라 한다)는 다음의 업무를 수행한다(법 제118조 제2항).

① 추진위원회 또는 주민대표회의 구성
② 정비사업전문관리업자의 선정(위탁지원자는 선정을 위한 지원으로 한정한다)
③ 설계자 및 시공자 선정방법 등
④ 세입자의 주거 및 이주대책(이주 거부에 따른 협의대책을 포함한다) 수립
⑤ 관리처분계획 수립
⑥ 그 밖에 시 · 도 조례로 정하는 사항

(3) 위탁지원자에 대한 감독 등

시장 · 군수 등은 위탁지원자의 공정한 업무수행을 위하여 관련 자료의 제출 및 조사, 현장점검 등 필요한 조치를 할 수 있다. 이 경우 위탁지원자의 행위에 대한 대외적인 책임은 시장 · 군수 등에게 있다(법 제118조 제3항).

(4) 비용부담

공공지원에 필요한 비용은 시장 · 군수 등이 부담하되, 특별시장, 광역시장 또는 도지사는 관할 구역의 시장, 군수 또는 구청장에게 특별시 · 광역시 또는 도의 조례로 정하는 바에 따라 그 비용의 일부를 지원할 수 있다(법 제118조 제4항).

(5) 시공자의 선정

다음의 어느 하나에 해당하는 경우에는 토지등소유자(조합을 설립한 경우에는 조합원을 말한다)의 과반수 동의를 받아 시공자를 선정할 수 있다. 다만, ①의 경우에는 해당 건설업자를 시공자로 본다(법 제118조 제7항).

① 조합이 건설업자와 공동으로 정비사업을 시행하는 경우로서 조합과 건설업자 사이에 협약을 체결하는 경우
② 사업대행자가 정비사업을 시행하는 경우

마무리STEP 1 | OX 문제

01 재개발사업의 시행방법은 정비구역에서 인가받은 관리처분계획에 따라 주택, 부대시설 · 복리시설 및 오피스텔을 건설하여 공급하는 방법으로 한다. 다만, 주택단지에 있지 아니하는 건축물의 경우에는 지형여건 · 주변의 환경으로 보아 사업시행상 불가피한 경우로서 정비구역으로 보는 사업에 한정한다. ( )

02 재건축사업은 조합이 시행하거나 조합이 조합원의 과반수의 동의를 받아 시장 · 군수 등, 토지주택공사 등, 건설업자, 등록사업자 또는 신탁업자, 한국부동산원과 공동으로 시행할 수 있다. ( )

03 시장 · 군수 등은 토지등소유자(조합을 설립한 경우에는 조합원을 말한다)의 과반수 동의로 요청하는 경우에는 해당 조합 또는 토지등소유자를 대신하여 직접 정비사업을 시행하거나 토지주택공사 등 또는 지정개발자에게 해당 조합 또는 토지등소유자를 대신하여 정비사업을 시행하게 할 수 있다. ( )

04 사업대행 개시결정 · 고시가 있은 때에는 사업대행자는 그 고시일의 다음 날부터 사업대행완료의 고시일까지 자기의 이름 및 사업시행자의 계산으로 사업시행자의 업무를 집행하고 재산을 관리한다. ( )

01 × 재건축사업의 시행방법에 대한 설명이다. 재개발사업은 정비구역에서 인가받은 관리처분계획에 따라 건축물을 건설하여 공급하거나 환지로 공급하는 방법으로 한다.

02 × 시장 · 군수 등, 토지주택공사 등, 건설업자 또는 등록사업자와 공동으로 시행할 수 있다.

03 ○

04 ○

05 조합은 조합설립인가를 받은 후 조합총회에서 경쟁입찰 또는 수의계약(2회 이상 경쟁입찰이 유찰된 경우로 한정한다)의 방법으로 건설업자 또는 등록사업자를 시공자로 선정하여야 한다. 다만, 조합원이 100명 이하인 정비사업은 조합총회에서 정관으로 정하는 바에 따라 선정할 수 있다. ( )

06 정비계획의 입안권자는 재건축사업 정비계획의 입안을 위하여 정비예정구역별 정비계획의 수립시기가 도래한 때에 안전진단을 실시하여야 한다. ( )

07 주택재건축사업의 안전진단은 주택단지 내의 주택을 대상으로 한다. ( )

08 시 · 도지사는 정비계획의 입안권자에게 정비계획 입안결정의 취소 등 필요한 조치를 명령할 수 있으며, 정비계획의 입안권자는 특별한 사유가 없으면 그 명령에 따라야 한다. ( )

09 조합을 설립하려는 경우에는 정비구역 지정 · 고시 후 5명 이상의 추진위원회 위원과 운영규정에 대하여 토지등소유자 과반수의 동의를 받아 조합설립을 위한 추진위원회를 구성하여 국토교통부령으로 정하는 방법과 절차에 따라 시장 · 군수 등의 승인을 받아야 한다. ( )

10 추진위원회는 수행한 업무를 총회에 보고하여야 하며, 그 업무와 관련된 권리 · 의무는 조합이 포괄승계하며, 추진위원회는 사용경비를 기재한 회계장부 및 관련 서류를 조합설립 등기일부터 30일 이내에 조합에 인계하여야 한다. ( )

11 시장 · 군수 등, 토지주택공사 등 또는 지정개발자가 아닌 자가 정비사업을 시행하려는 경우에는 토지등소유자로 구성된 조합을 설립하여야 한다. ( )

05 ○

06 ○

07 × 주택재건축사업의 안전진단은 주택단지 내의 건축물을 대상으로 한다.

08 × 명령이 아니라 요청이다.

09 ○

10 × 조합설립의 인가일부터 30일 이내에 조합에 인계하여야 한다.

11 ○

12 재건축사업의 추진위원회가 조합을 설립하려는 때에는 주택단지의 공동주택의 각 동별 구분소유자 및 토지면적의 과반수 동의와 주택단지의 전체 구분소유자의 4분의 3 이상 및 토지면적의 4분의 3 이상의 토지소유자의 동의를 받아 시장 · 군수 등의 인가를 받아야 한다. ( )

13 투기과열지구로 지정된 지역에서 재건축사업을 시행하는 경우에는 조합설립인가 후, 재개발사업을 시행하는 경우에는 관리처분계획의 인가 후 해당 정비사업의 건축물 또는 토지를 양수(매매 · 증여, 그 밖의 권리의 변동을 수반하는 모든 행위를 포함하되, 상속 · 이혼으로 인한 양도 · 양수의 경우는 제외한다)한 자는 조합원이 될 수 없다. ( )

14 조합임원의 임기는 2년 이하의 범위에서 정관으로 정하되, 연임할 수 있다. ( )

15 총회의 의결은 조합원 과반수의 출석과 출석 조합원의 과반수 찬성으로 한다. 그러나 사업시행계획 및 관리처분계획에 대한 의결은 조합원 과반수의 찬성으로 의결한다. ( )

16 조합원의 수가 100인 이상인 조합은 대의원회를 둘 수 있으며, 대의원회는 조합원의 10분의 1 이상으로 하되, 조합원의 10분의 1이 100인을 넘는 경우에는 조합원의 10분의 1 범위 안에서 100인 이상으로 구성할 수 있다. ( )

17 시장 · 군수 등은 특별한 사유가 없으면 사업시행계획서의 제출이 있은 날부터 60일 이내에 인가 여부를 결정하여 사업시행자에게 통보하여야 한다. ( )

12 × 주택단지의 공동주택의 각 동별 구분소유자의 과반수 동의와 주택단지의 전체 구분소유자의 4분의 3 이상 및 토지면적의 4분의 3 이상의 토지소유자의 동의이다.

13 ○

14 × 조합임원의 임기는 3년 이하의 범위에서 정관으로 정하되, 연임할 수 있다.

15 ○

16 × 조합원의 수가 100인 이상인 조합은 대의원회를 두어야 한다.

17 ○

18 토지등소유자가 재개발사업을 시행하려는 경우에는 사업시행계획인가를 신청하기 전에 사업시행계획서에 대하여 토지등소유자의 4분의 3 이상 및 토지면적의 2분의 1 이상의 토지소유자의 동의를 받아야 한다. ( )

19 시장 · 군수 등은 사업시행자의 관리처분계획인가의 신청이 있은 날부터 30일 이내에 인가 여부를 결정하여 사업시행자에게 통보하여야 한다. 다만, 시장 · 군수 등은 관리처분계획의 타당성 검증을 요청하는 경우에는 관리처분계획인가의 신청을 받은 날부터 60일 이내에 인가 여부를 결정하여 사업시행자에게 통지하여야 한다. ( )

20 분양설계에 관한 계획은 분양신청기간이 만료되는 날을 기준으로 하여 수립하며, 1세대 또는 1인이 하나 이상의 주택 또는 토지를 소유한 경우 1주택을 공급하고, 같은 세대에 속하지 아니하는 2인 이상이 1주택 또는 1토지를 공유한 경우에는 1주택만 공급한다. ( )

21 사업시행자가 토지주택공사 등인 경우에는 분양대상자와 사업시행자가 공동소유하는 방식으로 주택(지분형 주택)을 공급할 수 있는데, 지분형 주택의 규모는 주거전용면적 85제곱미터 이하인 주택으로 한정하며, 공동소유기간은 소유권을 취득한 날부터 40년의 범위에서 사업시행자가 정하는 기간으로 한다. ( )

22 정비구역의 지정은 준공인가의 고시가 있은 날의 다음 날에 해제된 것으로 본다. 이 경우 지방자치단체는 해당 지역을 국토의 계획 및 이용에 관한 법률에 따른 지구단위계획으로 관리하여야 하며, 조합도 해산하는 것으로 본다. ( )

18 ○

19 ○

20 ○

21 × 지분형 주택의 규모는 주거전용면적 60제곱미터 이하인 주택으로 한정하며, 공동소유기간은 소유권을 취득한 날부터 10년의 범위에서 사업시행자가 정하는 기간으로 한다.

22 × 정비구역의 해제는 조합의 존속에 영향을 주지 아니한다.

23 사업시행자는 준공인가 · 공사완료의 고시가 있은 때에는 지체 없이 대지확정측량을 하고 토지의 분할절차를 거쳐 관리처분계획에 정한 사항을 분양을 받을 자에게 통지하고 대지 또는 건축물의 소유권을 이전하여야 하며, 소유권을 이전하고자 하는 때에는 그 내용을 해당 지방자치단체의 공보에 고시한 후 이를 시장 · 군수 등에게 보고하여야 하며, 그 대지 또는 건축물을 분양받을 자는 고시가 있은 날에 그 대지 또는 건축물에 대한 소유권을 취득한다. ( )

24 청산금을 지급(분할지급을 포함한다)받을 권리 또는 이를 징수할 권리는 소유권이전의 고시일 다음 날부터 5년간 이를 행사하지 아니하면 소멸하며, 저당권을 설정한 권리자는 사업시행자가 저당권이 설정된 토지 또는 건축물의 소유자에게 청산금을 지급하기 전에 압류절차를 거쳐 저당권을 행사할 수 있다. ( )

23 × 고시가 있은 날의 다음 날에 그 대지 또는 건축물에 대한 소유권을 취득한다.

24 ○

마무리STEP 2 | 확인문제

01 **도시 및 주거환경정비법령상 용어에 관한 내용이다. (　　) 안에 들어갈 단어를 쓰시오.**

제12회

> 정비사업이라 함은 도시 및 주거환경정비법에서 정한 절차에 따라 도시기능을 회복하기 위하여 정비구역 안에서 정비기반시설을 정비하고 주택 등 건축물을 개량하거나 건설하는 주거환경개선사업, (　　), 재개발사업을 말한다.

02 **도시 및 주거환경정비법령상 재건축사업의 사업시행자가 관리처분계획을 수립할 때 그 기준으로 옳지 않은 것은?**

제16회

① 정비구역 지정 후 분할된 토지를 취득한 자에 대하여는 현금으로 청산할 수 없다.
② 분양설계에 관한 계획은 분양신청기간이 만료되는 날을 기준으로 하여 수립한다.
③ 2인 이상이 1토지를 공유한 경우로서 시 · 도 조례로 주택공급에 관하여 따로 정하고 있는 경우에는 시 · 도 조례로 정하는 바에 따라 주택을 공급할 수 있다.
④ 지나치게 좁거나 넓은 토지 또는 건축물에 대하여 필요한 경우에는 이를 증가하거나 감소시켜 대지 또는 건축물이 적정 규모가 되도록 한다.
⑤ 수도권정비계획법상의 과밀억제권역에 위치하지 아니하면서, 투기과열지구와 조정대상지역이 아닌 재건축사업의 토지등소유자에게는 소유한 주택수만큼 공급할 수 있다.

03 도시 및 주거환경정비법령상 다음의 설명에 해당하는 용어는? 제16회

> 도시저소득 주민이 집단거주하는 지역으로서 정비기반시설이 극히 열악하고 노후·불량건축물이 과도하게 밀집한 지역의 주거환경을 개선하거나 단독주택 및 다세대주택이 밀집한 지역에서 정비기반시설과 공동이용시설 확충을 통하여 주거환경을 보전·정비·개량하기 위한 사업을 말한다.

① 주거환경개선사업
② 재정비촉진사업
③ 주거환경관리사업
④ 재건축사업
⑤ 재개발사업

04 도시 및 주거환경정비법령상 시공자의 선정 등에 관한 설명으로 옳지 않은 것은? 제15회

① 사업시행자는 선정된 시공자와 공사에 관한 계약을 체결할 때에는 기존 건축물의 철거공사에 관한 사항을 포함하여야 한다.
② 누구든지 시공자 선정과 관련하여 금품, 향응 또는 그 밖의 재산상 이익을 제공하거나 제공의사를 표시하거나 제공을 약속하는 행위를 할 수 없다.
③ 조합원이 100명 이하인 정비사업의 경우에는 조합총회에서 정관으로 정하는 바에 따라 건설업자 또는 등록사업자를 시공자로 선정할 수 있다.
④ 시장·군수 등이 직접 정비사업을 시행하는 경우 사업시행자는 사업시행인가를 받은 후 건설업자 또는 등록사업자를 시공자로 선정하여야 한다.
⑤ ④의 경우 주민대표회의 또는 토지등소유자 전체회의가 시공자를 추천한 경우 사업시행자는 추천받은 자를 시공자로 선정하여야 한다.

정답 | 해설

01 재건축사업
02 ① 투기억제를 위하여 정비구역 지정 후 분할된 토지를 취득한 자에 대하여는 현금으로 청산할 수 있다.
03 ① 주거환경개선사업에 대한 설명이다.
04 ④ 시장·군수 등이 직접 정비사업을 시행하거나 토지주택공사 등을 사업시행자로 지정한 경우 사업시행자는 사업시행자 지정 고시 후 경쟁입찰 또는 수의계약의 방법으로 건설업자 또는 등록사업자를 시공자로 선정하여야 한다.

05 도시 및 주거환경정비법령상 정비사업 조합설립추진위원회가 수행할 수 있는 업무가 아닌 것은?

제12회

① 정비사업전문관리업자의 선정
② 추진위원회 운영규정의 작성
③ 정비사업비의 조합원별 분담내역 작성
④ 토지등소유자의 동의서 징구
⑤ 조합정관의 초안 작성

06 도시 및 주거환경정비법령상 조합에 관한 설명으로 틀린 것은?

제11회

① 조합은 조합설립의 인가를 받은 날부터 30일 이내에 주된 사무소의 소재지에서 대통령령이 정하는 사항을 등기함으로써 성립한다.
② 시장 · 군수 등, 토지주택공사 등 또는 지정개발자가 아닌 자가 정비사업을 시행하려는 경우에는 토지등소유자로 구성된 조합을 설립하여야 한다.
③ 조합은 사업시행인가를 받은 후 조합총회에서 건설업자 또는 등록사업자를 시공자로 선정하여야 한다.
④ 조합을 설립하고자 하는 경우에는 토지등소유자 과반수의 동의를 얻어 조합설립을 위한 추진위원회를 구성하여 국토교통부령으로 정하는 방법과 절차에 따라 시장 · 군수 등의 승인을 받아야 한다.
⑤ 조합에 관하여는 도시 및 주거환경정비법에 규정된 것을 제외하고는 민법 중 사단법인에 관한 규정을 준용한다.

07 도시 및 주거환경정비법령상 조합의 임원에 관한 설명으로 옳지 않은 것은?

제17회 수정

① 조합임원의 임기는 2년 이하의 범위에서 정관으로 정하되, 한 차례에 한하여 중임할 수 있다.
② 도시 및 주거환경정비법을 위반하여 벌금 100만원 이상의 형을 선고받고 10년이 지나지 아니한 자는 임원이 될 수 없다.
③ 조합은 총회 의결을 거쳐 조합임원의 선출에 관한 선거관리를 선거관리위원회법 제3조에 따라 선거관리위원회에 위탁할 수 있다.
④ 조합장 또는 이사가 자기를 위하여 조합과 계약이나 소송을 할 때에는 감사가 조합을 대표한다.
⑤ 조합장은 조합을 대표하고, 그 사무를 총괄하며, 총회 또는 대의원회의 의장이 된다.

08 도시 및 주거환경정비법령상 재건축사업의 시행자가 반드시 작성하여야 하는 관리처분계획의 내용으로 볼 수 없는 것은? 제13회

① 세입자별 주거 및 이주대책
② 기존 건축물의 철거예정시기
③ 분양신청을 받은 후 잔여분이 있는 경우, 보류지 등의 명세와 추산가액 및 처분방법
④ 정비사업의 시행으로 인하여 새로이 설치되는 정비기반시설의 명세와 용도가 폐지되는 정비기반시설의 명세
⑤ 현금으로 청산하여야 하는 토지등소유자별 기존의 토지 · 건축물 또는 그 밖의 권리의 명세와 이에 대한 청산방법

09 도시 및 주거환경정비법령상 재건축사업의 시행자가 기존의 건축물을 철거할 수 있는 원칙적인 시기는? 제13회

① 분양신청 공고일 이후
② 관리처분계획의 인가를 받은 이후
③ 사업시행의 인가를 받은 이후
④ 조합설립의 인가를 받은 이후
⑤ 정비구역 지정 · 고시를 받은 이후

정답 | 해설

05 ③ 정비사업비의 조합원별 분담내역 작성은 정비사업 조합설립추진위원회가 수행할 수 있는 업무가 아니라 정비사업 조합총회의 의결사항이다.

06 ③ 조합은 조합설립인가를 받은 후 조합총회에서 경쟁입찰 또는 수의계약(2회 이상 경쟁입찰이 유찰된 경우로 한정한다)의 방법으로 건설업자 또는 등록사업자를 시공자로 선정하여야 한다.

07 ① 조합임원의 임기는 3년 이하의 범위에서 정관으로 정하되, 연임할 수 있다.

08 ① 세입자별 주거 및 이주대책은 관리처분계획의 내용이 아니라 사업시행계획의 내용이고, 관리처분계획에는 세입자별 손실보상을 위한 권리명세 및 그 평가액이 포함되어야 한다.

09 ② 사업시행자는 원칙적으로 관리처분계획의 인가를 받은 후 기존의 건축물을 철거하여야 한다.

2025 해커스 주택관리사(보)

house.Hackers.com

10개년 출제비중분석

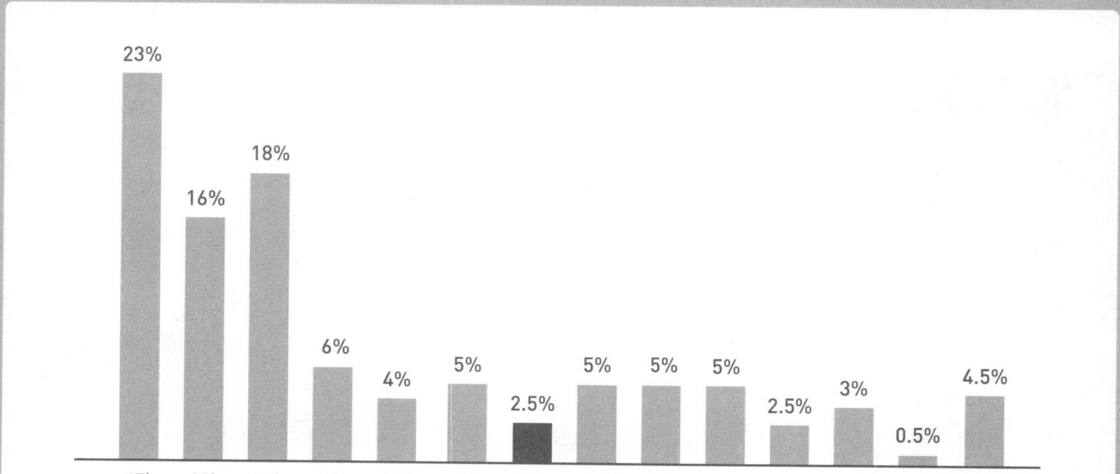

제7편

도시재정비 촉진을 위한 특별법

제 7 편 도시재정비 촉진을 위한 특별법

목차 내비게이션 도시재정비 촉진을 위한 특별법

단원길라잡이

도시재정비 촉진을 위한 특별법에서는 매년 1문제가 출제되고 있다. 이 단원에서는 용어의 정의, 재정비촉진지구의 지정, 재정비촉진계획의 수립과 결정, 개발이익의 환수 등을 중점적으로 학습하여야 한다.

출제포인트

- 촉진지구의 구분
- 용어의 정의
- 촉진사업의 종류
- 촉진지구의 지정요건
- 사업시행자 및 변경
- 촉진구역의 실효

제1절 총칙

01 제정목적

이 법은 도시의 낙후된 지역에 대한 주거환경의 개선, 기반시설의 확충 및 도시기능의 회복을 위한 사업을 광역적으로 계획하고 체계적 · 효율적으로 추진하기 위하여 필요한 사항을 정함으로써 도시의 균형 있는 발전을 도모하고 국민의 삶의 질 향상에 기여함을 목적으로 한다(법 제1조).

02 용어의 정의

이 법에서 사용하는 용어의 정의는 다음과 같다(법 제2조).

(1) 재정비촉진지구

재정비촉진지구란 도시의 낙후된 지역에 대한 주거환경개선과 기반시설의 확충 및 도시기능의 회복을 광역적으로 계획하고 체계적이고 효율적으로 추진하기 위하여 지정하는 지구를 말한다. 이 경우 지구의 특성에 따라 다음의 유형으로 구분한다.

주거지형	노후 · 불량주택과 건축물이 밀집한 지역으로서 주로 주거환경의 개선과 기반시설의 정비가 필요한 지구
중심지형	상업지역 · 공업지역 등으로서 토지의 효율적 이용과 도심 또는 부도심 등의 도시기능의 회복이 필요한 지구
고밀복합형	주요 역세권, 간선도로의 교차지 등 양호한 기반시설을 갖추고 있어 대중교통 이용이 용이한 지역으로서 도심 내 소형주택의 공급확대, 토지의 고도이용과 건축물의 복합개발이 필요한 지구

(2) 기타 지구 · 구역 등

재정비촉진구역	재정비촉진구역이란 재정비촉진사업의 각 해당 사업별로 결정된 구역을 말한다.
우선사업구역	우선사업구역이란 재정비촉진구역 중 재정비촉진사업의 활성화, 소형주택 공급확대, 주민이주대책 지원 등을 위하여 다른 구역에 우선하여 개발하는 구역으로서 재정비촉진계획으로 결정되는 구역을 말한다.
존치지역	존치지역이란 재정비촉진지구에서 재정비촉진사업의 필요성이 적어 재정비촉진계획에 따라 존치하는 지역을 말한다.
존치정비구역	재정비촉진구역의 지정 요건에는 해당하지 아니하나 시간의 경과 등 여건의 변화에 따라 재정비촉진사업 요건에 해당할 수 있거나 재정비촉진사업의 필요성이 높아질 수 있는 구역
존치관리구역	재정비촉진구역의 지정 요건에 해당하지 아니하거나 기존의 시가지로 유지 · 관리할 필요가 있는 구역

(3) 재정비촉진사업

재정비촉진사업이란 재정비촉진지구에서 시행되는 다음의 사업을 말한다.

① 도시 및 주거환경정비법에 따른 주거환경개선사업, 재개발사업 및 재건축사업, 빈집 및 소규모주택 정비에 관한 특례법에 따른 가로주택정비사업, 소규모재건축사업 및 소규모재개발사업
② 도시개발법에 따른 도시개발사업
③ 전통시장 및 상점가 육성을 위한 특별법에 따른 시장정비사업
④ 국토의 계획 및 이용에 관한 법률에 따른 도시 · 군계획시설사업
⑤ 도시재생 활성화 및 지원에 관한 특별법에 따른 주거재생혁신지구의 혁신지구재생사업
⑥ 공공주택 특별법에 따른 도심 공공주택 복합사업

기출예제

도시재정비 촉진을 위한 특별법상 재정비촉진사업에 해당하는 것을 모두 고른 것은?

제26회

㉠ 도시 및 주거환경정비법에 따른 재개발사업 및 재건축사업
㉡ 빈집 및 소규모주택 정비에 관한 특례법에 따른 소규모재건축사업
㉢ 전통시장 및 상점가 육성을 위한 특별법에 따른 시장정비사업
㉣ 국토의 계획 및 이용에 관한 법률에 따른 도시 · 군계획시설사업

① ㉠
② ㉠, ㉡
③ ㉢, ㉣
④ ㉡, ㉢, ㉣
⑤ ㉠, ㉡, ㉢, ㉣

해설

재정비촉진사업
- 주거환경개선사업
- 재개발사업
- 재건축사업
- 가로주택정비사업
- 소규모재건축사업
- 소규모재개발사업
- 도시개발사업
- 시장정비사업
- 도시 · 군계획시설사업
- 혁신지구재생사업
- 도심 공공주택 복합사업

정답: ⑤

(4) 재정비촉진계획

재정비촉진계획이란 재정비촉진지구의 재정비촉진사업을 계획적이고 체계적으로 추진하기 위한 재정비촉진지구의 토지이용, 기반시설의 설치 등에 관한 계획을 말한다.

(5) 기반시설

기반시설이란 국토의 계획 및 이용에 관한 법률에 따른 시설을 말한다.

(6) 토지등소유자

토지등소유자란 다음의 자를 말한다.

① 도시 및 주거환경정비법에 따른 주거환경개선사업 · 재개발사업, 빈집 및 소규모주택 정비에 관한 특례법에 따른 가로주택정비사업 · 소규모재개발사업, 전통시장 및 상점가 육성을 위한 특별법에 따른 시장정비사업, 국토의 계획 및 이용에 관한 법률에 따른 도시 · 군계획시설사업의 경우: 재정비촉진구역에 있는 토지 또는 건축물의 소유자와 그 지상권자
② 도시 및 주거환경정비법에 따른 재건축사업, 빈집 및 소규모주택 정비에 관한 특례법에 따른 소규모재건축사업의 경우: 재정비촉진구역에 있는 건축물 및 그 부속토지의 소유자
③ 도시개발법에 따른 도시개발사업의 경우: 재정비촉진구역에 있는 토지의 소유자와 그 지상권자
④ 도시재생 활성화 및 지원에 관한 특별법에 따른 주거재생혁신지구의 혁신지구재생사업의 경우: 재정비촉진구역에 있는 토지 · 물건 또는 권리의 소유자
⑤ 공공주택 특별법에 따른 도심 공공주택 복합사업의 경우: 재정비촉진구역에 있는 토지 또는 건축물의 소유자

기출예제

도시재정비 촉진을 위한 특별법령상 재정비촉진지구 등에 관한 설명으로 옳지 않은 것은?

제27회

① 재정비촉진지구는 지구의 특성에 따라 주거지형, 중심지형, 고밀복합형으로 구분한다.
② 재정비촉진지구에서 시행되는 공공주택 특별법에 따른 도심 공공주택 복합사업은 '재정비촉진사업'에 해당한다.
③ 도시개발법에 따른 도시개발사업의 경우, 재정비촉진구역에 있는 건축물의 소유자는 '토지등소유자'에 해당한다.
④ 재정비촉진지구는 2개 이상의 재정비촉진사업을 포함하여 지정하여야 한다.
⑤ 재정비촉진지구의 지정이 해제된 경우 재정비촉진계획 결정의 효력은 상실된 것으로 본다.

해설

도시개발법에 따른 도시개발사업의 경우에 있어서 토지등소유자는 재정비촉진구역에 있는 토지소유자와 그 지상권자이다.

정답: ③

03 다른 법률과의 관계

(1) 이 법은 재정비촉진지구에서는 다른 법률에 우선하여 적용한다(법 제3조 제1항).

(2) 재정비촉진사업의 시행에 관하여 이 법에서 규정하지 아니한 사항에 대하여는 해당 사업에 관하여 정하고 있는 관계 법률에 따른다(법 제3조 제2항).

(3) 도시 및 주거환경정비법에 따른 재건축사업과 빈집 및 소규모주택 정비에 관한 특례법에 따른 소규모재건축사업이 시행되는 재정비촉진구역에 대하여는 법 제19조(제2항 제3호는 제외한다) 및 제20조를 적용하지 아니한다(법 제3조 제3항).

제2절 재정비촉진지구와 재정비촉진계획

제1항 재정비촉진지구

01 재정비촉진지구의 지정신청

(1) 지정의 신청

시장(대도시의 시장에 대하여는 재정비촉진사업이 필요하다고 인정되는 지역이 그 관할 지역 및 다른 시 · 군 · 구에 걸쳐 있는 경우로 한정한다) · 군수 · 구청장은 특별시장 · 광역시장 또는 도지사에게 재정비촉진지구의 지정을 신청할 수 있다. 재정비촉진지구를 변경하려는 경우에도 또한 같다(법 제4조 제1항).

(2) 지정신청의 절차

시장 · 군수 · 구청장은 재정비촉진지구의 지정 또는 변경을 신청하려는 경우에는 주민설명회를 열고, 그 내용을 14일 이상 주민에게 공람하며, 지방의회의 의견을 들은 후(이 경우 지방의회는 시장 · 군수 · 구청장이 재정비촉진지구의 지정 또는 변경신청서를 통지한 날부터 60일 이내에 의견을 제시하여야 하며, 의견 제시 없이 60일이 지난 때에는 이의가 없는 것으로 본다) 그 의견을 첨부하여 신청하여야 한다(법 제4조 제3항 본문). 다만, 대통령령(영 제4조 제1항)이 정하는 경미한 사항을 변경신청하고자 하는 경우에는 주민공람 및 지방의회의 의견청취절차를 거치지 아니할 수 있다(법 제4조 제3항 단서).

02 재정비촉진지구의 지정

1. 지정권자

(1) 신청에 의한 지정

특별시장 · 광역시장 또는 도지사는 재정비촉진지구의 지정을 신청받은 경우에는 재정비촉진지구를 지정한다(법 제5조 제1항).

(2) 지정권자의 직권지정

특별시장 · 광역시장 또는 도지사는 시장 · 군수 · 구청장이 재정비촉진지구의 지정을 신청하지 아니하더라도 해당 시장 · 군수 · 구청장과의 협의를 거쳐 직접 재정비촉진지구를 지정할 수 있고(법 제5조 제3항), 특별자치시장, 특별자치도지사, 대도시 시장(재정비촉진사업이 필요하다고 인정되는 지역이 그 관할 지역에 있고 다른 시 · 군 · 구에 걸쳐 있지 아니하는 경우에 한정한다)은 직접 재정비촉진지구를 지정하거나 변경하며, 절차는 다음 2.를 준용한다(법 제5조 제4항).

2. 지정절차

(1) 협의 · 심의

① 특별시장 · 광역시장 또는 도지사는 재정비촉진지구의 지정을 신청받은 경우에는 관계 행정기관의 장과 협의를 거쳐 국토의 계획 및 이용에 관한 법률에 따른 지방도시계획위원회의 심의를 거쳐 재정비촉진지구를 지정한다. 재정비촉진지구의 지정을 변경(대통령령이 정하는 경미한 사항의 변경을 제외한다)하고자 하는 경우에도 또한 같다(법 제5조 제1항).

② 위 ①에도 불구하고 도시재정비위원회가 설치된 특별시 · 광역시 또는 도의 경우에는 도시재정비위원회의 심의로 지방도시계획위원회의 심의를 갈음할 수 있다(법 제5조 제2항).

(2) 고시 및 보고

① 특별시장 · 광역시장 · 특별자치시장 · 도지사 또는 특별자치도지사(이하 '시 · 도지사'라 한다) 또는 대도시 시장은 재정비촉진지구를 지정 또는 변경하는 때에는 대통령령이 정하는 바에 따라 이를 지체 없이 해당 지방자치단체의 공보에 고시하여야 한다(법 제5조 제5항).

② 시 · 도지사 또는 대도시 시장이 재정비촉진지구를 지정하거나 변경한 때에는 국토교통부령이 정하는 바에 따라 국토교통부장관에게 보고하여야 한다(법 제5조 제6항).

3. 지정요건

(1) 도시 · 군기본계획과 정비기본계획에의 부합

시 · 도지사 또는 대도시 시장은 법 제5조에 따라 재정비촉진지구를 지정하거나 변경하려는 경우에는 국토의 계획 및 이용에 관한 법률에 따라 수립된 도시 · 군기본계획과 도시 및 주거환경정비법에 따라 수립된 도시 · 주거환경정비기본계획을 고려하여야 한다(법 제6조 제1항).

(2) 지정대상 지역

재정비촉진지구는 다음의 어느 하나 이상에 해당하는 경우에 지정할 수 있다(법 제6조 제2항, 영 제6조 제1항).

① 노후 · 불량주택과 건축물이 밀집한 지역으로서 주로 주거환경의 개선과 기반시설의 정비가 필요한 경우
② 상업지역 · 공업지역 등으로서 토지의 효율적 이용과 도심 또는 부도심 등의 도시기능의 회복이 필요한 경우
③ 주요 역세권, 간선도로의 교차지 등 양호한 기반시설을 갖추고 있어 대중교통 이용이 용이한 지역으로서 도심 내 소형주택의 공급확대, 토지의 고도이용과 건축물의 복합개발이 필요한 경우
④ 여러 재정비촉진사업을 체계적 · 계획적으로 개발할 필요가 있는 경우
⑤ 국가 또는 지방자치단체의 계획에 따라 이전되는 대규모 시설의 기존 부지를 포함한 지역으로서 도시 기능의 재정비가 필요한 경우

(3) 지정대상 면적

재정비촉진지구의 면적은 10만제곱미터 이상으로 한다. 다만, 고밀복합형 재정비촉진지구를 지정하는 경우에는 다음의 지정범위에서 지정하여야 한다(법 제6조 제3항, 영 제6조 제2항).

고밀복합형 재정비촉진지구의 지정범위는 다음의 어느 하나에 해당하는 역세권의 역사의 중심점 또는 간선도로 교차지의 교차점에서부터 500미터 이내로 한다.
① 철도의 건설 및 철도시설 유지관리에 관한 법률에 따라 건설 · 운영되는 철도 또는 도시철도법에 따라 건설 · 운영되는 도시철도가 2개 이상 교차하는 역세권
② 철도의 건설 및 철도시설 유지관리에 관한 법률에 따라 건설 · 운영되는 철도, 도시철도법에 따라 건설 · 운영되는 도시철도 또는 버스전용차로가 설치된 간선도로가 3개 이상 교차하는 역세권 또는 간선도로 교차지
③ 그 밖에 시 · 도의 조례로 정하는 주요 역세권 또는 간선도로 교차지

(4) 사업규모

재정비촉진지구는 2개 이상의 재정비촉진사업을 포함하여 지정하여야 한다(법 제6조 제4항).

4. 지정의 효력

(1) 재정비촉진계획이 결정 · 고시되기 전까지의 행위제한

특별시장 · 광역시장 · 특별자치시장 · 특별자치도지사 · 시장 또는 군수(광역시의 관할 구역 안에 있는 군의 군수를 제외한다)는 재정비촉진지구의 지정을 고시한 날부터 재정비촉진계획의 결정을 고시한 날까지 재정비촉진지구 안에서 국토의 계획 및 이용에 관한 법률에 따른 개발행위의 허가를 할 수 없다. 다만, 특별시장 · 광역시장 · 특별자치시장 · 특별자치도지사 · 시장 또는 군수가 재정비촉진계획의 수립에 지장이 없다고 판단하여 허가하는 경우에는 그러하지 아니하다(법 제8조 제1항).

(2) 재정비촉진계획이 결정 · 고시된 이후의 행위제한

재정비촉진계획이 결정 · 고시된 날부터 해당 재정비촉진지구에서는 재정비촉진계획의 내용에 적합하지 아니한 건축물의 건축 또는 공작물의 설치를 할 수 없다. 다만, 특별자치시장, 특별자치도지사, 시장 · 군수 · 구청장이 재정비촉진사업의 시행에 지장이 없다고 판단하여 허가하는 경우에는 그러하지 아니하다(법 제8조 제2항).

03 재정비촉진지구 지정의 효력상실

(1) 지정효력의 실효

재정비촉진지구 지정을 고시한 날부터 2년이 되는 날까지 재정비촉진계획이 결정되지 아니하면 그 2년이 되는 날의 다음 날에 재정비촉진지구 지정의 효력이 상실된다. 다만, 시 · 도지사 또는 대도시 시장은 해당 기간을 1년의 범위에서 연장할 수 있다(법 제7조 제1항).

(2) 지정의 해제

① 시 · 도지사 또는 대도시 시장은 그 밖에 재정비촉진사업의 추진상황으로 보아 재정비촉진지구의 지정목적을 달성하였거나 달성할 수 없다고 인정하는 경우에는 지방도시계획위원회 또는 도시재정비위원회의 심의를 거쳐 재정비촉진지구의 지정을 해제할 수 있다(법 제7조 제2항).

② 재정비촉진지구의 지정을 해제하려는 시 · 도지사 또는 대도시 시장은 지방도시계획위원회 또는 도시재정비위원회 심의 전에 주민설명회를 열고 그 내용을 14일 이상 주민에게 공람하여야 하며, 지방의회의 의견을 들어야 한다. 이 경우 지방의회는 의견을

요청받은 날부터 60일 이내에 의견을 제시하여야 하며, 의견 제시 없이 60일이 지난 경우 이의가 없는 것으로 본다(법 제7조 제3항).

③ 위 ①에 따라 재정비촉진지구의 지정을 해제하려는 시 · 도지사 또는 대도시 시장은 필요하다고 인정하는 경우 시장 · 군수 · 구청장으로 하여금 ②에 따른 절차를 거치도록 할 수 있다. 이 경우 시장 · 군수 · 구청장은 지방의회의 의견을 특별시장 · 광역시장 또는 도지사에게 제출하여야 한다(법 제7조 제4항).

④ 재정비촉진지구의 지정이 해제된 경우 재정비촉진계획 결정의 효력은 상실된 것으로 본다(법 제7조 제5항).

(3) 정비사업으로의 전환

재정비촉진지구의 지정을 해제하는 경우 재정비촉진구역 내 추진위원회 또는 조합의 구성에 동의한 토지등소유자 2분의 1 이상 3분의 2 이하의 범위에서 시 · 도 또는 대도시 조례로 정하는 비율 이상 또는 토지등소유자의 과반수가 해당 재정비촉진사업을 정비사업으로 전환하여 계속 시행하기를 원하는 구역에서는 이 법 또는 관계 법률에 따른 종전의 인가 등이 유효한 것으로 본다. 이 경우 시 · 도지사 또는 대도시 시장, 시장 · 군수 · 구청장 또는 사업시행자는 종전의 인가 등을 변경하여야 한다(법 제7조 제6항).

(4) 실효고시

시 · 도지사 또는 대도시 시장은 (1)부터 (2)의 ① · ② · ③까지의 규정에 따라 재정비촉진지구 지정의 효력이 상실되거나 지정을 해제하는 경우에는 대통령령으로 정하는 바에 따라 그 사실을 지체 없이 해당 지방자치단체의 공보에 고시하여야 한다(법 제7조 제7항).

제2항 재정비촉진계획

01 재정비촉진계획의 내용

재정비촉진계획에는 다음의 사항이 포함되어야 한다(법 제9조 제1항).

① 위치, 면적, 개발기간 등 재정비촉진계획의 개요
② 토지이용에 관한 계획
③ 인구 · 주택 수용계획
④ 교육시설, 문화시설, 복지시설 등 기반시설 설치계획
⑤ 공원 · 녹지 조성 및 환경보전 계획
⑥ 교통계획
⑦ 경관계획
⑧ 재정비촉진구역 지정에 관한 다음의 사항
　㉠ 재정비촉진구역의 경계

㉡ 개별법에 따라 시행할 수 있는 재정비촉진사업의 종류
㉢ 존치지역에 관한 사항. 세분하여 관리할 필요가 있는 경우 아래 유형으로 구분할 수 있다.
ⓐ **존치정비구역**: 재정비촉진구역의 지정 요건에는 해당하지 아니하나 시간의 경과 등 여건의 변화에 따라 재정비촉진사업 요건에 해당할 수 있거나 재정비촉진사업의 필요성이 높아질 수 있는 구역
ⓑ **존치관리구역**: 재정비촉진구역의 지정 요건에 해당하지 아니하거나 기존의 시가지로 유지 · 관리할 필요가 있는 구역
㉣ 우선사업구역의 지정에 관한 사항(필요한 경우만 해당한다)
⑨ 재정비촉진사업별 용도지역 변경계획(필요한 경우만 해당한다)
⑩ 재정비촉진사업별 용적률 · 건폐율 및 높이 등에 관한 건축계획
⑪ 기반시설의 비용분담계획
⑫ 기반시설의 민간투자사업에 관한 계획(필요한 경우만 해당한다)
⑬ 임대주택 건설 등 재정비촉진지구에 거주하는 세입자 및 소규모의 주택 또는 토지의 소유자의 주거대책
⑭ 재정비촉진사업 시행기간 동안의 범죄예방대책
⑮ 순환개발방식의 시행을 위한 사항(필요한 경우만 해당한다)
⑯ 단계적 사업추진에 관한 사항
⑰ 상가의 분포 및 수용계획
⑱ 그 밖에 대통령령으로 정하는 사항

02 재정비촉진계획의 수립

1. 수립

(1) 수립권자

① 시장 · 군수 · 구청장의 수립: 시장 · 군수 · 구청장은 재정비촉진계획을 수립하여 특별시장 · 광역시장 또는 도지사에게 결정을 신청하여야 한다. 이 경우 재정비촉진지구가 둘 이상의 시 · 군 · 구의 관할 지역에 걸쳐 있는 경우에는 관할 시장 · 군수 · 구청장이 공동으로 이를 수립한다(법 제9조 제1항).

② **시 · 도지사, 대도시 시장의 수립**: 위 ①에 따른 시 · 군 · 구간의 협의가 어려운 경우나 특별시장 · 광역시장 또는 도지사가 직접 재정비촉진지구를 지정한 경우에는 특별시장 · 광역시장 또는 도지사가 직접 재정비촉진계획을 수립할 수 있으며, 특별자치시장 · 특별자치도지사 또는 대도시 시장이 직접 재정비촉진지구를 지정한 경우에는 특별자치시장 · 특별자치도지사 또는 대도시 시장이 직접 재정비촉진계획을 수립한다(법 제9조 제2항).

(2) 수립절차

시장 · 군수 · 구청장은 재정비촉진계획을 수립하거나 변경하려는 경우에는 그 내용을 14일 이상 주민에게 공람하고 지방의회의 의견을 들은 후(이 경우 지방의회는 시장 · 군수 · 구청장이 재정비촉진계획의 수립 또는 변경을 통지한 날부터 60일 이내에 의견을 제시하여야 하며, 의견 제시 없이 60일이 지난 때에는 이의가 없는 것으로 본다) 공청회를 개최하여야 한다. 다만, 대통령령으로 정하는 경미한 사항을 변경하는 경우에는 그러하지 아니하다(법 제9조 제3항). 그리고 재정비촉진계획의 수립 및 변경을 하는 경우에는 시 · 도 또는 대도시 조례로 정하는 바에 따라 주민의 동의를 받는 절차를 거칠 수 있다(법 제9조 제4항).

(3) 총괄계획가의 위촉

시 · 도지사 또는 대도시 시장은 대통령령으로 정하는 바에 따라 재정비촉진계획 수립의 모든 과정을 총괄 진행 · 조정하게 하기 위하여 도시계획 · 도시설계 · 건축 등 분야의 전문가를 총괄계획가로 위촉할 수 있다(법 제9조 제5항).

(4) 기반시설의 설치계획과 재정비촉진계획의 수립기준

재정비촉진계획에 따른 기반시설의 설치계획은 재정비촉진사업을 서로 연계하여 광역적으로 수립하여야 하고, 재정비촉진지구의 존치지역과 재정비촉진사업의 추진 가능시기 등을 종합적으로 고려하여 수립하여야 하며(법 제10조), 기반시설의 설치 및 비용분담의 기준 등 재정비촉진계획의 수립기준에 관하여 필요한 사항은 대통령령으로 정하는 바에 따라 국토교통부장관이 따로 정할 수 있다(법 제9조 제6항).

(5) 재정비촉진계획의 수립제안

① 제안: 한국토지주택공사 또는 지방공사는 재정비촉진사업을 효율적으로 추진하기 위하여 법 제9조 제1항 각 호의 사항을 포함한 재정비촉진계획을 마련한 후 토지등소유자 과반수의 동의를 받아 재정비촉진계획 수립권자에게 재정비촉진계획의 수립(변경하는 경우를 포함한다)을 제안할 수 있다(법 제9조 제7항).

② 계획수립권자는 ①에 따른 제안을 받은 날부터 60일 이내에 재정비촉진계획에의 반영 여부를 제안자에게 통보해야 한다. 다만, 부득이한 사정이 있는 경우에는 한 차례에 한정하여 30일의 범위에서 그 기간을 연장할 수 있다(영 제13조의3 제2항).

2. 결정

(1) 결정권자

재정비촉진계획의 결정은 특별시장 · 광역시장 또는 도지사가 한다(법 제12조 제1항).

(2) 결정절차

① 협의 · 심의

㉠ 특별시장 · 광역시장 또는 도지사가 시장 · 군수 · 구청장으로부터 재정비촉진계획의 결정을 신청받은 경우나 시 · 도지사 또는 대도시 시장이 직접 재정비촉진계획을 수립한 경우에는 관계 행정기관의 장과 협의하고 해당 시 · 도 또는 대도시에 두는 지방도시계획위원회 심의 또는 해당 시 · 도 또는 대도시에 두는 건축위원회와 지방도시계획위원회가 공동으로 하는 심의를 거쳐 결정하거나 변경하여야 한다(법 제12조 제1항 본문).

㉡ 도시재정비위원회가 설치된 시 · 도 또는 대도시의 경우에는 도시재정비위원회의 심의로 지방도시계획위원회의 심의 또는 건축위원회와 지방도시계획위원회의 공동심의를 갈음할 수 있다(법 제12조 제2항).

② 고시 및 보고

㉠ 시 · 도지사 또는 대도시 시장은 재정비촉진계획을 결정 또는 변경하는 경우에는 대통령령으로 정하는 바에 따라 이를 지체 없이 해당 지방자치단체의 공보에 고시하여야 하고, 대도시 시장은 이를 도지사에게 통보하여야 한다(법 제12조 제3항).

㉡ 시 · 도지사 또는 대도시 시장이 재정비촉진계획의 결정을 고시하였을 때에는 국토교통부령으로 정하는 방법 및 절차에 따라 국토교통부장관에게 보고하여야 한다(법 제12조 제4항).

(3) 결정의 효과

① 결정으로 인한 승인 등 의제: 재정비촉진계획이 결정 · 고시된 때에는 그 고시일에 다음에 해당하는 승인 · 결정 등이 있은 것으로 본다(법 제13조 제1항).

> ㉠ 도시 및 주거환경정비법 제4조에 따른 도시 · 주거환경정비 기본계획의 수립 또는 변경, 같은 법 제8조에 따른 정비구역의 지정 또는 변경 및 같은 조에 따른 정비계획의 수립 또는 변경
> ㉡ 도시개발법 제3조에 따른 도시개발구역의 지정 및 같은 법 제4조에 따른 개발계획의 수립 또는 변경
> ㉢ 국토의 계획 및 이용에 관한 법률 제30조에 따른 도시 · 군관리계획(국토의 계획 및 이용에 관한 법률 제2조 제4호 가목 · 다목 및 마목의 경우만 해당한다)의 결정 또는 변경 및 같은 법 제86조에 따른 도시 · 군계획시설사업의 시행자 지정
> ㉣ 도시재생 활성화 및 지원에 관한 특별법 제41조에 따른 주거재생혁신지구의 지정 또는 변경 및 같은 조에 따른 주거혁신지구계획의 확정 · 승인 또는 변경
> ㉤ 공공주택 특별법 제40조의7에 따른 도심 공공주택 복합지구의 지정 또는 변경

② **교통영향분석 · 개선대책의 검토와 환경영향평가**: 재정비촉진계획을 수립할 때에는 재정비촉진사업에 대하여 도시교통정비 촉진법에 따른 교통영향분석 · 개선대책의 검토를 받고 환경영향평가법 제4조에 따라 환경영향평가를 받을 수 있으며, 이 경우 재정비촉진사업을 시행할 때에는 교통영향분석 · 개선대책의 검토와 환경영향평가를 받지 아니한다(법 제13조 제2항).

③ 재정비촉진지구에서의 재정비촉진사업은 재정비촉진계획의 내용에 적합하게 시행하여야 한다(법 제13조 제3항).

3. 재정비촉진구역의 실효에 따른 재정비촉진계획의 변경 등

(1) 계획의 변경

재정비촉진사업 관계 법률에 따라 재정비촉진구역 지정의 효력이 상실된 경우에는 해당 재정비촉진구역에 대한 재정비촉진계획 결정의 효력도 상실된 것으로 본다. 이 경우 시 · 도지사 또는 대도시 시장은 재정비촉진계획을 변경하여야 한다(법 제13조의2 제1항).

(2) 실효된 구역의 제외

위 (1)에 따라 재정비촉진계획의 효력이 상실된 구역은 재정비촉진지구에서 제외된다. 이 경우 재정비촉진계획의 효력이 상실된 구역은 재정비촉진계획에 따라 변경된 국토의 계획 및 이용에 관한 법률에 따른 도시 · 군관리계획은 재정비촉진계획 결정 이전의 상태로 환원된 것으로 본다(법 제13조의2 제2항).

(3) 실효된 구역의 존치지역으로의 전환

위 (2)에도 불구하고 시 · 도지사 또는 대도시 시장은 재정비촉진계획 결정의 효력이 상실된 구역을 존치지역으로 전환할 수 있다. 이 경우 해당 존치지역에서는 기반시설과 관련된 국토의 계획 및 이용에 관한 법률에 따른 도시 · 군관리계획은 재정비촉진계획 결정 이전의 상태로 환원되지 아니할 수 있다(법 제13조의2 제3항).

제3절 재정비촉진사업

제1항 사업시행자

01 시행자

재정비촉진사업은 다음의 사업시행자가 시행한다(법 제15조 제1항 본문).

① 도시 및 주거환경정비법에 따른 주거환경개선사업, 재개발사업 및 재건축사업, 빈집 및 소규모주택 정비에 관한 특례법에 따른 가로주택정비사업 및 소규모재건축사업, 소규모재개발사업
② 도시개발법에 따른 도시개발사업
③ 전통시장 및 상점가 육성을 위한 특별법에 따른 시장정비사업
④ 국토의 계획 및 이용에 관한 법률에 따른 도시 · 군계획시설사업
⑤ 도시재생 활성화 및 지원에 관한 특별법에 따른 주거재생혁신지구의 혁신지구재생사업
⑥ 공공주택 특별법에 따른 도심 공공주택 복합사업

02 예외적 시행자

(1) 정비사업구역에서의 시행자

위 01의 ①의 사업(정비사업)은 해당 법의 규정에도 불구하고 토지등소유자의 과반수가 동의한 경우에는 특별자치시장, 특별자치도지사, 시장 · 군수 · 구청장이 재정비촉진사업을 직접 시행하거나 한국토지주택공사 또는 지방공사를 사업시행자로 지정할 수 있다(법 제15조 제1항 단서).

(2) 우선사업구역에서의 시행자

우선사업구역의 재정비촉진사업은 관계 법령에도 불구하고 토지등소유자의 과반수의 동의를 받아 특별자치시장, 특별자치도지사, 시장 · 군수 · 구청장이 직접 시행하거나 총괄사업관리자를 사업시행자로 지정하여 시행하도록 하여야 한다(법 제15조 제2항).

(3) 재정비촉진계획수립의 제안자

특별자치시장, 특별자치도지사, 시장 · 군수 · 구청장이 재정비촉진계획 수립을 제안한 자를 사업시행자로 지정하려는 경우 해당 재정비촉진계획의 수립 제안에 동의한 토지등소유자는 사업시행자 지정에 동의한 것으로 본다(법 제15조 제3항).

제2항 사업의 조정

01 총괄사업관리자

(1) 총괄사업관리자의 지정

재정비촉진계획 수립권자는 사업을 효율적으로 추진하기 위하여 재정비촉진계획 수립단계에서부터 한국토지주택공사 또는 지방공사를 총괄사업관리자로 지정할 수 있다. 다만, 특별시장 · 광역시장 또는 도지사가 총괄사업관리자를 지정하는 경우에는 관할 시장 · 군수 · 구청장과 협의하여야 한다(법 제14조 제1항).

(2) 총괄사업관리자의 업무

총괄사업관리자는 지방자치단체의 장을 대행하여 다음의 업무를 수행하며, 업무를 수행함에 있어 필요한 경우에는 조합설립추진위원회 · 사업시행자 · 설계자 · 시공자 및 정비사업전문관리업자 등 재정비촉진사업의 참여자에게 재정비촉진사업과 관련된 자료의 제출을 요구할 수 있으며, 자료의 제출을 요구받은 자는 특별한 사유가 없는 한 그 요구에 응하여야 한다(법 제14조 제2항, 영 제17조).

① 재정비촉진지구에서의 모든 재정비촉진사업의 총괄관리
② 도로 등 기반시설의 설치
③ 기반시설의 비용분담금 및 지원금의 관리
④ 재정비촉진계획 수립시 기반시설 설치계획 등의 자문에 대한 조언
⑤ 재원의 확보 · 운영에 관한 계획의 수립 및 집행
⑥ 재정비촉진사업의 시행 현황에 관한 자료의 작성 · 분석 및 관리
⑦ 재정비촉진사업의 효율적인 시행 방안의 마련 및 의견수렴
⑧ 재정비촉진사업의 시행과 관련하여 특별자치시장, 특별자치도지사, 시장 · 군수 또는 구청장이 요청하는 사항
⑨ 그 밖에 국토교통부령이 정하는 사항

02 사업협의회

(1) 협의회의 구성

재정비촉진계획 수립권자는 다음의 사항에 관한 협의 또는 자문을 위하여 사업협의회를 구성 · 운영할 수 있다. 다만, 특별시장 · 광역시장 또는 도지사가 직접 재정비촉진계획을 수립하는 경우에는 재정비촉진계획이 결정될 때까지 특별시장 · 광역시장 또는 도지사가 사업협의회를 구성 · 운영할 수 있다(법 제17조 제1항).

① 재정비촉진계획의 수립 및 재정비촉진사업의 시행을 위하여 필요한 사항
② 재정비촉진사업별 지역주민의 의견 조정을 위하여 필요한 사항
③ 그 밖에 대통령령으로 정하는 사항

(2) 협의회의 구성원

사업협의회는 20인 이내(재정비촉진구역이 10곳 이상인 경우에는 30인 이내)의 위원으로 구성하되, 총괄계획가와 총괄사업관리자는 사업협의회의 위원이 되며, 그 외의 위원은 재정비촉진계획 수립권자가 다음의 자 중에서 임명하거나 위촉한다(법 제17조 제2항).

① 해당 지방자치단체의 관계 공무원
② 사업시행자(개별법에 따른 조합 등의 사업시행자를 포함한다. 다만, 사업시행자를 지정하기 전인 경우에는 도시 및 주거환경정비법에 따른 주민대표회의, 조합설립추진위원회 또는 전통시장 및 상점가 육성을 위한 특별법에 따른 시장정비사업 추진위원회 등 주민의사를 대표할 수 있는 대표자 또는 사업시행자가 되려는 자를 포함한다)
③ 관계 전문가

(3) 협의회의 개최

재정비촉진계획 수립권자는 다음의 경우에 사업협의회를 개최한다(법 제17조 제3항).

① 사업협의회 위원의 2분의 1 이상이 요청하는 경우
② 재정비촉진계획 수립권자가 필요하다고 판단하는 경우

03 시공자의 선정

특별자치시장, 특별자치도지사, 시장 · 군수 · 구청장이 재정비촉진사업을 직접 시행하거나 한국토지주택공사나 지방공사가 사업시행자로 지정되는 경우에는 사업시행자는 지방자치단체를 당사자로 하는 계약에 관한 법률 제9조 또는 공공기관의 운영에 관한 법률 제39조에도 불구하고 도시 및 주거환경정비법 제47조와 빈집 및 소규모주택 정비에 관한 특례법 제25조에 따른 주민대표회의에서 대통령령으로 정하는 경쟁입찰의 방법에 따라 추천한 자를 시공자로 선정할 수 있다(법 제15조 제4항, 영 제18조).

① 입찰은 일반경쟁입찰, 제한경쟁입찰 또는 지명경쟁입찰로 할 것
② 위 ①의 입찰을 위한 입찰공고는 1회 이상 일간신문에 하여야 하고 현장 설명회를 개최할 것
③ 입찰자로부터 제출받은 입찰제안서에 대하여 토지등소유자를 대상으로 투표를 실시할 것

04 민간투자사업

(1) 기반시설의 설치

지방자치단체의 장은 기반시설의 확충을 촉진하기 위하여 일단의 기반시설 부지를 대상으로 사회기반시설에 대한 민간투자법에 따른 민간투자사업으로 기반시설을 설치할 수 있다(법 제16조 제1항).

(2) 민간투자사업의 대행

지방자치단체의 장은 재정비촉진지구의 총괄사업관리자로 하여금 (1)에 따른 민간투자사업을 대행하게 할 수 있다(법 제16조 제2항).

제3항 사업시행의 촉진 및 지원

01 사업지연으로 인한 시행자 변경지정

재정비촉진계획의 결정 · 고시일부터 2년 이내에 재정비촉진사업과 관련하여 해당 사업을 규정하고 있는 관계 법률에 따른 조합설립인가를 신청하지 아니하거나, 3년 이내에 해당 사업에 관하여 규정하고 있는 관계 법률에 따른 사업시행인가를 신청하지 아니한 경우에는 특별자치시장, 특별자치도지사, 시장 · 군수 · 구청장이 그 사업을 직접 시행하거나 총괄사업관리자를 사업시행자로 우선하여 지정할 수 있다(법 제18조 제1항).

02 건축규제의 완화 등

(1) 용도지역의 변경

재정비촉진계획 수립권자는 필요한 경우 국토의 계획 및 이용에 관한 법률에 따른 용도지역을 변경하는 내용으로 재정비촉진계획을 수립할 수 있다(법 제19조 제1항).

(2) 건축제한 등의 완화

재정비촉진계획 수립권자는 필요한 경우 국토의 계획 및 이용에 관한 법률의 규정 또는 같은 법의 위임에 따라 규정한 조례에도 불구하고 다음의 내용을 포함하는 내용으로 재정비촉진계획을 수립할 수 있다(법 제19조 제2항).

① 국토의 계획 및 이용에 관한 법률에 따른 용도지역 및 용도지구에서의 건축물 건축제한 등의 예외
② 국토의 계획 및 이용에 관한 법률의 위임규정에 따라 조례로 정한 건폐율 최대한도의 예외
③ 국토의 계획 및 이용에 관한 법률의 위임규정에 따라 조례로 정한 용적률 최대한도의 예외. 다만, 용적률 최대한도의 100분의 120을 초과할 수 없으며, 이 법에 따라 기반시설에 대한 부지 제공의 대가로 증가된 용적률은 포함하지 아니한다.

(3) 학교 및 주차장 설치규정의 완화

재정비촉진계획 수립권자는 필요한 경우 중심지형 또는 고밀복합형 재정비촉진지구에 대하여 초·중등교육법에 따른 학교 시설기준과 주택법 및 주차장법에 따른 주차장 설치기준을 완화하는 내용으로 재정비촉진계획을 수립할 수 있다(법 제19조 제3항).

(4) 높이제한의 완화

재정비촉진계획 수립권자는 건축법 제60조 및 제61조에 따른 건축물의 높이제한에도 불구하고 이를 완화하는 내용으로 재정비촉진계획을 수립할 수 있다. 다만, 주거지형 재정비촉진지구의 경우에는 지방도시계획위원회의 심의를 거쳐 높이제한을 완화하는 내용으로 재정비촉진계획을 수립할 수 있다(법 제19조 제4항).

03 우선사업구역에 관한 특례

시장·군수·구청장 또는 시·도지사는 재정비촉진사업의 활성화, 소형주택의 공급확대, 주민이주대책 지원 등을 위하여 필요한 경우 재정비촉진지구 전체에 대한 재정비촉진계획을 결정·고시하기 전이라도 우선사업구역에 대한 재정비촉진계획을 별도로 수립하여 결정을 신청하거나, 결정·고시할 수 있다(법 제19조의2 제1항). 이 경우 우선사업구역에 대한 재정비촉진계획이 결정·고시된 경우 해당 우선사업구역에 대하여는 전체 재정비촉진계획이 결정·고시(변경하는 경우를 포함한다)되기 전이라도 관계 법령에 따라 사업을 시행할 수 있다(법 제19조의2 제2항).

04 주택의 규모 및 건설비율의 특례

도시 및 주거환경정비법과 빈집 및 소규모주택 정비에 관한 특례법 및 도시개발법에도 불구하고 재정비촉진사업의 주택의 규모 및 건설비율에 관하여는 다음과 같이 정할 수 있다(법 제20조, 영 제21조).

① 주거전용면적 85제곱미터 이하인 주택의 건설비율은 다음과 같다.
  ㉠ 주거환경개선사업의 경우: 전체 세대수 중 80퍼센트 이상
  ㉡ 주택재개발사업의 경우: 전체 세대수 중 60퍼센트 이상. 다만, 도시 및 주거환경정비법에 따라 국토교통부장관이 고시하는 비율이 이보다 낮은 경우에는 그 고시하는 비율에 따른다.
② 주택수급의 안정과 저소득 주민의 입주기회를 확대하기 위하여 필요한 경우에는 ①에서 정한 범위 안에서 85제곱미터보다 작은 규모 이하의 주택의 건설비율을 시·도 또는 대도시의 조례로 따로 정할 수 있다.

05 기타 시행 특례

(1) 증가되는 용적률에 따른 주택건설비율의 조정

고밀복합형 재정비촉진지구의 경우 해당 재정비촉진사업으로 증가되는 용적률에 대한 주택의 규모 및 건설비율은 다음과 같이 달리 정할 수 있다. 이 경우 증가되는 용적률이란 재정비촉진지구 지정 당시의 용도지역을 기준으로 증가되는 용적률을 말하며, 기반시설에 대한 부지제공의 대가로 증가되는 용적률은 그 산정대상에서 제외한다(법 제20조의2).

① 과밀억제권역: 주거전용면적이 60제곱미터 이하인 주택을 증가되는 용적률의 50퍼센트 이상의 범위에서 시·도 또는 대도시의 조례로 정하는 비율만큼 건설한다.
② 과밀억제권역을 제외한 지역: 주거전용면적이 60제곱미터 이하인 주택을 증가되는 용적률의 25퍼센트 이상의 범위에서 시·도 또는 대도시의 조례로 정하는 비율만큼 건설한다.

(2) 도시개발사업의 시행에 관한 특례

재정비촉진지구에서 시행하는 도시개발사업의 시행자는 도시개발법의 관련 규정에도 불구하고 주택 등 건축물을 소유하고 있는 자 또는 토지소유자를 대상으로 입체환지계획을 수립할 수 있다. 다만, 이에 따른 입체환지계획은 도시개발법에 따른 체비지 등이 아닌 토지를 대상으로 수립할 수 있다(법 제21조).

(3) 지방세의 감면

재정비촉진지구에서 재정비촉진계획에 따라 건축하는 다음의 어느 하나에 해당하는 건축물에 대하여는 지방세특례제한법 및 지방자치단체의 조례로 정하는 바에 따라 취득세, 등록면허세 등 지방세를 감면할 수 있다(법 제22조).

① 문화예술진흥법 제2조 제1항 제3호에 따른 문화시설
② 의료법 제3조 제2항 제3호에 따른 종합병원, 병원 또는 한방병원
③ 학원의 설립·운영 및 과외교습에 관한 법률 제2조 제1호에 따른 학원
④ 유통산업발전법 제2조 제3호에 따른 대규모 점포
⑤ 상법 제169조에 따른 회사의 본점 또는 주사무소 건물
⑥ 그 밖에 조례로 지역발전을 위하여 필요하다고 인정하는 시설

(4) 부담금의 면제

① **과밀부담금**: 수도권정비계획법에 따라 부과·징수하는 과밀부담금은 재정비촉진계획에 따라 건축하는 건축물에는 부과하지 아니한다(법 제23조 제1항).
② **부담금**: 재정비촉진계획에 따른 재정비촉진사업에 대해서는 다음의 부담금을 해당 법률에서 정하는 바에 따라 면제한다(법 제23조 제2항).

㉠ 개발이익 환수에 관한 법률 제2조 제4호에 따른 개발부담금
㉡ 도시교통정비 촉진법 제36조에 따른 교통유발부담금
㉢ 대도시권 광역교통 관리에 관한 특별법 제11조에 따른 광역교통시설 부담금

(5) 특별회계의 설치

① **설치**: 시 · 도지사 또는 시장 · 군수 · 구청장은 재정비촉진사업을 촉진하고 기반시설의 설치 지원 등을 하기 위하여 지방자치단체에 재정비촉진특별회계를 설치할 수 있으며, 국토교통부장관은 필요한 경우에는 지방자치단체의 장으로 하여금 특별회계의 운용상황을 보고하게 할 수 있다(법 제24조 제1항 · 제4항).

② **재원**: 특별회계는 다음의 재원(財源)으로 조성한다(법 제24조 제2항).

㉠ 일반회계로부터의 전입금
㉡ 정부의 보조금
㉢ 재건축초과이익 환수에 관한 법률에 따른 재건축부담금 중 지방자치단체 귀속분
㉣ 수도권정비계획법에 따라 시 · 도에 귀속되는 과밀부담금 중 해당 시 · 도의 조례로 정하는 비율에 해당하는 금액
㉤ 지방세법 제112조에 따라 부과 · 징수되는 재산세의 징수액 중 대통령령으로 정하는 비율에 해당하는 금액
㉥ 차입금
㉦ 해당 특별회계 자금의 융자 회수금, 이자 수익금 및 그 밖의 수익금
㉧ 법 제31조 제3항에 따라 시 · 도지사에게 공급된 임대주택의 임대보증금 및 임대료
㉨ 그 밖에 시 · 도의 조례로 정하는 재원

③ **용도**: 특별회계는 다음의 용도로 사용한다(법 제24조 제3항, 영 제23조).

㉠ 기반시설의 설치, 그 설치비용의 보조 및 융자
㉡ 차입금의 원리금 상환
㉢ 특별회계의 조성 · 운용 및 관리를 위한 경비
㉣ 재건축초과이익 환수에 관한 법률에 따른 재건축부담금의 부과 · 징수
㉤ 임대주택의 매입 · 관리 등 세입자 등의 주거안정 지원
㉥ 재정비촉진지구 안의 존치지역의 정비를 위한 사업비의 지원
㉦ 재정비촉진지구 안에서 매수를 청구한 토지의 매입비
㉧ 총괄사업관리자의 업무수행 비용
㉨ 재정비촉진지구의 지정, 재정비촉진계획의 수립 및 제도발전을 위한 조사비 · 설계비 · 연구비
㉩ 그 밖에 재정비촉진사업과 관련된 사항으로서 시 · 도 또는 대도시의 조례로 정하는 사항

(6) 교육환경의 개선을 위한 특례

① **학교의 설치계획:** 재정비촉진계획 수립권자는 교육환경을 개선하기 위하여 교육감과의 협의를 거쳐 재정비촉진계획에 학교의 설치계획 또는 정비계획을 포함하여야 하고, 교육감은 학교의 설치계획 또는 정비계획에 따라 해당 학교 부지의 매수계획 또는 해당 학교의 정비계획을 수립하여야 한다(법 제25조 제1항 · 제2항).

② **학교용지의 확보:** 지방자치단체의 장은 교육환경을 개선하기 위하여 필요하다고 인정하는 경우에는 학교의 설치계획이 포함된 재정비촉진계획에 따라 학교용지를 직접 매입할 수 있고, 지방자치단체의 장은 지방자치단체가 소유하는 토지나 그 밖의 재산을 공유재산 및 물품 관리법 및 관계 법령에도 불구하고 재정비촉진지구에서 사립학교를 설립 · 운영하려는 자에게 수의계약으로 임대하거나 매각할 수 있으며, 그 임대기간은 50년의 범위에서 대통령령으로 따로 정한다. 이 경우 임대기간은 대통령령으로 정하는 갱신기간의 범위에서 연장할 수 있다(법 제25조 제4항 · 제5항 · 제6항).

(7) 국유재산에 관한 특례

① 국가와 지방자치단체는 국유재산법 등 관계 법률에도 불구하고 수의계약을 통하여 사업시행자에게 국유재산 또는 공유재산을 임대하거나 매각할 수 있다. 이 경우 임대기간은 50년 이내로 할 수 있다(법 제25조의2 제1항).

② 국가와 지방자치단체는 ①에 따라 임대한 국유재산 또는 공유재산에 영구시설물을 축조하게 할 수 있다. 이 경우 해당 영구시설물의 소유권은 국가, 지방자치단체 등과 사업시행자간에 별도의 합의가 없으면 그 국유재산 또는 공유재산을 반환할 때까지 사업시행자에게 귀속된다(법 제25조의2 제2항).

제4항 개발이익의 환수

01 기반시설 설치와 설치비용의 부담

(1) 기반시설의 설치

① **설치의무자:** 재정비촉진지구에서의 기반시설의 설치는 다음의 구분에 따른 자가 한다(법 제27조 제1항).

> ㉠ **도로 및 상 · 하수도시설:** 지방자치단체
> ㉡ **전기시설 · 가스공급시설 또는 지역난방시설:** 해당 지역에 전기 · 가스 또는 난방을 공급하는 자
> ㉢ **통신시설:** 해당 지역에 통신서비스를 제공하는 자
> ㉣ **그 밖의 기반시설:** 대통령령에 정하는 자

② **설치범위와 대행:** 기반시설의 종류별 설치범위는 대통령령으로 정하며(법 제27조 제3항), 지방자치단체의 설치의무 범위에 속하지 아니하는 도로 또는 상·하수도시설로서 사업시행자가 해당 시설 설치비용을 부담하려는 시설의 경우에는 사업시행자의 요청에 따라 지방자치단체가 그 도로 또는 상·하수도시설사업을 대행할 수 있다(법 제27조 제4항).

③ **설치 후 비용징수:** 기반시설의 원활한 설치를 위하여 필요한 경우에는 지방자치단체가 해당 기반시설을 먼저 설치하고 사업시행자로부터 재정비촉진사업의 사업시행인가일 또는 실시계획인가일 이후(다만, 해당 지방자치단체의 조례가 정하는 바에 따라 재정비촉진사업의 준공검사신청일 전까지 사업시행자로 하여금 분할납부하게 할 수 있다)에 비용을 징수할 수 있다. 이 경우 사업시행자가 그 비용을 내지 아니하면 지방행정제재·부과금의 징수 등에 관한 법률에 따라 징수할 수 있다(법 제27조 제5항, 영 제29조).

④ **설치시기:** 기반시설의 설치는 특별한 사유가 없으면 해당 재정비촉진사업의 준공검사신청일까지 완료하여야 한다(법 제27조 제2항).

(2) 비용부담

① **재정비촉진계획에 따라 설치하는 기반시설:** 재정비촉진계획에 따라 설치되는 기반시설의 설치비용은 이 법에 특별한 규정이 있는 경우를 제외하고는 사업시행자가 부담하는 것을 원칙으로 한다(법 제26조).

② **재정비촉진지구 밖의 기반시설**

㉠ 재정비촉진지구의 이용에 제공하기 위하여 대통령령으로 정하는 기반시설을 재정비촉진지구 밖의 지역에 설치하는 경우 재정비촉진계획 수립권자는 비용분담계획이 포함된 재정비촉진계획에 따라 사업시행자로 하여금 그 설치비용을 부담하게 할 수 있다(법 제28조 제1항).

㉡ 재정비촉진계획 수립권자는 사업시행자의 부담으로 재정비촉진지구 밖의 지역에 설치하는 기반시설로 인하여 이익을 얻는 지방자치단체 또는 공공시설의 관리자가 있을 때에는 대통령령으로 정하는 바에 따라 그 기반시설의 설치에 드는 비용의 일부를 이익을 얻는 지방자치단체 또는 공공시설의 관리자에게 부담시킬 수 있다. 이 경우 재정비촉진계획 수립권자는 해당 지방자치단체나 공공시설의 관리자 및 사업시행자와 협의하여야 한다(법 제28조 제2항).

02 개발이익의 환수

(1) 세입자 등을 위한 조치

① **세입자의 주거안정:** 지방자치단체의 장 및 사업시행자는 세입자 등의 주거안정을 위하여 노력하여야 한다(법 제30조 제1항).

② **주거실태조사:** 재정비촉진계획 수립권자는 재정비촉진계획을 수립하기 전에 재정비촉진지구의 거주자에 대하여 다음의 사항을 포함한 주거실태를 조사하여야 한다(법 제30조 제2항).

> ㉠ 주택수, 세대수 및 거주자수
> ㉡ 가구별 소득수준 및 직업형태
> ㉢ 주택의 규모 및 거주형태(자가 · 전세 · 월세 등)
> ㉣ 주택가격 및 임대료 수준
> ㉤ 그 밖에 대통령령으로 정하는 사항

③ **주택 수요조사:** 재정비촉진계획 수립권자는 세입자 등의 재정착을 유도하기 위하여 다음의 사항을 포함한 주택수요를 조사하여 재정비촉진계획에 반영하여야 한다(법 제30조 제3항).

> ㉠ 주택규모, 임대료 수준 등을 포함한 임대주택 희망수요
> ㉡ 주택규모, 분양가격 수준 등을 포함한 소형 분양주택 희망수요
> ㉢ 인근지역 이주 희망수요
> ㉣ 그 밖에 대통령령으로 정하는 사항

④ **임대주택 건설계획:** 재정비촉진계획 수립권자는 재정비촉진계획에 ② 및 ③에 따른 조사 결과를 고려한 임대주택 건설계획을 포함하여야 하며, 사업시행자는 그 계획에 따라 임대주택을 건설 · 공급하여야 한다(법 제30조 제4항).

⑤ **임시거주시설 및 순환개발방식:** 사업시행자는 재정비촉진사업을 시행하는 기간 동안 주택소유자(재정비촉진구역에 실제 거주하는 사람만 해당한다) 또는 세입자의 주거안정을 위하여 인근지역에 자체 건설하는 공공주택 특별법에 해당하는 공공주택 또는 매입임대주택 등으로 임시거주시설을 지원하거나 재정비촉진사업을 단계적으로 개발하는 순환개발방식을 활용할 수 있으며(법 제30조 제5항), 사업시행자가 순환개발방식으로 사업을 시행하려는 경우에는 사업시행인가를 신청하기 전에 미리 인근지역의 공공주택 또는 매입임대주택 등 임시거주시설의 확보 여부, 이주대상자, 임대조건 등 순환개발방식의 시행계획을 수립하여 사업시행계획서에 반영하여야 한다(법 제30조 제6항).

(2) 영세상인 및 상가세입자를 위한 조치

사업시행자, 특별자치시장, 특별자치도지사 및 시장 · 군수 · 구청장은 재정비촉진지구의 영세상인 및 상가세입자 보호대책 마련을 위하여 노력하여야 한다(법 제30조의2).

(3) 재정비촉진지구의 범죄예방조치

특별자치시장, 특별자치도지사 및 시장 · 군수 · 구청장은 재정비촉진계획이 결정 · 고시된 때에는 그 사실을 관할 경찰서장에게 통보하여야 하며, 재정비촉진사업이 시행되는 경우에는 재정비촉진구역의 주민안전 등을 위하여 다음의 사항을 관할 지방경찰청장 또는 경찰서장에게 요청할 수 있다(법 제30조의3).

> ① 순찰 강화
> ② 순찰초소의 설치 등 범죄예방을 위하여 필요한 시설의 설치 및 관리
> ③ 그 밖에 주민의 안전을 위하여 필요하다고 인정하는 사항

03 임대주택의 건설 및 공급

(1) 임대주택 등의 건설

① 건설: 사업시행자는 세입자의 주거안정과 개발이익의 조정을 위하여 해당 재정비촉진사업으로 증가되는 용적률의 75퍼센트 범위에서 다음의 구분에 따른 비율을 임대주택 및 분양주택(임대주택 등)으로 공급하여야 한다. 이 경우 기반시설에 대한 부지 제공의 대가로 증가된 용적률은 그 산정대상에서 제외하며, 재정비촉진계획에 따른 용적률이 국토의 계획 및 이용에 관한 법률에 따른 용적률의 최대한도의 100퍼센트 초과 120퍼센트 이하인 경우에는 분양주택을 임대주택 등의 50퍼센트 이상의 범위에서 공급하되, 시 · 도 또는 대도시의 조례로 30퍼센트 포인트 범위에서 증감할 수 있다(법 제31조 제1항, 영 제34조 제1항 · 제2항).

> ㉠ 재개발사업의 경우: 해당 사업으로 증가되는 용적률의 20퍼센트 이상 50퍼센트 이하의 범위에서 시 · 도 또는 대도시의 조례로 정하는 비율. 다만, 과밀억제권역 외의 지역은 50퍼센트 이하의 범위에서 시 · 도 또는 대도시의 조례로 정하는 비율을 말한다.
> ㉡ 도시개발사업 및 시장정비사업의 경우: 다음에 해당하는 비율을 합한 비율
> ⓐ 해당 재정비촉진사업으로 증가되는 용적률 중 주택 용도의 증가된 용적률(재정비촉진계획에서 정한 용적률을 주택 용도의 용적률과 주택 외의 용도의 용적률로 구분하고, 그 구성비율에 따라 재정비촉진지구 지정 당시의 용도지역에 적용되는 용적률을 주택 용도의 용적률과 주택 외의 용도의 용적률로 구분 · 산정한 뒤, 재정비촉진계획에서 정한 용적률 중 주택 용도의 용적률에서 재정비촉진지구 지정 당시의 용적률 중 주택 용도의 용적률을 뺀 용적률을 말한다)의 50퍼센트 이상 75퍼센트 이하의 범위 안에서 시 · 도 또는 대도시의 조례로 정하는 비율

ⓑ 해당 재정비촉진사업으로 증가되는 용적률 중 주택 외의 용도의 증가된 용적률(재정비촉진계획에서 정한 용적률을 주택 용도의 용적률과 주택 외의 용도의 용적률로 구분하고, 그 구성비율에 따라 재정비촉진지구 지정 당시의 용도지역에 적용되는 용적률을 주택 용도의 용적률과 주택 외의 용도의 용적률로 구분 · 산정한 뒤, 재정비촉진계획에서 정한 용적률 중 주택 외의 용도의 용적률에서 재정비촉진지구 지정 당시의 용적률 중 주택 외의 용도의 용적률을 뺀 용적률을 말한다)의 75퍼센트 범위 안에서 시 · 도 또는 대도시의 조례로 정하는 비율. 이 경우 기반시설(법 제11조 제3항에 따라 부지 제공의 대가로 용적률이 조정된 기반시설을 제외한다)의 설치를 위한 비용분담을 고려하여야 한다.

ⓒ **재건축사업의 경우:** 해당 사업으로 증가되는 용적률의 10퍼센트 이상 30퍼센트 이하의 범위에서 시 · 도 또는 대도시의 조례로 정하는 비율. 다만, 과밀억제권역 외의 지역은 30퍼센트 이하의 범위에서 시 · 도 또는 대도시의 조례로 정하는 비율을 말한다.

ⓓ **공공주택지구가 지정되는 시 · 군 · 구에서의 재개발사업의 경우:** ㉠에 따른 비율의 2분의 1의 범위에서 공공주택지구에 건설되는 임대주택 세대수를 고려하여 시 · 도 또는 대도시의 조례로 정하는 비율

② **건설비율:** 위 ①에 따라 건설되는 임대주택 등 중 **주거전용면적이 85제곱미터를 초과하는 주택의 비율은** 50퍼센트 이하의 범위에서 대통령령(**50퍼센트 이하의 범위 안에서 시 · 도 또는 대도시의 조례로 정하는 비율**)으로 정한다(법 제31조 제2항, 영 제34조 제3항).

③ **사업시행계획서에의 반영:** 사업시행자는 사업시행인가를 신청하기 전에 미리 임대주택 등의 규모 등 건설되는 임대주택 등의 건설에 관한 사항을 인수자와 협의하여 사업시행계획서에 반영하여야 한다(법 제31조 제4항).

(2) 임대주택 등의 공급

① **공급:** 사업시행자는 건설되는 임대주택 등을 대통령령으로 정하는 바에 따라 국토교통부장관, 시 · 도지사, 한국토지주택공사 또는 지방공사에 공급하여야 한다. 이 경우 **시 · 도지사가 우선 인수할 수 있다.** 다만, 시 · 도지사는 임대주택을 인수할 수 없는 경우 재정비촉진계획이 고시된 때에 국토교통부장관에게 인수자 지정을 요청해야 한다(법 제31조 제3항, 영 제35조 제1항).

② **절차:** 국토교통부장관은 ①에 따라 시 · 도지사로부터 인수자 지정의 요청을 받은 경우 30일 이내에 인수자를 시 · 도지사에게 통보해야 하며, 시 · 도지사는 지체 없이 통보내용을 시장 · 군수 또는 구청장에게 송부하여 인수자와 협의하도록 조치해야 한다(영 제35조 제2항).

③ **예외:** 위 ① · ②에 불구하고 한국토지주택공사 또는 지방공사가 총괄사업관리자로 지정된 재정비촉진지구에 건설되는 임대주택 등은 해당 **총괄사업관리자에게** 우선공급할 수 있다(영 제35조 제3항).

④ **사용**: 위의 규정에 따라 임대주택을 우선 인수받거나 공급받은 자는 그 임대주택 중 주거전용면적이 85제곱미터 이하인 임대주택은 공공임대주택으로 우선공급할 수 있다. 다만, 주거전용면적이 60제곱미터 이하인 임대주택은 공공임대주택으로 우선공급해야 한다(영 제35조 제4항).

⑤ **공급가격**: 인수 임대주택 등의 공급가격은 다음의 구분에 따른다(법 제31조 제3항, 영 제37조 제2항).

> ㉠ 임대주택인 경우: 임대주택의 건설에 투입되는 건축비를 기준으로 국토교통부장관이 고시하는 금액으로 하고, 그 부속토지는 인수자에게 기부채납(寄附採納)한 것으로 본다.
> ㉡ 분양주택인 경우: 분양주택의 건설에 투입되는 건축비를 기준으로 국토교통부장관이 고시하는 금액으로 하고, 그 부속토지의 가격은 감정평가액의 100분의 50에 해당하는 가격으로 한다.

(3) 임대주택 등의 입주자격 및 분양방법 등

① **임대주택의 입주자격**: 임대주택의 임차인의 자격은 다음의 순위로 하되, 그 밖에 필요한 사항은 시·도 또는 대도시의 조례로 정한다. 공공임대주택의 임차인의 자격은 재정비촉진사업으로 인하여 철거되는 주택의 소유자 또는 세입자를 우선하되 세부적인 사항은 국토교통부령으로 정하는 바에 따른다(영 제36조 제1항·제3항).

> ㉠ 제1순위: 무주택 기간과 해당 재정비촉진지구가 위치한 시·군·구에 거주한 기간이 각각 1년 이상인 자
> ㉡ 제2순위: 해당 재정비촉진지구가 위치한 시·군·구에 거주하는 자
> ㉢ 제3순위: 제1순위 및 제2순위에 해당되지 아니하는 자

② **임대주택의 임대료**: 법 제31조 제6항에 따른 임대주택의 임대료의 수준 등은 다음에 따른다. 이 경우 공공임대주택의 임대보증금과 임대료는 공공주택 특별법 시행령 제44조에 따른다(영 제36조 제2항·제4항).

> ㉠ 임대보증금과 임대료는 각각 재정비촉진지구의 인근 시세의 100분의 90 이하로 한다.
> ㉡ 임대주택의 계약방법 등에 관한 사항은 공공주택 특별법이 정하는 바에 따른다.
> ㉢ 관리비 등 주택의 관리에 관한 사항은 공동주택관리법이 정하는 바에 따른다.

③ **분양주택의 유형 및 분양방법**: 위에 따라 분양주택을 우선 인수받거나 공급받은 자는 그 분양주택을 공공주택 특별법 제48조에 따라 다음의 어느 하나에 해당하는 주택으로 분양할 수 있다(영 제37조 제1항).

㉠ 공공주택 특별법 제2조 제1호의4에 따른 지분적립형 분양주택
㉡ 공공주택 특별법 제2조 제1호의5에 따른 이익공유형 분양주택
㉢ 주택법 제2조 제9호에 따른 토지임대부 분양주택(사업주체가 공공주택 특별법 제4조에 따른 공공주택사업자에 해당하는 경우로 한정한다)

제4절 보칙

01 투기제한

재정비촉진사업별로 해당 사업에 관하여 정하고 있는 관계 법률에 따라 주택 등 건축물을 공급하는 경우, 재정비촉진지구의 고시가 있은 날 또는 시 · 도지사나 대도시 시장이 투기 억제 등을 위하여 따로 정하는 날(이하 '기준일'이라 한다) 이후에 다음의 어느 하나에 해당하는 경우에는 해당 토지 또는 주택 등 건축물을 분양받을 권리는 기준일을 기준으로 산정한다(법 제33조 제1항).

① 한 필지의 토지가 여러 개의 필지로 분할되는 경우
② 단독주택 또는 다가구주택이 다세대주택으로 전환되는 경우
③ 주택 등 건축물이 분할되거나 공유자의 수가 증가되는 경우
④ 하나의 대지 범위에 속하는 동일인 소유의 토지와 주택 등 건축물을 토지와 주택 등 건축물로 각각 분리하여 소유하는 경우
⑤ 나대지에 건축물을 새로 건축하거나 기존 건축물을 철거하고 다세대주택이나 그 밖의 공동주택을 건축하여 토지등소유자가 증가하는 경우

02 도시재정비위원회

다음의 사항을 심의하거나 시 · 도지사 또는 대도시 시장의 자문에 응하기 위하여 시 · 도지사 또는 대도시 시장 소속으로 도시재정비위원회를 둘 수 있다(법 제34조).

① 재정비촉진지구의 지정 및 변경에 대한 심의 또는 자문
② 재정비촉진계획의 수립에 대한 자문
③ 재정비촉진계획의 결정 및 변경에 대한 심의 또는 자문
④ 재정비촉진사업의 시행에 대한 자문
⑤ 그 밖에 도시재정비 촉진을 위하여 필요한 사항에 대한 자문

03 감독 등

(1) 시정명령

국토교통부장관, 시 · 도지사 또는 시장 · 군수 · 구청장은 사업시행자가 재정비촉진계획을 위반하여 재정비촉진사업을 시행하는 경우에는 시정기간을 정하여 이를 시정하도록 명할 수 있다(법 제35조 제1항).

(2) 인가 등 취소

국토교통부장관, 시 · 도지사 또는 시장 · 군수 · 구청장은 (1)에 따른 시정명령을 받고도 해당 기간에 시정하지 아니하는 사업시행자에 대하여는 사업시행자 지정의 취소, 해당 법령에 따른 재정비촉진사업의 인가 또는 승인의 취소 등 필요한 조치를 할 수 있으며, 해당 처분을 하려면 청문을 실시하여야 한다(법 제35조 제2항 · 제3항).

04 자료의 제출 요구 등

(1) 국토교통부장관, 시 · 도지사 또는 대도시 시장은 재정비촉진지구에서 시행하는 재정비촉진사업에 대하여 시 · 도지사 또는 시장 · 군수 · 구청장 및 사업시행자에게 그 재정비촉진사업의 추진단계별 현황 자료 등 필요한 자료를 요구할 수 있으며, 자료의 제출을 요구받은 자는 해당 자료를 지체 없이 제출하여야 한다(법 제36조 제1항).

(2) 총괄사업관리자는 법 제14조 제2항에 따른 업무를 수행하기 위하여 필요한 경우에는 조합설립추진위원회 · 사업시행자 · 설계자 · 시공자 및 정비사업전문관리업자 등 재정비촉진사업의 참여자에게 재정비촉진사업과 관련된 자료의 제출을 요구할 수 있으며, 자료의 제출을 요구받은 자는 특별한 사유가 없으면 그 요구에 따라야 한다(법 제36조 제2항).

05 벌칙 적용시의 공무원 의제

총괄계획가 및 총괄사업관리자 소속의 총괄사업관리업무 담당자는 형법 제129조부터 제132조까지의 규정을 적용할 때에는 공무원으로 본다(법 제37조).

마무리STEP 1 | OX 문제

01 상업지역 · 공업지역 등으로서 토지의 효율적 이용과 도심 또는 부도심 등의 도시기능의 회복이 필요한 촉진지구는 고밀복합형이다. ( )

02 재정비촉진구역 중 재정비촉진사업의 활성화, 소형주택의 공급확대, 주민이주대책 지원 등을 위하여 다른 구역에 우선하여 개발하는 구역으로서 재정비촉진계획으로 결정되는 구역을 존치지역이라 한다. ( )

03 시장 · 군수 · 구청장은 특별시장 · 광역시장 또는 도지사에게 재정비촉진지구의 지정을 신청할 수 있고, 특별시장 · 광역시장 또는 도지사는 시장 · 군수 · 구청장이 재정비촉진지구의 지정을 신청하지 아니하더라도 해당 시장 · 군수 · 구청장과의 협의를 거쳐 직접 재정비촉진지구를 지정할 수 있다. ( )

04 재정비촉진지구의 면적은 주거지형의 경우 50만제곱미터 이상, 중심지형의 경우 20만제곱미터 이상, 고밀복합형의 경우 10만제곱미터 이상으로 한다. ( )

05 재정비촉진지구 지정을 고시한 날부터 2년이 되는 날까지 재정비촉진계획이 결정되지 아니하면 그 2년이 되는 날에 재정비촉진지구 지정의 효력이 상실된다. 다만, 시 · 도지사 또는 대도시 시장은 해당 기간을 1년의 범위에서 연장할 수 있다. ( )

01 × 중심지형에 대한 설명이다. 고밀복합형은 주요 역세권, 간선도로의 교차지 등 양호한 기반시설을 갖추고 있어 대중교통 이용이 용이한 지역으로서 도심 내 소형주택의 공급확대, 토지의 고도이용과 건축물의 복합개발이 필요한 지구를 말한다.

02 × 우선사업구역에 대한 설명이다. 존치지역은 재정비촉진지구에서 재정비촉진사업의 필요성이 적어 재정비촉진계획에 따라 존치하는 지역을 말한다.

03 ○

04 ○

05 × 2년이 되는 날의 다음 날에 재정비촉진지구 지정의 효력이 상실된다.

06 재정비촉진지구의 지정을 해제하는 경우 재정비촉진구역 내 추진위원회 또는 조합의 구성에 동의한 토지등소유자 2분의 1 이상 3분의 2 이하의 범위에서 시 · 도 또는 대도시 조례로 정하는 비율 이상 또는 토지등소유자의 과반수가 해당 재정비촉진사업을 정비사업으로 전환하여 계속 시행하기를 원하는 구역에서는 이 법 또는 관계 법률에 따른 종전의 인가 등이 유효한 것으로 본다. ( )

07 시 · 도지사 또는 대도시 시장은 대통령령으로 정하는 바에 따라 재정비촉진계획 수립의 모든 과정을 총괄 진행 · 조정하게 하기 위하여 도시계획 · 도시설계 · 건축 등 분야의 전문가를 총괄사업관리자로 위촉할 수 있다. ( )

08 시 · 도지사 또는 대도시 시장은 재정비촉진계획 결정의 효력이 상실된 구역을 존치지역으로 전환할 수 있다. 이 경우 해당 존치지역에서는 기반시설과 관련된 국토의 계획 및 이용에 관한 법률에 따른 도시 · 군관리계획은 재정비촉진계획 결정 이전의 상태로 환원되지 아니할 수 있다. ( )

09 우선사업구역의 재정비촉진사업은 관계 법령에도 불구하고 토지등소유자의 과반수의 동의를 받아 특별자치시장, 특별자치도지사, 시장 · 군수 · 구청장이 직접 시행하거나 총괄사업관리자를 사업시행자로 지정하여 시행하도록 할 수 있다. ( )

10 재정비촉진계획 수립권자는 사업을 효율적으로 추진하기 위하여 재정비촉진계획 수립단계에서부터 한국토지주택공사 또는 지방공사를 총괄사업관리자로 지정할 수 있다. ( )

06 ○
07 × 총괄계획가로 위촉할 수 있다.
08 ○
09 × 총괄사업관리자를 사업시행자로 지정하여 시행하도록 하여야 한다.
10 ○

11 재정비촉진계획 수립권자는 대통령령으로 정하는 사항에 관한 협의 또는 자문을 위하여 사업협의회를 구성 · 운영할 수 있고, 사업협의회는 20인 이내(재정비촉진구역이 10곳 이상인 경우에는 30인 이내)의 위원으로 구성한다. ( )

12 재정비촉진계획의 결정 · 고시일부터 3년 이내에 재정비촉진사업과 관련하여 해당 사업을 규정하고 있는 관계 법률에 따른 조합설립인가를 신청하지 아니하거나, 2년 이내에 해당 사업에 관하여 규정하고 있는 관계 법률에 따른 사업시행인가를 신청하지 아니한 경우에는 특별자치시장, 특별자치도지사, 시장 · 군수 · 구청장이 그 사업을 직접 시행하거나 총괄사업관리자를 사업시행자로 우선하여 지정할 수 있다. ( )

13 시장 · 군수 · 구청장 또는 시 · 도지사는 재정비촉진사업의 활성화, 소형주택의 공급확대, 주민이주대책 지원 등을 위하여 필요한 경우 재정비촉진지구 전체에 대한 재정비촉진계획을 결정 · 고시하기 전이라도 우선사업구역에 대한 재정비촉진계획을 별도로 수립하여 결정을 신청하거나, 결정 · 고시할 수 있다. ( )

11 ○

12 × 재정비촉진계획의 결정 · 고시일부터 2년 이내에 조합설립인가를 신청하지 아니하거나, 3년 이내에 사업시행인가를 신청하지 아니한 경우이다.

13 ○

마무리STEP 2 | 확인문제

01 **도시재정비 촉진을 위한 특별법령상 재정비촉진구역 중 재정비촉진사업의 활성화, 소형주택의 공급확대, 주민이주대책 지원 등을 위하여 다른 구역에 우선하여 개발하는 구역으로서 재정비촉진계획으로 결정되는 구역의 명칭은?** 제13회

① 이주택지
② 고밀복합지구
③ 우선사업구역
④ 주상복합지구
⑤ 주거환경개선구역

02 **도시재정비 촉진을 위한 특별법 제2조(정의) 규정의 일부이다. (　　) 안에 들어갈 용어를 쓰시오.** 제20회

> 1. 재정비촉진지구란 도시의 낙후된 지역에 대한 주거환경의 개선, 기반시설의 확충 및 도시기능의 회복을 광역적으로 계획하고 체계적 · 효율적으로 추진하기 위하여 제5조에 따라 지정하는 지구를 말한다. 이 경우 지구의 특성에 따라 다음 각 목의 유형으로 구분한다.
>   다. (　　　)형: 주요 역세권, 간선도로의 교차지 등 양호한 기반시설을 갖추고 있어 대중교통 이용이 용이한 지역으로서 도심 내 소형주택의 공급확대, 토지의 고도이용과 건축물의 복합개발이 필요한 지구

정답 | 해설

01 ③ 우선사업구역에 대한 설명이다.

02 **고밀복합**

03 **도시재정비 촉진을 위한 특별법령상 재정비촉진지구 안에서 시행되는 사업 중 재정비촉진사업이 아닌 것은?** 제11회

① 도시 및 주거환경정비법에 따른 주거환경개선사업
② 도시개발법에 따른 도시개발사업
③ 전통시장 및 상점가 육성을 위한 특별법에 따른 시장정비사업
④ 주택법에 따른 주택건설사업
⑤ 국토의 계획 및 이용에 관한 법률에 따른 도시·군계획시설사업

04 **도시재정비 촉진을 위한 특별법령상 재정비촉진지구 등에 관한 설명으로 옳지 않은 것은?** 제12회

① 재정비촉진사업에는 재정비촉진지구 안에서 시행되는 국토의 계획 및 이용에 관한 법률에 따른 도시·군계획시설사업도 포함된다.
② 재정비촉진지구의 유형은 주거지형, 중심지형, 뉴타운형으로 구분한다.
③ 재정비촉진계획이란 재정비촉진지구의 재정비촉진사업을 계획적이고 체계적으로 추진하기 위한 토지이용, 기반시설의 설치 등에 관한 계획을 말한다.
④ 재정비촉진지구의 지정권자는 특별시장·광역시장 또는 도지사이다.
⑤ 재정비촉진지구를 지정하는 때에는 이를 지체 없이 해당 지방자치단체의 공보에 고시하여야 한다.

05 **도시재정비 촉진을 위한 특별법령상 재정비촉진지구를 지정할 수 있는 경우로 규정하고 있지 않은 것은?** 제16회

① 투기과열지구에서 조성되는 공공택지 중에서 주택에 대한 투기가 성행할 우려가 있거나 공공택지의 주택공급의 공공성을 강화하기 위하여 필요한 경우
② 상업지역, 공업지역 등으로서 토지의 효율적 이용과 도심 또는 부도심 등의 도시기능의 회복이 필요한 경우
③ 주요 역세권, 간선도로의 교차지 등 양호한 기반시설을 갖추고 있어 대중교통 이용이 용이한 지역으로서 도심 내 소형주택의 공급확대, 토지의 고도이용과 건축물의 복합개발이 필요한 경우
④ 노후 · 불량주택과 건축물이 밀집한 지역으로서 주로 주거환경의 개선과 기반시설의 정비가 필요한 경우
⑤ 국가 또는 지방자치단체의 계획에 따라 이전되는 대규모 시설의 기존 부지를 포함한 지역으로서 도시기능의 재정비가 필요한 경우

정답 | 해설

03 ④ 주택법에 따른 주택건설사업은 재정비촉진사업에 해당하지 아니한다.

재정비촉진사업
재정비촉진사업이란 재정비촉진지구 안에서 시행되는 다음의 사업을 말한다.
- 도시 및 주거환경정비법에 따른 주거환경개선사업 · 재개발사업 · 재건축사업, 가로주택정비사업, 소규모재건축사업, 소규모재개발사업
- 도시개발법에 따른 도시개발사업
- 전통시장 및 상점가 육성을 위한 특별법에 따른 시장정비사업
- 국토의 계획 및 이용에 관한 법률에 따른 도시 · 군계획시설사업
- 도시재생 활성화 및 지원에 관한 특별법에 따른 주거재생혁신지구의 혁신지구재생사업
- 공공주택 특별법에 따른 도심 공공주택 복합사업

04 ② 재정비촉진지구의 유형은 주거지형, 중심지형, 고밀복합형으로 구분한다. 뉴타운형은 재정비촉진지구의 유형이 아니다.

05 ① 주택공영개발지구에 대한 설명이다. 재정비촉진지구의 지정목적은 노후 · 불량한 건축물이 밀집된 지역에 대하여 철거를 전제로 하여 광범위하게 도시개량사업을 한다는 데 있다. 따라서 새롭게 조성된 택지에 건축물을 새로이 짓는 사업과는 거리가 멀다.

06 도시재정비 촉진을 위한 특별법령상 재정비촉진계획의 수립 및 결정에 관한 설명으로 옳지 않은 것은?

제15회

① 재정비촉진사업 관계 법률에 따라 재정비촉진구역 지정의 효력이 상실된 경우에는 해당 재정비촉진구역에 대한 재정비촉진계획 결정의 효력도 상실된 것으로 본다.

② 존치정비구역이란 재정비촉진구역의 지정 요건에 해당하지 아니하거나 기존의 시가지로 유지·관리할 필요가 있는 구역을 말한다.

③ 재정비촉진계획에 따른 기반시설의 설치계획은 재정비촉진사업을 서로 연계하여 광역적으로 수립하여야 한다.

④ 재정비촉진계획에는 기반시설의 비용분담계획, 상가의 분포 및 수용계획 등이 포함된다.

⑤ 시장·군수·구청장은 재정비촉진계획을 수립하여 특별시장·광역시장 또는 도지사에게 결정을 신청하여야 한다.

07 도시재정비 촉진을 위한 특별법은 다음과 같이 임대주택의 건설비율을 규정하고 있다. (   ) 안에 들어갈 임대주택의 건설비율은?

제14회

사업시행자는 세입자의 주거안정과 개발이익의 조정을 위하여 해당 재정비촉진사업으로 증가되는 용적률의 (   )퍼센트 범위 안에서 대통령령으로 정하는 비율을 임대주택으로 공급하여야 하며, 건설되는 임대주택 중 주거전용면적이 85제곱미터를 초과하는 주택의 비율은 (   )퍼센트 이하의 범위 안에서 대통령령으로 정한다.

① 30, 40
② 50, 40
③ 70, 50
④ 75, 50
⑤ 80, 60

08 도시재정비 촉진을 위한 특별법에 관한 내용으로 옳은 것은? 제17회

① 우선사업구역의 재정비촉진사업은 관계 법령에도 불구하고 토지등소유자의 3분의 1 이상의 동의를 받아 시장 · 군수 · 구청장이 직접 시행하여야 한다.

② 재정비촉진구역이 10곳 이상인 경우 사업협의회는 20인 이내의 위원으로 구성한다.

③ 한국토지주택공사가 사업시행자로 지정된 경우 시공사는 주민대표회의가 선정한다.

④ 재정비촉진계획 수립권자는 재정비촉진계획 수립단계에서부터 한국토지주택공사 또는 지방공사를 총괄사업관리자로 지정할 수 있다.

⑤ 주민대표회의가 시공사를 선정할 경우 경쟁입찰의 방법으로 하여야 하나 1회 유찰되면 수의계약의 방법으로 한다.

정답 | 해설

06 ② 존치관리구역에 대한 설명이다. 존치정비구역은 재정비촉진구역의 지정 요건에는 해당하지 아니하나 시간의 경과 등 여건의 변화에 따라 재정비촉진사업 요건에 해당할 수 있거나 재정비촉진사업의 필요성이 높아질 수 있는 구역을 말한다.

07 ④ 괄호 안에는 75, 50이 들어가야 한다.

08 ④ ① 토지등소유자의 과반수 이상의 동의를 받아야 한다.

② 사업협의회는 20인 이내(재정비촉진구역이 10곳 이상인 경우에는 30인 이내)의 위원으로 구성한다.

③ 특별자치시장, 특별자치도지사, 시장 · 군수 · 구청장이 재정비촉진사업을 직접 시행하거나 한국토지주택공사, 지방공사가 사업시행자로 지정되는 경우 사업시행자는 주민대표회의에서 경쟁입찰의 방법에 따라 추천한 자를 시공자로 선정할 수 있다.

⑤ 주민대표회의가 다음의 절차를 거쳐 시공자를 추천한다.

1. 입찰은 일반경쟁입찰, 제한경쟁입찰 또는 지명경쟁입찰로 할 것
2. 위 1.의 입찰을 위한 입찰공고는 1회 이상 일간신문에 하여야 하고 현장 설명회를 개최할 것
3. 입찰자로부터 제출받은 입찰제안서에 대하여 토지등소유자를 대상으로 투표를 실시할 것

2025 해커스 주택관리사(보)
house.Hackers.com

10개년 출제비중분석

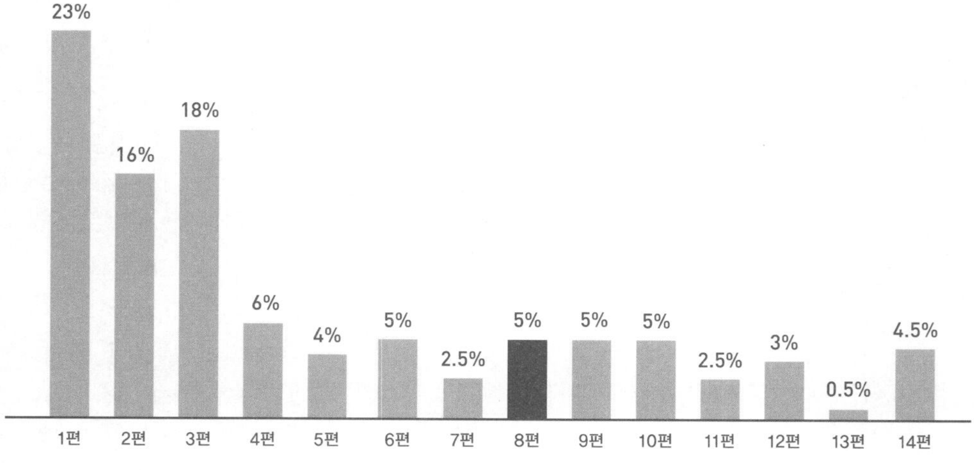

제8편

시설물의 안전 및 유지관리에 관한 특별법

제 8 편 시설물의 안전 및 유지관리에 관한 특별법

목차 내비게이션 시설물의 안전 및 유지관리에 관한 특별법

단원길라잡이

시설물의 안전 및 유지관리에 관한 특별법에서는 매년 2문제가 출제된다. 이 단원에서는 용어의 정의, 시설물의 안전 및 유지관리기본계획, 시설물의 안전 및 유지관리계획, 안전점검 및 정밀안전진단(실시대상 및 실시시기, 실시기관), 시설물의 유지관리 등을 중점적으로 학습하여야 한다.

출제포인트

- 시설물의 구분
- 안전점검의 구분과 실시 및 시기
- 정밀안전진단의 실시 및 시기
- 안전등급의 구분 및 지정
- 하도급의 제한

제1절 총칙

01 제정목적

이 법은 시설물의 안전점검과 적정한 유지관리를 통하여 재해와 재난을 예방하고 시설물의 효용을 증진시킴으로써 공중(公衆)의 안전을 확보하고 나아가 국민의 복리증진에 기여함을 목적으로 한다(법 제1조).

02 시설물에 대한 개관

(1) 시설물

시설물이란 건설공사를 통하여 만들어진 교량 · 터널 · 항만 · 댐 · 건축물 등 구조물과 그 부대시설로서 제1종 시설물, 제2종 시설물 및 제3종 시설물을 말한다(법 제2조 제1호).

① **제1종 시설물**: 공중의 이용편의와 안전을 도모하기 위하여 특별히 관리할 필요가 있거나 구조상 안전 및 유지관리에 고도의 기술이 필요한 대규모 시설물로서, 다음의 어느 하나에 해당하는 시설물 등 대통령령으로 정하는 시설(법 제7조 제1호).

> ㉠ 고속철도 교량, 연장 500미터 이상의 도로 및 철도 교량
> ㉡ 고속철도 및 도시철도 터널, 연장 1천미터 이상의 도로 및 철도 터널
> ㉢ 갑문시설 및 연장 1천미터 이상의 방파제
> ㉣ 다목적댐, 발전용댐, 홍수전용댐 및 총저수용량 1천만톤 이상의 용수전용댐
> ㉤ 21층 이상 또는 연면적 5만제곱미터 이상의 건축물
> ㉥ 하구둑, 포용저수량 8천만톤 이상의 방조제
> ㉦ 광역상수도, 공업용수도, 1일 공급능력 3만톤 이상의 지방상수도

② **제2종 시설물**: 제1종 시설물 외에 사회기반시설 등 재난이 발생할 위험이 높거나 재난을 예방하기 위하여 계속적으로 관리할 필요가 있는 시설물로서, 다음의 어느 하나에 해당하는 시설물 등 대통령령으로 정하는 시설물(법 제7조 제2호).

> ㉠ 연장 100미터 이상의 도로 및 철도 교량
> ㉡ 고속국도, 일반국도, 특별시도 및 광역시도 도로터널 및 특별시 또는 광역시에 있는 철도터널
> ㉢ 연장 500미터 이상의 방파제
> ㉣ 지방상수도 전용댐 및 총저수용량 1백만톤 이상의 용수전용댐
> ㉤ 16층 이상 또는 연면적 3만제곱미터 이상의 건축물
> ㉥ 포용저수량 1천만톤 이상의 방조제
> ㉦ 1일 공급능력 3만톤 미만의 지방상수도

기출예제

시설물의 안전 및 유지관리에 관한 특별법 제7조(시설물의 종류) 규정의 일부이다. ( ) 안에 들어갈 아라비아 숫자를 쓰시오. 제26회

- 제2종 시설물: 제1종 시설물 외에 사회기반시설 등 재난이 발생할 위험이 높거나 재난을 예방하기 위하여 계속적으로 관리할 필요가 있는 시설물로서 다음 각 목의 어느 하나에 해당하는 시설물 등 대통령령으로 정하는 시설물
  가.~라. 〈생략〉
  마. (㉠)층 이상 또는 연면적 (㉡)만제곱미터 이상의 건축물
  바.~사. 〈생략〉

정답: ㉠ 16, ㉡ 3

건축물의 제1종 시설물 및 제2종 시설물의 종류(영 [별표 1])

<table>
<tr><th colspan="2">구분</th><th>제1종 시설물</th><th>제2종 시설물</th></tr>
<tr><td rowspan="5">건축물</td><td>공동주택</td><td>-</td><td>16층 이상의 공동주택</td></tr>
<tr><td rowspan="4">공동주택 외의 건축물</td><td rowspan="2">21층 이상 또는 연면적 5만제곱미터 이상의 건축물</td><td>제1종 시설물에 해당하지 않는 건축물로서 16층 이상 또는 연면적 3만제곱미터 이상의 건축물</td></tr>
<tr><td>제1종 시설물에 해당하지 않는 건축물로서 연면적 5천제곱미터 이상(각 용도별 시설의 합계를 말한다)의 문화 및 집회시설, 종교시설, 판매시설, 운수시설 중 여객용 시설, 의료시설, 노유자시설, 수련시설, 운동시설, 숙박시설 중 관광숙박시설 및 관광휴게시설</td></tr>
<tr><td>연면적 3만제곱미터 이상의 철도역시설 및 관람장</td><td>제1종 시설물에 해당하지 않는 고속철도, 도시철도 및 광역철도 역시설</td></tr>
<tr><td>연면적 1만제곱미터 이상의 지하도상가(지하보도면적을 포함한다)</td><td>제1종 시설물에 해당하지 않는 지하도상가로서 연면적 5천제곱미터 이상의 지하도상가(지하보도면적을 포함한다)</td></tr>
</table>

비고

1. 건축물에는 그 부대시설인 옹벽과 절토사면을 포함하며, 건축설비, 소방설비, 승강기설비 및 전기설비는 포함하지 아니한다.
2. 건축물의 연면적은 지하층을 포함한 동별로 계산한다. 다만, 2동 이상의 건축물이 하나의 구조로 연결된 경우와 둘 이상의 지하도상가가 연속되어 있는 경우에는 연면적의 합계를 말한다.

3. '공동주택 외의 건축물'은 건축법 시행령 [별표 1]에서 정한 용도별 분류를 따른다.
4. 건축물 중 주상복합건축물은 '공동주택 외의 건축물'로 본다.
5. '운수시설 중 여객용 시설'이란 건축법 시행령 [별표 1] 제8호에 따른 운수시설 중 여객자동차터미널, 일반철도역사, 공항청사, 항만여객터미널을 말한다.
6. '철도 역시설'이란 철도의 건설 및 철도시설 유지관리에 관한 법률 제2조 제6호 가목에 따른 역시설(물류시설은 제외한다)을 말한다. 다만, 선하역사의 선로구간은 연속되는 교량시설물에 포함하고, 지하역사의 선로구간은 연속되는 터널시설물에 포함한다.

③ **제3종 시설물**: 제1종 시설물 및 제2종 시설물 외에 안전관리가 필요한 소규모 시설물로서 (2)에 따라 지정 · 고시된 시설물(법 제7조 제3호).

(2) 제3종 시설물의 지정 등

① **직권지정**: 중앙행정기관의 장 또는 지방자치단체의 장은 다중이용시설 등 재난이 발생할 위험이 높거나 재난을 예방하기 위하여 계속적으로 관리할 필요가 있다고 인정되는 제1종 시설물 및 제2종 시설물 외의 시설물을 국토교통부장관이 정하여 고시하는 기준에 따라 제3종 시설물을 지정 · 고시하여야 하며, 지정 · 고시할 때에는 15일 이내에 그 사실을 해당 관리주체에게 통보하여야 한다(법 제8조 제1항 · 제3항, 영 제5조 제1항, 규칙 제4조 제2항).

건축 분야의 제3종 시설물의 범위

[별표 1의2, 준공 후 15년이 경과된 시설물(기타 시설물은 제외)을 말한다]

구분	대상범위
공동주택	㉠ 5층 이상~15층 이하 아파트 ㉡ 연면적 660제곱미터를 초과하고 4층 이하인 연립주택 ㉢ 연면적 660제곱미터를 초과하는 기숙사
공동주택 외의 건축물	㉠ 11층 이상 16층 미만 또는 연면적 5천제곱미터 이상 3만제곱미터 미만인 건축물(동물 및 식물 관련 시설 및 자원순환 관련 시설은 제외한다) ㉡ 연면적 1천제곱미터 이상 5천제곱미터 미만인 문화 및 집회시설, 종교시설, 판매시설, 운수시설, 의료시설, 교육연구시설(연구소는 제외한다), 노유자시설, 수련시설, 운동시설, 숙박시설, 위락시설, 관광휴게시설, 장례시설 ㉢ 연면적 500제곱미터 이상 1천제곱미터 미만인 문화 및 집회시설(공연장 및 집회장만 해당한다), 종교시설 및 운동시설 ㉣ 연면적 300제곱미터 이상 1천제곱미터 미만인 위락시설 및 관광휴게시설 ㉤ 연면적 1천제곱미터 이상인 공공업무시설(외국공관은 제외한다) ㉥ 연면적 5천제곱미터 미만인 지하도상가(지하보도면적을 포함한다)
기타	그 밖에 중앙행정기관의 장 또는 지방자치단체의 장이 재난예방을 위하여 안전관리가 필요한 것으로 인정하는 시설물

비고

1. 제1종 시설물 및 제2종 시설물은 제외한다.
2. 터널 중 특별시도 및 광역시도 터널은 제외한다.
3. 공동주택 중 다세대주택은 제외한다.
4. 노유자시설 중 단독 · 공동주택, 1종 근린생활시설은 제외한다.
5. 대형 건축물 중 건축법 제2조(건축물 용도) 제2항 제21호 및 제22호는 제외한다.
6. 연면적은 허가신고면적을 기준으로 하고, 건축물의 연면적은 지하층을 포함 동별로 계산한다. 다만, 2동 이상의 건축물이 하나의 구조로 연결된 경우에는 연면적의 합계를 말한다.
7. 중소형 건축물로 분류된 시설 중 대형 건축물에 입주되어 운영되는 시설은 제외한다.
8. 중소형 건축물로 분류된 여러 시설이 대형 건축물에 속하지 않는 복합건축물 내에 입주한 경우에는 각 시설의 연면적 합계로 계산한다.

② **요청에 따른 지정:** 제1종 시설물 및 제2종 시설물 외의 시설물의 관리주체는 재난발생의 위험이 높거나 재난을 예방하기 위하여 계속적으로 관리할 필요가 있는 경우에는 다음의 구분에 따른 자에게 국토교통부령으로 정하는 바에 따라 해당 시설물을 제3종 시설물로 지정해 줄 것을 요청할 수 있다(영 제5조 제2항, 규칙 제5조 제1항).

> ㉠ **관리주체가 공공관리주체인 경우:** 다음의 구분에 따른 자
> ⓐ **중앙행정기관의 소속 기관이거나 감독을 받는 기관인 공공관리주체:** 소속 중앙행정기관의 장
> ⓑ **ⓐ 외의 공공관리주체:** 시 · 도지사
> ㉡ **관리주체가 민간관리주체인 경우:** 관할 시장 · 군수 · 구청장

③ **지정해제**

㉠ **직권해제:** 중앙행정기관의 장 또는 지방자치단체의 장은 제3종 시설물이 보수 · 보강의 시행 등으로 재난발생 위험이 해소되거나 재난을 예방하기 위하여 계속적으로 관리할 필요성이 없는 경우에는 대통령령으로 정하는 바에 따라 그 지정을 해제하여야 하며, 해제할 때에는 15일 이내에 그 사실을 해당 관리주체에게 통보하여야 한다(법 제8조 제2항 · 제3항, 영 제5조 제1항, 규칙 제4조 제2항).

㉡ **요청에 따른 해제:** 제3종 시설물의 관리주체는 시설물의 보수 · 보강 등으로 인하여 재난발생의 위험이 해소되거나 용도변경 등으로 인하여 재난을 예방하기 위하여 계속적으로 관리할 필요성이 없는 경우에는 해당 시설물의 지정권자에게 지정해제 신청서에 다음의 서류 중 해당 서류를 첨부하여 지정을 해제해 줄 것을 요청할 수 있으며, 해제의 요청을 받은 중앙행정기관의 장 또는 지방자치단체의 장은 제3종 시설물을 해제하여야 한다(영 제4조 제4항 · 제5항, 규칙 제5조 제2항).

ⓐ 해당 시설물에 대한 법 제17조 제1항에 따른 안전점검 결과보고서
ⓑ 용도변경이 있는 경우 건축물대장 사본
ⓒ 그 밖에 재난을 예방하기 위하여 계속적으로 관리할 필요성이 없다는 사실을 증명하는 서류

03 용어의 정의

이 법에서 사용하는 용어의 뜻은 다음과 같다(법 제2조).

(1) 관리주체

관리주체란 관계 법령에 따라 해당 시설물의 관리자로 규정된 자나 해당 시설물의 소유자를 말한다. 이 경우 해당 시설물의 소유자와의 관리계약 등에 따라 시설물의 관리책임을 진 자는 관리주체로 보며, 관리주체는 공공관리주체와 민간관리주체로 구분한다(법 제2조 제2호).

① **공공관리주체**: 공공관리주체란 다음의 어느 하나에 해당하는 관리주체를 말한다.

㉠ 국가 · 지방자치단체
㉡ 공공기관의 운영에 관한 법률에 따른 공공기관
㉢ 지방공기업법에 따른 지방공기업

② **민간관리주체**: 민간관리주체란 공공관리주체 외의 관리주체를 말한다.

(2) 안전점검 및 긴급안전점검

① **안전점검**: 경험과 기술을 갖춘 자가 육안이나 점검기구 등으로 검사하여 시설물에 내재(內在)되어 있는 위험요인을 조사하는 행위를 말하며, 점검목적 및 점검수준을 고려하여 국토교통부령(규칙 제2조)으로 정하는 바에 따라 정기안전점검 및 정밀안전점검으로 구분한다(법 제2조 제5호).

㉠ **정기안전점검**: 시설물의 상태를 판단하고 시설물이 점검 당시의 사용요건을 만족시키고 있는지 확인할 수 있는 수준의 외관조사를 실시하는 안전점검

㉡ **정밀안전점검**: 시설물의 상태를 판단하고 시설물이 점검 당시의 사용요건을 만족시키고 있는지 확인하며 시설물 주요부재의 상태를 확인할 수 있는 수준의 외관조사 및 측정 · 시험장비를 이용한 조사를 실시하는 안전점검

② **긴급안전점검**: 시설물의 붕괴 · 전도 등으로 인한 재난 또는 재해가 발생할 우려가 있는 경우에 시설물의 물리적 · 기능적 결함을 신속하게 발견하기 위하여 실시하는 점검을 말한다(법 제2조 제7호).

(3) 정밀안전진단

정밀안전진단이란 시설물의 물리적 · 기능적 결함을 발견하고 그에 대한 신속하고 적절한 조치를 하기 위하여 구조적 안전성과 결함의 원인 등을 조사 · 측정 · 평가하여 보수 · 보강 등의 방법을 제시하는 행위를 말한다(법 제2조 제6호).

(4) 내진성능평가

내진성능평가란 지진으로부터 시설물의 안전성을 확보하고 기능을 유지하기 위하여 지진 · 화산재해대책법 제14조 제1항에 따라 시설물별로 정하는 내진설계기준(耐震設計基準)에 따라 시설물이 지진에 견딜 수 있는 능력을 평가하는 것을 말한다(법 제2조 제8호).

(5) 도급, 하도급

① **도급**: 도급(都給)이란 원도급 · 하도급 · 위탁, 그 밖에 명칭 여하에도 불구하고 안전점검 · 정밀안전진단이나 긴급안전점검, 유지관리 또는 성능평가를 완료하기로 약정하고, 상대방이 그 일의 결과에 대하여 대가를 지급하기로 한 계약을 말한다(법 제2조 제9호).

② **하도급**: 하도급이란 도급받은 안전점검 · 정밀안전진단이나 긴급안전점검, 유지관리 또는 성능평가 용역의 전부 또는 일부를 도급하기 위하여 수급인(受給人)이 제3자와 체결하는 계약을 말한다(법 제2조 제10호).

(6) 유지관리

유지관리란 완공된 시설물의 기능을 보전하고 시설물이용자의 편의와 안전을 높이기 위하여 시설물을 일상적으로 점검 · 정비하고 손상된 부분을 원상복구하며 경과시간에 따라 요구되는 시설물의 개량 · 보수 · 보강에 필요한 활동을 하는 것을 말한다(법 제2조 제11호).

(7) 성능평가

성능평가란 시설물의 기능을 유지하기 위하여 요구되는 시설물의 구조적 안전성, 내구성, 사용성 등의 성능을 종합적으로 평가하는 것을 말한다(법 제2조 제12호).

(8) 하자담보책임기간

하자담보책임기간이란 건설산업기본법과 공동주택관리법 등 관계 법령에 따른 하자담보책임기간 또는 하자보수기간 등을 말한다(법 제2조 제13호).

04 시설물의 안전 및 유지관리기본계획 등

(1) 시설물의 안전 및 유지관리기본계획

① **수립:** 국토교통부장관은 시설물이 안전하게 유지관리될 수 있도록 하기 위하여 5년마다 시설물의 안전 및 유지관리에 관한 기본계획(이하 '기본계획'이라 한다)을 수립 · 시행하여야 한다(법 제5조 제1항).

② **절차:** 국토교통부장관은 기본계획을 수립할 때에는 미리 관계 중앙행정기관의 장과 협의하여야 하고 이를 관보에 고시하여야 한다. 기본계획을 수립하기 위하여 필요하다고 인정되면 관계 중앙행정기관의 장 및 지방자치단체의 장에게 관련 자료를 제출하도록 요구할 수 있다. 변경할 때에도 또한 같다(법 제5조 제3항 · 제4항).

(2) 시설물의 안전 및 유지관리계획

① **수립:** 관리주체는 기본계획에 따라 소관 시설물에 대한 안전 및 유지관리계획(이하 '시설물관리계획'이라 한다)을 소관 시설물별로 매년 수립 · 시행하여야 하며, 시설물관리계획에는 다음의 사항이 포함되어야 한다. 다만, 공동주택의 경우에는 ㉠과 ㉡에 대해서는 공동주택단지에 소재하는 공동주택 전체를 대상으로 수립할 수 있다(법 제6조 제1항 · 제2항, 영 제3조 제1항).

> ㉠ 시설물의 적정한 안전과 유지관리를 위한 조직 · 인원 및 장비의 확보에 관한 사항
> ㉡ 긴급상황 발생시 조치체계에 관한 사항
> ㉢ 시설물의 설계 · 시공 · 감리 및 유지관리 등에 관련된 설계도서의 수집 및 보존에 관한 사항
> ㉣ 안전점검 또는 정밀안전진단의 실시에 관한 사항
> ㉤ 보수 · 보강 등 유지관리 및 그에 필요한 비용에 관한 사항(단, 시장 · 군수 · 구청장이 시설물관리계획을 수립하는 경우에는 ㉤의 사항을 생략할 수 있다)

② 제3종 시설물 중 의무관리대상 공동주택이 아닌 공동주택 등 민간관리주체 소관 시설물 중 다음의 시설물의 경우에는 특별자치시장 · 특별자치도지사 · 시장 · 군수 또는 구청장(구청장은 자치구의 구청장을 말하며, 이하 '시장 · 군수 · 구청장'이라 한다)이 수립하여 15일 이내에 해당 관리주체에게 서면 또는 전자문서로 통보하여야 한다(법 제6조 제1항 · 제3항, 영 제3조 제2항 · 제3항).

> ㉠ 공동주택관리법에 따른 의무관리대상 공동주택이 아닌 공동주택
> ㉡ 건축법 제2조 제2항 제11호에 따른 노유자시설
> ㉢ 그 밖에 시장 · 군수 · 구청장이 시설물관리계획을 수립할 필요가 있다고 국토교통부장관이 정하는 시설물

③ 보고 · 제출

㉠ **공공관리주체가 수립한 경우:** 공공관리주체는 시설물관리계획을 매년 2월 15일까지 다음에 해당하는 관계 행정기관의 장에게 보고하여야 한다(법 제6조 제4항, 규칙 제3조 제1항).

> ⓐ 공공관리주체가 중앙행정기관의 소속기관이거나 감독을 받는 기관인 경우에는 소속 중앙행정기관의 장
> ⓑ 위 ⓐ 외의 공공관리주체는 시 · 도지사

㉡ **민간관리주체가 수립한 경우:** 민간관리주체는 시설물관리계획을 매년 2월 15일까지 시장 · 군수 또는 구청장에게 제출하여야 하는데(법 제6조 제5항, 규칙 제3조 제1항), 시설물관리계획을 제출받은 시장 · 군수 또는 구청장은 민간관리주체가 시설물관리계획을 제출한 날부터 15일 이내에 그 제출자료를 관할 시 · 도지사(특별자치시장 · 특별자치도지사를 제외한다)에게 보고하여야 한다(법 제6조 제6항, 규칙 제3조 제4항).

㉢ **국토교통부장관에게 제출:** 시설물관리계획을 제출받거나 보고를 받은 중앙행정기관의 장과 시 · 도지사는 제출 또는 보고를 받은 날부터 15일 이내에 그 현황을 확인한 후 시설물관리계획에 관한 자료를 국토교통부장관에게 제출하여야 한다(법 제6조 제7항, 규칙 제3조 제5항).

④ **검토:** 국토교통부장관 또는 관계 행정기관의 장은 ③에 따라 보고받거나 제출받은 시설물관리계획의 타당성을 검토하여 필요한 경우 관리주체 또는 시장 · 군수 · 구청장(②의 경우에 한정한다)에게 수정 또는 보완을 요구할 수 있다. 이 경우 수정 또는 보완을 요구받은 자는 특별한 사유가 없으면 이에 따라야 한다(법 제6조 제8항).

(3) 중기관리계획

① **수립:** 법 제40조 제1항에 따른 시설물(이하 '성능평가대상 시설물'이라 한다)의 관리주체는 해당 시설물의 생애주기를 고려하여 소관 시설물별로 5년마다 중기 시설물관리계획(이하 '중기관리계획'이라 한다)을 수립 · 시행하고, 중기관리계획에 따라 매년 시설물관리계획을 수립 · 시행하여야 한다(영 제3조 제4항).

② **내용:** 중기관리계획에는 (2)의 ①의 사항 외에 다음의 사항이 포함되어야 한다(영 제3조 제5항).

> ㉠ 성능평가대상 시설물에 대한 성능목표 및 관리기준 설정에 관한 사항
> ㉡ 성능평가대상 시설물의 성능목표 달성방법에 관한 사항
> ㉢ 성능평가대상 시설물의 안전점검 · 정밀안전진단 또는 긴급안전점검(이하 '안전점검 등'이라 한다), 성능평가 및 유지관리 이행에 관한 사항
> ㉣ 성능평가대상 시설물의 성능평가 결과에 관한 사항

ⓜ 그 밖에 성능평가대상 시설물의 안전점검 등, 성능평가 및 유지관리를 위하여 국토교통부장관이 정하여 고시하는 사항

(4) 설계도서의 제출 등

① **제출**: 제1종 시설물 및 제2종 시설물을 건설 · 공급하는 사업주체는 다음의 서류를 관리주체와 국토교통부장관에게 제출하여야 하며, 제3종 시설물의 관리주체는 제3종 시설물로 지정 · 고시된 경우에 1개월 이내에 국토교통부장관에게 제출하여야 한다(법 제9조 제1항 · 제2항, 영 제6조).

구분	제1종 시설물 · 제2종 시설물	제3종 시설물
설계도서 등	• 준공도면 • 준공내역서 및 시방서 • 구조계산서 • 기타 시공상 특기한 사항	준공도면(준공도면이 없는 경우 실측도면)
시설물관리대장	시설물관리대장	시설물관리대장
감리보고서	최종감리보고서	

② 관리주체는 다음의 중요한 보수 · 보강을 실시한 경우 ①에 따른 서류를 국토교통부장관에게 제출하여야 한다(법 제9조 제4항, 영 제7조).

㉠ 철근콘크리트구조부 또는 철골구조부
㉡ 건축법 제2조 제1항 제7호에 따른 주요구조부
㉢ 그 밖에 국토교통부령으로 정하는 주요 부분

③ **제출명령 및 보관**: 국토교통부장관은 사업주체 또는 관리주체가 ①과 ②에 따른 서류를 제출하지 아니하는 경우에는 10일 이상 60일 이내의 범위에서 기간을 정하여 그 제출을 명할 수 있으며, 관리주체는 해당 서류를 해당 시설물의 존속시기까지 보존하여야 한다(법 제9조 제5항 · 제6항).

④ **설계도서 등의 열람**: 안전진단전문기관, 안전점검전문기관, 건설사업자 또는 국토안전관리원은 안전점검 · 정밀안전진단 또는 긴급안전점검(이하 '안전점검 등'이라 한다)이나 유지관리 업무를 수행하기 위하여 필요한 경우 관리주체에게 해당 시설물의 설계 · 시공 및 감리와 관련된 서류의 열람이나 그 사본의 교부를 요청할 수 있다. 다만, 국방이나 그 밖의 보안상 비밀유지가 필요한 시설물은 관리주체나 관련 기관의 동의를 받아 이를 열람할 수 있다(법 제10조).

㉠ 관계 행정기관의 장
㉡ 안전진단전문기관 · 안전점검전문기관 · 국토안전관리원 또는 건설사업자
㉢ 중앙시설물사고조사위원회 또는 시설물사고조사위원회

제2절 시설물의 안전관리

01 안전점검 등

(1) 안전점검

① **안전점검의 실시:** 관리주체는 소관 시설물의 안전과 기능을 유지하기 위하여 정기적으로 안전점검을 실시하여야 한다. 다만, 다음의 시설물의 경우에는 시장 · 군수 · 구청장이 안전점검을 실시하여야 한다(법 제11조 제1항, 영 제3조 제2항).

> ㉠ 공동주택관리법 제2조 제2호에 따른 의무관리대상 공동주택이 아닌 공동주택
> ㉡ 건축법 제2조 제2항 제11호에 따른 노유자시설
> ㉢ 그 밖에 시장 · 군수 · 구청장이 시설물관리계획을 수립할 필요가 있다고 국토교통부장관이 정하는 시설물

② **안전점검의 구분:** 관리주체 또는 시장 · 군수 · 구청장은 소관 시설물의 안전과 기능을 유지하기 위하여 정기안전점검 및 정밀안전점검을 실시해야 한다. 다만, 제3종 시설물에 대한 정밀안전점검은 정기안전점검 결과 해당 시설물의 안전등급이 D등급(미흡) 또는 E등급(불량)인 경우에 한정하여 실시한다(법 제11조 제1항, 영 제8조 제1항).

③ 안전점검의 실시시기(법 제11조 제1항, 영 제8조 제2항, [별표 3])

안전등급		A등급	B · C등급	D · E등급
정기안전점검		반기에 1회 이상		1년에 3회 이상
정밀안전점검	건축물	4년에 1회 이상	3년에 1회 이상	2년에 1회 이상
	건축물 외	3년에 1회 이상	2년에 1회 이상	1년에 1회 이상
정밀안전진단		6년에 1회 이상	5년에 1회 이상	4년에 1회 이상
성능평가		5년에 1회 이상		

㉠ 준공 또는 사용승인 후부터 최초 안전등급이 지정되기 전까지의 기간에 실시하는 정기안전점검은 반기에 1회 이상 실시한다.

㉡ 제1종 및 제2종 시설물 중 D · E등급 시설물의 정기안전점검은 해빙기 · 우기 · 동절기 전 각각 1회 이상 실시한다. 이 경우 해빙기 전 점검시기는 2월 · 3월로, 우기 전 점검시기는 5월 · 6월로, 동절기 전 점검시기는 11월 · 12월로 한다.

㉢ 공동주택의 정기안전점검은 공동주택관리법 제33조에 따른 안전점검(지방자치단체의 장이 의무관리대상이 아닌 공동주택에 대하여 같은 법 제34조에 따라 안전점검을 실시한 경우에는 이를 포함한다)으로 갈음한다.

㉣ 최초로 실시하는 정밀안전점검은 시설물의 준공일 또는 사용승인일(구조형태의 변경으로 시설물로 된 경우에는 구조형태의 변경에 따른 준공일 또는 사용승인일을 말한다)을 기준으로 3년 이내(건축물은 4년 이내)에 실시한다. 다만, 임시사용승인을 받은 경우에는 임시사용승인일을 기준으로 한다.

㉤ 위 ㉣에도 불구하고 정기안전점검 결과 안전등급이 D등급(미흡) 또는 E등급(불량)으로 지정된 제3종 시설물의 최초 정밀안전점검은 해당 정기안전점검을 완료한 날부터 1년 이내에 실시한다. 다만, 이 기간 내 정밀안전진단을 실시한 경우에는 해당 정밀안전점검을 생략할 수 있다.

㉥ 정밀안전점검 및 정밀안전진단의 실시주기는 이전 정밀안전점검 및 정밀안전진단을 완료한 날을 기준으로 한다. 다만, 정밀안전점검 실시주기에 따라 정밀안전점검을 실시한 경우에도 정밀안전진단을 실시한 경우에는 그 정밀안전진단을 완료한 날을 기준으로 정밀안전점검의 실시주기를 정한다.

㉦ 증축, 개축 및 리모델링 등을 위하여 공사 중이거나 철거예정인 시설물로서, 사용되지 않는 시설물에 대해서는 국토교통부장관과 협의하여 안전점검, 정밀안전진단 및 성능평가의 실시를 생략하거나 그 시기를 조정할 수 있다.

기출예제

시설물의 안전 및 유지관리에 관한 특별법령상 시설물의 관리주체가 실시하는 안전점검 등의 실시시기에 관한 설명으로 옳은 것은? 제27회

① 제1종 및 제2종 시설물 중 D·E등급 시설물의 정기안전점검은 해빙기·우기·동절기 전 각각 2회 이상 실시한다.
② 최초로 실시하는 정밀안전점검은 시설물의 준공일을 기준으로 5년 이내(건축물은 3년 이내)에 실시한다.
③ 정기안전점검 결과 안전등급이 D등급(미흡)으로 지정된 제3종 시설물의 최초 정밀안전점검은 해당 정기안전점검을 완료한 날부터 6개월 이내에 실시하여야 한다.
④ 정밀안전점검, 긴급안전점검 및 정밀안전진단의 실시 완료일이 속한 반기에 실시하여야 하는 정기안전점검은 생략할 수 있다.
⑤ 증축을 위하여 공사 중인 시설물로서, 사용되지 않는 시설물에 대해서는 행정안전부장관과 협의하여 정밀안전점검을 생략하거나 그 시기를 조정할 수 있다.

해설

① 제1종 및 제2종 시설물 중 D · E등급 시설물의 정기안전점검은 해빙기 · 우기 · 동절기 전 각각 1회 이상 실시한다.
② 최초로 실시하는 정밀안전점검은 시설물의 준공일을 기준으로 3년 이내(건축물은 4년 이내)에 실시한다.
③ 정기안전점검을 완료한 날부터 1년 이내에 실시한다.
⑤ 국토교통부장관과 협의하여야 한다.

정답: ④

④ **안전점검의 대행**: 관리주체는 안전점검 및 긴급안전점검을 국토안전관리원, 안전진단전문기관 또는 안전점검전문기관에 대행하게 할 수 있다(법 제26조 제1항).

⑤ **정밀안전점검의 전문점검**: 관리주체는 시설물의 하자담보책임기간(동일한 시설물의 각 부분별 하자담보책임기간이 다른 경우에는 시설물의 부분 중 대통령령으로 정하는 주요 부분의 하자담보책임기간을 말한다)이 끝나기 전에 마지막으로 실시하는 정밀안전점검의 경우에는 안전진단전문기관이나 국토안전관리원에 의뢰하여 실시하여야 한다. 다만, 다음에 해당하는 안전진단전문기관 또는 안전점검전문기관에 의뢰해서는 안 된다(법 제11조 제2항, 영 제8조 제4항).

> ㉠ 해당 시설물을 설계 · 시공 · 감리한 자 또는 그 계열회사인 안전진단전문기관 또는 안전점검전문기관
> ㉡ 해당 시설물의 관리주체에 소속되어 있거나 그 자회사인 안전진단전문기관 또는 안전점검전문기관. 다만, 공공관리주체인 안전진단전문기관 또는 안전점검전문기관으로서 소관 시설물의 구조적 특수성으로 해당 기관의 전문기술이 필요하여 국토교통부장관이 인정하는 경우에는 그렇지 않다.

⑥ **시장 · 군수 · 구청장의 실시**: 민간관리주체가 어음 · 수표의 지급불능으로 인한 부도(不渡) 등 부득이한 사유로 인하여 안전점검을 실시하지 못하게 될 때에는 관할 시장 · 군수 · 구청장이 민간관리주체를 대신하여 안전점검을 실시할 수 있다. 이 경우 안전점검에 드는 비용은 그 민간관리주체에게 부담하게 할 수 있으며, 비용을 청구하는 경우에 해당 민간관리주체가 그에 따르지 아니하면 시장 · 군수 · 구청장은 지방세 체납처분의 예에 따라 징수할 수 있다(법 제11조 제3항 · 제4항).

(2) 긴급안전점검

① **실시**: 관리주체는 시설물의 붕괴 · 전도 등이 발생할 위험이 있다고 판단하는 경우 긴급안전점검을 실시하여야 하며, 국토교통부장관 및 관계 행정기관의 장은 시설물의 구조상 공중의 안전한 이용에 중대한 영향을 미칠 우려가 있다고 판단되는 경우에는 소속 공무원으로 하여금 긴급안전점검을 하게 하거나 해당 관리주체 또는 시장 · 군수 · 구청장(법 제6조 제1항 단서에 해당하는 시설물의 경우에 한정한다)에게 긴급안전점검을 실시할 것을 요구할 수 있다. 이 경우 요구를 받은 자는 특별한 사유가 없으면 이에 응하여야 한다(법 제13조 제1항 · 제2항).

② **사전통지**: 국토교통부장관 및 관계 행정기관의 장은 ①에 따라 긴급안전점검을 실시할 때는 미리 긴급안전점검대상 시설물의 관리주체에게 긴급안전점검의 목적 · 날짜 및 대상 등을 서면으로 통지하여야 한다. 다만, 서면통지로는 긴급안전점검의 목적을 달성할 수 없는 경우에는 구두(口頭)로 또는 전화 등으로 통지할 수 있고, 긴급안전점검

을 종료한 날부터 15일 이내에 그 결과를 해당 관리주체에게 서면으로 통보하여야 한다(영 제11조 제1항 · 제2항).

③ **합동실시:** 국토교통부장관 또는 관계 행정기관의 장이 ①에 따른 긴급안전점검을 실시하는 경우 점검의 효율성을 높이기 위하여 관계 기관 또는 전문가와 합동으로 긴급안전점검을 실시할 수 있다(법 제13조 제3항).

④ **조치:** 국토교통부장관 또는 관계 행정기관의 장은 ①에 따라 긴급안전점검을 실시한 경우 그 결과를 해당 관리주체에게 통보하여야 하며, 시설물의 안전 확보를 위하여 필요하다고 인정하는 경우에는 정밀안전진단의 실시, 보수 · 보강 등 필요한 조치를 취할 것을 명할 수 있다(법 제13조 제6항).

⑤ **사법경찰권:** 긴급안전점검을 하는 공무원은 정당한 사유 없이 긴급안전점검을 거부 또는 기피하거나 방해하는 경우 등 긴급안전점검과 관련된 범죄에 관하여는 사법경찰관리의 직무를 수행할 자와 그 직무범위에 관한 법률에서 정하는 바에 따라 사법경찰관리의 직무를 수행한다(법 제14조).

기출예제

시설물의 안전 및 유지관리에 관한 특별법 시행령 제11조(긴급안전점검의 실시 등) 규정의 일부이다. (   )에 들어갈 용어와 아라비아 숫자를 쓰시오. 제27회

① 국토교통부장관 및 관계 행정기관의 장은 법 제13조 제2항에 따라 긴급안전점검을 실시할 때는 미리 긴급안전점검대상 시설물의 (㉠)에게 긴급안전점검의 목적·날짜 및 대상 등을 서면으로 통지하여야 한다. 다만, 서면 통지로는 긴급안전점검의 목적을 달성할 수 없는 경우에는 구두(口頭)로 또는 전화 등으로 통지할 수 있다.
② 국토교통부장관 또는 관계 행정기관의 장은 법 제13조 제6항에 따라 긴급안전점검을 종료한 날부터 (㉡)일 이내에 그 결과를 해당 (㉠)에게 서면으로 통보하여야 한다.
③ 〈생략〉

정답: ㉠ 관리주체, ㉡ 15

(3) 정밀안전진단

① 제1종 시설물의 정기적 실시

㉠ 관리주체는 제1종 시설물에 대하여 정기적으로 정밀안전진단을 실시하여야 하며, 실시시기는 다음과 같다(법 제12조 제1항, 영 제8조 제2항 [별표 3]).

안전등급	A등급	B · C등급	D · E등급
정밀안전진단	6년에 1회 이상	5년에 1회 이상	4년에 1회 이상

㉡ 최초로 실시하는 정밀안전진단은 준공일 또는 사용승인일(준공 또는 사용승인 후에 구조형태의 변경으로 제1종 시설물로 된 경우에는 최초 준공일 또는 사용승인일을 말한다) 후 10년이 지난 때부터 1년 이내에 실시한다. 다만, 준공 및 사용승인 후 10년이 지난 후에 구조형태의 변경으로 인하여 제1종 시설물로 된 경우에는 구조형태의 변경에 따른 준공일 또는 사용승인일부터 1년 이내에 실시한다.

② **예방실시:** 관리주체는 안전점검 또는 긴급안전점검을 실시한 결과 재해 및 재난을 예방하기 위하여 필요하다고 인정되는 경우에는 정밀안전진단을 실시하여야 한다. 이 경우 결과보고서 제출일부터 1년 이내에 정밀안전진단을 착수하여야 한다(법 제12조 제2항).

③ **실시주체:** 관리주체는 정밀안전진단을 실시하려는 경우 이를 직접 수행할 수 없고 국토안전관리원 또는 안전진단전문기관에 대행하게 하여야 한다. 다만, 대통령령(제21조)으로 정하는 시설물의 경우에는 국토안전관리원에만 대행하게 하여야 하며, 이 경우에 관리주체는 안전상태를 사실과 다르게 진단하게 하거나, 결과보고서를 거짓으로 또는 부실하게 작성하도록 요구해서는 아니 된다(법 제26조 제2항 · 제3항).

④ **공동실시:** 국토안전관리원이나 안전진단전문기관은 정밀안전진단을 실시할 때에는 관리주체의 승인을 받아 다른 안전진단전문기관과 공동으로 정밀안전진단을 실시할 수 있다(법 제26조 제4항).

⑤ **내진성능평가:** 관리주체는 지진 · 화산재해대책법 제14조 제1항에 따른 내진설계대상 시설물 중 내진성능평가를 받지 않은 시설물에 대하여 정밀안전진단을 실시하는 경우에는 해당 시설물에 대한 내진성능평가를 포함하여 실시하여야 하며, 국토교통부장관은 내진성능평가가 포함된 정밀안전진단의 실시결과를 법 제18조에 따라 평가한 결과 내진성능의 보강이 필요하다고 인정되면 내진성능을 보강하도록 권고할 수 있다(법 제12조 제3항 · 제4항).

(4) 시설물의 안전등급의 지정

① **지정:** 안전점검 등을 실시하는 자는 안전점검 등의 실시결과에 따라 다음의 기준에 적합하게 해당 시설물의 안전등급을 지정하여야 한다(법 제16조 제1항, 영 제16조 [별표 9]).

안전등급	시설물의 상태
A(우수)	문제점이 없는 최상의 상태
B(양호)	보조부재에 경미한 결함이 발생하였으나 기능 발휘에는 지장이 없으며, 내구성 증진을 위하여 일부의 보수가 필요한 상태
C(보통)	주요부재에 경미한 결함 또는 보조부재에 광범위한 결함이 발생하였으나 전체적인 시설물의 안전에는 지장이 없으며, 주요부재에 내구성, 기능성 저하 방지를 위한 보수가 필요하거나 보조부재에 간단한 보강이 필요한 상태

D(미흡)	주요부재에 결함이 발생하여 긴급한 보수 · 보강이 필요하며 사용제한 여부를 결정하여야 하는 상태
E(불량)	주요부재에 발생한 심각한 결함으로 인하여 시설물의 안전에 위험이 있어 즉각 사용을 금지하고 보강 또는 개축을 하여야 하는 상태

② **지정시기:** 안전점검 등을 실시하는 자는 제1종 시설물 및 제2종 시설물의 경우에는 정밀안전점검 및 정밀안전진단을 완료한 때, 제3종 시설물의 경우에는 정기안전점검을 완료한 때에 안전등급을 지정한다(규칙 제12조 제1항).

③ **등급변경:** 위 ①에도 불구하고 국토교통부장관은 다음에 해당하는 경우에는 해당 시설물의 안전등급을 변경할 수 있다. 이 경우 해당 시설물의 관리주체에게 그 변경한 날부터 15일 이내에 해당 시설물의 관리주체에게 변경된 등급을 서면으로 통보하여야 한다(법 제16조 제2항, 규칙 제12조 제2항).

> ㉠ 법 제18조에 따라 정밀안전점검 또는 정밀안전진단 실시결과를 평가한 결과 안전등급의 변경이 필요하다고 인정되는 경우
> ㉡ 법 제41조에 따라 제출된 유지관리 결과보고서의 확인 등 시설물의 보수 · 보강이 완료되어 등급조정이 필요하다고 인정되는 경우
> ㉢ 그 밖에 사고나 재해 등으로 인한 시설물의 상태변화 등 안전등급 조정이 필요한 것으로 국토교통부장관이 인정하는 경우

(5) 소규모 취약시설의 안전점검 등

① 국토교통부장관은 법 제7조의 각 내용의 시설물이 아닌 시설 중에서 안전에 취약하거나 재난의 위험이 있다고 판단되는 다음의 시설(이하 '소규모 취약시설'이라 한다. 다만, 지방자치단체 또는 지방공기업법에 따른 지방공기업이 관리주체인 시설은 제외한다)에 대하여 해당 시설의 관리자, 소유자 또는 관계 행정기관의 장이 요청하는 경우 안전점검 등을 실시할 수 있다(법 제19조 제1항, 영 제15조).

> ㉠ 사회복지사업법 제2조 제4호에 따른 사회복지시설
> ㉡ 전통시장 및 상점가 육성을 위한 특별법 제2조 제1호에 따른 전통시장
> ㉢ 농어촌도로 정비법 시행령 제2조 제1호에 따른 교량
> ㉣ 도로법 시행령 제2조 제2호에 따른 지하도 및 육교
> ㉤ 옹벽 및 절토사면(깎기비탈면). 다만, 도로법 및 급경사지 재해예방에 관한 법률의 적용을 받는 시설은 제외한다.
> ㉥ 그 밖에 안전에 취약하거나 재난의 위험이 있어 안전점검 등을 실시할 필요가 있는 시설로서 국토교통부장관이 정하여 고시하는 시설

② 국토교통부장관은 ①의 요청을 받은 경우 해당 소규모 취약시설에 대한 안전점검 등을 실시하고, 그 결과와 안전조치에 필요한 사항을 소규모 취약시설의 관리자, 소유자 또는 관계 행정기관의 장에게 통보하여야 하며, 통보를 받은 경우 보수 · 보강 등의 조치가 필요한 사항에 대하여 보수 · 보강 조치계획을 다음에 해당하는 관계 행정기관의 장에게 제출하고 이를 성실히 이행하도록 노력하여야 한다(법 제19조 제2항 · 제3항).

> ㉠ 관계 법령에 따라 소규모 취약시설의 관리자로 규정된 자나 해당 소규모 취약시설의 소유자 또는 소유자와의 관리계약 등에 따라 소규모 취약시설의 관리책임을 진 자(이하 '소규모 취약시설관리자'라 한다)가 중앙행정기관의 소속 기관이거나 감독을 받는 기관인 경우에는 소속 중앙행정기관의 장
> ㉡ 소규모 취약시설관리자가 시 · 도지사의 소속 기관이거나 감독을 받는 기관인 경우에는 소속 시 · 도지사
> ㉢ 그 외의 소규모 취약시설관리자는 관할 시장 · 군수 · 구청장

③ 위 ②에 따라 보수 · 보강 조치계획을 제출받은 시장 · 군수 · 구청장은 국토교통부령으로 정하는 바에 따라 그 제출자료를 관할 시 · 도지사(특별자치시장 · 특별자치도지사는 제외한다)에게 보고하여야 하며, 보수 · 보강 조치계획을 제출받은 중앙행정기관의 장과 시 · 도지사는 그 계획을 확인한 후 보수 · 보강 조치계획에 관한 자료를 국토교통부장관에게 제출하여야 한다(법 제19조 제4항 · 제5항).

④ 관계 행정기관의 장은 관할 소규모 취약시설에 대한 체계적인 안전관리를 위하여 매년 소규모 취약시설의 현황 등 대통령령으로 정하는 사항이 포함된 소규모 취약시설의 안전점검 및 관리계획을 수립하여야 하며, 안전점검 및 관리계획을 수립한 시장 · 군수 · 구청장은 그 수립자료를 관할 시 · 도지사(특별자치시장 · 특별자치도지사는 제외한다)에게 보고하여야 하고, 안전점검 및 관리계획을 수립하거나 보고받은 중앙행정기관의 장과 시 · 도지사는 그 내용을 확인한 후 안전점검 및 관리계획에 관한 자료를 국토교통부장관에게 제출하여야 한다(법 제19조 제6항 · 제7항 · 제8항).

(6) 안전점검 등을 하는 자의 의무와 지침

① 의무: 안전점검 등을 하는 자는 아래 ②에 따른 안전점검 등에 관한 지침에서 정하는 안전점검 등의 실시방법 및 절차 등에 따라 성실하게 업무를 수행하여야 하며, 안전점검 등을 하는 자는 보유 기술인력 또는 등록분야에 따라 대통령령으로 정하는 실시범위에서 안전점검 등을 실시하여야 한다(법 제20조).

② 지침: 국토교통부장관은 대통령령으로 정하는 바에 따라 안전점검 · 정밀안전진단 및 긴급안전점검의 실시시기 · 방법 · 절차 등의 안전점검 등에 관한 지침을 작성하여 관보에 고시하여야 한다(법 제21조 제1항).

(7) 안전점검 등의 비용

① **산정기준**: 국토교통부장관은 안전점검 등의 대행에 필요한 비용의 산정기준을 정하여 고시하여야 한다(법 제37조).

② **비용부담**: 안전점검 등에 드는 비용은 관리주체가 부담한다. 다만, 하자담보책임기간 내에 시공자가 책임져야 할 사유로 정밀안전진단을 실시하여야 하는 경우 그에 드는 비용은 시공자가 부담한다(법 제56조).

(8) 안전점검 등의 생략

① 정밀안전점검, 긴급안전점검 및 정밀안전진단의 실시 완료일이 속한 반기에 실시하여야 하는 정기안전점검은 생략할 수 있다(영 [별표 3]).

② 정밀안전진단의 실시 완료일부터 6개월 전 이내에 그 실시주기의 마지막 날이 속하는 정밀안전점검은 생략할 수 있다(영 [별표 3]).

(9) 하도급의 제한

① **제한**: 안전진단전문기관, 안전점검전문기관 또는 국토안전관리원은 관리주체로부터 안전점검 등의 실시에 관한 도급을 받은 경우에는 이를 하도급할 수 없다. 다만, 총도급금액의 100분의 50 이하의 범위에서 전문기술이 필요한 경우 등 대통령령으로 정하는 경우에는 분야별로 한 차례만 하도급할 수 있다(법 제27조 제1항, 영 제22조).

② **조사요청**: 관리주체는 안전진단전문기관, 안전점검전문기관 또는 국토안전관리원이 ①을 위반하여 하도급을 하였다고 의심할 만한 상당한 사유가 있는 경우에는 다음의 구분에 따른 자에게 사실조사를 요청할 수 있고, 국토교통부장관 또는 시 · 도지사는 사실조사를 위하여 필요한 경우에는 안전진단전문기관, 안전점검전문기관 또는 국토안전관리원과 그 밖의 관계인에게 필요한 자료의 제출을 요구할 수 있으며, 소속 공무원으로 하여금 그 사무실이나 사업장에 출입하여 장부 · 서류나 그 밖의 자료 또는 물건을 조사하게 할 수 있다(법 제27조 제3항 · 제6항).

> ㉠ 안전진단전문기관, 안전점검전문기관의 경우: 시 · 도지사
> ㉡ 국토안전관리원의 경우: 국토교통부장관

③ **통보**: 위 ①에 따라 하도급을 한 자는 하도급계약을 체결한 날부터 10일 이내에 관리주체에게 통보하여야 한다. 하도급계약을 변경하거나 해제하는 경우에도 또한 같다(법 제27조 제1항, 영 제22조 제2항).

02 결과보고와 평가 등

(1) 결과보고 등

① 결과보고의 작성 및 제출

㉠ 안전점검 및 정밀안전진단을 실시한 자는 해당 안전점검 및 정밀안전진단을 완료한 경우에는 그 결과보고서를 작성하고, 이를 관리주체 및 시장 · 군수 · 구청장(법 제11조 제1항 단서 및 같은 조 제3항의 경우에 한정한다)에게 통보하여야 한다(법 제17조 제1항, 영 제13조 제2항).

㉡ 관리주체는 ㉠에 따른 결과보고서를 안전점검 및 정밀안전진단을 완료한 날부터 30일 이내에 공공관리주체의 경우에는 소속 중앙행정기관 또는 시 · 도지사에게, 민간관리주체의 경우에는 관할 시장 · 군수 · 구청장에게 각각 제출하여야 한다(영 제13조 제3항).

㉢ 국토교통부장관은 결과보고서와 그 작성의 기초가 되는 자료를 부실하게 작성한 것으로 판단하는 때에는 부실의 정도 등을 고려하여 매우 불량, 불량 및 미흡으로 구분하여 판단한다(영 제13조 제4항).

② **결과보고서 작성시 준수사항**: 안전점검 및 정밀안전진단을 실시한 자가 ①에 따른 결과보고서를 작성할 때에는 다음의 사항을 지켜야 한다(법 제17조 제2항, 규칙 제13조).

> ㉠ 다른 안전점검 및 정밀안전진단 결과보고서의 내용을 복제하여 안전점검 및 정밀안전진단 결과보고서를 작성하지 아니할 것
> ㉡ 안전점검 및 정밀안전진단 결과보고서와 그 작성의 기초가 되는 자료를 거짓으로 또는 부실하게 작성하지 아니할 것
> ㉢ 안전점검 및 정밀안전진단 결과보고서와 그 작성의 기초가 되는 자료를 다음의 기간 동안 보존할 것
> ⓐ 안전점검 및 정밀안전진단 결과보고서: 결과보고서를 제출한 날부터 10년
> ⓑ 안전점검 및 정밀안전진단 결과보고서 작성의 기초가 되는 자료: 결과보고서를 제출한 날부터 5년

③ 국토교통부장관은 직전연도부터 과거 2년간 ②의 ㉠ 또는 ㉡을 위반한 자(부실하게 작성한 경우는 3회 이상 작성한 자를 말한다)의 명단을 공표할 수 있다. 다만, 이의신청 등 불복절차가 진행 중인 조치는 명단 공표대상에서 제외한다. 명단 공표 여부를 심의하기 위하여 국토교통부에 결과보고서 작성 준수사항 위반자 명단 공표심의위원회를 두며, 국토교통부장관은 심의위원회의 심의를 거친 공표대상자에게 명단 공표대상자임을 통지하고 1개월 이상의 기간을 정하여 소명기회를 주어야 한다(법 제21조의2).

(2) 정밀안전점검 또는 정밀안전진단 실시결과에 대한 평가

① **평가**: 관리주체 및 시장 · 군수 · 구청장은 (1)에 따른 안전점검 및 정밀안전진단 결과 보고서를 국토교통부장관에게 제출하여야 하며, 국토교통부장관은 결과보고서를 받은 때에는 정밀안전점검 또는 정밀안전진단의 기술수준을 향상시키고 부실점검 및 진단을 방지하기 위하여 정밀안전점검이나 정밀안전진단의 실시결과를 평가할 수 있다(법 제17조 제4항, 법 제18조 제1항).

② **평가대상**: 정밀안전점검 또는 정밀안전진단의 실시결과에 대한 평가의 대상은 다음과 같다(영 제14조 제1항).

> ㉠ 정밀안전점검 또는 정밀안전진단을 성실하게 실시하지 아니함으로써 시설물에 중대한 파손이나 공중의 안전에 위험을 발생시킬 우려가 있다고 인정되는 경우
> ㉡ 민간관리주체를 지도 · 감독하는 시장 · 군수 · 구청장이 정밀안전점검이나 정밀안전진단의 실시결과에 대하여 부실점검 · 진단의 우려가 있다고 인정하여 평가를 의뢰하는 경우
> ㉢ 법 제37조에 따른 안전점검 등의 대행에 필요한 비용의 산정기준(이하 '안전점검 등 비용 산정기준'이라 한다)에 따라 산출한 금액과 비교하여 국토교통부령으로 정하는 비율(100분의 86)에 현저하게 미달하는 금액으로 도급계약을 체결한 경우
> ㉣ 관리주체, 국토안전관리원법에 따른 국토안전관리원(이하 '국토안전관리원'이라 한다), 안전진단전문기관 또는 안전점검전문기관이 법 또는 법에 따른 명령을 위반하여 정밀안전점검이나 정밀안전진단을 실시함으로써 부실점검 · 진단의 우려가 있다고 인정되는 경우
> ㉤ 그 밖에 정밀안전점검이나 정밀안전진단의 부실을 방지하기 위하여 국토교통부장관이 정하여 고시하는 사항에 해당하는 경우

③ 국토교통부장관은 ①에 따라 정밀안전점검이나 정밀안전진단의 실시결과를 평가한 결과 부실 등 부적정한 것으로 밝혀진 경우 부실의 정도 등을 고려하여 매우 불량, 불량 및 미흡으로 구분하여 평가하여 관리주체 또는 시장 · 군수 · 구청장에게 이를 통보하고, 관리주체 또는 시장 · 군수 · 구청장은 대통령령으로 정하는 바에 따라 해당 결과보고서를 수정 또는 보완하여 국토교통부장관에게 제출하여야 한다. 다만, 정밀안전점검이나 정밀안전진단을 대행한 경우에는 대행한 자가 수정 또는 보완하여 국토교통부장관에게 제출하여야 한다(법 제18조 제3항, 영 제14조 제3항).

④ 국토교통부장관은 관리주체, 시장 · 군수 · 구청장 또는 정밀안전점검이나 정밀안전진단을 대행한 자가 ③에 따라 결과보고서를 수정 또는 보완하여 제출하지 아니하는 경우에는 기한을 정하여 제출을 명할 수 있다(법 제18조 제4항).

⑤ **보완 요구:** 국토교통부장관은 ①에 따라 정밀안전점검이나 정밀안전진단의 실시결과를 평가한 결과 필요한 경우 관리주체 또는 시장 · 군수 · 구청장에게 해당 결과보고서의 수정이나 보완을 요구할 수 있다(법 제18조 제5항).

⑥ **수정 · 보완기간:** 위 ⑤에 따른 수정 · 보완의 제출기한은 다음의 구분에 따른다. 이 경우 평가결과에 대한 이의제기 등 불복절차의 진행기간은 제외하고 계산한다. 다만, 해당 시설물이 공사 중이거나 정밀안전점검 또는 정밀안전진단을 대행한 자가 폐업했거나 영업정지 중인 경우 등 불가피한 사유로 해당 기한까지 결과보고서를 수정하거나 보완하여 제출할 수 없는 경우에는 국토교통부장관과 사전협의하여 제출기한을 조정할 수 있다(영 제14조의2).

> ㉠ 정밀안전점검: 법 제18조 제3항 본문에 따라 평가결과를 통보받은 날부터 2개월 이내
> ㉡ 정밀안전진단: 법 제18조 제3항 본문에 따라 평가결과를 통보받은 날부터 3개월 이내

03 재난예방을 위한 안전조치 등

(1) 중대한 결함 통보

① 안전점검 등을 실시하는 자는 해당 시설물에서 대통령령으로 정하는 중대한 결함을 발견하는 경우에는 지체 없이 다음의 사실을 관리주체 및 관할 시장 · 군수 · 구청장에게 통보하여야 하며, 관리주체는 통보받은 내용을 해당 시설물을 관리하거나 감독하는 관계 행정기관의 장 및 국토교통부장관에게 즉시 통보하여야 한다(법 제22조 제1항 · 제3항, 영 제18조 제1항 · 제2항).

> ㉠ 시설물의 명칭 및 소재지
> ㉡ 관리주체의 상호, 명칭, 성명(관리주체가 법인인 경우에는 대표자의 성명) 및 주소
> ㉢ 안전점검 등의 실시기간과 실시자
> ㉣ 시설물의 상태별 등급과 중대한 결함의 내용
> ㉤ 관리주체가 조치하여야 할 사항
> ㉥ 그 밖에 안전관리에 필요한 사항

더 알아보기 **중대한 결함(영 제18조 제1항)**

1. 시설물 기초의 세굴
2. 교량교각의 부등침하
3. 교량받침의 파손
4. 터널지반의 부등침하
5. 항만 계류시설 중 강관 또는 철근콘크리트파일의 파손 · 부식

6. 댐의 파이핑(piping) 및 구조적 균열
7. 건축물의 기둥 · 보 또는 내력벽의 내력(耐力) 손실
8. 하천시설물의 본체, 교량 및 수문의 파손 · 누수 · 파이핑 또는 세굴
9. 시설물의 철근콘크리트의 염해(鹽害) 또는 탄산화에 따른 내력 손실
10. 절토 · 성토 사면의 균열 · 이완 등에 따른 옹벽의 균열 또는 파손
11. 그 밖에 시설물의 구조안전에 영향을 미치는 것으로 인정되는 결함으로서 국토교통부령으로 정하는 결함

② 안전점검 등을 실시하는 자는 ①에 따른 중대한 결함 외에 해당 시설물에서 교량난간의 파손 등 시설물을 이용하는 공중의 안전에 영향을 미치는 것으로 인정되는 다음의 결함을 발견한 경우에는 지체 없이 대통령령으로 정하는 바에 따라 그 사실을 관리주체 및 관할 시장 · 군수 · 구청장에게 통보하여야 한다(법 제22조 제2항, 영 제18조 제2항).

㉠ 시설물의 난간 등 추락방지시설의 파손
㉡ 도로교량, 도로터널의 포장부분이나 신축(伸縮) 이음부의 파손
㉢ 보행자 또는 차량이 이동하는 구간에 있는 환기구 등의 덮개 파손
㉣ 그 밖에 공중의 안전에 영향을 미치는 것으로 인정되는 부위의 결함으로서 국토교통부령으로 정하는 부위의 결함

(2) 긴급안전조치

① **긴급조치**: 관리주체는 시설물의 중대한 결함 등을 통보받는 등 시설물의 구조상 공중의 안전한 이용에 미치는 영향이 중대하여 긴급한 조치가 필요하다고 인정되는 경우에는 시설물의 사용제한 · 사용금지 · 철거, 주민대피 등의 안전조치를 하여야 한다(법 제23조 제1항).

② **조치이행명령**: 시장 · 군수 · 구청장은 시설물의 중대한 결함 등을 통보받는 등 시설물의 구조상 공중의 안전한 이용에 미치는 영향이 중대하여 긴급한 조치가 필요하다고 인정되는 경우에는 관리주체에게 시설물의 사용제한 · 사용금지 · 철거, 주민대피 등의 안전조치를 명할 수 있다. 이 경우 관리주체는 신속하게 안전조치명령을 이행하여야 한다(법 제23조 제2항).

③ **공고 등**: 관리주체는 ① 또는 ②에 따른 사용제한 등을 하는 경우에는 즉시 그 사실을 관계 행정기관의 장 및 국토교통부장관에게 통보하여야 하며, 통보를 받은 관계 행정기관의 장은 이를 공고하여야 한다(법 제23조 제3항).

④ **강제조치**: 시장 · 군수 · 구청장은 ②에 따른 안전조치명령을 받은 자가 그 명령을 이행하지 아니하는 경우에는 행정대집행법을 준용하여 그에 대신하여 필요한 안전조치를 할 수 있으며, 안전조치를 할 때에는 미리 해당 관리주체에게 서면으로 그 사실을 알려

주어야 한다. 다만, 긴급한 경우이거나 알리는 것이 불가능한 경우에는 안전조치를 한 후 그 사실을 통보할 수 있다(법 제23조 제4항 · 제5항).

(3) 시설물의 보수 · 보강 등

① **중대한 결함에 대한 조치**: 관리주체는 긴급안전점검에 따른 조치명령(법 제13조 제6항)을 받거나 (2)의 ①에 따라 시설물의 중대한 결함에 대한 통보를 받은 경우에는 조치명령 또는 통보를 받은 날부터 2년 이내에 시설물의 보수 · 보강 등 필요한 조치에 착수하여야 하며, 특별한 사유가 없는 한 착수한 날부터 3년 이내에 이를 완료하고, 관리주체는 그 결과를 국토교통부장관 및 관계 행정기관의 장에게 통보하여야 한다(법 제24조 제1항 · 제3항, 영 제19조).

② **이행명령**: 국토교통부장관 및 관계 행정기관의 장은 관리주체가 ①에 따른 시설물의 보수 · 보강 등 필요한 조치를 하지 아니한 경우 이에 대하여 이행 및 시정을 명할 수 있다(법 제24조 제2항).

(4) 위험표지의 설치 등

관리주체는 안전점검 등을 실시한 결과 해당 시설물에 중대한 결함 등이 있거나 안전등급을 지정한 결과 해당 시설물이 긴급한 보수 · 보강이 필요하다고 판단되는 경우에는 해당 시설물에 위험을 알리는 표지를 설치하고, 방송 · 인터넷 등의 매체를 통하여 주민에게 알려야 하며, 누구든지 관리주체의 허락 없이 위험표지를 이전하거나 훼손하여서는 아니 된다(법 제25조 제1항 · 제3항).

제3절 시설물의 유지관리와 성능평가 등

01 유지관리

(1) 실시

관리주체는 시설물의 기능을 보전하고 편의와 안전을 높이기 위하여 소관 시설물을 유지관리하여야 한다. 다만, 공동주택으로서 다른 법령에 따라 유지관리하는 경우에는 그러하지 아니하다(법 제39조 제1항, 영 제27조).

(2) 대행

관리주체는 건설사업자 또는 그 시설물을 시공한 자[하자담보책임기간(동일한 시설물의 각 부분별 하자담보책임기간이 다른 경우에는 가장 긴 하자담보책임기간을 말한다) 내인 경우에 한정한다]로 하여금 시설물의 유지관리를 대행하게 할 수 있다(법 제39조 제2항).

(3) 비용

시설물의 유지관리에 드는 비용은 관리주체가 부담한다(법 제39조 제3항).

(4) 결과보고와 평가

관리주체는 철근콘크리트구조부 또는 철골구조부, 주요구조부, 그 밖에 국토교통부령으로 정하는 주요 부분에 대한 유지관리를 시행한 경우에는 그 결과보고서를 작성하고 이를 국토교통부장관에게 제출하여야 하며, 국토교통부장관은 법 제41조 제2항에 따라 준용되는 법 제17조 제3항에 따라 유지관리 결과보고서와 그 작성의 기초가 되는 자료를 부실하게 작성한 것으로 판단하는 때에는 부실의 정도 등을 고려하여 매우 불량, 불량 및 미흡으로 구분하여 판단한다(법 제41조 제1항, 영 제29조).

02 성능평가

(1) 대상

도로, 철도, 항만, 댐 등 대통령령으로 정하는 시설물의 관리주체는 시설물의 성능을 유지하기 위하여 시설물에 대한 성능평가를 실시하여야 한다(법 제40조 제1항, 영 제28조 제1항).

구분	성능평가대상 시설물(건축물만 표시한다)
건축물	제1종 시설물 및 제2종 시설물에 해당하는 공항청사

(2) 대행

관리주체는 성능평가를 국토안전관리원과 안전진단전문기관에 대행하게 할 수 있다(법 제40조 제2항).

(3) 성능등급의 지정

성능평가를 실시한 자는 실시결과에 따라 대통령령으로 정하는 기준에 적합하게 해당 시설물의 성능등급을 지정하여야 한다(법 제40조 제6항).

① **안전성능등급**: 조사 시점의 외관상 결함 정도 및 시설물에 주어지는 내적 하중(자중) 및 외적 하중(활하중 등)으로 인해 시설물에 발생할 수 있는 손상 또는 붕괴에 저항하는 구조물의 성능
② **내구성능등급**: 시설물 공용연수 경과 및 외부 환경조건에 따른 영향으로 인한 재료적 성질 변화로 발생할 수 있는 손상에 저항하는 구조물의 성능
③ **사용성능등급**: 시설물의 예상수요를 고려하여 공용연수 동안 확보해야 할 사용자 편의성 및 계획 당시의 설계기준에 근거한 사용목적을 만족하기 위한 구조물의 성능
④ **종합성능등급**: 조사 시점의 구조적 안전성뿐만 아니라 시설물 공용연수 경과 및 외부 환경조건에 따른 손상에 저항하는 내구성과 예상 수요를 고려하여 공용연수 동안 확보해야 할 성능을 종합적으로 반영한 구조물의 성능

(4) 성능평가의 실시시기(법 제40조 제7항, 영 제28조 제2항, [별표 3]).

안전등급	A등급	B · C등급	D · E등급
성능평가	5년에 1회 이상		

① 최초로 실시하는 성능평가는 성능평가대상 시설물 중 제1종 시설물의 경우에는 최초로 정밀안전진단을 실시하는 때, 제2종 시설물의 경우에는 하자담보책임기간이 끝나기 전에 마지막으로 실시하는 정밀안전점검을 실시하는 때에 실시한다. 다만, 준공 및 사용승인 후 구조형태의 변경으로 인하여 성능평가대상 시설물로 된 경우에는 정밀안전점검 또는 정밀안전진단을 실시하는 때에 실시한다.

② 성능평가 실시주기는 이전 성능평가를 완료한 날을 기준으로 한다.

(5) 관리주체는 성능평가를 실시하는 경우 정밀안전점검 또는 정밀안전진단을 포함하여 실시할 수 있고, 성능평가를 실시할 때 다음의 어느 하나에 해당하는 정밀안전점검 또는 정밀안전진단에서 실시한 현장조사 · 시험 등의 결과를 활용할 수 있다(영 제28조 제4항 · 제5항).

> ① 성능평가에 포함하여 실시한 정밀안전점검 또는 정밀안전진단
> ② 성능평가를 하는 날부터 1년 이내에 실시한 정밀안전점검 또는 정밀안전진단

(6) 성능평가에 드는 비용은 관리주체가 부담한다(법 제56조).

03 대행실적의 관리 등

(1) 안전진단전문기관 및 안전점검전문기관은 안전점검 등 또는 성능평가를 대행한 경우 관리주체 등에게 그 실시결과에 대한 확인을 받은 후 그 대행실적을 다음에 해당하는 관계 행정기관의 장을 거쳐 국토교통부장관에게 제출하여야 한다(법 제36조 제1항).

> ① 관리주체가 중앙행정기관의 소속 기관이거나 감독을 받는 공공관리주체인 경우에는 소속 중앙행정기관의 장
> ② 위 ① 외의 공공관리주체는 시 · 도지사
> ③ 민간관리주체는 관할 시장 · 군수 · 구청장 및 시 · 도지사

(2) 시 · 도지사는 매년 안전진단전문기관 및 안전점검전문기관에 대한 영업정지 등 행정처분 현황을 국토교통부장관에게 보고하여야 한다(법 제36조 제2항).

(3) 국토교통부장관은 (1)에 따라 제출받은 안전점검 등 및 성능평가의 대행실적을 관리하여야 하며, 안전진단전문기관이나 안전점검전문기관이 신청을 하는 경우에는 안전점검 등 및 성능평가 실적확인서를 발급할 수 있다(법 제36조 제3항).

(4) 국토교통부장관은 관리주체가 적절한 안전점검 등 및 성능평가 대행자를 선정할 수 있도록 하기 위하여 안전진단전문기관 및 안전점검전문기관의 현황과 (1)에 따른 대행실적을 공개할 수 있다(법 제36조 제4항).

제4절 안전진단전문기관 등

01 안전진단전문기관

(1) 등록대상

시설물의 안전점검 등 또는 성능평가를 대행하려는 자는 기술인력 및 장비 등 대통령령으로 정하는 분야별 등록기준을 갖추어 시 · 도지사에게 안전진단전문기관으로 등록을 하여야 한다(법 제28조 제1항, 영 제23조 제1항, [별표 11]).

(2) 등록결격

다음의 어느 하나에 해당하는 자는 안전진단전문기관으로 등록할 수 없다(법 제29조).

> ① 피성년후견인 또는 피한정후견인
> ② 파산선고를 받고 복권되지 아니한 자
> ③ 법 제31조에 따라 안전진단전문기관의 등록이 취소된 후 2년이 지나지 아니한 자. 다만, 같은 조 제1항 제10호에 해당하여 취소된 경우는 제외한다.
> ④ 이 법을 위반하여 징역 이상의 실형의 선고를 받고 그 집행이 끝나거나(집행이 끝난 것으로 보는 경우를 포함한다) 집행이 면제된 날부터 2년이 지나지 아니한 자
> ⑤ 이 법을 위반하여 징역형의 집행유예선고를 받고 그 유예기간 중에 있는 자
> ⑥ 임원 중에 ①부터 ⑤까지의 어느 하나에 해당하는 자가 있는 법인

(3) 등록증 교부 등

① 시 · 도지사는 안전진단전문기관의 등록을 한 때에는 등록증을 발급하여야 한다(법 제28조 제2항).

② 등록증을 받은 자는 대통령령으로 정하는 등록사항이 변경된 때에는 그날부터 30일 이내에 시 · 도지사에게 신고하여야 한다(법 제28조 제3항).

③ 안전진단전문기관은 ①에 따라 받은 등록증을 잃어버리거나 못쓰게 된 때에는 다시 등록증을 교부받을 수 있다(법 제28조 제5항).

④ 안전진단전문기관은 계속하여 1년 이상 휴업하거나 재개업 또는 폐업하려는 경우에는 시 · 도지사에게 신고하여야 한다(법 제28조 제6항). 시 · 도지사는 이에 따라 폐업신고를 받은 때에는 그 등록을 말소(抹消)하여야 한다(법 제28조 제7항).

(4) 명의대여 금지

안전진단전문기관은 타인에게 자기의 명칭이나 상호(商號)를 사용하여 안전점검 등 또는 성능평가의 업무를 하게 하거나 안전진단전문기관 등록증을 대여(貸與)하여서는 아니 된다(법 제30조).

02 보칙

(1) 시설물통합정보관리체계의 구축 · 운영 등

① 국토교통부장관은 시설물의 안전 및 유지관리에 관한 정보를 체계적으로 관리하기 위하여 시설물통합정보관리체계를 구축 · 운영하여야 한다(법 제55조 제1항).

② 관리주체는 소관 시설물의 안전 및 유지관리에 관한 정보를 체계적으로 관리하기 위하여 정보화시스템을 구축 · 운영할 수 있다. 이 경우 ①에 따른 시설물통합정보관리체계와 연계하여 운영할 수 있다(법 제55조 제3항).

(2) 시설물의 안전 및 유지관리 예산의 확보

공공관리주체는 대통령령으로 정하는 바에 따라 매년 소관 시설물의 안전 및 유지관리에 필요한 예산을 확보하여야 한다(법 제57조).

(3) 사고조사 등

① 사고보고: 관리주체는 소관 시설물에 사고가 발생한 경우에는 지체 없이 응급안전조치를 하여야 하며, 다음의 규모 이상의 사고가 발생한 경우에는 공공관리주체는 주무부처의 장 또는 관할 시 · 도지사 및 시장 · 군수 · 구청장에게, 민간관리주체는 관할 시장 · 군수 · 구청장에게 사고발생사실을 알려야 한다(법 제58조 제1항, 영 제37조).

> ㉠ 시설물이 붕괴되거나 쓰러져 재시공이 필요한 정도의 시설물피해
> ㉡ 사망자 또는 실종자가 3명 이상이거나 사상자가 10명 이상인 인명피해
> ㉢ 그 밖에 국토교통부장관이 조사가 필요하다고 정하여 고시하는 시설물피해 또는 인명피해

② 사고조사: 사고발생사실을 통보받은 주무부처의 장, 관할 시 · 도지사 또는 시장 · 군수 · 구청장은 사고발생사실을 국토교통부장관에게 알려야 하며, 국토교통부장관, 중앙행정기관의 장 또는 지방자치단체의 장은 사고발생사실을 통보받은 경우 그 사고원인 등에 대한 조사를 할 수 있다(법 제58조 제2항 · 제3항).

③ 중앙시설물사고조사위원회: 국토교통부장관은 ①의 각 피해가 발생한 시설물의 사고조사 등을 위하여 필요하다고 인정되는 때에는 중앙시설물사고조사위원회를 구성 · 운영할 수 있다(법 제58조 제4항, 영 제37조).

④ **시설물사고조사위원회**: 중앙행정기관의 장이나 지방자치단체의 장은 해당 기관이 지도 · 감독하는 관리주체의 시설물에 대한 붕괴 · 파손 등의 사고조사 등을 위하여 필요하다고 인정되는 때에는 시설물사고조사위원회를 구성 · 운영할 수 있으며, 사고조사를 실시한 경우 그 결과를 지체 없이 국토교통부장관에게 통보하여야 한다(법 제58조 제5항 · 제7항).

⑤ **결과 공표**: 국토교통부장관, 중앙행정기관의 장 또는 지방자치단체의 장은 중앙시설물사고조사위원회 또는 시설물사고조사위원회의 사고조사 결과를 공표하여야 한다(법 제58조 제8항).

(4) 실태점검

① 국토교통부장관, 주무부처의 장 또는 지방자치단체의 장은 시설물 및 소규모 취약시설의 안전 및 유지관리 실태를 점검할 수 있다(법 제59조 제1항).

② 시장 · 군수 · 구청장은 민간관리주체 소관 시설물에 대하여 시설물관리계획의 이행 여부 확인 등 안전 및 유지관리 실태를 연 1회 이상 점검하여야 한다(법 제59조 제2항).

③ 국토교통부장관, 주무부처의 장 또는 지방자치단체의 장은 실태점검 결과 필요한 사항을 관계 행정기관의 장, 관리주체 또는 그 밖의 관계인에게 권고하거나 시정하도록 요청할 수 있다. 이 경우 요청을 받은 자는 특별한 사유가 없으면 이에 따라야 한다(법 제59조 제3항).

④ 국토교통부장관, 주무부처의 장 또는 지방자치단체의 장은 실태점검을 실시하기 위하여 필요한 경우 관계 행정기관의 장, 관리주체 또는 그 밖의 관계인에게 관련 자료를 제출할 것을 요구할 수 있다. 이 경우 요구를 받은 자는 특별한 사유가 없으면 이에 따라야 한다(법 제59조 제4항).

⑤ 국토교통부장관, 주무부처의 장 또는 지방자치단체의 장은 실태점검의 효율성을 높이기 위하여 필요한 경우 관계 기관 및 전문가와 합동하여 현장조사를 실시할 수 있다(법 제59조 제5항).

⑥ 국토교통부장관, 주무부처의 장 또는 지방자치단체의 장은 필요한 경우 실태점검 결과를 공표할 수 있다(법 제59조 제6항).

(5) 권한의 위임 등

① 이 법에 따른 국토교통부장관의 권한은 그 일부를 대통령령으로 정하는 바에 따라 시 · 도지사 또는 소속 기관의 장에게 위임할 수 있다(법 제60조 제1항).

② 이 법에 따른 국토교통부장관의 권한 중 다음의 권한은 대통령령으로 정하는 바에 따라 국토안전관리원 또는 대통령령으로 정하는 위탁업무를 수행하는 데에 필요한 인력과 장비를 갖춘 기관에 위탁할 수 있다(법 제60조 제2항).

㉠ 법 제12조 제4항에 따른 시설물의 내진성능평가 결과검토 및 내진보강의 권고
㉡ 법 제18조 제1항 및 제2항에 따른 정밀안전점검 및 정밀안전진단 실시결과의 평가와 그 평가에 필요한 관련 자료의 제출요구
㉢ 법 제19조 제1항 · 제2항 · 제9항에 따른 안전점검 등의 실시, 그 결과와 안전조치에 필요한 사항의 통보 및 안전 및 유지관리에 관한 교육
㉣ 법 제36조 제3항에 따른 실적관리 및 실적확인서의 발급
㉤ 법 제55조 제1항 및 제4항에 따른 시설물통합정보관리체계 및 소규모 취약시설 정보화시스템의 구축 · 운영
㉥ 법 제58조 제4항에 따른 중앙시설물사고조사위원회 운영에 관한 사무

③ 정밀안전점검 또는 정밀안전진단 실시결과의 평가에 관한 권한을 위탁받은 기관은 평가의 공정성과 전문성을 확보하기 위하여 대통령령으로 정하는 바에 따라 정밀안전점검 · 정밀안전진단평가위원회를 설치하고 그 심의를 거쳐야 한다(법 제60조 제3항).

(6) 이행강제금

국토교통부장관은 다음의 어느 하나에 해당하는 자에게는 해당 명령이 이행될 때까지 매달 100만원 이하의 범위에서 다음의 이행강제금을 부과할 수 있다(법 제61조의2, 영 제45조).

① 법 제9조 제5항(설계도서 등의 제출)에 따른 명령을 받은 후 이행기간 이내에 그 명령을 이행하지 아니한 자: 100만원
② 법 제17조 제5항(안전점검 및 정밀안전진단의 결과보고)에 따른 명령을 받은 후 이행기간 이내에 그 명령을 이행하지 아니한 자: 50만원
③ 법 제18조 제4항(결과보고에 대한 보완요청)에 따른 명령을 받은 후 이행기간 이내에 그 명령을 이행하지 아니한 자: 50만원

(7) 기타

① **비밀유지:** 안전점검 · 정밀안전진단 · 긴급안전점검 · 유지관리 및 성능평가업무를 수행하는 자는 업무상 알게 된 비밀을 누설하거나 도용하여서는 아니 된다. 다만, 시설물의 안전과 유지관리를 위하여 국토교통부장관이 필요하다고 인정할 때에는 그러하지 아니하다(법 제61조).
② **벌칙 적용시 공무원 의제:** 다음의 어느 하나에 해당하는 사람은 형법 제129조부터 제132조까지의 규정에 따른 벌칙을 적용할 때에는 공무원으로 본다(법 제62조).

㉠ 국토안전관리원의 임직원, 안전점검 · 정밀안전진단 · 긴급안전점검 · 유지관리 및 성능평가업무를 하는 사람
㉡ 중앙시설물사고조사위원회, 시설물사고조사위원회 및 법 제60조 제3항에 따른 정밀안전점검 · 정밀안전진단평가위원회 위원 중 공무원이 아닌 위원

마무리STEP 1 | OX 문제

01 제1종 시설물에 해당하는 공동주택은 16층 이상인 공동주택이다. ( )

02 시설물의 상태를 판단하고 시설물이 점검 당시의 사용요건을 만족시키고 있는지 확인하며 시설물 주요부재의 상태를 확인할 수 있는 수준의 외관조사 및 측정 · 시험장비를 이용한 조사를 실시하는 안전점검은 정기안전점검에 대한 설명이다. ( )

03 시설물의 기능을 유지하기 위하여 요구되는 시설물의 구조적 안전성, 내구성, 사용성 등의 성능을 종합적으로 평가하는 것을 성능평가라 한다. ( )

04 국토교통부장관은 시설물이 안전하게 유지관리될 수 있도록 하기 위하여 10년마다 시설물의 안전 및 유지관리에 관한 기본계획을 수립 · 시행하여야 한다. ( )

05 관리주체 또는 시장 · 군수 · 구청장은 소관 시설물의 안전과 기능을 유지하기 위하여 정기안전점검 및 정밀안전점검을 실시해야 한다. 다만, 제3종 시설물에 대한 정밀안전점검은 정기안전점검 결과 해당 시설물의 안전등급이 D등급(미흡) 또는 E등급(불량)인 경우에 한정하여 실시한다. ( )

01 × 공동주택의 경우 제1종 시설물에 해당하는 건축물은 없다. 16층 이상의 공동주택은 제2종 시설물에 해당한다.

02 × 정밀안전점검에 대한 설명이다. 정기안전점검은 시설물의 상태를 판단하고 시설물이 점검 당시의 사용요건을 만족시키고 있는지 확인할 수 있는 수준의 외관조사를 실시하는 안전점검이다.

03 ○

04 × 시설물의 안전 및 유지관리에 관한 기본계획은 5년마다 수립한다.

05 ○

06 관리주체는 안전점검 및 긴급안전점검을 국토안전관리원, 안전진단전문기관 또는 안전점검전문기관에 대행하게 하여야 한다. ( )

07 관리주체는 안전점검 또는 긴급안전점검을 실시한 결과 재해 및 재난을 예방하기 위하여 필요하다고 인정되는 경우에는 정밀안전진단을 실시하여야 한다. 이 경우 결과보고서 제출일부터 1개월 이내에 정밀안전진단을 착수하여야 한다. ( )

08 관리주체는 정밀안전진단을 실시하려는 경우 이를 직접 수행할 수 없고 국토안전관리원 또는 안전진단전문기관에 대행하게 할 수 있다. ( )

09 안전점검 등을 실시하는 자는 제1종 시설물 및 제2종 시설물의 경우에는 정밀안전점검 및 정밀안전진단을 완료한 때, 제3종 시설물의 경우에는 정기안전점검을 완료한 때에 안전등급을 지정한다. ( )

10 정밀안전점검, 긴급안전점검 및 정밀안전진단의 실시 완료일이 속한 반기에 실시하여야 하는 정기안전점검은 생략할 수 있다. ( )

11 안전진단전문기관, 안전점검전문기관 또는 국토안전관리원은 관리주체로부터 안전점검 등의 실시에 관한 도급을 받은 경우에는 이를 하도급할 수 없다. 다만, 총도급금액의 3분의 1 이하의 범위에서 전문기술이 필요한 경우 등 대통령령으로 정하는 경우에는 분야별로 한 차례만 하도급할 수 있다. ( )

06 × 대행하게 할 수 있다.

07 × 결과보고서 제출일부터 1년 이내에 정밀안전진단을 착수하여야 한다.

08 × 대행하게 하여야 한다.

09 ○

10 ○

11 × 총도급금액의 100분의 50 이하의 범위에서 전문기술이 필요한 경우 등 대통령령으로 정하는 경우에는 분야별로 한 차례만 하도급할 수 있다.

12 관리주체는 결과보고서를 안전점검 및 정밀안전진단을 완료한 날부터 30일 이내에 공공관리주체의 경우에는 소속 중앙행정기관 또는 시 · 도지사에게, 민간관리주체의 경우에는 관할 시장 · 군수 · 구청장에게 각각 제출하여야 한다. ( )

13 관리주체는 긴급안전점검에 따른 조치명령을 받거나 시설물의 중대한 결함에 대한 통보를 받은 경우에는 조치명령 또는 통보를 받은 날부터 3년 이내에 시설물의 보수 · 보강 등 필요한 조치에 착수하여야 하며, 특별한 사유가 없는 한 착수한 날부터 2년 이내에 이를 완료하고, 관리주체는 그 결과를 국토교통부장관 및 관계 행정기관의 장에게 통보하여야 한다. ( )

14 관리주체는 건설사업자 또는 그 시설물을 시공한 자(하자담보책임기간 내인 경우에 한정한다)로 하여금 시설물의 유지관리를 대행하게 할 수 있으며, 그 비용은 관리주체가 부담한다. ( )

12 ○

13 × 조치명령 또는 통보를 받은 날부터 2년 이내에 시설물의 보수 · 보강 등 필요한 조치에 착수하여야 하며, 특별한 사유가 없는 한 착수한 날부터 3년 이내에 이를 완료하여야 한다.

14 ○

마무리STEP 2 | 확인문제

01 **시설물의 안전 및 유지관리에 관한 특별법상 시설물의 안전 및 유지관리계획에 대한 설명 중 틀린 것은?** 제10회

① 국토교통부장관은 시설물이 안전하게 유지관리될 수 있도록 하기 위하여 3년마다 시설물의 안전과 유지관리에 관한 기본계획을 수립 · 시행하여야 한다.
② 민간관리주체는 안전 및 유지관리에 관한 기본계획에 따라 소관 시설물별로 매년 안전 및 유지관리계획을 수립하여 특별자치시장 · 특별자치도지사 · 시장 · 군수 또는 구청장(자치구의 구청장을 말한다. 이하 같다)에게 제출하여야 한다.
③ 시장 · 군수 또는 구청장은 안전 및 유지관리계획 제출현황을 관할 시 · 도지사(특별자치시장 · 특별자치도지사를 제외한다)에게 민간관리주체가 제출한 날부터 15일 이내에 보고하여야 한다.
④ 공공관리주체는 소속 중앙행정기관의 장, 시 · 도지사에게 안전 및 유지관리계획을 매년 2월 15일까지 제출하여야 한다.
⑤ 중앙행정기관의 장과 시 · 도지사는 안전 및 유지관리계획 현황을 국토교통부장관에게 공공관리주체, 시장 · 군수 또는 구청장의 제출 또는 보고를 받은 날부터 15일 이내에 제출하여야 한다.

02 **시설물의 안전 및 유지관리에 관한 특별법의 내용으로 옳지 않은 것은?** 제16회

① 민간관리주체는 특별자치시장, 특별자치도지사, 시장 · 군수 또는 구청장에게 시설물의 안전 및 유지관리계획을 매년 2월 15일까지 제출하여야 한다.
② 16층 이상의 공동주택은 제2종 시설물에 해당한다.
③ 관리주체는 하자담보책임기간 내에는 그 시설물을 시공한 자로 하여금 유지관리하게 할 수 있다.
④ 안전점검 등의 대행비용의 산정기준은 국토안전관리원이 국토교통부장관의 승인을 받아 정한다.
⑤ 안전점검 등의 실시결과에 따라 시설물의 보수 · 보강 등 필요한 조치를 끝낸 민간관리주체는 그 결과를 특별자치시장, 특별자치도지사, 시장 · 군수 또는 구청장에게 통보하여야 한다.

03 **시설물의 안전 및 유지관리에 관한 특별법령상 용어의 정의에 관한 설명 중 옳지 않은 것은?**

① 시설물이란 건설공사를 통하여 만들어진 교량 · 터널 · 항만 · 댐 · 건축물 등 구조물과 그 부대시설로서 제1종 시설물, 제2종 시설물 및 제3종 시설물을 말한다.

② 제1종 시설물이란 공중의 이용편의와 안전을 도모하기 위하여 특별히 관리할 필요가 있거나 구조상 안전 및 유지관리에 고도의 기술이 필요한 대규모 시설물로서 대통령령으로 정하는 시설물을 말한다.

③ 내진성능평가란 지진으로부터 시설물의 안전성을 확보하고 기능을 유지하기 위하여 자연재해대책법에 따라 시설물별로 정하는 내진설계기준에 따라 시설물이 지진에 견딜 수 있는 능력을 평가하는 것을 말한다.

④ 안전점검이란 시설물의 물리적 · 기능적 결함을 발견하고 그에 대한 신속하고 적절한 조치를 하기 위하여 구조적 안전성과 결함의 원인 등을 조사 · 측정 · 평가하여 보수 · 보강 등의 방법을 제시하는 행위를 말한다.

⑤ 긴급안전점검이란 시설물의 붕괴 · 전도 등으로 인한 재난 또는 재해가 발생할 우려가 있는 경우에 시설물의 물리적 · 기능적 결함을 신속하게 발견하기 위하여 실시하는 점검을 말한다.

정답 | 해설

01 ① 국토교통부장관은 시설물이 안전하게 유지 · 관리될 수 있도록 하기 위하여 5년마다 시설물의 안전과 유지관리에 관한 기본계획을 수립 · 시행하여야 한다.

02 ④ 국토교통부장관은 대행비용의 산정기준을 기획재정부장관과 협의하여 정하여 고시하여야 한다.

03 ④ 정밀안전진단에 대한 설명이다. 안전점검이란 경험과 기술을 갖춘 자가 육안이나 점검기구 등으로 검사하여 시설물에 내재(內在)되어 있는 위험요인을 조사하는 행위를 말한다.

04 **시설물의 안전 및 유지관리에 관한 특별법령상 시설물의 안전점검에 관한 설명으로 옳지 않은 것은?**

① 제1종 시설물 및 제2종 시설물은 정기안전점검 및 정밀안전점검을 실시하여야 한다.
② 제3종 시설물은 정기안전점검을 실시하여야 한다.
③ 안전등급이 A · B · C등급인 시설물에 대한 정기안전점검의 실시시기는 1년에 1회 이상이다.
④ 안전등급이 D · E등급인 시설물에 대한 정기안전점검의 실시시기는 1년에 3회 이상이다.
⑤ 준공 또는 사용승인 후부터 최초 안전등급이 지정되기 전까지의 기간에 실시하는 정기안전점검은 반기에 1회 이상 실시한다.

05 **시설물의 안전 및 유지관리에 관한 특별법령상 안전점검 등을 실시하는 자는 안전점검 등의 실시결과에 따라 대통령령으로 정하는 기준에 적합하게 해당 시설물의 안전등급을 지정하여야 하는데, 그 등급이 잘못된 것은?**

① A: 문제점이 없는 최상의 상태
② B: 주요부재에 경미한 결함이 발생하였으나 기능 발휘에는 지장이 없으며 내구성 증진을 위하여 일부의 보수가 필요한 상태
③ C: 주요부재에 경미한 결함 또는 보조부재에 광범위한 결함이 발생하였으나 전체적인 시설물의 안전에는 지장이 없으며, 주요부재에 내구성 · 기능성 저하방지를 위한 보수가 필요하거나 보조부재에 간단한 보강이 필요한 상태
④ D: 주요부재에 결함이 발생하여 긴급한 보수 · 보강이 필요하며 사용제한 여부를 결정하여야 하는 상태
⑤ E: 주요부재에 발생한 심각한 결함으로 인하여 시설물의 안전에 위험이 있어 즉각 사용을 금지하고 보강 또는 개축을 하여야 하는 상태

06 **시설물의 안전 및 유지관리에 관한 특별법령상 시설물의 안전관리에 대한 다음 설명 중 틀린 것은?**

① 관리주체는 시설물에 대하여 안전점검 또는 긴급안전점검을 실시한 결과 재해 및 재난을 예방하기 위하여 필요하다고 인정되는 경우에는 정밀안전진단을 실시하여야 한다.

② ①의 경우 결과보고서 제출일부터 6개월 이내에 정밀안전진단을 착수하여야 한다.

③ 관리주체는 지진 · 화산재해대책법에 따른 내진설계대상 시설물 중 내진성능평가를 받지 않은 시설물에 대하여 정밀안전진단을 실시하는 경우에는 해당 시설물에 대한 내진성능평가를 포함하여 실시하여야 한다.

④ 안전점검 및 정밀안전진단을 실시한 자는 완료한 경우에는 그 결과보고서를 작성하고, 이를 관리주체 및 시장 · 군수 · 구청장에게 통보하여야 한다.

⑤ 관리주체는 결과보고서를 안전점검 및 정밀안전진단을 완료한 날부터 30일 이내에 민간관리주체의 경우는 관할 시장 · 군수 · 구청장에게 각각 제출하여야 한다.

정답 | 해설

04 ③ A · B · C등급인 시설물에 대한 정기안전점검의 실시시기는 반기에 1회 이상이다.

05 ② B등급은 보조부재에 경미한 결함이 발생하였으나 기능 발휘에는 지장이 없으며 내구성 증진을 위하여 일부의 보수가 필요한 상태이다.

06 ② 결과보고서 제출일부터 1년 이내에 정밀안전진단을 착수하여야 한다.

2025 해커스 주택관리사(보)
house.Hackers.com

10개년 출제비중분석

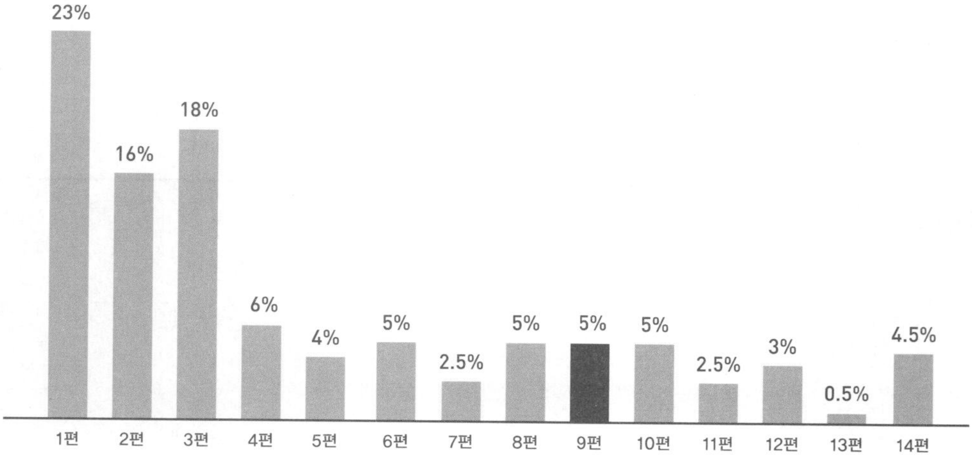

제9편

승강기 안전관리법

제 9 편 승강기 안전관리법

목차 내비게이션 승강기 안전관리법

단원길라잡이

승강기 안전관리법에서는 매년 2문제가 출제되고 있다. 이 단원에서는 용어의 정의, 승강기 유지관리용 부품의 확보, 승강기 유지관리업(등록 및 업무), 승강기의 검사 및 정밀안전검사, 승강기의 안전관리자, 사고보고, 승강기의 자체점검 등을 중점적으로 학습하여야 한다.

출제포인트

- 제조 · 수입업자의 사후관리
- 승강기의 안전인증
- 승강기의 설치
- 승강기의 검사(정기, 수시, 정밀안전)
- 자체점검

제1절 총칙

01 제정목적

이 법은 승강기의 제조·수입 및 설치에 관한 사항과 승강기의 안전인증 및 안전관리에 관한 사항 등을 규정함으로써 승강기의 안전성을 확보하고, 승강기 이용자 등의 생명·신체 및 재산을 보호함을 목적으로 한다(법 제1조).

02 용어의 정의

(1) 승강기

승강기란 건축물이나 고정된 시설물에 설치되어 일정한 경로에 따라 사람이나 화물을 승강장으로 옮기는 데에 사용되는 설비로서 다음의 구분에 따른 설비를 말한다(법 제2조 제1호, 영 제3조).

① 엘리베이터: 일정한 수직로 또는 경사로를 따라 위·아래로 움직이는 운반구(運搬具)를 통해 사람이나 화물을 승강장으로 운송시키는 설비

② 에스컬레이터: 일정한 경사로 또는 수평로를 따라 위·아래 또는 옆으로 움직이는 디딤판을 통해 사람이나 화물을 승강장으로 운송시키는 설비

③ 휠체어리프트: 일정한 수직로 또는 경사로를 따라 위·아래로 움직이는 운반구를 통해 휠체어에 탑승한 장애인 또는 그 밖의 장애인·노인·임산부 등 거동이 불편한 사람을 승강장으로 운송시키는 설비

(2) 승강기의 세부종류

위 (1)에 따라 구분된 승강기의 구조별 또는 용도별 세부종류는 다음과 같다(규칙 제2조 [별표 1]).

① 구조별 승강기의 세부종류

구분	승강기의 세부종류	분류기준
엘리베이터	전기식 엘리베이터	로프나 체인 등에 매달린 운반구(運搬具)가 구동기에 의해 수직로 또는 경사로를 따라 운행되는 구조의 엘리베이터
	유압식 엘리베이터	운반구 또는 로프나 체인 등에 매달린 운반구가 유압잭에 의해 수직로 또는 경사로를 따라 운행되는 구조의 엘리베이터

에스컬레이터	에스컬레이터	계단형의 발판이 구동기에 의해 경사로를 따라 운행되는 구조의 에스컬레이터
	무빙워크	평면형의 발판이 구동기에 의해 경사로 또는 수평로를 따라 운행되는 구조의 에스컬레이터
휠체어리프트	수직형 휠체어리프트	휠체어의 운반에 적합하게 제작된 운반구(이하 '휠체어운반구'라 한다) 또는 로프나 체인 등에 매달린 휠체어운반구가 구동기나 유압잭에 의해 수직로를 따라 운행되는 구조의 휠체어리프트
	경사형 휠체어리프트	휠체어운반구 또는 로프나 체인 등에 매달린 휠체어운반구가 구동기나 유압잭에 의해 경사로를 따라 운행되는 구조의 휠체어리프트

② 용도별 승강기의 세부종류

구분	승강기의 세부종류	분류기준
엘리베이터	승객용 엘리베이터	사람의 운송에 적합하게 제조·설치된 엘리베이터
	전망용 엘리베이터	승객용 엘리베이터 중 엘리베이터 내부에서 외부를 전망하기에 적합하게 제조·설치된 엘리베이터
	병원용 엘리베이터	병원의 병상 운반에 적합하게 제조·설치된 엘리베이터로서 평상시에는 승객용 엘리베이터로 사용하는 엘리베이터
	장애인용 엘리베이터	장애인·노인·임산부 등의 편의증진 보장에 관한 법률 제2조 제1호에 따른 장애인 등(이하 '장애인 등'이라 한다)의 운송에 적합하게 제조·설치된 엘리베이터로서 평상시에는 승객용 엘리베이터로 사용하는 엘리베이터
	소방구조용 엘리베이터	화재 등 비상시 소방관의 소화활동이나 구조활동에 적합하게 제조·설치된 엘리베이터(건축법 제64조 제2항 본문 및 주택건설기준 등에 관한 규정 제15조 제2항에 따른 비상용 승강기를 말한다)로서 평상시에는 승객용 엘리베이터로 사용하는 엘리베이터
	피난용 엘리베이터	화재 등 재난 발생시 거주자의 피난활동에 적합하게 제조·설치된 엘리베이터로서 평상시에는 승객용으로 사용하는 엘리베이터
	주택용 엘리베이터	건축법 시행령 [별표 1] 제1호 가목에 따른 단독주택 거주자의 운송에 적합하게 제조·설치된 엘리베이터로서 편도 운행거리가 12미터 이하인 엘리베이터

	승객화물용 엘리베이터	사람의 운송과 화물 운반을 겸용하기에 적합하게 제조·설치된 엘리베이터
	화물용 엘리베이터	화물의 운반에 적합하게 제조·설치된 엘리베이터로서 조작자 또는 화물취급자가 탑승할 수 있는 엘리베이터(적재용량이 300킬로그램 미만인 것은 제외한다)
	자동차용 엘리베이터	운전자가 탑승한 자동차의 운반에 적합하게 제조·설치된 엘리베이터
	소형화물용 엘리베이터 (Dumbwaiter)	음식물이나 서적 등 소형화물의 운반에 적합하게 제조·설치된 엘리베이터로서 사람의 탑승을 금지하는 엘리베이터(바닥면적이 0.5제곱미터 이하이고, 높이가 0.6미터 이하인 것은 제외한다)
에스컬레이터	승객용 에스컬레이터	사람의 운송에 적합하게 제조·설치된 에스컬레이터
	장애인용 에스컬레이터	장애인 등의 운송에 적합하게 제조·설치된 에스컬레이터로서 평상시에는 승객용 에스컬레이터로 사용하는 에스컬레이터
	승객화물용 에스컬레이터	사람의 운송과 화물 운반을 겸용하기에 적합하게 제조·설치된 에스컬레이터
	승객용 무빙워크	사람의 운송에 적합하게 제조·설치된 에스컬레이터
	승객화물용 무빙워크	사람의 운송과 화물의 운반을 겸용하기에 적합하게 제조·설치된 에스컬레이터
휠체어리프트	장애인용 수직형 휠체어리프트	운반구가 수직로를 따라 운행되는 것으로서 장애인 등의 운송에 적합하게 제조·설치된 수직형 휠체어리프트
	장애인용 경사형 휠체어리프트	운반구가 경사로를 따라 운행되는 것으로서 장애인 등의 운송에 적합하게 제조·설치된 경사형 휠체어리프트

(3) 승강기로 보지 않는 시설

다음의 시설은 승강기로 보지 아니한다(영 제2조).

① 궤도운송법 제2조 제1호에 따른 궤도
② 선박안전법 제2조 제2호에 따른 선박시설 중 승강설비
③ 주차장법 제2조 제2호에 따른 기계식 주차장치
④ 광산안전법 시행령 제10조 제1항 제3호에 따른 사람을 운반하거나 150킬로와트 이상의 동력을 사용하는 권양(捲揚)장치

⑤ 산업안전보건법 시행령 제28조 제1항 제1호 라목에 따른 리프트
⑥ 주한외국공관 또는 이에 준하는 기관에 설치된 승강기 등 국제협약 또는 국가간 협정을 준수하기 위해 행정안전부장관이 필요하다고 인정하는 승강기

(4) 기타 용어

① **승강기부품:** 승강기를 구성하는 제품이나 그 부분품 또는 부속품을 말한다.

② **제조:** 승강기나 승강기부품을 판매 · 대여하거나 설치할 목적으로 생산 · 조립하거나 가공하는 것을 말한다.

③ **설치:** 승강기의 설계도면 등 기술도서(技術圖書)에 따라 승강기를 건축물이나 고정된 시설물에 장착(행정안전부령으로 정하는 범위에서의 승강기 교체를 포함한다)하는 것을 말한다.

④ **유지관리:** 법 제28조 제1항에 따른 설치검사를 받은 승강기가 그 설계에 따른 기능 및 안전성을 유지할 수 있도록 하는 다음의 안전관리활동을 말한다.

㉠ 주기적인 점검
㉡ 승강기 또는 승강기부품의 수리
㉢ 승강기부품의 교체
㉣ 그 밖에 행정안전부장관이 승강기의 기능 및 안전성의 유지를 위하여 필요하다고 인정하여 고시하는 안전관리활동

⑤ **승강기사업자:** 다음의 어느 하나에 해당하는 자를 말한다.

㉠ 법 제6조 제1항 전단에 따라 승강기나 승강기부품의 제조업 또는 수입업을 하기 위하여 등록을 한 자
㉡ 법 제39조 제1항 전단에 따라 승강기의 유지관리를 업(業)으로 하기 위하여 등록을 한 자
㉢ 건설산업기본법 제9조 제1항에 따라 건설업의 등록을 한 자로서 대통령령으로 정하는 승강기설치공사업에 종사하는 자(이하 '설치공사업자'라 한다)

⑥ **관리주체:** 다음의 어느 하나에 해당하는 자를 말한다.

㉠ 승강기 소유자
㉡ 다른 법령에 따라 승강기 관리자로 규정된 자
㉢ ㉠ 또는 ㉡에 해당하는 자와의 계약에 따라 승강기를 안전하게 관리할 책임과 권한을 부여받은 자

03 승강기안전관리 기본계획

① **수립**: 행정안전부장관은 5년마다 다음의 사항이 포함된 승강기안전관리 기본계획(이하 '기본계획'이라 한다)을 수립 · 시행하여야 하며, 승강기안전관리와 관련한 사회적 · 경제적 여건 변화 등으로 기본계획의 변경이 필요할 때에는 이를 변경할 수 있다(법 제3조의2 제1항 · 제2항).

> ㉠ 승강기안전관리의 기본목표 및 추진방향
> ㉡ 승강기안전관리체계의 구축 및 운영
> ㉢ 승강기안전관리 기술의 연구 및 개발
> ㉣ 승강기안전관리 기술인력의 교육 및 양성
> ㉤ 승강기안전산업의 진흥
> ㉥ 그 밖에 행정안전부장관이 승강기안전관리를 위하여 필요하다고 인정하는 사항

② **협의**: 행정안전부장관은 기본계획을 수립 또는 변경하려는 경우 관계 중앙행정기관의 장과 미리 협의하여야 한다(법 제3조의2 제3항).

③ **게시**: 행정안전부장관은 기본계획을 수립 또는 변경한 경우 시 · 도지사에게 통보하고 관보나 인터넷 홈페이지에 게시하여야 한다(법 제3조의2 제5항).

④ **시행계획**: 시 · 도지사는 ③에 따라 통보받은 기본계획을 반영하여 관할 구역의 실정에 맞게 지역 승강기안전관리 시행계획(이하 '시행계획'이라 한다)을 수립하고 시행하여야 한다(법 제3조의2 제6항).

04 국가 등의 책무

① 국가는 승강기 안전에 관한 종합적인 시책을 수립하고 시행하여야 한다(법 제3조 제1항).

② 지방자치단체는 관할 구역의 승강기 안전에 관한 시책을 그 지역의 실정에 맞게 수립하고 시행하여야 한다(법 제3조 제2항).

05 승강기사업자 등의 의무

① 승강기사업자는 승강기나 승강기부품을 제조 · 수입 또는 설치하거나 유지관리할 때 이 법과 이 법에서 정하는 기준 등을 준수하여 승강기 이용자 등에게 발생할 수 있는 피해를 방지하도록 노력하여야 한다(법 제4조 제1항).

② 관리주체는 승강기의 기능 및 안전성이 지속적으로 유지되도록 이 법에서 정하는 바에 따라 승강기를 안전하게 관리하여야 한다(법 제4조 제2항).

06 다른 법률과의 관계

① 승강기 안전에 관하여 다른 법률에 특별한 규정이 있는 경우를 제외하고는 이 법에서 정하는 바에 따른다(법 제5조 제1항).

② 승강기 안전에 관하여 다른 법률을 제정하거나 개정하는 경우에는 이 법의 목적에 부합하도록 하여야 한다(법 제5조 제2항).

07 승강기안전위원회의 구성

① 행정안전부장관은 다음의 사항을 심의하기 위해 승강기안전위원회(이하 '위원회'라 한다)를 구성 · 운영한다(영 제5조 제1항).

> ㉠ 법 제3조 제1항에 따른 승강기 안전에 관한 종합적인 시책
> ㉡ 법 제11조 제3항에 따른 기준의 제정 또는 개정
> ㉢ 법 제17조 제3항에 따른 기준의 제정 또는 개정
> ㉣ 법 제23조 제1항에 따른 부품안전인증업무의 대행기관 지정
> ㉤ 법 제37조 제1항에 따른 정기검사업무의 대행기관 지정
> ㉥ 법 제65조에 따른 승강기 안전산업의 기반 조성을 위한 시책
> ㉦ 그 밖에 승강기안전관리 관련 중요 정책사항으로서 행정안전부장관이 회의에 부치는 사항

② 위원회는 위원장 1명을 포함하여 15명 이내의 위원으로 구성한다(영 제5조 제2항).

③ 위원회의 위원장은 승강기안전관리업무를 담당하는 행정안전부의 고위공무원단에 속하는 일반직공무원(직무등급이 가등급에 해당하는 공무원으로 한정한다)이 되고, 위원회의 위원은 다음의 어느 하나에 해당하는 사람 중에서 성별을 고려하여 행정안전부장관이 지명하거나 위촉한다(영 제5조 제3항).

> ㉠ 승강기안전관리업무를 담당하는 행정안전부의 4급 이상 공무원 또는 고위공무원단에 속하는 일반직공무원(직무등급이 나등급에 해당하는 공무원으로 한정한다)
> ㉡ 법 제55조에 따른 한국승강기안전공단(이하 '공단'이라 한다)에서 승강기안전관리업무를 담당하는 임직원 중에서 공단 이사장이 추천하는 사람
> ㉢ 소비자기본법 제33조에 따른 한국소비자원에서 승강기안전관리 관련 업무를 담당하는 임직원 중에서 한국소비자원 원장이 추천하는 사람
> ㉣ 비영리민간단체 지원법 제2조에 따른 비영리민간단체 중 승강기안전관리 관련 단체가 추천하는 사람
> ㉤ 그 밖에 승강기안전관리에 관한 학식과 경험이 풍부한 사람

④ 위원회 위원(③의 ㉠에 따른 위원은 제외한다)의 임기는 3년으로 하며, 한 번만 연임할 수 있다(영 제5조 제4항).

⑤ 위원회의 위원장은 위원회 회의를 소집하고, 그 회의의 의장이 된다(영 제5조 제5항).

⑥ 위원회의 회의는 재적위원 과반수의 출석으로 개의(開議)하고, 출석위원 과반수의 찬성으로 의결한다(영 제5조 제6항).

⑦ 위원회는 ① 각 내용의 사항을 전문적으로 검토하기 위해 승강기 기술 관련 전문가로 구성되는 전문위원회(이하 '전문위원회'라 한다)를 둘 수 있다(영 제5조 제7항).

⑧ 위원회 또는 전문위원회의 회의에 출석하는 위원에게는 예산의 범위에서 수당과 여비 등을 지급할 수 있다. 다만, 공무원인 위원이 그 소관 업무와 직접적으로 관련되어 출석하는 경우에는 그렇지 않다(영 제5조 제8항).

제2절 승강기 등의 제조업 또는 수입업

(1) 등록

① 승강기나 대통령령으로 정하는 승강기부품의 제조업 또는 수입업(이하 '제조업 또는 수입업'이라 한다)을 하려는 자는 행정안전부령으로 정하는 바에 따라 시 · 도지사에게 등록하여야 한다. 행정안전부령으로 정하는 사항을 변경할 때에도 또한 같다(법 제6조 제1항).

② 등록을 하려는 자는 다음의 기준을 모두 갖추어야 한다(법 제6조 제2항, 영 제10조).

> ㉠ 자본금(법인인 경우에는 납입자본금을 말하고, 개인인 경우에는 자산평가액을 말한다. 이하 같다)이 2억원 이상일 것
> ㉡ 영 제8조에 따른 제조업 또는 수입업의 종류별로 [별표 1] 제2호에 따른 기술인력 및 설비를 갖출 것

③ 변경등록은 등록사항이 변경된 날부터 30일 이내에 하여야 한다(법 제6조 제3항).

④ 등록을 한 자(이하 '제조 · 수입업자'라 한다)는 그 사업을 폐업 또는 휴업하거나 휴업한 사업을 다시 시작한 경우에는 그날부터 30일 이내에 시 · 도지사에게 신고하여야 한다(법 제6조 제4항).

(2) 등록결격사유

다음의 어느 하나에 해당하는 자는 (1)에 따른 제조업 또는 수입업의 등록을 할 수 없다(법 제7조).

① 피성년후견인
② 파산선고를 받고 복권되지 아니한 자
③ 이 법을 위반하여 징역 이상의 실형을 선고받고 그 집행이 끝나거나(집행이 끝난 것으로 보는 경우를 포함한다) 집행이 면제된 날부터 2년이 지나지 아니한 자
④ 이 법을 위반하여 형의 집행유예를 받고 그 유예기간 중에 있는 자
⑤ 법 제9조 제1항에 따라 등록이 취소(① 또는 ②에 따른 사유에 해당하여 취소된 경우는 제외한다)된 후 2년(법 제9조 제1항 제7호 또는 제8호에 해당하여 등록이 취소된 경우는 6개월)이 지나지 아니한 자
⑥ 대표자가 ①부터 ⑤까지의 어느 하나에 해당하는 법인

(3) 제조 · 수입업자의 사후관리

① 제조 · 수입업자는 승강기 또는 승강기부품을 판매하거나 양도하였을 때에는 대통령령으로 정하는 바에 따라 다음(ⓒ의 경우에는 법 제39조 제1항 전단에 따라 승강기의 유지관리를 업으로 하기 위하여 등록을 한 자가 요청하는 경우로 한정한다)의 조치를 하여야 하며, 승강기의 구매인 또는 양수인(관리주체를 포함한다)에게 사용설명서와 품질보증기간 등이 적힌 품질보증서를 제공하여야 한다(법 제8조 제1항, 영 제11조 제2항, 영 제12조).

㉠ 행정안전부령으로 정하는 승강기 유지관리용 부품의 유상 또는 무상 제공
㉡ 승강기의 결함 여부, 결함 부위 및 내용 등에 대한 점검 · 정비 및 검사에 필요한 장비 또는 소프트웨어(비밀번호 등 정보에 접근할 수 있는 권한을 포함한다)의 유상 또는 무상 제공
㉢ 법 제39조 제1항 전단에 따라 승강기의 유지관리를 업으로 하기 위하여 등록을 한 자에 대한 다음의 조치
ⓐ 기술지도 및 교육의 유상 또는 무상 실시
ⓑ 유지관리 매뉴얼 등 행정안전부령으로 정하는 유지관리 관련 자료의 제공(인터넷 홈페이지를 통한 제공 또는 인쇄물 제공)
㉣ 승강기부품의 권장 교체주기 및 가격 자료의 공개

② 제조 · 수입업자는 다음의 어느 하나에 해당하는 자로부터 ①의 ㉠ 또는 ㉡에 해당하는 부품 등의 제공을 요청받은 경우에는 특별한 이유가 없으면 2일 이내에 그 요청에 따라야 하며, 최종 판매하거나 양도한 날부터 10년 이상 제공할 수 있도록 해야 한다(법 제8조 제2항, 영 제11조 제1항).

㉠ 관리주체
㉡ 법 제39조 제1항 전단에 따라 승강기의 유지관리를 업으로 하기 위하여 등록을 한 자
㉢ 법 제39조 제1항 전단에 따라 승강기의 유지관리를 업으로 하기 위하여 등록을 한 자를 조합원으로 하여 중소기업협동조합법에 따라 설립된 법인

③ 승강기 또는 승강기부품의 품질보증기간은 3년 이상으로 하며, 그 기간에 구매인 또는 양수인이 사용설명서에 따라 정상적으로 사용 · 관리했음에도 불구하고 고장이나 결함이 발생한 경우에는 제조 · 수입업자가 무상으로 유지관리용 부품 및 장비 등을 제공(정비를 포함한다)해야 한다(영 제11조 제3항).

④ 제조 · 수입업자는 승강기부품(유지관리용 부품으로 한정한다)의 권장 교체주기 및 가격 자료를 10년 이상 해당 제조 · 수입업자의 인터넷 홈페이지에 공개해야 한다. 다만, 인터넷 홈페이지를 갖추고 있지 않은 제조 · 수입업자는 그가 가입한 협회나 단체의 인터넷 홈페이지 등에 공개할 수 있으며, 제조 · 수입업자는 권장 교체주기 및 가격 자료를 매년 갱신해야 한다(영 제13조).

⑤ 시 · 도지사는 ① 및 ②에 따른 의무를 이행하지 아니한 제조 · 수입업자에 대해서는 그 의무 이행을 명할 수 있다. 이 경우 해당 제조 · 수입업자가 이행해야 할 구체적인 조치사항 및 이행기간 등을 명시하여 서면으로 통지해야 한다(법 제8조 제3항, 영 제14조).

(4) 제조업 또는 수입업 등록의 취소 등

① 시 · 도지사는 제조 · 수입업자가 다음의 어느 하나에 해당하는 경우에는 제조업 또는 수입업의 등록을 취소하거나 6개월 이내의 기간을 정하여 그 사업의 전부 또는 일부의 정지를 명할 수 있다. 다만, ㉠ · ㉡ · ㉣ 또는 ㉦에 해당하는 경우에는 그 등록을 취소하여야 한다(법 제9조 제1항).

> ㉠ 거짓이나 그 밖의 부정한 방법으로 제조업 또는 수입업의 등록을 한 경우
> ㉡ 사업정지명령을 받은 후 그 사업정지기간에 제조업 또는 수입업을 한 경우
> ㉢ (1)의 ②에 따른 등록기준을 충족하지 못하게 된 경우
> ㉣ 결격사유의 어느 하나에 해당하는 경우
> ㉤ 위 (3)의 ⑤에 따른 이행명령을 위반한 경우
> ㉥ 다음의 어느 하나에 해당하는 경우로서 법 제48조 제1항에 따른 중대한 사고 또는 중대한 고장이 발생한 경우
>   ⓐ 승강기나 승강기부품의 제조를 잘못한 경우
>   ⓑ 제조가 잘못된 승강기나 승강기부품을 수입한 경우
> ㉦ 제조 · 수입업자가 부가가치세법 제8조 제8항에 따른 폐업신고를 하거나 같은 조 제9항에 따라 관할 세무서장이 사업자등록을 말소한 경우
> ㉧ 제조업 또는 수입업 등록을 한 날부터 3년이 지날 때까지 영업을 시작하지 아니하거나 계속하여 3년 이상 휴업한 경우

② 시 · 도지사는 ①의 ㉢에도 불구하고 등록기준을 충족하지 못한 정도가 경미하다고 인정되는 경우에는 기간을 정하여 등록기준에 맞게 보완할 것을 명하고, 그 명령을 이행하면 사업의 전부 또는 일부의 정지를 명하지 아니할 수 있다(법 제9조 제2항).

(5) 제조업 또는 수입업의 사업정지처분을 갈음하여 부과하는 과징금

① 시 · 도지사는 (4) ①의 ⓒ · ⓜ 또는 ⓑ에 해당하여 사업정지를 명하여야 하는 경우로서 그 사업의 정지가 이용자 등에게 심한 불편을 주거나 공익을 해칠 우려가 있는 경우에는 사업정지처분을 갈음하여 1억원 이하의 과징금을 부과할 수 있다(법 제10조 제1항).

② 시 · 도지사는 ①에 따른 과징금을 내야 할 제조 · 수입업자가 납부기한까지 과징금을 내지 아니하면 지방행정제재 · 부과금의 징수 등에 관한 법률에 따라 징수한다(법 제10조 제2항).

제3절 승강기부품 등의 안전인증

01 승강기부품의 안전인증

(1) 승강기부품의 안전인증

① 승강기부품의 제조 · 수입업자는 승강기 안전에 관련된 승강기부품으로서 대통령령으로 정하는 승강기부품(이하 '승강기안전부품'이라 한다)에 대하여 행정안전부령으로 정하는 바에 따라 모델별(행정안전부령으로 정하는 고유한 명칭을 붙인 제품의 형식을 말한다. 이하 같다)로 행정안전부장관이 실시하는 안전인증(이하 '부품안전인증'이라 한다)을 받아야 한다(법 제11조 제1항).

② **부품안전인증의 내용**: 부품안전인증을 받으려는 경우에는 다음의 심사 및 시험을 거쳐야 한다(영 제17조).

> ㉠ **설계심사**: 승강기안전부품의 기계도면, 전기도면 등 행정안전부장관이 정하여 고시하는 기술도서(技術圖書)가 법 제11조 제3항 제1호에 따른 기준(이하 '승강기안전부품 안전기준'이라 한다)에 맞는지를 심사하는 것
> ㉡ **안전성시험**: 승강기안전부품이 승강기안전부품 안전기준에 맞는지를 확인하기 위해 시험하는 것
> ㉢ **공장심사**: 승강기안전부품을 제조하는 공장의 설비 및 기술능력 등 제조체계가 법 제11조 제3항 제2호에 따른 기준(이하 '부품공장 심사기준'이라 한다)에 맞는지를 심사하는 것

③ 승강기안전부품의 제조 · 수입업자는 부품안전인증을 받은 사항을 변경하려는 경우에는 행정안전부령으로 정하는 바에 따라 행정안전부장관으로부터 변경사항에 대한 부품안전인증을 받아야 한다. 다만, 승강기안전부품의 안전성과 관련이 없는 다음의 경미한 사항을 변경하는 경우에는 그러하지 아니하다(법 제11조 제2항, 규칙 제14조 제5항).

㉠ 승강기안전부품에 사용된 변압기 2차측(교류전원 30볼트 이하 또는 직류전원 42볼트 이하로 한정한다. 이하 같다)의 회로 · 승강기부품 · 절연재질의 변경 또는 연소방지를 위한 재질 변경의 경우
㉡ 승강기안전부품의 색상 변경의 경우
㉢ 승강기안전부품 안전기준에 따른 안전회로의 변경 없이 제어회로만을 변경하는 경우
㉣ 승강기안전부품의 설계 · 제조와 관련된 규격과 재질의 변경 없이 설계 · 제조 관련 도면을 수정하는 경우로서 그 변경이력을 자체적으로 관리하는 경우
㉤ 전기설비 및 전기기기를 한국산업표준(KS)에 따라 표준화된 것 또는 이와 같은 수준 이상의 성능을 갖춘 것으로 변경하는 경우

④ 행정안전부장관은 승강기안전부품이 행정안전부장관이 정하여 고시하는 다음의 기준에 모두 맞는 경우 부품안전인증을 하여야 한다. 다만, ㉠의 기준이 고시되지 아니하였거나 고시된 기준을 적용할 수 없는 경우의 승강기안전부품에 대해서는 행정안전부령으로 정하는 바에 따라 부품안전인증을 할 수 있다(법 제11조 제3항).

㉠ 승강기안전부품 자체의 안전성에 관한 기준(승강기안전부품 안전기준)
㉡ 승강기안전부품의 제조에 필요한 설비 및 기술능력 등에 관한 기준

⑤ 행정안전부장관은 ④에 따라 부품안전인증을 하는 경우 다음의 조건을 붙일 수 있다. 이 경우 그 조건은 승강기안전부품의 제조 · 수입업자에게 부당한 의무를 부과하는 것이어서는 아니 된다(법 제11조 제4항, 규칙 제16조).

㉠ 법 제13조 제2항에 따른 자체심사의 실시
㉡ 승강기안전부품이 승강기안전부품 안전기준에 맞도록 보완
㉢ 공장의 설비가 부품공장 심사기준에 맞도록 보완
㉣ 위 ㉠부터 ㉢까지의 규정에 따른 조건의 이행 보고

(2) 부품안전인증의 면제

행정안전부장관은 (1)의 ①에도 불구하고 승강기안전부품이 다음의 어느 하나에 해당하는 경우에는 대통령령으로 정하는 바에 따라 부품안전인증의 전부 또는 일부를 면제할 수 있으며, 면제받으려는 자는 해당 승강기안전부품의 출고 또는 통관 전에 [별지 제9호] 서식의 부품안전인증 면제신청서(전자문서를 포함한다)에 사업자등록증 사본과 다음의 사실을 증명하는 서류(전자문서를 포함한다)를 첨부하여 공단에 제출해야 한다(법 제12조, 영 제18조 제3항 · 제4항, 규칙 제17조 제1항, 제20조).

① 연구 · 개발, 전시 또는 부품안전인증을 위한 시험을 목적으로 제조하거나 수입하는 승강기안전부품으로서 대통령령으로 정하는 승강기안전부품에 대하여 행정안전부령으로 정하는 바에 따라 행정안전부장관의 확인을 받은 경우
② 수출을 목적으로 수입하는 승강기안전부품으로서 다음의 승강기안전부품에 대하여 특별시 · 광역시 · 특별자치시 · 도 또는 특별자치도(이하 '시 · 도'라 한다)의 조례로 정하는 바에 따라 해당 시 · 도지사의 확인을 받은 경우
㉠ 국내에서 판매 · 대여하지 않는 부품으로서 수출을 목적으로 수입하는 승강기안전부품
㉡ 수출한 승강기안전부품으로서 수리 또는 보수를 위해 반출을 조건으로 국내에 반입되는 승강기안전부품
③ 수출을 목적으로 승강기안전부품을 제조하는 경우
④ 국가간 상호인정협정에 따라 행정안전부장관이 정하여 고시하는 외국의 기관에서 부품안전인증에 준하는 안전인증을 받은 경우
⑤ 행정안전부령으로 정하는 일정 수준 이상의 시험능력을 갖춘 승강기안전부품의 제조 · 수입업자가 행정안전부령으로 정하는 바에 따라 승강기안전부품 자체의 안전성에 관한 시험을 하여 행정안전부장관이 적합한 것임을 확인한 경우
⑥ 행정안전부령으로 정하는 바에 따라 승강기안전부품을 일회성(승강기안전부품의 제조 · 수입업자가 20개 이하의 승강기안전부품을 수입하거나 제조하여 한 번에 통관하거나 출고하는 경우로 한다)으로 수입하거나 제조하는 경우
⑦ 그 밖에 다른 법령에 따라 승강기안전부품의 안전성이 인정되는 경우 등 행정안전부령으로 정하는 경우

(3) 승강기안전부품의 정기심사와 자체심사

① **정기심사:** 승강기안전부품의 제조 · 수입업자는 부품안전인증을 받은 날부터 3년마다 행정안전부장관이 실시하는 승강기안전부품에 대한 심사(부품정기심사)를 받아야 하며, 부품정기심사를 받으려는 경우에는 부품정기심사의 심사주기 도래일 45일 이전에 부품정기심사 신청서(전자문서를 포함한다)를 공단 또는 지정인증기관에 제출해야 한다, 부품정기심사 결과에 이의가 있는 경우 결과를 받은 날부터 15일 이내에 공단 또는 지정인증기관에 재심사를 요청할 수 있다(법 제13조 제1항, 영 제19조 제1항 · 제3항, 규칙 제22조 제1항 · 제4항).

② **자체심사:** 부품안전인증을 받은 승강기안전부품의 제조 · 수입업자는 행정안전부령으로 정하는 바에 따라 부품안전인증을 받은 후 제조하거나 수입하는 같은 모델의 승강기안전부품에 대하여 안전성에 대한 자체심사를 하고, 그 기록을 작성하여 5년간 보관하여야 한다(법 제13조 제2항, 규칙 제23조 제2항).

③ 공단 또는 지정인증기관은 다음의 어느 하나에 해당하는 자가 있는 경우 그 사실을 행정안전부장관 및 시 · 도지사에게 지체 없이 알려야 한다(규칙 제22조 제7항).

㉠ 부품정기심사를 받지 않은 자
㉡ 자체심사를 하지 않은 자
㉢ 자체심사의 기록을 작성 · 보관하지 않거나 거짓으로 작성 · 보관한 자

(4) 부품안전인증의 표시 등

① 승강기안전부품의 제조 · 수입업자는 행정안전부령으로 정하는 바에 따라 승강기안전부품 및 그 포장에 다음의 구분에 따른 표시(이하 '부품안전인증표시 등'이라 한다)를 하여야 한다(법 제14조 제1항).

㉠ **부품안전인증을 받은 승강기안전부품 및 그 포장:** 부품안전인증의 표시
㉡ **부품안전인증을 면제받은 승강기안전부품 및 그 포장:** 부품안전인증 면제의 표시

② 부품안전인증표시 등을 해야 하는 시기는 다음과 같다(규칙 제24조 제2항).

㉠ **국내에서 제조하는 승강기안전부품:** 출고 전
㉡ **외국에서 제조하여 국내로 수입하는 승강기안전부품:** 통관 전

③ 부품안전인증을 받지 아니하거나 부품안전인증의 면제를 받지 아니한 자는 승강기안전부품 또는 그 포장에 부품안전인증표시 등을 하거나 이와 비슷한 표시를 하여서는 아니 된다(법 제14조 제2항).

④ 다음의 어느 하나에 해당하는 자는 부품안전인증표시 등을 임의로 변경하거나 제거하여서는 아니 된다(법 제14조 제3항).

㉠ 승강기안전부품의 제조 · 수입업자 또는 수입대행업자
㉡ 승강기안전부품의 판매업자, 판매중개업자 또는 구매대행업자
㉢ 승강기안전부품의 대여업자
㉣ 승강기안전부품을 부분품이나 부속품으로 사용하여 승강기부품을 제조하는 자
㉤ **승강기안전부품을 사용하는 다음의 어느 하나에 해당하는 자**
　ⓐ 승강기의 제조 · 수입업자
　ⓑ 승강기의 유지관리를 업으로 하기 위하여 등록을 한 자
　ⓒ 설치공사업자
㉥ 승강기안전부품을 영업에 사용하는 자

⑤ 위 ④의 어느 하나에 해당하는 자가 인터넷을 통하여 승강기안전부품을 판매 · 대여 · 판매중개 · 구매대행 또는 수입대행을 하는 경우에는 다음의 부품안전인증 관련 정보를 소비자가 알 수 있도록 그 인터넷 홈페이지에 게시하여야 한다(법 제14조 제4항, 규칙 제24조 제3항).

> ㉠ 부품안전인증표시 등
> ㉡ 부품안전인증번호
> ㉢ 승강기안전부품명 및 모델명
> ㉣ 제조 · 수입업자의 상호

(5) 부품안전인증의 취소 등

① 행정안전부장관은 승강기안전부품의 제조 · 수입업자가 다음의 어느 하나에 해당하는 경우에는 행정안전부령으로 정하는 바에 따라 부품안전인증을 취소하거나 6개월 이내의 범위에서 부품안전인증표시 등의 사용금지명령 또는 개선명령을 할 수 있다. 다만, ㉠에 해당하는 경우에는 부품안전인증을 취소하여야 하고, ㉧에 해당하는 경우에는 부품안전인증을 취소하거나 부품안전인증표시 등의 사용금지명령을 할 수 있다(법 제16조 제1항).

> ㉠ 거짓이나 그 밖의 부정한 방법으로 부품안전인증을 받은 경우
> ㉡ 부품안전인증을 받은 후 제조하거나 수입하는 승강기안전부품이 승강기안전부품 안전기준에 맞지 아니한 경우
> ㉢ 부품안전인증표시 등을 하지 아니하거나 거짓으로 표시한 경우
> ㉣ 법 제11조 제4항에 따른 조건을 이행하지 아니한 경우
> ㉤ 법 제13조 제1항에 따른 승강기안전부품의 정기심사를 받지 아니한 경우
> ㉥ 법 제13조 제1항에 따른 승강기안전부품의 정기심사 결과 제11조 제3항 제2호의 기준에 맞지 아니한 경우
> ㉦ 법 제13조 제2항에 따른 승강기안전부품의 자체심사를 하지 아니한 경우
> ㉧ 법 제13조 제2항에 따른 승강기안전부품의 자체심사 기록을 작성 · 보관하지 아니하거나 거짓으로 작성 · 보관한 경우
> ㉨ 법 제25조 제1항 또는 제26조에 따른 명령을 위반한 경우
> ㉩ 위 ㉡부터 ㉨까지의 어느 하나에 해당하는 경우로서 부품안전인증표시 등의 사용금지명령 또는 개선명령을 받고 이행하지 아니한 경우

② 행정안전부장관은 ①에 따라 부품안전인증의 취소, 부품안전인증표시 등의 사용금지명령 또는 개선명령을 한 경우에는 행정안전부령으로 정하는 바에 따라 그 사실을 공고하여야 하며, ①에 따라 부품안전인증이 취소된 승강기안전부품의 제조 · 수입업자는 취소된 날부터 1년 이내에는 같은 모델의 승강기안전부품에 대한 부품안전인증을 신청할 수 없다(법 제16조 제2항 · 제3항).

02 승강기의 안전인증

(1) 승강기의 안전인증

① 승강기의 제조 · 수입업자는 승강기에 대하여 행정안전부령으로 정하는 바에 따라 모델별(승강기의 모델은 승강기를 구별하기 위해 모델 구분기준에 따라 설계 및 기능 등이 서로 다른 승강기별로 부여하는 고유한 명칭)로 행정안전부장관이 실시하는 안전인증을 받아야 한다. 다만, 모델이 정하여지지 아니한 승강기에 대해서는 행정안전부령으로 정하는 기준과 절차에 따라 승강기의 안전성에 관한 별도의 안전인증을 받아야 한다(법 제17조 제1항, 규칙 제26조).

② **승강기안전인증의 내용**: 승강기의 제조 · 수입업자가 ①에 따라 모델별 승강기에 대한 안전인증(모델승강기안전인증)을 받으려는 경우에는 다음의 심사 및 시험을 거쳐야 한다(영 제20조).

> ㉠ **설계심사**: 승강기의 기계도면, 전기회로 등 행정안전부장관이 정하여 고시하는 기술도서가 법 제17조 제3항 제1호에 따른 기준(이하 '승강기 안전기준'이라 한다)에 맞는지를 심사하는 것
> ㉡ **안전성시험**: 승강기가 승강기 안전기준에 맞는지를 확인하기 위해 시험하는 것
> ㉢ **공장심사**: 승강기를 제조하는 공장의 설비 및 기술능력 등 제조체계가 법 제17조 제3항 제2호에 따른 기준(이하 '승강기공장 심사기준'이라 한다)에 맞는지를 심사하는 것

③ 승강기의 제조 · 수입업자는 ①에 따른 안전인증(이하 '승강기안전인증'이라 한다)을 받은 사항을 변경하려는 경우에는 행정안전부령으로 정하는 바에 따라 행정안전부장관으로부터 변경사항에 대한 승강기안전인증을 받아야 한다. 다만, 승강기의 안전성과 관련이 없는 사항으로서 행정안전부령으로 정하는 경미한 사항을 변경하는 경우에는 그러하지 아니하다(법 제17조 제2항).

④ 행정안전부장관은 승강기(①의 단서에 따라 안전인증을 받는 승강기는 제외한다. 이하 같다)가 행정안전부장관이 정하여 고시하는 다음의 기준에 모두 맞는 경우 승강기안전인증을 하여야 한다. 다만, 승강기 안전기준이 고시되지 않았거나 고시된 승강기 안전기준을 적용할 수 없는 경우에는 승강기 제조 · 수입업자, 공단에서 해당 승강기에 적용할 새로운 승강기 안전기준의 제정 또는 개정을 행정안전부장관에게 신청할 수 있다. 이 경우 행정안전부장관은 신청을 받은 날부터 15일 이내에 해당 승강기에 적용할 새로운 승강기 안전기준의 제정 또는 개정의 추진 여부를 신청인에게 알려야 한다(법 제17조 제3항, 규칙 제31조 제1항).

㉠ 승강기 자체의 안전성에 관한 기준(이하 '승강기 안전기준'이라 한다)
㉡ 승강기의 제조에 필요한 설비 및 기술능력 등에 관한 기준

⑤ 행정안전부장관은 ④에 따라 승강기안전인증을 하는 경우 행정안전부령으로 정하는 바에 따라 조건을 붙일 수 있다. 이 경우 그 조건은 승강기의 제조 · 수입업자에게 부당한 의무를 부과하는 것이어서는 아니 된다(법 제17조 제4항).

(2) 승강기안전인증의 면제

행정안전부장관은 (1)의 ①에도 불구하고 승강기가 다음의 어느 하나에 해당하는 경우에는 아래와 같이 승강기안전인증의 전부 또는 일부를 면제할 수 있다(법 제18조, 영 제21조, 규칙 제35조 · 제36조).

① 연구 · 개발, 전시 또는 승강기안전인증을 위한 시험을 목적으로 제조하거나 수입하는 승강기로서 대통령령으로 정하는 승강기에 대하여 행정안전부령으로 정하는 바에 따라 행정안전부장관의 확인을 받은 경우
② 수출을 목적으로 수입하는 승강기로서 대통령령으로 정하는 승강기에 대하여 시 · 도의 조례로 정하는 바에 따라 해당 시 · 도지사의 확인을 받은 경우
③ 수출을 목적으로 승강기를 제조하는 경우
④ 국가간 상호인정협정에 따라 행정안전부장관이 정하여 고시하는 외국의 기관에서 승강기안전인증에 준하는 안전인증을 받은 경우
⑤ 다음의 어느 하나에 해당하는 제조 · 수입업자가 행정안전부령으로 정하는 바에 따라 승강기 자체의 안전성에 관한 시험을 하여 행정안전부장관이 적합한 것임을 확인한 경우
  ㉠ 국가표준기본법 제23조 제2항에 따른 인정기구로부터 인정받은 시험 · 검사기관인 승강기의 제조 · 수입업자
  ㉡ 국제표준화기구의 승강기에 대한 인증제도에 따라 공인을 받은 기관으로부터 시험기관으로 인정을 받은 승강기의 제조 · 수입업자
⑥ 승강기를 일회성으로 수입하거나 제조하는 경우(20대 이하의 승강기를 수입하거나 제조하여 한 번에 통관하거나 출고하는 경우로 한다)
⑦ 승강기의 제조 · 수입업자로 구성된 법인 · 단체로서 행정안전부령으로 정하는 법인 · 단체가 승강기에 대하여 공동으로 설계한 내용이 행정안전부장관이 정하는 바에 따라 승강기 안전기준에 맞는 것임을 확인받은 경우(이 경우 면제의 범위는 설계에 관한 사항으로 한정한다)
⑧ 그 밖에 다른 법령에 따라 승강기의 안전성이 인정되는 경우 등 행정안전부령으로 정하는 경우

더 알아보기 **승강기안전인증 면제의 구분**(영 제21조 제1항)

1. 위 ①부터 ③의 어느 하나에 해당하는 경우: 승강기안전인증의 면제
2. 위 ④에 따른 외국의 기관에서 모델승강기안전인증에 준하는 안전인증을 받은 경우: 모델승강기안전인증의 면제
3. 위 ④에 따른 외국의 기관에서 영 제20조 각 호에 준하는 심사 또는 시험을 거친 경우: 그에 해당하는 심사 또는 시험의 면제
4. 위 ⑤에 해당하는 경우: 안전성시험의 면제
5. 위 ⑥에 해당하는 경우: 공장심사의 면제
6. 위 ⑦에 해당하는 경우: 설계심사의 면제
7. 위 ⑧에 해당하는 경우 다음의 구분에 따른 면제
   - 승강기안전인증에 준하는 안전인증을 받은 경우: 승강기안전인증의 면제
   - 영 제20조 각 호에 준하는 심사 또는 시험을 거친 경우: 그에 해당하는 심사 또는 시험의 면제

(3) 승강기의 정기심사와 자체심사

① 정기심사

㉠ 승강기의 제조 · 수입업자는 승강기안전인증을 받은 승강기((1)의 ① 단서에 따라 안전인증을 받은 승강기는 제외한다)가 (1)의 ③에 따른 기준에 맞는지를 확인하기 위하여 승강기안전인증을 받은 날부터 3년마다 행정안전부장관이 실시하는 승강기에 대한 심사(승강기 정기심사)를 받아야 하며, 승강기 정기심사 결과에 이의가 있는 경우 행정안전부장관에게 재심사를 요청할 수 있다(법 제19조 제1항, 영 제22조 제1항 · 제3항).

㉡ 승강기의 제조 · 수입업자는 승강기 정기심사를 받으려는 경우에는 승강기 정기심사의 심사주기 도래일 90일 이전에 승강기 정기심사 신청서(전자문서를 포함한다)를 공단에 제출해야 하며, 공단은 승강기 정기심사를 마친 경우에는 그 결과를 문서로 작성하여 신청인에게 알려야 한다(규칙 제38조 제1항 · 제3항).

㉢ 위 ㉡에 따른 결과에 이의가 있는 신청인은 결과를 받은 날부터 15일 이내에 공단에 재심사를 요청할 수 있고, 재심사를 요청받은 공단은 재심사를 하고, 그 결과를 신청인에게 알려야 한다(규칙 제22조 제4항 · 제5항).

② **자체심사**: 승강기안전인증을 받은 승강기의 제조 · 수입업자는 행정안전부령으로 정하는 바에 따라 승강기안전인증을 받은 후 제조하거나 수입하는 같은 모델의 승강기에 대하여 안전성에 대한 자체심사를 하고, 그 기록을 작성하여 5년간 보관하여야 한다(법 제19조 제2항, 규칙 제39조 제2항).

③ 조치사항

㉠ 공단은 승강기 정기심사 또는 재심사 결과 승강기가 승강기 안전기준에 맞지 않거나, 승강기의 제조 체계가 승강기공장 심사기준에 맞지 않는 경우임을 확인하면 그 확인 내용을 행정안전부장관 및 시·도지사에게 지체 없이 알려야 한다(규칙 제38조 제6항).

㉡ 공단은 다음의 어느 하나에 해당하는 자가 있는 경우 그 사실을 행정안전부장관 및 시·도지사에게 지체 없이 알려야 한다(규칙 제38조 제7항).

> ⓐ 승강기 정기심사를 받지 않은 자
> ⓑ 자체심사를 하지 않은 자
> ⓒ 자체심사의 기록을 작성·보관하지 않거나 거짓으로 작성·보관한 자

(4) 승강기안전인증의 표시 등

① 승강기의 제조·수입업자는 행정안전부령으로 정하는 바에 따라 승강기에 다음의 구분에 따른 표시(이하 '승강기안전인증표시 등'이라 한다)를 하여야 하며, 승강기안전인증을 받지 아니하거나 승강기안전인증의 면제를 받지 아니한 자는 승강기에 승강기안전인증표시 등을 하거나 이와 비슷한 표시를 하여서는 아니 된다(법 제20조 제1항·제2항).

> ㉠ **승강기안전인증을 받은 승강기:** 승강기안전인증의 표시
> ㉡ **승강기안전인증을 면제받은 승강기:** 승강기안전인증 면제의 표시

② 승강기안전인증표시 등을 해야 하는 시기는 다음과 같다(규칙 제40조 제2항).

> ㉠ **국내에서 제조하는 승강기:** 출고 전
> ㉡ **외국에서 제조하여 국내로 수입하는 승강기:** 통관 전

③ 다음의 어느 하나에 해당하는 자는 승강기안전인증표시 등을 임의로 변경하거나 제거하여서는 아니 된다(법 제20조 제3항).

> ㉠ 승강기의 제조·수입업자 또는 수입대행업자
> ㉡ 승강기의 판매업자, 판매중개업자 또는 구매대행업자
> ㉢ 승강기의 대여업자
> ㉣ 승강기의 유지관리를 업으로 하기 위하여 등록을 한 자 또는 설치공사업자
> ㉤ 승강기를 영업에 사용하는 자

④ 위 ③의 어느 하나에 해당하는 자가 인터넷을 통하여 승강기를 판매 · 대여 · 판매중개 · 구매대행 또는 수입대행을 하는 경우에는 행정안전부령으로 정하는 바에 따라 승강기안전인증 관련 정보를 소비자가 알 수 있도록 그 인터넷 홈페이지에 게시하여야 한다(법 제20조 제4항).

(5) 승강기안전인증의 취소 등

① 행정안전부장관은 승강기의 제조 · 수입업자가 다음의 어느 하나에 해당하는 경우에는 행정안전부령으로 정하는 바에 따라 승강기안전인증을 취소하거나 6개월 이내의 범위에서 승강기안전인증표시 등의 사용금지명령 또는 개선명령을 할 수 있다. 다만, ㉠에 해당하는 경우에는 승강기안전인증을 취소하여야 하며, ㉮에 해당하는 경우에는 승강기안전인증을 취소하거나 승강기안전인증표시 등의 사용금지명령을 할 수 있다(법 제21조 제1항).

> ㉠ 거짓이나 그 밖의 부정한 방법으로 승강기안전인증을 받은 경우
> ㉡ 승강기안전인증을 받은 후 제조하거나 수입하는 승강기가 승강기 안전기준에 맞지 아니한 경우
> ㉢ 승강기안전인증표시 등을 하지 아니하거나 거짓으로 표시한 경우
> ㉣ 법 제17조 제4항에 따른 조건을 이행하지 아니한 경우
> ㉤ 법 제19조 제1항에 따른 승강기의 정기심사를 받지 아니한 경우
> ㉥ 법 제19조 제1항에 따른 승강기의 정기심사 결과 법 제17조 제3항 제2호의 기준에 맞지 아니한 경우
> ㉦ 법 제19조 제2항에 따른 승강기의 자체심사를 하지 아니한 경우
> ㉧ 법 제19조 제2항 따른 승강기의 자체심사 기록을 작성 · 보관하지 아니하거나 거짓으로 작성 · 보관한 경우
> ㉨ 법 제25조 제2항 또는 제26조에 따른 명령을 위반한 경우
> ㉮ 위 ㉡부터 ㉨까지의 어느 하나에 해당하는 경우로서 승강기안전인증표시 등의 사용금지명령 또는 개선명령을 받고 이행하지 아니한 경우

② 행정안전부장관은 ①에 따라 승강기안전인증의 취소, 승강기안전인증표시 등의 사용금지명령 또는 개선명령을 한 경우에는 행정안전부령으로 정하는 바에 따라 그 사실을 공고하여야 하며, ①에 따라 승강기안전인증이 취소된 승강기의 제조 · 수입업자는 취소된 날부터 1년 이내에는 같은 모델의 승강기에 대한 승강기안전인증을 신청할 수 없다(법 제21조 제2항 · 제3항).

03 안전인증의 대행

(1) 안전인증의 대행

① 행정안전부장관은 부품안전인증 또는 승강기안전인증의 업무를 다음의 자로 하여금 대행하게 할 수 있다. 다만, ㉡에 따른 법인 · 단체 또는 기관에 대해서는 부품안전인증 업무의 일부를 대행하게 할 수 있다(법 제22조 제1항).

> ㉠ 법 제55조에 따른 한국승강기안전공단
> ㉡ 법 제23조 제1항에 따라 부품안전인증업무의 대행기관으로 지정받은 법인 · 단체 또는 기관

② 위 ①에 따라 부품안전인증 또는 승강기안전인증의 업무를 대행하는 자는 행정안전부령으로 정하는 바에 따라 국내외의 시험기관으로 하여금 승강기안전부품 또는 승강기가 다음의 구분에 따른 기준에 맞는지를 확인하는 시험을 실시하게 하여 그 결과를 부품안전인증 또는 승강기안전인증에 활용할 수 있다(법 제22조 제2항).

> ㉠ **승강기안전부품:** 법 제11조 제3항 각 호의 기준
> ㉡ **승강기:** 법 제17조 제3항 각 호의 기준

③ 행정안전부장관은 ①에 따라 부품안전인증 또는 승강기안전인증의 업무를 대행하는 자에 대하여 승강기안전부품과 승강기의 안전성을 확보하기 위하여 필요한 범위에서 지도 · 감독 및 지원을 할 수 있다(법 제22조 제3항).

(2) 지정인증기관의 지정 및 지정 취소 등

① 행정안전부장관은 승강기안전관리와 관련된 업무를 수행하는 법인 · 단체 또는 기관 중 대통령령으로 정하는 지정기준을 갖춘 법인 · 단체 또는 기관을 행정안전부령으로 정하는 바에 따라 부품안전인증업무의 대행기관(지정인증기관)으로 지정할 수 있다(법 제23조 제1항).

② 행정안전부장관은 지정인증기관이 다음의 어느 하나에 해당하는 경우에는 지정을 취소하거나 1년 이내의 기간을 정하여 업무정지를 명할 수 있다. 다만, ㉠ 또는 ㉡에 해당하는 경우에는 지정을 취소하여야 한다(법 제23조 제2항).

> ㉠ 거짓이나 그 밖의 부정한 방법으로 지정인증기관으로 지정을 받은 경우
> ㉡ 업무정지명령을 받은 후 그 업무정지기간에 부품안전인증을 한 경우
> ㉢ 정당한 사유 없이 부품안전인증을 거부하거나 실시하지 아니한 경우
> ㉣ 부품안전인증을 할 자격이 없는 자로 하여금 부품안전인증업무를 수행하게 한 경우

Ⓜ 위 ①에 따른 지정기준에 맞지 아니하게 된 경우
ⓑ 부품안전인증을 하는 소속 직원이 고의 또는 중대한 과실로 법 제72조 제1항 제1호를 위반하여 부품안전인증업무를 수행한 경우
ⓢ 법 제72조 제2항을 위반하여 부품안전인증의 결과를 법 제73조에 따른 승강기안전종합정보망에 입력하지 아니하거나 거짓으로 입력한 경우
ⓞ 법 제76조에 따른 수수료를 더 많이 받거나 적게 받은 경우

③ 행정안전부장관은 ②의 ⓜ에도 불구하고 ①에 따른 지정기준을 충족하지 못한 정도가 경미하다고 인정되는 경우에는 기간을 정하여 지정기준에 맞게 보완할 것을 명하고, 그 명령을 이행하면 업무정지를 명하지 아니할 수 있으며, 지정이 취소된 법인 · 단체 또는 기관은 지정이 취소된 날부터 1년 이내에는 지정인증기관의 지정신청을 할 수 없다(법 제23조 제3항 · 제4항).

(3) 지정인증기관에 대한 업무정지처분을 갈음하여 부과하는 과징금

행정안전부장관은 (2) ②의 ⓒ부터 ⓞ까지의 어느 하나에 해당하여 업무정지를 명하여야 하는 경우로서 그 업무의 정지가 이용자 등에게 심한 불편을 주거나 공익을 해칠 우려가 있는 경우에는 그 업무정지처분을 갈음하여 3억원 이하의 과징금(과징금의 부과기준은 법 제23조 제2항에 따른 업무정지 일수에 200만원을 곱한 금액으로 한다)을 부과할 수 있고, 과징금을 내야 할 자가 납부기한까지 과징금을 내지 아니하면 국세 체납처분의 예에 따라 징수한다(법 제24조 제1항 · 제2항, 영 제24조 제1항).

04 제조 · 수입업자 등에 대한 개선명령 등

(1) 개선 · 파기 · 수거 또는 판매중지명령 등

① 행정안전부장관은 승강기안전부품이 다음의 어느 하나에 해당하는 경우 그 승강기안전부품의 제조 · 수입업자, 판매업자, 대여업자, 영업자(법 제14조 제3항 제6호에 해당하는 자를 말한다), 판매중개업자, 구매대행업자 및 수입대행업자에 대하여 대통령령으로 정하는 바에 따라 일정한 기간을 정하여 그 승강기안전부품의 개선 · 파기 · 수거 또는 판매중지(이하 '판매중지 등'이라 한다)를 명할 수 있다(법 제25조 제1항).

㉠ 부품안전인증을 받지 아니한 경우
㉡ 법 제11조 제2항 본문에 따른 변경사항에 대한 부품안전인증을 받지 아니한 경우
㉢ 법 제11조 제3항에 따른 기준에 맞지 아니한 경우
㉣ 법 제14조 제1항 제1호를 위반하여 부품안전인증을 받은 승강기안전부품에 부품안전인증의 표시를 하지 아니한 경우
㉤ 법 제14조 제2항을 위반하여 부품안전인증표시 등을 하거나 이와 비슷한 표시를 한 경우

ⓑ 법 제14조 제3항을 위반하여 부품안전인증표시 등을 임의로 변경하거나 제거한 경우
ⓢ 법 제15조 제1항을 위반하여 부품안전인증표시 등이 없는 승강기안전부품을 판매 · 대여하거나 판매 · 대여할 목적으로 수입 · 진열 또는 보관한 경우
ⓞ 법 제15조 제2항을 위반하여 부품안전인증표시 등이 없는 승강기안전부품의 판매를 중개하거나 구매 또는 수입을 대행한 경우
ⓙ 법 제15조 제3항을 위반하여 부품안전인증표시 등이 없는 승강기안전부품을 사용한 경우

② 행정안전부장관은 승강기가 다음의 어느 하나에 해당하는 경우 그 승강기의 제조 · 수입업자, 판매업자, 대여업자, 영업자(법 제20조 제3항 제5호에 해당하는 자를 말한다), 판매중개업자, 구매대행업자 또는 수입대행업자에 대하여 대통령령으로 정하는 바에 따라 일정한 기간을 정하여 그 승강기의 판매중지 등을 명할 수 있다(법 제25조 제2항).

ⓐ 승강기안전인증을 받지 아니한 경우
ⓑ 법 제17조 제2항 본문에 따른 변경사항에 대한 승강기안전인증을 받지 아니한 경우
ⓒ 법 제17조 제3항에 따른 기준에 맞지 아니한 경우
ⓓ 법 제20조 제1항 제1호를 위반하여 승강기안전인증을 받은 승강기에 승강기안전인증의 표시를 하지 아니한 경우
ⓔ 법 제20조 제2항을 위반하여 승강기안전인증표시 등을 하거나 이와 비슷한 표시를 한 경우
ⓕ 법 제20조 제3항을 위반하여 승강기안전인증표시 등을 임의로 변경하거나 제거한 경우

③ 행정안전부장관은 승강기안전부품 또는 승강기의 제조 · 수입업자, 판매업자, 대여업자, 영업자(법 제14조 제3항 제6호 또는 제20조 제3항 제5호에 해당하는 자를 말한다. 이하 같다), 판매중개업자, 구매대행업자 또는 수입대행업자가 ① 또는 ②에 따른 판매중지 등의 명령에 따르지 아니한 경우 대통령령으로 정하는 바에 따라 소속 공무원에게 해당 승강기안전부품 또는 승강기를 직접 파기하거나 수거하게 할 수 있다. 이 경우 그 비용은 해당 승강기안전부품 또는 승강기의 제조 · 수입업자, 판매업자, 대여업자, 영업자, 판매중개업자, 구매대행업자 또는 수입대행업자가 부담한다(법 제25조 제3항).

(2) 제조 · 수입업자 등에 대한 이행명령

행정안전부장관은 판매중지 등만으로는 그 위해(危害)를 방지하기가 어렵다고 인정되면 대통령령으로 정하는 바에 따라 해당 제조 · 수입업자, 판매업자, 대여업자, 영업자, 판매중개업자, 구매대행업자 또는 수입대행업자에 대하여 다음의 사항을 이행할 것을 명할 수 있다(법 제26조).

① 판매중지 등의 명령을 받은 사실의 공표
② 해당 승강기안전부품 또는 승강기의 교환, 대금 반환 또는 수리
③ 그 밖에 행정안전부장관이 해당 승강기안전부품 또는 승강기로 인한 위해를 방지하기 위하여 필요하다고 인정하는 사항

제4절 승강기의 설치 및 안전관리

01 승강기의 설치 등

(1) 승강기의 설치신고

설치공사업자는 승강기의 설치를 끝냈을 때에는 행정안전부령(승강기의 설치를 끝낸 날부터 10일 이내에 공단에 승강기의 설치신고를 해야 한다)으로 정하는 바에 따라 관할 시·도지사에게 그 사실을 신고하여야 한다(법 제27조, 규칙 제46조).

(2) 승강기의 설치검사

① 승강기의 제조·수입업자는 설치를 끝낸 승강기(연구·개발, 전시 또는 승강기안전인증을 위한 시험을 목적으로 제조하거나 수입하는 승강기로서 승강기안전인증을 면제받은 승강기는 제외한다)에 대하여 행정안전부령으로 정하는 바에 따라 행정안전부장관이 실시하는 설치검사를 받아야 한다(법 제28조 제1항).
② 승강기의 제조·수입업자 또는 관리주체는 설치검사를 받지 아니하거나 설치검사에 불합격한 승강기를 운행하게 하거나 운행하여서는 아니 된다(법 제28조 제2항).
③ 위 ①과 ②에서 규정한 사항 외에 설치검사의 기준·항목 및 방법 등에 필요한 사항은 행정안전부장관이 정하여 고시한다(법 제28조 제3항).

기출예제

승강기 안전관리법 제28조(승강기의 설치검사) 제2항 규정이다. (　　) 안에 들어갈 용어를 쓰시오. 제26회

> 승강기의 제조·수입업자 또는 (　　)(은)는 설치검사를 받지 아니하거나 설치검사에 불합격한 승강기를 운행하게 하거나 운행하여서는 아니 된다.

정답: 관리주체

(3) 승강기의 안전관리자

① 관리주체는 승강기 운행에 대한 지식이 풍부한 사람을 승강기 안전관리자로 선임하여 승강기를 관리하게 하여야 한다. 다만, 관리주체가 직접 승강기를 관리하는 경우에는 그러하지 아니하다(법 제29조 제1항).

② 위 ①에 따른 승강기 안전관리자는 다음의 사항을 고려하여 행정안전부령으로 정하는 일정한 자격요건을 갖추어야 한다(법 제29조 제2항).

> ㉠ 건축법 제2조 제2항에 따른 건축물의 용도
> ㉡ 승강기의 종류
> ㉢ 그 밖에 행정안전부장관이 승강기 관리에 필요하다고 인정하는 사항

③ 관리주체는 ①에 따라 승강기 안전관리자(관리주체가 직접 승강기를 관리하는 경우에는 그 관리주체를 말한다)를 선임하였을 때에는 행정안전부령으로 정하는 바에 따라 30일 이내에 행정안전부장관에게 그 사실을 통보하여야 한다. 승강기 안전관리자나 관리주체가 변경되었을 때에도 또한 같다(법 제29조 제3항).

④ 관리주체는 승강기 안전관리자로 하여금 공단이 실시하는 승강기 관리에 관한 교육(이하 '승강기관리교육'이라 한다)을 받게 하여야 한다. 다만, 관리주체가 직접 승강기를 관리하는 경우에는 그 관리주체(법인인 경우에는 그 대표자를 말한다)가 승강기관리교육을 받아야 한다(법 제29조 제5항, 규칙 제51조).

⑤ 관리주체(관리주체가 승강기 안전관리자를 선임하는 경우에만 해당한다)는 승강기 안전관리자가 안전하게 승강기를 관리하도록 지도·감독하여야 한다(법 제29조 제4항).

(4) 보험가입

① 관리주체는 승강기의 사고로 승강기 이용자 등 다른 사람의 생명·신체 또는 재산상의 손해를 발생하게 하는 경우 그 손해에 대한 배상을 보장하기 위한 보험(이하 '책임보험'이라 한다)에 가입하여야 한다(법 제30조).

② 책임보험의 종류는 승강기 사고배상책임보험 또는 승강기 사고배상책임보험과 같은 내용이 포함된 보험으로 한다(영 제27조 제1항).

③ 책임보험은 다음의 어느 하나에 해당하는 시기에 가입하거나 재가입해야 한다(영 제27조 제2항).

> ㉠ 법 제28조 제1항에 따른 설치검사를 받은 날
> ㉡ 관리주체가 변경된 경우 그 변경된 날
> ㉢ 책임보험의 만료일 이내

④ 책임보험의 보상한도액은 다음의 기준에 해당하는 금액 이상으로 한다. 다만, 지급보험금액은 ㉠ 단서의 경우를 제외하고는 실손해액을 초과할 수 없다(영 제27조 제3항).

> ㉠ 사망의 경우에는 1인당 8천만원. 다만, 사망에 따른 실손해액이 2천만원 미만인 경우에는 2천만원으로 한다.
> ㉡ 부상의 경우에는 1인당 [별표 6] 제1호에 따른 상해 등급별 보험금액에서 정하는 금액
> ㉢ 부상의 경우 그 치료가 완료된 후 그 부상이 원인이 되어 신체장애(이하 '후유장애'라 한다)가 생긴 경우에는 1인당 [별표 6] 제2호에 따른 후유장애 등급별 보험금액에서 정하는 금액
> ㉣ 재산피해의 경우에는 사고당 1천만원
> ㉤ 부상자가 치료 중에 그 부상이 원인이 되어 사망한 경우에는 ㉠ 및 ㉡의 금액을 더한 금액
> ㉥ 부상한 사람에게 그 부상이 원인이 되어 후유장애가 생긴 경우에는 ㉡ 및 ㉢의 금액을 더한 금액
> ㉦ 위 ㉢의 금액을 지급한 후 그 부상이 원인이 되어 사망한 경우에는 ㉠의 금액에서 ㉢에 따라 지급한 금액을 뺀 금액

⑤ 관리주체는 그가 가입하거나 재가입한 책임보험의 보험회사 등 보험상품을 판매한 자로 하여금 ③에 따른 책임보험의 가입 또는 재가입 사실을 가입한 날부터 14일 이내에 행정안전부장관이 정하는 바에 따라(법 제73조 제1항) 승강기안전종합정보망에 입력하게 해야 한다(영 제27조 제4항).

기출예제

승강기 안전관리법령상 승강기의 설치 및 안전관리에 관한 설명으로 옳지 않은 것은? 제27회

① 설치공사업자는 승강기의 설치를 끝냈을 때에는 승강기의 설치를 끝낸 날부터 10일 이내에 한국승강기안전공단에 승강기의 설치신고를 해야 한다.
② 관리주체가 직접 승강기를 관리하는 경우에는 승강기 안전관리자를 따로 선임할 필요가 없다.
③ 관리주체는 승강기의 사고로 승강기 이용자 등 다른 사람의 생명·신체 또는 재산상의 손해를 발생하게 하는 경우 그 손해에 대한 배상을 보장하기 위한 책임보험에 가입하여야 한다.
④ 책임보험의 보상한도액은 사망의 경우에는 1인당 8천만원 이상이나, 사망에 따른 실손해액이 2천만원 미만인 경우에는 2천만원으로 한다.
⑤ 승강기의 자체점검을 담당하는 사람은 자체점검을 마치면 지체 없이 자체점검 결과를 양호, 주의관찰 또는 긴급수리로 구분하여 자체점검 후 15일 이내에 승강기안전종합정보망에 입력해야 한다.

해설

자체점검을 마친 후 10일 이내에 승강기안전종합정보망에 입력하여야 한다. 정답: ⑤

02 승강기의 자체점검 및 안전검사

1. 승강기의 자체점검

(1) 관리주체는 승강기의 안전에 관한 자체점검(이하 '자체점검'이라 한다)을 월 1회 이상 하고(자체점검을 담당하는 사람은 자체점검을 마치면 지체 없이 그 결과를 양호, 주의관찰 또는 긴급수리로 구분하여 관리주체에 통보해야 한다) 자체점검 결과를 자체점검 후 10일 이내에 승강기안전종합정보망에 입력해야 한다(법 제31조 제1항).

(2) 관리주체는 자체점검 결과 승강기에 결함이 있다는 사실을 알았을 경우에는 즉시 보수하여야 하며, 보수가 끝날 때까지 해당 승강기의 운행을 중지하여야 한다(법 제31조 제2항).

(3) 위 (1)에도 불구하고 다음의 어느 하나에 해당하는 승강기에 대해서는 자체점검의 전부 또는 일부를 면제할 수 있다(법 제31조 제3항).

> ① 법 제18조 제1호부터 제3호까지의 어느 하나에 해당하여 승강기안전인증을 면제받은 승강기
> ② 법 제32조 제1항에 따른 안전검사에 불합격한 승강기
> ③ 법 제32조 제3항에 따라 안전검사가 연기된 승강기
> ④ 그 밖에 새로운 유지관리기법의 도입 등 대통령령으로 정하는 사유에 해당하여 자체점검의 주기 조정이 필요한 승강기

(4) 관리주체는 자체점검을 스스로 할 수 없다고 판단하는 경우에는 승강기의 유지관리를 업으로 하기 위하여 등록을 한 자로 하여금 이를 대행하게 할 수 있다(법 제31조 제4항).

(5) **점검주기 조정**

위 (3)의 ④에 해당하는 경우의 관리주체는 관리하는 승강기에 대해 3개월의 범위에서 자체점검의 주기를 조정할 수 있다. 다만, 다음의 어느 하나에 해당하는 승강기의 경우에는 그렇지 않다(영 제30조 제2항).

> ① 법 제28조 제1항에 따른 설치검사를 받은 날부터 15년이 지난 승강기
> ② 최근 3년 이내에 법 제48조 제1항 제1호에 따른 중대한 사고가 발생한 승강기
> ③ 최근 1년 이내에 법 제48조 제1항 제2호에 따른 중대한 고장이 3회 이상 발생한 승강기

(6) 자체점검을 대행하는 유지관리업자는 (5)에 따라 자체점검의 주기를 조정하려는 경우에는 미리 해당 관리주체의 서면동의를 받아야 한다(영 제30조 제3항).

2. 승강기의 안전검사

(1) 관리주체는 승강기에 대하여 행정안전부장관이 실시하는 다음의 안전검사(이하 '안전검사'라 한다)를 받아야 한다(법 제32조 제1항).

① 정기검사: 설치검사 후 정기적으로 하는 검사

㉠ 검사주기: 정기검사의 검사주기는 1년(설치검사 또는 직전 정기검사를 받은 날부터 매 1년을 말한다)으로 한다(규칙 제54조 제1항). 다만, 다음의 어느 하나에 해당하는 승강기의 경우에는 정기검사의 검사주기를 직전 정기검사를 받은 날부터 다음의 구분에 따른 기간으로 한다(규칙 제54조 제2항).

> ⓐ 설치검사를 받은 날부터 25년이 지난 승강기: 6개월
> ⓑ 승강기의 결함으로 중대한 사고 또는 중대한 고장이 발생한 후 2년이 지나지 않은 승강기: 6개월
> ⓒ 다음의 엘리베이터: 2년
> - 화물용 엘리베이터
> - 자동차용 엘리베이터
> - 소형화물용 엘리베이터(Dumbwaiter)
>
> ⓓ 단독주택에 설치된 승강기: 2년

㉡ 검사기간: 정기검사의 검사기간은 정기검사의 검사주기 도래일 전후 각각 30일 이내로 한다. 이 경우 해당 검사기간 이내에 검사에 합격한 경우에는 정기검사의 검사주기 도래일에 정기검사를 받은 것으로 본다(규칙 제54조 제4항).

㉢ 정기검사의 검사주기 도래일 전에 수시검사 또는 정밀안전검사를 받은 경우 해당 정기검사의 검사주기는 수시검사 또는 정밀안전검사를 받은 날부터 계산한다(규칙 제54조 제5항).

㉣ 안전검사가 연기된 경우 해당 정기검사의 검사주기는 연기된 안전검사를 받은 날부터 계산한다(규칙 제54조 제6항).

② 수시검사: 다음의 어느 하나에 해당하는 경우에 하는 검사

> ㉠ 승강기의 종류, 제어방식, 정격(기기의 사용조건 및 성능의 범위)속도, 정격용량 또는 왕복운행거리를 변경한 경우(변경된 승강기에 대한 검사의 기준이 완화되는 경우 등 행정안전부령으로 정하는 경우는 제외한다)
> ⓐ 다음의 어느 하나에 해당하는 엘리베이터를 승객용 엘리베이터로 변경한 경우
> - 장애인용 엘리베이터
> - 소방구조용 엘리베이터
> - 피난용 엘리베이터

ⓑ 그 밖에 검사의 기준이 같은 수준으로 승강기의 종류가 변경된 경우로서 수시검사를 받지 않아도 되는 경우로 행정안전부장관이 인정하는 경우
ⓛ 승강기의 제어반(制御盤) 또는 구동기(驅動機)를 교체한 경우
ⓒ 승강기에 사고가 발생하여 수리한 경우(③의 ⓛ의 경우는 제외한다)
ⓔ 관리주체가 요청하는 경우

③ **정밀안전검사:** 다음의 어느 하나에 해당하는 경우에 하는 검사. 이 경우 ⓒ에 해당할 때에는 정밀안전검사를 받고, 그 후 3년마다 정기적으로 정밀안전검사를 받아야 한다.

ⓖ 정기검사 또는 수시검사 결과 결함의 원인이 불명확하여 사고 예방과 안전성 확보를 위하여 행정안전부장관이 정밀안전검사가 필요하다고 인정하는 경우
ⓛ 승강기의 결함으로 법 제48조 제1항에 따른 중대한 사고 또는 중대한 고장이 발생한 경우
ⓒ 설치검사를 받은 날부터 15년이 지난 경우
ⓔ 그 밖에 승강기 성능의 저하로 승강기 이용자의 안전을 위협할 우려가 있어 행정안전부장관이 정밀안전검사가 필요하다고 인정한 경우

(2) 관리주체는 안전검사를 받지 아니하거나 안전검사에 불합격한 승강기를 운행할 수 없으며, 운행을 하려면 안전검사에 합격하여야 한다. 이 경우 관리주체는 불합격한 날부터 4개월 이내에 안전검사를 다시 받아야 한다(법 제32조 제2항, 규칙 제56조).

(3) 안전검사의 연기

행정안전부장관은 다음의 사유에 해당하여 안전검사를 받을 수 없다고 인정하면 그 사유가 없어질 때까지 안전검사를 연기할 수 있다. 이 경우 안전검사 연기를 신청하려는 자는 안전검사 연기신청서(전자문서를 포함한다)에 다음에 따른 안전검사 연기 사유를 확인할 수 있는 서류(전자문서를 포함한다)를 첨부하여 행정안전부장관에게 제출해야 한다(법 제32조 제3항).

① 승강기가 설치된 건축물이나 고정된 시설물에 중대한 결함이 있어 승강기를 정상적으로 운행하는 것이 불가능한 경우
② 관리주체가 승강기의 운행을 중단한 경우(다른 법령에서 정하는 바에 따라 설치가 의무화된 승강기는 제외한다)
③ 그 밖에 천재지변 등 부득이한 사유가 발생한 경우

3. 안전검사의 면제

행정안전부장관은 다음의 구분에 따른 승강기에 대해서는 해당 안전검사를 면제할 수 있다(법 제33조).

> ① 법 제18조 제1호부터 제3호까지의 어느 하나에 해당하여 승강기안전인증을 면제받은 승강기: 안전검사
> ② 법 제32조 제1항 제3호에 따른 정밀안전검사를 받았거나 정밀안전검사를 받아야 하는 승강기: 해당 연도의 정기검사

기출예제

승강기 안전관리법 제33조(안전검사의 면제) 규정이다. (　　)에 들어갈 용어를 쓰시오. 제27회

> 행정안전부장관은 다음 각 호의 구분에 따른 승강기에 대해서는 해당 안전검사를 면제할 수 있다.
> 1. 제18조 제1호부터 제3호까지의 어느 하나에 해당하여 승강기안전인증을 면제받은 승강기: (㉠)검사
> 2. 제32조 제1항 제3호에 따른 정밀안전검사를 받았거나 정밀안전검사를 받아야 하는 승강기: 해당 연도의 (㉡)검사

정답: ㉠ 안전, ㉡ 정기

4. 검사합격증명서 등의 발급 및 관리

(1) 행정안전부장관은 설치검사에 합격한 승강기의 제조·수입업자와 안전검사에 합격한 승강기의 관리주체에 대하여 행정안전부령으로 정하는 바에 따라 각각 검사합격증명서를 발급하여야 한다(법 제34조 제1항).

(2) 행정안전부장관은 설치검사에 불합격한 승강기의 제조·수입업자와 안전검사에 불합격한 승강기의 관리주체에 대하여 행정안전부령으로 정하는 바에 따라 각각 운행금지 표지를 발급하여야 한다(법 제34조 제2항).

(3) 위 (1)에 따른 검사합격증명서 또는 (2)에 따른 운행금지 표지를 발급받은 자는 그 증명서 또는 표지를 승강기 이용자가 잘 볼 수 있는 곳에 즉시 붙이고 훼손되지 아니하게 관리하여야 한다(법 제34조 제3항).

(4) 관리주체가 안전검사를 받고 자체점검을 한 경우에는 건축법 제35조에 따른 건축설비(승강기에 한정한다)의 유지·관리를 한 것으로 본다(법 제35조).

기출예제

승강기 안전관리법령상 책임보험 및 승강기의 안전관리에 관한 설명으로 옳은 것은?

제26회

① 책임보험의 종류는 승강기 사고배상책임보험 또는 승강기 사고배상책임보험과 같은 내용이 포함된 보험으로 한다.
② 책임보험에 가입한 관리주체는 책임보험 판매자로 하여금 책임보험의 가입사실을 가입한 날부터 30일 이내에 승강기안전종합정보망에 입력하게 해야 한다.
③ 관리주체는 승강기의 안전에 관한 자체점검을 월 2회 이상 하여야 한다.
④ 승강기의 안전검사는 정기검사, 임시검사, 정밀안전검사로 구분되며, 국토교통부장관은 안전검사를 받을 수 없다고 인정하면 그 사유가 없어질 때까지 안전검사를 연기할 수 있다.
⑤ 관리주체는 안전검사에 불합격한 승강기에 대하여 안전검사에 불합격한 날부터 3개월 이내에 안전검사를 다시 받아야 한다.

해설

② 14일 이내에 입력하여야 한다.
③ 월 1회 이상 실시하여야 한다.
④ 임시검사가 아니라 수시검사이다.
⑤ 4개월 이내에 재검사를 받아야 한다.

정답: ①

03 설치검사와 안전검사의 대행

(1) 행정안전부장관은 설치검사 또는 안전검사의 업무를 다음의 자로 하여금 대행하게 할 수 있다. 다만, ②에 따른 법인 · 단체 또는 기관에 대해서는 정기검사업무의 일부를 대행하게 할 수 있다(법 제36조 제1항).

① 법 제55조에 따른 한국승강기안전공단
② 법 제37조 제1항에 따라 정기검사업무의 대행기관으로 지정받은 법인 · 단체 또는 기관

(2) 행정안전부장관은 설치검사 또는 안전검사의 업무를 대행하는 자에 대하여 승강기의 안전 확보에 필요한 범위에서 지도 · 감독 및 지원을 할 수 있다(법 제36조 제2항).

04 승강기의 유지관리업

(1) 승강기 유지관리업의 등록

① 승강기 유지관리를 업으로 하려는 자는 행정안전부령으로 정하는 바에 따라 시 · 도지사에게 등록하여야 한다. 행정안전부령으로 정하는 사항을 변경할 때에는 변경된 날부터 30일 이내에 변경등록하여야 한다(법 제39조 제1항 · 제3항).

② 등록을 하려는 자는 자본금이 1억원 이상(개인은 자산평가액)이어야 하고, 대통령령의 [별표 8]에 따른 유지관리 대상 승강기의 종류별 기술인력 및 설비를 갖추어야 한다(법 제39조 제2항, 영 제33조).

③ 승강기 유지관리를 업으로 하기 위하여 등록을 한 자(이하 '유지관리업자'라 한다)는 그 사업을 폐업 또는 휴업하거나 휴업한 사업을 다시 시작한 경우에는 그날부터 30일 이내에 시 · 도지사에게 신고하여야 한다(법 제39조 제4항).

(2) 유지관리업 등록의 결격사유

다음의 어느 하나에 해당하는 자는 유지관리업의 등록을 할 수 없다(법 제40조).

① 피성년후견인
② 파산선고를 받고 복권되지 아니한 자
③ 이 법을 위반하여 징역 이상의 실형을 선고받고 그 집행이 끝나거나(집행이 끝난 것으로 보는 경우를 포함한다) 집행이 면제된 날부터 2년이 지나지 아니한 자
④ 이 법을 위반하여 형의 집행유예를 받고 그 유예기간 중에 있는 자
⑤ 법 제44조 제1항에 따라 등록이 취소(이 조 제1호 또는 제2호에 해당하여 등록이 취소된 경우는 제외한다)된 후 2년(법 제44조 제1항 제9호 또는 제10호에 해당하여 등록이 취소된 경우는 6개월)이 지나지 아니한 자
⑥ 대표자가 ①부터 ⑤까지의 어느 하나에 해당하는 법인

(3) 표준유지관리비

행정안전부장관은 승강기의 안전관리와 유지관리에 관한 도급계약(하도급계약을 포함한다) 당사자(이하 '계약당사자'라 한다)의 이익을 보호하기 위하여 필요하다고 인정하는 경우에는 승강기에 관한 전문기관을 지정하여 관리주체가 부담하여야 할 유지관리비의 표준이 될 금액(이하 '표준유지관리비'라 한다)을 정하여 공표하도록 하고, 계약당사자가 이를 활용할 것을 권고할 수 있다(법 제41조 제1항).

(4) 유지관리업무의 하도급 제한 및 관리 대수의 상한

① 유지관리업자는 그가 도급계약을 맺은 승강기의 유지관리업무를 다른 유지관리업자 등에게 하도급하여서는 아니 된다. 다만, 다음의 비율 이하의 유지관리업무를 다른 유지관리업자에게 하도급하는 경우로서 관리주체(유지관리업자가 관리주체인 경우에는 승강기 소유자나 다른 법령에 따라 승강기 관리자로 규정된 자를 말한다)가 서면으로 동의한 경우에는 그러하지 아니하다(법 제42조, 영 제34조 제1항).

> ㉠ **유지관리업무를 하도급하는 경우:** 유지관리업무의 2분의 1
> ㉡ **유지관리업무 중 승강기부품 교체업무만을 하도급하는 경우:** 승강기부품 교체업무의 2분의 1
> ㉢ **유지관리업무 중 자체점검업무만을 하도급하는 경우:** 자체점검업무의 3분의 2

② 유지관리업자는 기술력, 승강기의 지역적 분포 및 기술인력의 수 등을 고려하여 다음의 구분에 따른 월간 유지관리 승강기 대수를 초과한 유지관리업무를 하여서는 아니 된다(법 제43조 제1항, 규칙 제66조).

> ㉠ **등록한 유지관리업의 기술인력이 유지관리업자의 주된 사무소 또는 사업장이 있는 시 · 도에 설치된 승강기를 유지관리하는 경우:** 기술인력의 수에 100을 곱한 대수
> ㉡ **등록한 유지관리업의 기술인력 중 1명 이상이 유지관리업자의 주된 사무소 또는 사업장이 없는 시 · 도에 설치된 승강기를 유지관리하는 경우:** 기술인력의 수에 90을 곱한 대수
> ㉢ **제조 · 수입업자인 유지관리업자가 ㉠ 또는 ㉡에 따른 승강기 대수 중 일부를 다른 유지관리업자와 공동으로 유지관리하는 경우:** ㉠ 또는 ㉡에 따른 승강기 대수에 50퍼센트를 곱한 대수

③ 유지관리업자는 도급계약에 따라 유지관리하는 승강기에 대하여 관리주체가 유지관리에 관한 용역 제공을 요청하였을 때 정당한 사유 없이 거부하거나 회피하여서는 아니 된다(법 제43조 제2항).

(5) 유지관리업의 등록취소 등

시 · 도지사는 유지관리업자가 다음의 어느 하나에 해당하는 경우에는 유지관리업의 등록을 취소하거나 6개월 이내의 기간을 정하여 그 사업의 전부 또는 일부의 정지를 명할 수 있다. 다만, ① · ② · ④ 또는 ⑨에 해당하는 경우에는 등록을 취소하여야 한다. 다만, 등록기준을 충족하지 못한 정도가 경미하다고 인정되는 경우나 ⑤에 해당하는 경우에는 기간을 정하여 등록기준에 맞게 보완할 것을 명하거나 하도급계약의 해지를 명하고, 그 명령을 이행하면 그 사업의 전부 또는 일부의 정지를 명하지 아니할 수 있다(법 제44조).

> ① 거짓이나 그 밖의 부정한 방법으로 유지관리업의 등록을 한 경우
> ② 사업정지명령을 받은 후 그 사업정지기간에 유지관리업을 한 경우
> ③ 법 제39조 제2항에 따른 등록기준을 충족하지 못하게 된 경우
> ④ 법 제40조 각 호(결격사유)의 어느 하나에 해당하는 경우
> ⑤ 법 제42조를 위반하여 유지관리업무를 하도급한 경우
> ⑥ 법 제43조 제1항을 위반하여 월간 유지관리 승강기 대수를 초과하여 유지관리업무를 한 경우

⑦ 법 제43조 제2항을 위반하여 관리주체의 용역 제공요청을 정당한 사유 없이 거부하거나 회피한 경우
⑧ 유지관리를 잘못하여 법 제48조 제1항에 따른 중대한 사고 또는 중대한 고장이 발생한 경우
⑨ 유지관리업자가 폐업신고를 하거나 관할 세무서장이 사업자등록을 말소한 경우
⑩ 유지관리업 등록을 한 날부터 3년이 지날 때까지 영업을 시작하지 아니하거나 계속하여 3년 이상 휴업한 경우

(6) 유지관리업의 사업정지처분을 갈음하여 부과하는 과징금

① 시 · 도지사는 (5)의 ① · ③ 또는 ⑤부터 ⑧까지의 어느 하나에 해당하여 사업정지를 명하여야 하는 경우로서 그 사업의 정지가 이용자 등에게 심한 불편을 주거나 공익을 해칠 우려가 있는 경우에는 사업정지처분을 갈음하여 1억원 이하의 과징금을 부과할 수 있다(법 제45조 제1항).
② 시 · 도지사는 ①에 따른 과징금을 내야 할 자가 납부기한까지 과징금을 내지 아니하면 지방행정제재 · 부과금의 징수 등에 관한 법률에 따라 징수한다(법 제45조 제3항).

05 승강기의 운행 및 사고조사

(1) 승강기 이용자의 준수사항

승강기 이용자는 승강기를 이용할 때 다음의 안전수칙을 준수하여야 한다(법 제46조, 영 제36조).

① 승강기 출입문에 충격을 가하지 아니할 것
② 운행 중인 승강기에서 뛰거나 걷지 아니할 것
③ 정원을 초과하는 탑승 금지
④ 정격하중을 초과하는 화물의 적재 금지
⑤ 그 밖에 영 제3조에 따른 승강기의 종류별로 행정안전부장관이 정하여 고시하는 사항

(2) 장애인용 승강기의 운행

관리주체 또는 승강기 안전관리자는 행정안전부령으로 정하는 장애인용 경사형 휠체어 리프트를 이용하려는 사람으로부터 운행요청을 받은 경우에는 소속 직원 등으로 하여금 승강기를 조작하게 하여 안전하게 이동할 수 있도록 조치하여야 한다(법 제47조, 규칙 제68조).

(3) 사고보고 및 사고조사

① 관리주체(자체점검을 대행하는 유지관리업자를 포함한다)는 그가 관리하는 승강기로 인하여 다음의 어느 하나에 해당하는 사고 또는 고장이 발생한 경우에는 행정안전부령으로 정하는 바에 따라 한국승강기안전공단에 통보하여야 한다(법 제48조 제1항, 영 제37조).

> ㉠ 다음의 중대한 사고
> ⓐ 사망자가 발생한 사고
> ⓑ 사고발생일부터 7일 이내에 실시된 의사의 최초 진단 결과 1주 이상의 입원치료가 필요한 부상자가 발생한 사고
> ⓒ 사고발생일부터 7일 이내에 실시된 의사의 최초 진단 결과 3주 이상의 치료가 필요한 부상자가 발생한 사고
>
> ㉡ 다음의 중대한 고장
> ⓐ 엘리베이터 및 휠체어리프트: 다음의 어느 하나에 해당하는 고장
> - 출입문이 열린 상태로 움직인 경우
> - 출입문이 이탈되거나 파손되어 운행되지 않는 경우
> - 최상층 또는 최하층을 지나 계속 움직인 경우
> - 운행하려는 층으로 운행되지 않은 경우(정전 또는 천재지변으로 인해 발생한 경우 제외)
> - 운행 중 정지된 고장으로서 이용자가 운반구에 갇히게 된 경우(정전 또는 천재지변으로 인해 발생한 경우 제외)
>
> ⓑ 에스컬레이터: 다음의 어느 하나에 해당하는 고장
> - 손잡이 속도와 디딤판 속도의 차이가 행정안전부장관이 고시하는 기준을 초과하는 경우
> - 하강 운행과정에서 행정안전부장관이 고시하는 기준을 초과하는 과속이 발생한 경우
> - 상승 운행과정에서 디딤판이 하강 방향으로 역행하는 경우
> - 과속 또는 역행을 방지하는 장치가 정상적으로 작동하지 않은 경우
> - 디딤판이 이탈되거나 파손되어 운행되지 않은 경우

② 누구든지 중대한 사고가 발생한 경우에는 사고현장 또는 중대한 사고와 관련되는 물건을 이동시키거나 변경 또는 훼손하여서는 아니 된다. 다만, 인명구조 등 긴급한 사유가 있는 경우에는 그러하지 아니하다(법 제48조 제2항).

③ 공단은 ①에 따라 통보받은 내용을 행정안전부장관, 시·도지사 및 승강기사고조사위원회에 보고하여야 하며(법 제48조 제3항), 행정안전부장관은 보고받은 승강기 사고의 재발 방지 및 예방을 위하여 필요하다고 인정할 경우에는 승강기 사고의 원인 및 경위 등에 관한 조사를 할 수 있으며, 관리주체 등에게 행정안전부령으로 정하는 바에 따라

폐쇄회로 텔레비전(CCTV) 영상정보와 피해 사실을 알 수 있는 자료 등을 요청할 수 있다(법 제48조 제4항).

(4) 승강기사고조사위원회

① 행정안전부장관은 (3)의 ③에 따른 승강기 사고조사의 결과 중대한 사고 등 대통령령으로 정하는 사고의 원인 및 경위에 대한 추가적인 조사가 필요하다고 인정하는 경우에는 승강기사고조사위원회를 구성하여 그 승강기사고조사위원회로 하여금 사고조사를 하게 할 수 있다(법 제49조 제1항).

② **사고조사위원회의 구성**: 사고조사위원회는 위원장 1명을 포함한 9명 이내의 위원으로 구성하며, 위원은 다음의 어느 하나에 해당하는 사람 중에서 성별을 고려하여 행정안전부장관이 지명하거나 위촉하고, 위원장은 위원 중에서 행정안전부장관이 지명하며, 위원의 임기는 3년으로 하며, 한 번만 연임할 수 있다(영 제39조).

> ㉠ 승강기 안전관리업무를 담당하는 행정안전부의 4급 이상 공무원 또는 고위공무원단에 속하는 일반직공무원
> ㉡ 변호사 자격을 취득한 후 10년 이상의 실무경험이 있는 사람
> ㉢ 대학에서 승강기 안전관리 등 승강기분야 관련 과목을 담당하는 부교수 이상으로 5년 이상 재직하고 있거나 재직하였던 사람
> ㉣ 행정기관의 4급 이상 공무원 또는 고위공무원단에 속하는 일반직공무원으로 2년 이상 재직하였던 사람
> ㉤ 공단, 지정인증기관 또는 지정검사기관에서 10년 이상 근무한 사람으로서 최근 3년 이전에 퇴직한 사람
> ㉥ 승강기나 승강기부품의 제조 · 설치 또는 유지관리 관련 업체에서 15년 이상 근무한 경력이 있는 사람으로서 최근 3년 이전에 퇴직한 사람

③ 행정안전부장관은 ①에 따른 승강기사고조사위원회의 사고조사 결과 등을 토대로 승강기 사고의 재발 방지를 위한 대책을 마련하여 시 · 도지사, 한국승강기안전공단, 지정인증기관 또는 지정검사기관에 권고할 수 있다(법 제49조 제2항).

(5) 승강기의 운행정지명령 등

① 행정안전부장관은 승강기가 다음의 어느 하나에 해당하는 경우에는 그 사실을 **특별자치시장 · 특별자치도지사 또는 시장 · 군수 · 구청장(구청장은 자치구의 구청장)에게 통보**하여야 한다(법 제50조 제1항).

> ㉠ 설치검사를 받지 아니하거나 설치검사에 불합격한 경우
> ㉡ 안전검사를 받지 아니하거나 안전검사에 불합격한 경우

② 특별자치시장 · 특별자치도지사 또는 시장 · 군수 · 구청장은 승강기가 다음의 어느 하나에 해당하는 경우에는 그 사유가 없어질 때까지 해당 승강기의 운행정지를 명할 수 있으며, 운행정지를 명할 때에는 운행정지사유와 운행정지기간을 분명하게 적은 서면으로 해야 한다(법 제50조 제2항, 영 제42조).

> ㉠ 설치검사를 받지 아니한 경우
> ㉡ 자체점검을 하지 아니한 경우
> ㉢ 법 제31조 제2항을 위반하여 승강기의 운행을 중지하지 아니하는 경우
> ㉣ 안전검사를 받지 아니한 경우
> ㉤ 법 제32조 제3항에 따라 안전검사가 연기된 경우
> ㉥ 그 밖에 승강기로 인하여 중대한 위해가 발생하거나 발생할 우려가 있다고 인정하는 경우

③ 특별자치시장 · 특별자치도지사 또는 시장 · 군수 · 구청장은 ②에 따라 승강기의 운행정지를 명할 때에는 관리주체에게 행정안전부령으로 정하는 운행정지 표지를 발급하여야 하며, 관리주체는 발급받은 표지를 다음의 구분에 따른 장소에 즉시 붙이고 훼손되지 아니하게 관리하여야 한다(법 제50조 제3항 · 제4항, 규칙 제71조 제2항).

> ㉠ **엘리베이터**: 엘리베이터 출입문의 중앙
> ㉡ **에스컬레이터**: 탑승하는 승강장 입구 바닥의 중앙
> ㉢ **휠체어리프트**: 다음의 구분에 따른 장소
> ⓐ **수직형 휠체어리프트**: 수직형 휠체어리프트 출입문의 중앙
> ⓑ **경사형 휠체어리프트**: 제어반 개폐문의 중앙 및 운반구 바닥의 중앙

제5절 보칙

01 한국승강기안전공단

(1) 한국승강기안전공단의 설립

① 행정안전부장관의 업무를 위탁받거나 대행하여 승강기 안전관리에 관한 사업의 추진과 승강기 안전에 관한 기술의 연구 · 개발 및 보급 등을 위하여 한국승강기안전공단(이하 '공단'이라 한다)을 설립하며, 공단은 법인으로 하고, 주된 사무소의 소재지에서 설립등기를 함으로써 성립한다(법 제55조).

② 이 법에 따른 공단이 아닌 자는 한국승강기안전공단 또는 이와 유사한 명칭을 사용할 수 없으며(법 제63조), 공단에 관하여 이 법 및 공공기관의 운영에 관한 법률에서 규정

한 사항을 제외하고는 민법 중 재단법인에 관한 규정을 준용한다(법 제64조).

(2) 임원 및 자금조달과 감독

① 공단에는 임원으로 이사장 1명을 포함하여 10명 이하의 이사와 감사 1명을 각각 두며, 이사장은 공단을 대표하고, 그 업무를 총괄한다(법 제58조).

② 공단의 운영 및 사업에 필요한 자금은 다음의 재원으로 조달하며(법 제59조), 정부는 예산의 범위에서 공단의 사업수행에 필요한 비용을 보조하거나 재정자금을 융자할 수 있다(법 제60조).

> ㉠ 정부의 보조금 또는 융자금
> ㉡ 법 제57조의 사업수행에 따른 수입금
> ㉢ 자산운영수익금
> ㉣ 그 밖의 부대사업 수입금

③ 공단은 매 사업연도의 사업계획서 및 예산안을 작성하여 행정안전부장관의 승인을 받아야 한다. 이를 변경할 때에도 또한 같다(법 제61조 제2항).

02 승강기안전종합정보망의 구축 등

(1) 승강기번호 표지의 발급 · 부착

① 행정안전부장관은 승강기안전종합정보망을 구축 · 운영하기 위해 설치검사를 받은 승강기마다 고유한 번호(이하 '승강기번호'라 한다)를 부여하고, 그 승강기번호가 새겨진 표지를 해당 승강기의 제조 · 수입업자에게 발급해야 한다(영 제60조 제1항).

② 위 ①에 따른 승강기번호가 새겨진 표지를 발급받은 자는 그 표지를 해당 승강기에 즉시 부착해야 하며, 관리주체는 승강기번호가 새겨진 표지가 훼손된 경우에는 새로운 표지를 발급받아 해당 승강기에 즉시 부착해야 한다(영 제60조 제2항 · 제3항).

(2) 승강기안전종합정보망의 입력

다음의 어느 하나에 해당하는 인증 또는 검사를 한 자는 그 결과를 인증 또는 검사 후 5일 이내에 승강기안전종합정보망에 입력해야 한다(영 제59조).

> ① 부품안전인증
> ② 승강기안전인증
> ③ 법 제28조 제1항에 따른 설치검사
> ④ 법 제32조 제1항에 따른 안전검사

03 승강기 안전산업의 진흥

(1) 승강기 안전산업의 기반 조성

정부는 승강기 안전에 관한 기술의 개발 및 다음의 산업(이하 '승강기 안전산업'이라 한다)의 국제경쟁력 제고를 위한 시책을 마련하여 추진하여야 하며, 승강기 안전에 관한 기술을 개발하거나 승강기 안전산업의 국제경쟁력 제고에 관한 업무에 종사하는 자에 대하여 그 기술 개발 또는 사업수행에 드는 자금의 전부나 일부를 보조할 수 있다(법 제65조).

> ① 제조업 또는 수입업
> ② 승강기설치공사업
> ③ 유지관리업
> ④ 위 ①부터 ③까지와 관련된 업으로서 행정안전부령으로 정하는 업

(2) 안전관리우수기업의 선정 등

행정안전부장관은 승강기 안전관리업무의 질적 향상을 위하여 안전관리우수기업을 선정하고, 그 기업에 대하여 필요한 지원을 할 수 있다. 안전관리우수기업의 선정방법 및 절차 등에 필요한 사항은 행정안전부령으로 정한다(법 제66조).

(3) 실태조사

① 행정안전부장관은 다음의 어느 하나에 해당하는 승강기에 대하여 운행상황 파악 등을 위한 실태조사를 매년 실시하여야 한다(법 제74조 제1항).

> ㉠ 설치검사를 받지 아니하거나 설치검사에 불합격한 승강기
> ㉡ 안전검사를 받지 아니하거나 안전검사에 불합격한 승강기
> ㉢ 그 밖에 승강기 안전관리를 위하여 행정안전부장관이 실태조사가 필요하다고 인정하는 승강기

② 시·도지사는 다음의 어느 하나에 해당하는 자에 대하여 등록기준 유지에 관한 사항 등 행정안전부령으로 정하는 사항의 파악을 위한 실태조사를 매년 실시하여야 한다(법 제74조 제2항).

> ㉠ 제조·수입업자
> ㉡ 유지관리업자

(4) 청문

① 행정안전부장관은 다음의 어느 하나에 해당하는 처분을 하려면 청문을 하여야 한다(법 제77조 제1항).

> ㉠ 법 제23조 제2항에 따른 지정인증기관의 지정취소
> ㉡ 법 제37조 제2항에 따른 지정검사기관의 지정취소
> ㉢ 법 제53조 제2항에 따른 교육기관의 지정취소

② 시 · 도지사는 다음의 어느 하나에 해당하는 처분을 하려면 청문을 하여야 한다. 다만, 법 제9조 제1항 제7호 또는 법 제44조 제1항 제9호에 해당하여 제조 · 수입업 또는 유지관리업의 등록을 취소하려는 경우에는 청문을 하지 아니할 수 있다(법 제77조 제2항).

> ㉠ 법 제9조에 따른 제조업 또는 수입업의 등록취소
> ㉡ 법 제44조에 따른 유지관리업의 등록취소

(5) 벌칙 적용에서의 공무원 의제

다음의 어느 하나에 해당하는 사람은 형법 제129조부터 제132조까지의 규정을 적용할 때에는 공무원으로 본다(법 제79조).

> ① 지정인증기관의 임직원
> ② 지정검사기관의 임직원
> ③ 법 제49조 제1항에 따른 승강기사고조사위원회의 위원 중 공무원이 아닌 위원

마무리STEP 1 | OX 문제

01 제조란 승강기나 승강기부품을 판매 · 대여하거나 설치할 목적으로 생산 · 조립하거나 가공하는 것을 말하며, 설치란 승강기의 설계도면 등 기술도서에 따라 승강기를 건축물이나 고정된 시설물에 장착(승강기 교체를 포함한다)하는 것을 말한다. ( )

02 승강기나 대통령령으로 정하는 승강기부품의 제조업 또는 수입업을 하려는 자는 행정안전부령으로 정하는 바에 따라 행정안전부장관에게 등록하여야 한다. ( )

03 승강기 또는 승강기부품의 품질보증기간은 10년 이상으로 하며, 그 기간에 구매인 또는 양수인이 사용설명서에 따라 정상적으로 사용 · 관리했음에도 불구하고 고장이나 결함이 발생한 경우에는 제조 · 수입업자가 무상으로 유지관리용 부품 및 장비 등을 제공(정비를 포함한다)해야 한다. ( )

04 승강기의 제조 · 수입업자는 승강기안전인증을 받은 승강기에 대하여 기준에 맞는지를 확인하기 위하여 승강기안전인증을 받은 날부터 3년마다 행정안전부장관이 실시하는 승강기에 대한 심사(승강기 정기심사)를 받아야 한다. ( )

05 설치공사업자는 승강기의 설치를 끝냈을 때에는 행정안전부령으로 정하는 바에 따라 관할 시 · 도지사에게 그 사실을 신고하여야 하며, 행정안전부장관이 실시하는 설치검사를 받아야 한다. ( )

01 ○

02 × 시 · 도지사에게 등록하여야 한다.

03 × 승강기 또는 승강기부품의 품질보증기간은 3년 이상으로 한다.

04 ○

05 × 승강기의 제조 · 수입업자는 설치를 끝낸 승강기에 대하여 행정안전부장관이 실시하는 설치검사를 받아야 한다.

06 관리주체는 승강기 운행에 대한 지식이 풍부한 사람을 승강기 안전관리자로 선임하여 승강기를 관리하게 하여야 한다. 다만, 관리주체가 직접 승강기를 관리하는 경우에는 그러하지 아니하다. ( )

07 관리주체는 승강기의 안전에 관한 자체점검을 분기에 1회 이상 하고, 그 결과를 승강기안전종합정보망에 입력하여야 하며, 자체점검 결과 승강기에 결함이 있다는 사실을 알았을 경우에는 즉시 보수하여야 하고, 보수가 끝날 때까지 해당 승강기의 운행을 중지하여야 한다. ( )

08 정기검사의 검사기간은 정기검사의 검사주기 도래일 전후 각각 30일 이내로 한다. 이 경우 해당 검사기간 이내에 검사에 합격한 경우에는 정기검사의 검사주기 도래일에 정기검사를 받은 것으로 본다. ( )

09 누구든지 중대한 사고가 발생한 경우에는 사고현장 또는 중대한 사고와 관련되는 물건을 이동시키거나 변경 또는 훼손하여서는 아니 된다. 다만, 인명구조 등 긴급한 사유가 있는 경우에는 그러하지 아니하다. ( )

10 특별자치시장 · 특별자치도지사 또는 시장 · 군수 · 구청장은 승강기의 운행정지를 명할 때에는 관리주체에게 행정안전부령으로 정하는 운행정지 표지를 발급하여야 하며, 관리주체는 발급받은 표지를 대통령령으로 정하는 장소에 즉시 붙이고 훼손되지 아니하게 관리하여야 한다. ( )

06 ○

07 × 관리주체는 승강기의 안전에 관한 자체점검을 월 1회 이상 해야 한다.

08 ○

09 ○

10 ○

마무리STEP 2 | 확인문제

01 승강기 안전관리법령상 승강기의 제조·수입업에 관한 설명으로 옳지 않은 것은?

① 승강기의 제조업 또는 수입업을 하려는 자는 시·도지사에게 등록하여야 한다.
② ①의 경우에 변경등록은 등록사항이 변경된 날부터 30일 이내에 하여야 한다.
③ 승강기의 제조·수입업자로 등록을 한 자는 그 사업을 폐업 또는 휴업하고자 하는 경우에는 폐업 또는 휴업하고자 하는 날 30일 이전에 시·도지사에게 신고하여야 한다.
④ 이 법을 위반하여 징역 이상의 실형을 선고받고 그 집행이 끝나거나 면제된 날부터 2년이 지나지 아니한 자는 제조·수입업자로 등록을 할 수 없다.
⑤ 제조·수입업자는 관리주체로부터 부품 등의 제공을 요청받은 경우에는 특별한 이유가 없으면 2일 이내에 그 요청에 따라야 한다.

02 승강기 안전관리법령상 승강기부품의 안전인증에 관한 설명으로 옳지 않은 것은?

① 승강기부품의 제조·수입업자는 승강기안전부품에 대하여 모델별로 행정안전부장관이 실시하는 부품안전인증을 받아야 한다.
② 제조·수입업자는 부품안전인증을 받은 사항을 변경하려는 경우에는 행정안전부장관으로부터 변경사항에 대한 부품안전인증을 받아야 한다.
③ 수출을 목적으로 승강기안전부품을 제조하는 경우에는 행정안전부장관이 실시하는 부품안전인증을 받아야 한다.
④ 승강기안전부품의 제조·수입업자는 행정안전부장관이 실시하는 승강기안전부품에 대한 심사를 정기적으로 받아야 한다.
⑤ 승강기안전부품의 제조·수입업자는 부품안전인증표시 등을 하여야 한다.

03 **승강기 안전관리법령상 설치 및 안전관리에 대한 다음 설명 중 틀린 것은?**

① 설치공사업자는 승강기의 설치를 끝냈을 때에는 행정안전부장관에게 그 사실을 신고하여야 한다.

② 승강기의 제조 · 수입업자는 설치를 끝낸 승강기에 대하여 행정안전부장관이 실시하는 설치검사를 받아야 한다.

③ 관리주체는 승강기 운행에 대한 지식이 풍부한 사람을 승강기 안전관리자로 선임하여 승강기를 관리하게 하여야 한다. 다만, 관리주체가 직접 승강기를 관리하는 경우에는 그러하지 아니하다.

④ 관리주체는 승강기 안전관리자가 안전하게 승강기를 관리하도록 지도 · 감독하여야 한다.

⑤ 관리주체는 승강기의 사고로 인한 손해에 대한 배상을 보장하기 위한 보험에 가입하여야 한다.

정답 | 해설

01 ③ 30일 이내에 시 · 도지사에게 신고하여야 한다.

02 ③ 수출을 목적으로 승강기안전부품을 제조하는 경우에는 부품안전인증의 전부 또는 일부를 면제할 수 있다.

03 ① 관할 시 · 도지사에게 그 사실을 신고하여야 한다.

04 승강기 안전관리법령상 승강기의 자체점검에 관한 설명으로 옳지 않은 것은?

① 관리주체는 승강기의 안전에 관한 자체점검을 월 1회 이상 하고, 그 결과를 자체점검 후 10일 이내에 승강기안전종합정보망에 입력하여야 한다.
② 관리주체는 자체점검 결과 승강기에 결함이 있다는 사실을 알았을 경우에는 즉시 보수하여야 하며, 보수가 끝날 때까지 해당 승강기의 운행을 중지하여야 한다.
③ 안전검사에 불합격한 승강기에 대해서는 자체점검의 전부 또는 일부를 면제할 수 있다.
④ 관리주체는 자체점검을 스스로 할 수 없다고 판단하는 경우에는 승강기의 유지관리를 업으로 하기 위하여 등록을 한 자로 하여금 이를 대행하게 할 수 있다.
⑤ 안전검사가 연기된 승강기의 경우에도 자체점검은 실시하여야 한다.

05 승강기 안전관리법령상 승강기의 수시검사의 사유가 아닌 것은?

① 승강기의 종류, 제어방식, 정격속도, 정격용량 또는 왕복운행거리를 변경한 경우
② 승강기의 결함으로 중대한 사고 또는 중대한 고장이 발생한 경우
③ 승강기의 제어반 또는 구동기를 교체한 경우
④ 승강기에 사고가 발생하여 수리한 경우
⑤ 관리주체가 요청하는 경우

06 승강기 안전관리법령상 승강기의 유지관리업에 대한 설명으로 틀린 것은?

① 승강기 유지관리를 업으로 하려는 자는 시 · 도지사에게 등록하여야 하며, 등록사항을 변경할 때에는 변경된 날부터 30일 이내에 변경등록하여야 한다.

② 승강기 유지관리업자는 그 사업을 폐업 또는 휴업하거나 휴업한 사업을 다시 시작한 경우에는 그날부터 30일 이내에 시 · 도지사에게 신고하여야 한다.

③ 행정안전부장관은 표준유지관리비를 정하여 공표하도록 하고, 계약당사자가 이를 활용할 것을 권고할 수 있다.

④ 유지관리업자는 그가 도급계약을 맺은 승강기의 유지관리업무를 다른 유지관리업자 등에게 하도급하여서는 아니 된다.

⑤ 시 · 도지사는 유지관리업자의 사업정지사유에 갈음하여 5천만원 이하의 과징금을 부과할 수 있다.

정답 | 해설

04 ⑤ 자체점검의 전부 또는 일부를 면제할 수 있는 경우이다.

05 ② 정밀안전검사의 사유에 해당한다.

06 ⑤ 1억원 이하의 과징금을 부과할 수 있다.

2025 해커스 주택관리사(보)

house.Hackers.com

10개년 출제비중분석

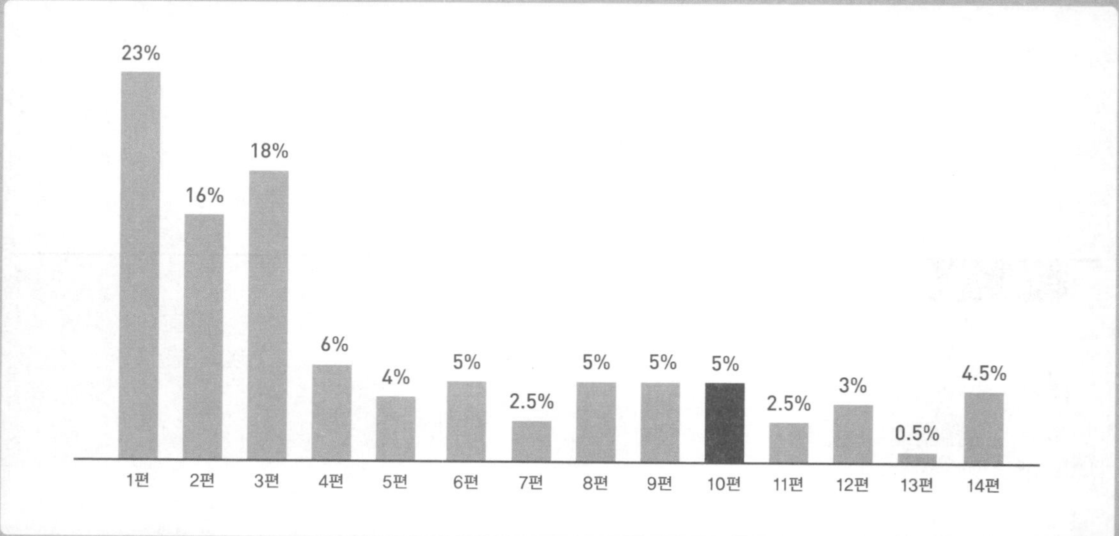

제10편

전기사업법

제 10 편 전기사업법

목차 내비게이션 전기사업법

단원길라잡이

전기사업법에서는 매년 2문제가 출제되고 있다. 이 단원에서는 용어의 정의, 전기사업의 허가, 전기설비공사계획의 인가 또는 신고, 사용전검사 · 임시사용 · 정기검사, 사용전점검 · 정기점검, 전기안전관리자 등을 중점적으로 학습하여야 한다.

출제포인트

- 전기사업의 구분 및 기타 용어의 정의
- 전기사업의 허가 및 신사업의 등록
- 전기공급의 의무
- 전기의 공급약관 등
- 전력수급의 안정

제1절 총칙

01 제정목적

이 법은 전기사업에 관한 기본제도를 확립하고 전기사업의 경쟁과 새로운 기술 및 사업의 도입을 촉진함으로써 전기사업의 건전한 발전을 도모하고 전기사용자의 이익을 보호하여 국민경제의 발전에 이바지함을 목적으로 한다(법 제1조).

02 용어의 정의

이 법에서 사용하는 용어의 뜻은 다음과 같다(법 제2조).

(1) 전기사업

전기사업이란 발전사업 · 송전사업 · 배전사업 · 전기판매사업 및 구역전기사업을 말한다.

발전사업	전기를 생산하여 이를 전력시장을 통하여 전기판매사업자에게 공급하는 것을 주된 목적으로 하는 사업을 말한다.
송전사업	발전소에서 생산된 전기를 배전사업자에게 송전하는 데 필요한 전기설비를 설치 · 관리하는 것을 주된 목적으로 하는 사업을 말한다.
배전사업	발전소로부터 송전된 전기를 전기사용자에게 배전하는 데 필요한 전기설비를 설치 · 운용하는 것을 주된 목적으로 하는 사업을 말한다.
전기판매사업	전기사용자에게 전기를 공급하는 것을 주된 목적으로 하는 사업(전기자동차충전사업과 재생에너지전기공급사업은 제외한다)을 말한다.
구역전기사업	3만 5천킬로와트 이하의 발전설비를 갖추고 특정한 공급구역의 수요에 맞추어 전기를 생산하여 전력시장을 통하지 아니하고 그 공급구역의 전기사용자에게 공급하는 것을 주된 목적으로 하는 사업을 말한다.

(2) 전기사업자

전기사업자란 발전사업자 · 송전사업자 · 배전사업자 · 전기판매사업자 및 구역전기사업자를 말한다.

발전사업자	발전사업의 허가(법 제7조 제1항)를 받은 자를 말한다.
송전사업자	송전사업의 허가(법 제7조 제1항)를 받은 자를 말한다.
배전사업자	배전사업의 허가(법 제7조 제1항)를 받은 자를 말한다.
전기판매사업자	전기판매사업의 허가(법 제7조 제1항)를 받은 자를 말한다.
구역전기사업자	구역전기사업의 허가(법 제7조 제1항)를 받은 자를 말한다.

(3) 기타 전기사업

전기신사업	전기신사업이란 전기자동차충전사업, 소규모전력중개사업, 재생에너지전기공급사업, 통합발전소사업, 재생에너지전기저장판매사업 및 송전제약발생지역전기공급사업을 말하며, 전기신사업자란 전기자동차충전사업자, 소규모전력중개사업자 및 재생에너지전기공급사업자, 통합발전소사업자, 재생에너지전기저장판매사업자 및 송전제약발생지역전기공급사업자를 말한다.
전기자동차 충전사업	전기자동차충전사업이란 환경친화적 자동차의 개발 및 보급 촉진에 관한 법률 제2조 제3호에 따른 전기자동차에 전기를 유상으로 공급하는 것을 주된 목적으로 하는 사업을 말하며, 전기자동차충전사업자란 전기자동차충전사업의 등록을 한 자를 말한다.
재생에너지전기 공급사업	재생에너지전기공급사업이란 신에너지 및 재생에너지 개발·이용·보급 촉진법 제2조 제2호에 따른 재생에너지를 이용하여 생산한 전기를 전기사용자에게 공급하는 것을 주된 목적으로 하는 사업을 말하며, 재생에너지전기공급사업자란 재생에너지전기공급사업의 등록을 한 자를 말한다.
재생에너지전기 저장판매사업	재생에너지전기저장판매사업이란 재생에너지를 이용하여 생산한 전기를 전기저장장치에 저장하여 전기사용자에게 판매하는 것을 주된 목적으로 하는 사업으로서 산업통상자원부령으로 정하는 것을 말한다. ◎ '재생에너지'란 햇빛·물·지열·강수·생물유기체 등을 포함하는 재생 가능한 에너지를 변환시켜 이용하는 에너지로서 태양에너지, 풍력, 수력, 해양에너지, 지열에너지, 생물자원을 변환시켜 이용하는 바이오에너지로서 대통령령으로 정하는 기준 및 범위에 해당하는 에너지를 말한다.
소규모전력 중개사업	다음의 설비(소규모전력자원)에서 생산 또는 저장된 전력을 모아서 전력시장을 통하여 거래하는 것을 주된 목적으로 하는 사업을 말한다. ① 신에너지 및 재생에너지 개발·이용·보급 촉진법에 따른 신에너지 및 재생에너지의 발전설비로서 발전설비용량 2만킬로와트 이하인 것 ② 충전·방전설비용량 2만킬로와트 이하의 전기저장장치 ③ 환경친화적 자동차의 개발 및 보급 촉진에 관한 법률 제2조 제3호에 따른 전기자동차
통합발전소사업	통합발전소사업이란 정보통신 및 자동제어기술을 이용해 대통령령으로 정하는 에너지자원을 연결·제어하여 하나의 발전소처럼 운영하는 시스템을 활용하는 사업을 말하며, 통합발전소사업자란 통합발전소사업의 등록을 한 자를 말한다. ◎ 대통령령으로 정하는 에너지자원이란 다음의 어느 하나에 해당하는 발전설비 등에서 생산 또는 저장된 전력 및 수요관리사업에 이용되는 수요반응자원을 말한다. 1. 신·재생에너지 발전에 이용되는 발전설비 2. 구역전기사업에 이용되는 발전설비 3. 중소형 원자력 발전사업에 이용되는 발전설비 4. 집단에너지사업법에 따른 사업에 이용되는 발전설비 5. 전기저장장치

송전제약발생지역 전기공급사업	송전제약발생지역전기공급사업이란 발전용량과 송전용량의 불일치(이하 '송전제약'이라 한다)로 인하여 전력시장을 통하여 전기판매사업자에게 공급하지 못하게 된 전기를 발전설비의 인접한 지역에 위치한 전기사용자의 신규 시설에 공급하는 것을 주된 목적으로 하는 사업을 말한다.

(4) 전력시장, 소규모전력중개시장, 전력계통, 보편적 공급

전력시장	전력거래를 위하여 설립된 한국전력거래소가 개설하는 시장을 말한다.
소규모전력 중개시장	소규모전력중개사업자가 소규모전력자원을 모집 · 관리할 수 있도록 한국전력거래소가 개설하는 시장을 말한다.
전력계통	전기의 원활한 흐름과 품질유지를 위하여 전기의 흐름을 통제 · 관리하는 체제를 말한다.
보편적 공급	전기사용자가 언제 어디서나 적정한 요금으로 전기를 사용할 수 있도록 전기를 공급하는 것을 말한다.

(5) 전기설비

전기설비란 발전 · 송전 · 변전 · 배전 · 전기공급 또는 전기사용을 위하여 설치하는 기계 · 기구 · 댐 · 수로 · 저수지 · 전선로 · 보안통신선로 및 그 밖의 설비로서 다음의 것을 말한다.

전기사업용 전기설비	전기설비 중 전기사업자가 전기사업에 사용하는 전기설비를 말한다.
일반용 전기설비	산업통상자원부령(규칙 제3조 제1항)으로 정하는 소규모의 전기설비로서 한정된 구역에서 전기를 사용하기 위하여 설치하는 전기설비를 말하는데, 구체적으로는 다음과 같다. ① 저압에 해당하는 용량 75킬로와트(제조업 또는 심야전력을 이용하는 전기설비는 용량 100킬로와트) 미만의 전력을 타인으로부터 수전하여 그 수전장소(담 · 울타리 또는 그 밖의 시설물로 타인의 출입을 제한하는 구역을 포함한다. 이하 같다)에서 그 전기를 사용하기 위한 전기설비 ② 저압에 해당하는 용량 10킬로와트 이하인 발전설비
자가용 전기설비	전기사업용 전기설비 및 일반용 전기설비 외의 전기설비를 말한다.

더 알아보기 **전기설비에서 제외되는 것(법 제2조 제16호, 영 제2조)**

1. 댐건설 · 관리 및 주변지역지원 등에 관한 법률에 따라 건설되는 댐 · 저수지
2. 해당 선박 · 차량 또는 항공기가 기능을 유지하도록 하기 위하여 설치되는 전기설비
3. 그 밖에 다음의 것
   - 전압 30볼트 미만의 전기설비로서 전압 30볼트 이상의 전기설비와 전기적으로 접속되어 있지 아니한 것
   - 전기통신기본법(제2조 제2호)에 따른 전기통신설비. 다만, 전기를 공급하기 위한 수전설비는 제외한다.

(6) 기타 용어

변전소	변전소의 밖으로부터 전압 5만볼트 이상의 전기를 전송받아 이를 변성(전압을 올리거나 내리는 것 또는 전기의 성질을 변경시키는 것을 말한다)하여 변전소 밖의 장소로 전송할 목적으로 설치하는 변압기와 그 밖의 전기설비 전체를 말한다.
전기수용설비	수전설비와 구내배전설비를 말한다.
수전설비	타인의 전기설비 또는 구내발전설비로부터 전기를 공급받아 구내배전설비로 전기를 공급하기 위한 전기설비로서 수전지점으로부터 배전반(구내배전설비로 전기를 배전하는 전기설비를 말한다)까지의 설비를 말한다.
구내배전설비	수전설비의 배전반에서부터 전기사용기기에 이르는 전선로 · 개폐기 · 차단기 · 분전함 · 콘센트 · 제어반 · 스위치 및 그 밖의 부속설비를 말한다.
전선로	발전소 · 변전소 · 개폐소 및 이에 준하는 장소와 전기를 사용하는 장소 상호간의 전선 및 이를 지지하거나 수용하는 시설물을 말한다.
분산형전원	전력수요지역 인근에 설치하여 송전선로[발전소 상호간, 변전소 상호간 및 발전소와 변전소간을 연결하는 전선로(통신용으로 전용하는 것은 제외한다)를 말한다. 이하 같다]의 건설을 최소화할 수 있는 일정 규모 이하의 발전설비로서 다음의 어느 하나에 해당하는 발전설비를 말한다. ① 발전설비용량 4만킬로와트 이하의 발전설비(②의 자가 설치한 발전설비는 제외한다) ② 다음의 자가 설치한 발전설비용량 50만킬로와트 이하의 발전설비 ㉠ 집단에너지사업법 제48조에 따라 발전사업의 허가를 받은 것으로 보는 집단에너지사업자 ㉡ 구역전기사업자 ㉢ 자가용 전기설비를 설치한 자
저압	직류에서는 1천 500볼트 이하의 전압을 말하고, 교류에서는 1천볼트 이하의 전압을 말한다.
고압	직류에서는 1천 500볼트를 초과하고 7천볼트 이하인 전압을 말하고, 교류에서는 1천볼트를 초과하고 7천볼트 이하인 전압을 말한다.
특고압	7천볼트를 초과하는 전압을 말한다.

기출예제

전기사업법 시행규칙 제2조(정의) 규정의 일부이다. (   )에 들어갈 용어와 아라비아 숫자를 쓰시오. 제27회

> '(㉠)'(이)란 다음 각 목의 곳의 전압 (㉡)만볼트 이상의 송전선로를 연결하거나 차단하기 위한 전기설비를 말한다.
> 가. 발전소 상호간
> 나. 변전소 상호간
> 다. 발전소와 변전소간

정답: ㉠ 개폐소, ㉡ 5

(7) 안전관리

안전관리란 국민의 생명과 재산을 보호하기 위하여 이 법에서 정하는 바에 따라 전기설비의 공사·유지 및 운용에 필요한 조치를 하는 것을 말한다.

03 전기정책

(1) 정부 등의 책무

산업통상자원부장관은 이 법의 목적을 달성하기 위하여 전력수급의 안정과 전력산업의 경쟁촉진 등에 관한 기본적이고 종합적인 시책을 마련하여야 한다(법 제3조 제1항).

(2) 지방자치단체의 책무

특별시장·광역시장·도지사·특별자치시장·특별자치도지사(이하 '시·도지사'라 한다) 및 시장·군수·구청장은 그 관할 구역의 전기사용자가 전기를 안정적으로 공급받기 위하여 필요한 시책을 마련하여야 하며, (1)에 따른 산업통상자원부장관의 전력수급 안정을 위한 시책의 원활한 시행에 협력하여야 한다(법 제3조 제4항).

(3) 전기사용자의 보호

전기사업자와 전기신사업자(이하 '전기사업자 등'이라 한다)는 전기사용자의 이익을 보호하기 위한 방안을 마련하여야 한다(법 제4조).

(4) 환경보호

전기사업자 등은 전기설비를 설치하여 전기사업 및 전기신사업(이하 '전기사업 등'이라 한다)을 할 때에는 자연환경 및 생활환경을 적정하게 관리·보존하는 데 필요한 조치를 마련하여야 한다(법 제5조).

(5) 보편적 공급

전기사업자 등은 전기의 보편적 공급에 이바지할 의무가 있으며, 산업통상자원부장관은 다음의 사항을 고려하여 전기의 보편적 공급의 구체적 내용을 정한다(법 제6조).

> ① 전기기술의 발전 정도
> ② 전기의 보급 정도
> ③ 공공의 이익과 안전
> ④ 사회복지의 증진

제2절 전기사업

제1항 전기사업의 허가와 전기신사업의 등록

01 전기사업의 허가

(1) 허가대상

전기사업을 하려는 자는 대통령령으로 정하는 바에 따라 전기사업의 종류별 또는 규모별로 산업통상자원부장관 또는 시 · 도지사(이하 '허가권자'라 한다)의 허가를 받아야 한다. 허가받은 사항 중 산업통상자원부령으로 정하는 중요사항을 변경하려는 경우에도 또한 같다(법 제7조 제1항).

더 알아보기 전기사업의 허가기준(법 제7조 제5항, 영 제4조 제1항 · 제3항)

1. 전기사업을 적정하게 수행하는 데 필요한 재무능력 및 기술능력이 있을 것
2. 전기사업이 계획대로 수행될 수 있을 것
3. 배전사업 및 구역전기사업의 경우 둘 이상의 배전사업자의 사업구역 또는 구역전기사업자의 특정한 공급구역 중 그 전부 또는 일부가 중복되지 아니할 것
4. 구역전기사업의 경우 특정한 공급구역의 전력수요의 60퍼센트 이상의 공급능력을 갖추고, 그 사업으로 인하여 인근지역의 전기사용자에 대한 다른 전기사업자의 전기공급에 차질이 없을 것
5. 발전소나 발전연료가 특정 지역에 편중되어 전력계통의 운영에 지장을 주지 아니할 것
6. 신에너지 및 재생에너지 개발 · 이용 · 보급 촉진법 제2조에 따른 태양에너지 중 태양광, 풍력, 연료전지를 이용하는 발전사업의 경우 대통령령으로 정하는 바에 따라 발전사업 내용에 대한 사전고지를 통하여 주민 의견수렴 절차를 거칠 것

7. 그 밖에 공익상 필요한 것으로서 발전사업에 있어서는 다음의 기준에 적합할 것
   - 발전소가 특정 지역에 편중되어 전력계통의 운영에 지장을 주지 아니할 것
   - 발전연료가 어느 하나에 편중되어 전력수급(電力需給)에 지장을 주지 아니할 것
   - 전력수급기본계획에 부합할 것
   - 저탄소 녹색성장기본법에 따른 온실가스 감축목표의 달성에 지장을 주지 아니할 것

더 알아보기 **전기사업의 결격사유(법 제8조 제1항)**

1. 피성년후견인
2. 파산선고를 받고 복권되지 아니한 자
3. 형법 제172조의2, 제173조, 제173조의2(제172조 제1항의 죄를 범한 자는 제외한다), 제174조(제172조의2 제1항 및 제173조 제1항 · 제2항의 미수범만 해당한다) 및 제175조(제172조의2 제1항 및 제173조 제1항 · 제2항의 죄를 범할 목적으로 예비 또는 음모한 자만 해당한다) 중 전기에 관한 죄를 짓거나 이 법을 위반하여 금고 이상의 실형을 선고받고 그 집행이 끝나거나(집행이 끝난 것으로 보는 경우를 포함한다) 집행이 면제된 날부터 2년이 지나지 아니한 자
4. 위 3.에 규정된 죄를 지어 금고 이상의 형의 집행유예선고를 받고 그 유예기간 중에 있는 자
5. 전기사업의 허가가 취소(1. 또는 2.의 결격사유에 해당하여 허가가 취소된 경우는 제외한다)된 후 2년이 지나지 아니한 자
6. 위 1.부터 5.까지의 어느 하나에 해당하는 자가 대표자인 법인

(2) 전기사업의 복수허가

동일인에게는 두 종류 이상의 전기사업을 허가할 수 없다. 다만, 다음의 경우에는 그러하지 아니하다(법 제7조 제3항, 영 제3조).

① 배전사업과 전기판매사업을 겸업하는 경우
② 도서지역에서 전기사업을 하는 경우
③ 집단에너지사업법에 따라 발전사업의 허가를 받은 것으로 보는 집단에너지사업자가 전기판매사업을 겸업하는 경우. 다만, 허가받은 공급구역에 전기를 공급하려는 경우로 한정한다.

(3) 허가단위

허가권자는 필요한 경우 사업구역 및 특정한 공급구역별로 구분하여 전기사업의 허가를 할 수 있다. 다만, 발전사업의 경우에는 발전소별로 허가할 수 있다(법 제7조 제4항).

(4) 허가절차

산업통상자원부장관은 전기사업을 허가 또는 변경허가를 하려는 경우에는 미리 전기위원회의 심의를 거쳐야 한다(법 제7조 제2항).

(5) 허가효력

① **준비기간:** 전기사업자는 허가권자가 지정한 준비기간에 사업에 필요한 전기설비를 설치하고 사업을 시작하여야 한다(법 제9조 제1항 · 제2항 · 제3항).

> ㉠ 준비기간은 10년의 범위에서 산업통상자원부장관이 정하여 고시하는 기간을 넘을 수 없다. 다만, 허가권자는 정당한 사유가 있다고 인정하는 경우에는 준비기간을 연장할 수 있다.
> ㉡ 허가권자는 전기사업을 허가할 때 필요하다고 인정하면 전기사업별 또는 전기설비별로 구분하여 준비기간을 지정할 수 있다.

② **개시신고:** 전기사업자는 사업을 시작한 경우에는 지체 없이 그 사실을 허가권자에게 신고하여야 한다. 다만, 발전사업자의 경우에는 최초로 전력거래를 한 날부터 30일 이내에 신고하여야 한다(법 제9조 제4항).

(6) 사업허가의 취소 등

① 허가권자는 전기사업자가 다음의 어느 하나에 해당하는 경우에는 전기위원회의 심의(허가권자가 시 · 도지사인 전기사업의 경우는 제외한다)를 거쳐 그 허가를 취소하거나 6개월 이내의 기간을 정하여 사업정지를 명할 수 있다. 다만, ㉠부터 ㉣까지 또는 ㉤의 어느 하나에 해당하는 경우에는 그 허가를 취소하여야 한다(법 제12조 제1항). 이 경우에는 청문을 하여야 한다(법 제13조).

> ㉠ 법 제8조 제1항(전기사업의 결격사유) 각 호의 어느 하나에 해당하게 된 경우
> ㉡ 법 제9조에 따른 준비기간에 전기설비의 설치 및 사업을 시작하지 아니한 경우
> ㉢ 원자력발전소를 운영하는 발전사업자(이하 '원자력발전사업자'라 한다)에 대한 외국인의 투자가 외국인투자 촉진법 제2조 제1항 제4호에 해당하게 된 경우
> ㉣ 거짓이나 그 밖의 부정한 방법으로 법 제7조 제1항에 따른 허가 또는 변경허가를 받은 경우
> ㉤ 산업통상자원부장관이 정하여 고시하는 시점까지 정당한 사유 없이 법 제61조 제1항에 따른 공사계획 인가를 받지 못하여 공사에 착수하지 못하는 경우
> ㉥ 법 제10조 제1항에 따른 인가를 받지 아니하고 전기사업의 전부 또는 일부를 양수하거나 법인의 분할이나 합병을 한 경우
> ㉦ 법 제14조를 위반하여 정당한 사유 없이 전기의 공급을 거부한 경우
> ㉧ 법 제15조 제1항 또는 제16조 제1항을 위반하여 산업통상자원부장관의 인가 또는 변경인가를 받지 아니하고 전기설비를 이용하게 하거나 전기를 공급한 경우
> ㉨ 법 제18조 제3항에 따른 산업통상자원부장관의 명령을 위반한 경우
> ㉩ 법 제23조 제1항에 따른 허가권자의 명령을 위반한 경우
> ㉪ 법 제29조 제1항에 따른 산업통상자원부장관의 명령을 위반한 경우
> ㉫ 법 제31조의2 제2항에 따른 산업통상자원부장관의 명령을 위반한 경우

㉫ 법 제34조 제2항에 따라 차액계약을 통하여서만 전력을 거래하여야 하는 전기사업자가 같은 조 제3항에 따라 인가받은 차액계약을 통하지 아니하고 전력을 거래한 경우
㉬ 법 제61조 제1항부터 제5항까지의 규정에 따라 인가를 받지 아니하거나 신고를 하지 아니한 경우
ⓚⓚ 법 제93조 제1항을 위반하여 회계를 처리한 경우
ⓣⓣ 사업정지기간에 전기사업을 한 경우

② **처분의 유예:** 다음의 어느 하나에 해당하는 경우에는 그 사유가 발생한 날부터 6개월간은 ①을 적용하지 아니한다(법 제12조 제3항).

㉠ 법인이 법 제8조 제1항 제6호(전기사업의 결격사유) 또는 같은 조 제2항 제3호(전기신사업의 결격사유)에 해당하게 된 경우
㉡ 원자력발전사업자가 ①의 ㉢에 해당하게 된 경우
㉢ 전기사업자의 지위를 승계한 상속인이 법 제8조 제1항 제1호부터 제5호까지의 어느 하나에 해당하는 경우
㉣ 전기신사업자의 지위를 승계한 상속인이 법 제8조 제2항 제1호 또는 제2호에 해당하는 경우

③ **사업구역의 감소:** 허가권자는 배전사업자가 사업구역의 일부에서 허가받은 전기사업을 하지 아니하여 법 제6조(보편적 공급)를 위반한 사실이 인정되는 경우에는 그 사업구역의 일부를 감소시킬 수 있다(법 제12조 제4항).

④ **과징금의 부과:** 허가권자는 전기사업자가 ①의 ㉥부터 ㉪까지, ㉫부터 ⓣⓣ까지의 어느 하나에 해당하는 경우로서 그 사업정지가 전기사용자 등에게 심한 불편을 주거나 그 밖에 공공의 이익을 해칠 우려가 있는 경우에는 사업정지명령을 갈음하여 5천만원 이하의 과징금을 부과할 수 있으며, 허가권자는 과징금을 내야 할 자가 납부기한까지 이를 내지 아니하면 국세 체납처분의 예 또는 지방행정제재 · 부과금의 징수 등에 관한 법률에 따라 징수할 수 있다(법 제12조 제5항 · 제7항).

02 전기신사업의 등록

(1) 등록

전기신사업을 하려는 자는 전기신사업의 종류별로 산업통상자원부장관에게 등록하여야 하며, 장관은 다음의 어느 하나에 해당하는 경우를 제외하고는 등록을 해주어야 한다. 등록한 사항 중 상호, 대표자 등 대통령령으로 정하는 중요한 사항을 변경하려면 산업통상자원부장관에게 변경등록을 하여야 한다(법 제7조의2 제1항 · 제3항 · 제4항).

① 신청인이 (2)에 따른 결격사유에 해당하는 경우
② 대통령령으로 정하는 자본금 · 인력 · 시설 등을 갖추지 못한 경우

(2) 등록결격사유

다음의 어느 하나에 해당하는 자는 전기신사업의 등록을 할 수 없다(법 제8조 제2항).

① 전기사업 등록결격사유의 제1호부터 제4호까지의 어느 하나에 해당하는 자
② 법 제12조 제2항에 따라 전기신사업의 등록이 취소(이 조 제1항 제1호 또는 제2호의 사유에 해당하여 이 항 제1호 및 제12조 제2항 제3호에 따라 등록이 취소된 경우는 제외한다)된 후 2년이 지나지 아니한 자
③ 위 ① 또는 ②에 해당하는 자가 대표자인 법인

(3) 전기신사업의 등록취소 등

① **전기신사업자에 대한 행정처분**: 산업통상자원부장관은 전기신사업자가 다음의 어느 하나에 해당하는 경우에는 그 사업의 등록을 취소하거나 그 사업자에게 6개월 이내의 기간을 정하여 사업정지를 명할 수 있다. 다만, ㉠부터 ㉢까지의 어느 하나에 해당하는 경우에는 그 등록을 취소하여야 한다(법 제12조 제2항). 이 경우에는 청문을 하여야 한다(법 제13조).

㉠ 거짓이나 그 밖의 부정한 방법으로 등록 또는 변경등록을 한 경우
㉡ 등록기준에 부합하지 않게 된 경우. 다만, 소상공인기본법 제2조에 따른 소상공인 등이 일시적으로 등록기준에 부합하지 아니하는 등 대통령령으로 정하는 경우는 예외로 한다.
㉢ 결격사유에 해당하게 된 경우
㉣ 법 제14조를 위반하여 정당한 사유 없이 전기의 공급을 거부한 경우
㉤ 법 제23조 제1항에 따른 산업통상자원부장관의 명령을 위반한 경우
㉥ 사업정지기간에 전기신사업을 한 경우

② **처분의 유예**: 다음의 어느 하나에 해당하는 경우에는 그 사유가 발생한 날부터 6개월간은 ①을 적용하지 아니한다(법 제12조 제3항).

㉠ 법인이 법 제8조 제1항 제6호 또는 같은 조 제2항 제3호에 해당하게 된 경우
㉡ 원자력발전사업자가 제1항 제3호에 해당하게 된 경우
㉢ 전기사업자의 지위를 승계한 상속인이 법 제8조 제1항 제1호부터 제5호까지의 어느 하나에 해당하는 경우
㉣ 전기신사업자의 지위를 승계한 상속인이 법 제8조 제2항 제1호 또는 제2호에 해당하는 경우

③ **과징금의 부과:** 산업통상자원부장관은 전기신사업자가 ①의 ㉣부터 ㉥까지의 어느 하나에 해당하는 경우로서 그 사업정지가 전기사용자 등에게 심한 불편을 주거나 그 밖에 공공의 이익을 해칠 우려가 있는 경우에는 **사업정지명령을 갈음하여 5천만원 이하의 과징금을 부과할 수 있으며**, 산업통상자원부장관은 과징금을 내야 할 자가 납부기한까지 이를 내지 아니하면 국세 체납처분의 예 또는 지방행정제재 · 부과금의 징수 등에 관한 법률에 따라 징수할 수 있다(법 제12조 제5항 · 제7항).

03 전기사업의 양수 등

(1) 인가

다음의 어느 하나에 해당하는 자는 산업통상자원부령으로 정하는 바에 따라 허가권자의 인가를 받아야 한다(법 제10조 제1항).

① 전기사업의 전부 또는 일부를 양수하려는 자
② 전기사업자인 법인을 분할하거나 합병하려는 자
③ 전기사업자(발전설비의 규모가 2만킬로와트 미만인 발전사업자는 제외한다)의 경영권을 실질적으로 지배하려는 목적으로 주식을 취득하려는 자로서 대통령령으로 정하는 기준에 해당하는 자

(2) 인가절차

허가권자는 **(1)**에 따른 인가를 하려는 경우 다음의 사항을 심사하여야 하고, 전기위원회의 심의를 거쳐야 한다. 다만, 허가권자가 시 · 도지사인 경우에는 전기위원회의 심의를 거치지 아니한다(법 제10조 제2항). 인가를 하려는 경우 그 전기설비가 원자력발전소인 경우에는 원자력안전위원회와 협의하여야 한다(법 제10조 제4항).

① 법 제7조에 따른 허가기준에 적합할 것
② 양수 또는 분할 · 합병 등으로 인하여 전력수급에 지장을 주거나 전력의 품질이 낮아지는 등 공공의 이익을 현저하게 해칠 우려가 없을 것
③ 준비기간에 사업을 개시하였을 것(태양광 발전사업에 한정하되, 사업 영위가 곤란한 경우 등 대통령령으로 정하는 정당한 사유가 있는 경우는 그러하지 아니하다)

(3) 경매 등에 따른 시설인수의 신고 등

다음의 어느 하나에 해당하는 절차에 따라 전기사업자의 사업용 시설 전부를 인수(引受)한 자가 전기사업을 하려는 경우에는 산업통상자원부령으로 정하는 바에 따라 산업통상자원부장관에게 신고하여야 한다(법 제10조의2).

① 민사집행법에 따른 경매
② 채무자 회생 및 파산에 관한 법률에 따른 환가(換價)
③ 국세징수법, 관세법 또는 지방세징수법에 따른 압류재산의 매각
④ 그 밖에 ①부터 ③까지의 규정에 준하는 절차

(4) 전기사업의 승계

① 다음의 어느 하나에 해당하는 자는 전기사업자의 지위를 승계하는데(법 제11조 제1항), 이에 따른 승계인에 관하여는 결격사유를 준용한다(법 제11조 제3항).

㉠ 법인이 아닌 전기사업자가 사망한 경우에는 그 상속인
㉡ 인가를 받아 전기사업자의 사업을 양수한 자
㉢ 법인인 전기사업자가 인가를 받아 합병한 경우 합병 후 존속하는 법인이나 합병으로 설립되는 법인
㉣ 법인인 전기사업자가 인가를 받아 법인을 분할한 경우 그 분할에 의하여 설립되는 법인
㉤ 시설인수의 신고가 수리된 자. 이 경우 종전의 전기사업자에 대한 허가는 그 효력을 잃는다.

② **처분효과의 승계:** 전기사업자의 지위가 승계되면 종전의 전기사업자에 대한 사업정지처분(사업정지명령을 갈음하여 부과하는 과징금을 포함한다)의 효과는 그 지위를 승계받은 자에게 승계되며, 처분의 절차가 진행 중일 때에는 그 지위를 승계받은 자에 대하여 그 절차를 진행할 수 있다(법 제11조의2).

(5) 전기신사업의 승계

다음의 어느 하나에 해당하는 자는 전기신사업자의 지위를 승계하며, 전기신사업자의 지위를 승계한 자는 산업통상자원부령으로 정하는 바에 따라 승계한 날부터 30일 이내에 그 사실을 산업통상자원부장관에게 신고하여야 한다(법 제11조 제2항 · 제4항). 이에 따른 승계인에 관하여는 결격사유를 준용한다(법 제11조 제3항).

① 전기신사업자가 전기신사업을 전부 양도한 경우 그 양수인
② 법인이 아닌 전기신사업자가 사망한 경우 그 상속인
③ 법인인 전기신사업자가 다른 법인과 합병한 경우 합병 후 존속하는 법인이나 합병으로 설립되는 법인
④ 법인인 전기신사업자가 법인을 분할한 경우 분할에 의하여 설립되는 법인

제2항 업무

01 전기공급

(1) 공급의 의무

발전사업자, 전기판매사업자, 전기자동차충전사업자, 재생에너지전기공급사업자, 통합발전소사업자, 재생에너지전기저장판매사업자 및 송전제약발생지역전기공급사업자는 대통령령으로 정하는 정당한 사유 없이 전기의 공급을 거부하여서는 아니 된다(법 제14조, 영 제5조의5).

① 전기요금을 납기일까지 납부하지 아니한 전기사용자가 납기일의 다음 날부터 공급약관에서 정하는 기한까지 해당 요금을 납부하지 아니하는 경우
② 전기사용자가 다음의 약관이나 계약에서 정한 기한까지 전기요금을 지급하지 않은 경우
  ㉠ 전기신사업(소규모전력중개사업은 제외한다) 약관
  ㉡ 재생에너지전기공급사업자, 재생에너지전기저장판매사업자 및 송전제약발생지역전기공급사업자와 전기사용자간에 체결한 전기공급계약
  ㉢ 전기판매사업자와 전기사용자간에 체결한 전기공급계약
③ 전기의 공급을 요청하는 자가 불합리한 조건을 제시하거나 전기판매사업자, 전기자동차충전사업자, 재생에너지전기공급사업자, 재생에너지전기저장판매사업자 및 송전제약발생지역전기공급사업자의 정당한 조건에 따르지 않고 다른 방법으로 전기의 공급을 요청하는 경우
④ 발전사업자(한국전력거래소가 전력계통의 운영을 위하여 전기공급을 지시한 발전사업자는 제외한다)가 환경을 적정하게 관리 · 보존하는 데 필요한 조치로서 전기공급을 정지하는 경우
⑤ 전기사용자가 전기의 품질에 적합하지 아니한 전기의 공급을 요청하는 경우
⑥ 발전용 전기설비의 정기적인 보수기간 중 전기의 공급을 요청하는 경우(발전사업자만 해당한다)
⑦ 전기설비의 정기적인 점검 및 보수 등 ②의 각 내용의 약관이나 계약에서 정한 정당한 전기공급 중단 또는 정지사유가 발생하는 경우
⑧ 전기를 대량으로 사용하려는 자가 다음에서 정하는 시기까지 전기판매사업자에게 미리 전기의 공급을 요청하지 아니하는 경우
  ㉠ 사용량이 5천킬로와트(일반업무시설인 경우에는 2천킬로와트) 이상 1만킬로와트 미만인 경우: 사용예정일 1년 전
  ㉡ 사용량이 1만킬로와트 이상 10만킬로와트 미만인 경우: 사용예정일 2년 전
  ㉢ 사용량이 10만킬로와트 이상 30만킬로와트 미만인 경우: 사용예정일 3년 전
  ㉣ 사용량이 30만킬로와트 이상인 경우: 사용예정일 4년 전
⑨ 위 ⑧에 따라 전기를 대량으로 사용하려는 자에 대한 전기의 공급으로 전기판매사업자가 다음의 기준을 유지하기 어려운 경우
  ㉠ 전기의 품질 유지 기준
  ㉡ 전력계통의 신뢰도 유지 기준
⑩ 일반용 전기설비의 사용전점검을 받지 아니하고 전기공급을 요청하는 경우

⑪ 시장 · 군수 · 구청장 또는 그 밖의 행정기관의 장이 전기공급의 정지를 요청하는 경우
⑫ 재난이나 그 밖의 비상사태로 인하여 전기공급이 불가능한 경우

(2) 전기판매사업자 또는 구역전기사업자는 정당한 사유 없이 전기자동차충전사업자와의 전력거래를 거부해서는 아니 된다(법 제16조의4).

(3) 재생에너지전기공급사업자 등의 전기공급

① 재생에너지전기공급사업자 및 재생에너지전기저장판매사업자는 재생에너지를 이용하여 생산한 전기를 전력시장을 거치지 아니하고 전기사용자에게 공급할 수 있다(법 제16조의5 제1항).

② 송전제약발생지역전기공급사업자는 다음의 요건을 갖춘 경우에 생산한 전기를 전력시장을 거치지 아니하고 전기사용자에게 공급할 수 있다(법 제16조의5 제2항).

㉠ 송전제약으로 발전설비의 최적 활용이 곤란한 지역에 위치한 발전설비를 이용하여 생산한 전기를 공급할 것

㉡ 전기사용자의 수전설비가 발전설비 인접지역에 위치하고 신규 시설일 것

③ 전기자동차충전사업자는 재생에너지를 이용하여 생산한 전기이면서 송전용 또는 배전용 전기설비 없이 공급할 수 있는 전기인 경우에 전력시장을 거치지 아니하고 전기자동차에 공급할 수 있다(법 제16조의5 제3항, 영 제7조의3).

④ 위 ①과 ②에 따라 재생에너지전기공급사업자, 재생에너지전기저장판매사업자 및 송전제약발생지역전기공급사업자가 전기사용자에게 전기를 공급하는 경우 요금과 그 밖의 공급조건 등을 개별적으로 협의하여 계약할 수 있다(법 제16조의5 제4항).

⑤ 위 ①②③에 따라 공급되는 전기는 신에너지 및 재생에너지 개발 · 이용 · 보급 촉진법 제12조의7 제1항에 따른 신 · 재생에너지 공급인증서의 발급대상이 되지 아니한다(법 제16조의5 제5항).

02 전기설비의 이용요금과 조건

(1) 송전사업자 또는 배전사업자는 대통령령으로 정하는 바에 따라 전기설비의 이용요금과 그 밖의 이용조건에 관한 사항을 정하여 산업통상자원부장관의 인가를 받아야 한다. 이를 변경하려는 경우에도 또한 같다(법 제15조 제1항). 산업통상자원부장관은 인가를 하려는 경우에는 전기위원회의 심의를 거쳐야 한다(법 제15조 제2항).

(2) 송전사업자 또는 배전사업자는 그 전기설비를 다른 전기사업자가 이용할 수 있도록 산업통상자원부령으로 정하는 바에 따라 전기설비용량 및 전기사업자의 이용현황 등 전기설비의 정보를 공개하여야 한다(법 제20조의2).

03 전기의 공급약관

(1) 기본공급약관

전기판매사업자는 전기요금과 그 밖의 공급조건에 관한 약관(이하 '기본공급약관'이라 한다)을 작성하여 산업통상자원부장관의 인가를 받아야 한다. 이를 변경하려는 경우에도 또한 같다(법 제16조 제1항). 산업통상자원부장관은 이에 따른 인가를 하려는 경우에는 전기위원회의 심의를 거쳐야 한다(법 제16조 제2항).

기출예제

전기사업법 제16조 규정의 일부이다. (　　) 안에 들어갈 용어를 쓰시오. 제26회

> 제16조 【전기의 공급약관】 ① 전기판매사업자는 대통령령으로 정하는 바에 따라 전기요금과 그 밖의 공급조건에 관한 약관(이하 '기본공급약관'이라 한다)을 작성하여 산업통상자원부장관의 인가를 받아야 한다.
> ② 산업통상자원부장관은 제1항에 따른 인가를 하려는 경우에는 (　　)의 심의를 거쳐야 한다.
> ③~⑤ 〈생략〉

정답: 전기위원회

(2) 선택공급약관

전기판매사업자는 그 전기수요를 효율적으로 관리하기 위하여 필요한 범위에서 기본공급약관으로 정한 것과 다른 요금이나 그 밖의 공급조건을 내용으로 정하는 약관(이하 '선택공급약관'이라 한다)을 작성할 수 있으며, 전기사용자는 기본공급약관을 갈음하여 선택공급약관으로 정한 사항을 선택할 수 있다(법 제16조 제3항).

(3) 공급약관의 열람 등

전기판매사업자는 선택공급약관을 포함한 기본공급약관(이하 '공급약관'이라 한다)을 시행하기 전에 영업소 및 사업소 등에 이를 갖춰 두고 전기사용자가 열람할 수 있게 하여야 한다(법 제16조 제4항). 전기판매사업자는 공급약관에 따라 전기를 공급하여야 한다(법 제16조 제5항).

04 구역전기사업자와 전기판매사업자의 전력거래 등

(1) 거래

구역전기사업자는 사고나 그 밖에 다음의 어느 하나에 해당하는 사유로 전력이 부족하거나 남는 경우에는 부족한 전력 또는 남는 전력을 전기판매사업자와 거래할 수 있다(법 제16조의3 제1항, 규칙 제17조의3). 전기판매사업자는 정당한 사유 없이 이의 거래를 거부하여서는 아니 된다(법 제16조의3 제2항).

> ① 생산한 전력으로 특정한 공급구역의 수요에 미치지 못하거나 남는 경우
> ② 발전기의 정기점검 및 보수
> ③ 허가(법 제7조 제1항)를 받은 후 택지개발사업의 일정변경 등 예상하지 못한 사유로 준비기간(법 제9조)에 허가받은 특정한 공급구역에서 전력수요가 발생하여 전력을 공급하는 것이 필요하다고 산업통상자원부장관이 인정한 경우

(2) 보완공급약관

전기판매사업자는 (1)의 거래에 따른 전기요금과 그 밖의 거래조건에 관한 사항을 내용으로 하는 약관(이하 '보완공급약관'이라 한다)을 작성하여 산업통상자원부장관의 인가를 받아야 한다. 이를 변경하는 경우에도 또한 같다(법 제16조의2 제3항). 산업통상자원부장관은 이에 따른 인가를 하려는 경우에는 전기위원회의 심의를 거쳐야 한다(법 제16조의3 제4항, 제16조 제2항).

05 산지에 설치되는 재생에너지 설비의 전력거래

(1) 중간복구명령

산지관리법에 따른 산지에 신에너지 및 재생에너지 개발 · 이용 · 보급 촉진법 제2조 제2호 가목 및 나목에 해당하는 재생에너지 설비를 설치하여 전력거래를 하려는 발전사업자는 산지관리법 제39조 제2항에 따른 중간복구명령(이에 따른 복구준공검사를 포함한다)이 있는 경우 이를 전력거래 전에 완료하여야 한다(법 제31조의2 제1항).

(2) 사업정지명령

산업통상자원부장관은 (1)의 발전사업자가 중간복구를 완료하지 아니하고 전력거래를 한 경우로서 산지관리법 제41조의2 제2항에 따라 산림청장 등이 사업정지를 요청하는 경우에는 중간복구준공이 완료될 때까지 사업정지를 명할 수 있다(법 제31조의2 제2항).

(3) 사업정지명령의 유예

위 (2)에도 불구하고 산업통상자원부장관은 계절적 요인으로 복구준공이 불가피하게 지

연되거나 부분 복구준공이 가능한 경우 등 대통령령으로 정하는 사유가 있는 때에는 6개월의 범위에서 사업정지명령을 유예할 수 있으며, 기타 사업정지명령의 방법 · 절차 및 해제에 필요한 사항은 대통령령으로 정한다(법 제31조의2 제3항 · 제4항).

06 재생에너지전기공급사업자 등의 전기공급

(1) 재생에너지전기공급사업자의 전기공급

① 재생에너지전기공급사업자는 재생에너지를 이용하여 생산한 전기를 전력시장을 거치지 아니하고 전기사용자에게 공급할 수 있다(법 제16조의5 제1항).

② 재생에너지전기공급사업자는 재생에너지를 이용하여 생산한 전기를 공급하는 경우에는 시간대별로 전력거래량을 측정할 수 있는 전력량계를 통하여 그 공급량을 확인해야 한다(규칙 제17조의4 제1항).

③ 재생에너지전기공급사업자, 한국전력거래소 및 전기판매사업자는 안정적인 전기공급을 위하여 다음의 정보를 서로 제공해야 한다(규칙 제17조의4 제2항).

> ㉠ 시간대별 발전량
> ㉡ 전기사용자의 시간대별 전기사용량
> ㉢ 그 밖에 안정적인 전기공급을 위하여 산업통상자원부장관이 필요하다고 인정하는 사항

(2) 재생에너지전기저장판매사업자의 전기공급

① 재생에너지전기저장판매사업자는 재생에너지를 이용하여 생산한 전기를 전력시장을 거치지 아니하고 전기사용자에게 공급할 수 있다(법 제16조의5 제1항).

② 재생에너지전기저장판매사업자는 재생에너지를 이용하여 생산된 전기를 전기저장장치에 충전한 후 전기사용자에게 공급하는 경우에는 시간대별로 전력거래량을 측정할 수 있는 전력량계를 통하여 그 공급량을 확인해야 한다(규칙 제17조의5 제1항).

③ 재생에너지발전사업자, 재생에너지전기저장판매사업자, 한국전력거래소 및 전기판매사업자는 안정적인 전기공급을 위하여 다음의 정보를 서로 제공해야 한다(규칙 제17조의5 제2항).

> ㉠ 재생에너지발전사업자의 시간대별 발전량
> ㉡ 재생에너지전기저장판매사업자의 시간대별 충전 · 방전량
> ㉢ 전기사용자의 시간대별 전기사용량
> ㉣ 그 밖에 안정적인 전기공급을 위하여 산업통상자원부장관이 필요하다고 인정하는 사항

(3) 송전제약발생지역전기공급사업자의 전기공급

송전제약발생지역전기공급사업자는 다음의 요건을 갖춘 경우에 생산한 전기를 전력시장을 거치지 아니하고 전기사용자에게 공급할 수 있다. 이 경우 송전제약발생지역전기공급사업자의 전기공급에 관한 세부사항은 산업통상자원부장관이 정하여 고시한다(법 제16조의5 제2항).

> ① 송전제약으로 발전설비의 최적 활용이 곤란한 지역에 위치한 발전설비를 이용하여 생산한 전기를 공급할 것
> ② 전기사용자의 수전설비가 발전설비 인접지역에 위치하고 신규 시설일 것

(4) 전기자동차충전사업자의 전기공급

① 전기자동차충전사업자는 대통령령으로 정하는 범위에서 재생에너지를 이용하여 생산한 전기를 전력시장을 거치지 아니하고 전기자동차에 공급할 수 있다(법 제16조의5 제3항).

② 전기자동차충전사업자는 재생에너지를 이용하여 생산한 전기를 전기자동차에 공급하는 경우에는 시간대별로 전력거래량을 측정할 수 있는 전력량계를 통하여 그 공급량을 확인해야 한다(규칙 제17조의7 제1항).

③ 재생에너지발전사업자, 전기자동차충전사업자, 한국전력거래소 및 전기판매사업자는 안정적인 전기공급을 위하여 다음의 정보를 서로 제공해야 한다(규칙 제17조의7 제2항).

> ㉠ 재생에너지발전사업자의 시간대별 발전량
> ㉡ 전기자동차충전사업자의 시간대별 충전 · 방전량
> ㉢ 그 밖에 안정적인 전기공급을 위하여 산업통상자원부장관이 필요하다고 인정하는 사항

(5) 전기자동차충전사업자의 전기공급

① 이에 따라 재생에너지전기공급사업자, 재생에너지전기저장판매사업자 및 송전제약발생지역전기공급사업자가 전기사용자에게 전기를 공급하는 경우 요금과 그 밖의 공급조건 등을 개별적으로 협의하여 계약할 수 있다(법 제16조의5 제4항).

② 위에 따라 공급되는 전기는 신에너지 및 재생에너지 개발 · 이용 · 보급 촉진법 제12조의7 제1항에 따른 신 · 재생에너지 공급인증서의 발급대상이 되지 아니한다(법 제16조의5 제5항).

07 전기신사업 약관의 신고 등

(1) 약관신고

전기신사업자는 대통령령으로 정하는 바에 따라 요금과 그 밖의 이용조건에 관한 다음의 요건을 모두 갖춘 약관을 작성하여 산업통상자원부장관에게 신고할 수 있다. 이를 변경한 경우에도 또한 같으며, 전기신사업자는 약관의 신고 또는 변경신고를 한 경우에는 신고 또는 변경신고한 약관을 사용하여야 한다(법 제16조의2 제1항 · 제2항 · 제3항).

① 요금 또는 가격의 단가를 명확하게 규정하고 있을 것
② 다음의 자(이하 '수요자'라 한다)의 권리와 책임 및 비용부담 등에 관한 사항을 적정하고 명확하게 규정하고 있을 것
  ㉠ 전기자동차충전사업자로부터 전기를 공급받는 자
  ㉡ 소규모전력중개사업자가 모집한 소규모전력자원의 소유자
  ㉢ 재생에너지전기공급사업자로부터 전기를 공급받는 전기사용자
  ㉣ 통합발전소사업자가 연결 · 제어하는 에너지자원의 소유자
  ㉤ 송전제약발생지역전기공급사업자로부터 전기를 공급받는 전기사용자
③ 특정인에 대하여 부당한 차별적 대우를 하는 것이 아닐 것
④ 요금 및 이용조건이 사회적 · 경제적으로 부적절하거나, 수요자의 공정한 이익을 해할 우려가 없을 것
⑤ 수요자의 전기신사업자 선택권을 제한하는 등 다른 전기신사업자의 업무를 방해하지 아니할 것
⑥ 그 밖에 수요자의 이익을 해치거나 공정한 경쟁을 제한하는 내용으로 산업통상자원부령으로 정하는 사항에 위반하지 아니할 것

(2) 약관의 세부기준

산업통상자원부장관은 (1)에 따른 약관의 요건에 관한 세부기준을 정하여 고시할 수 있다(법 제16조의2 제4항).

(3) 신고의 수리 등

산업통상자원부장관은 (1)에 따른 신고 또는 변경신고를 받은 날부터 7일 이내에 수리(受理) 여부 또는 수리 지연사유 및 민원처리 관련 법령에 따른 처리기간의 연장을 통지하여야 한다. 이 경우 7일 이내에 수리 여부 또는 수리 지연사유 및 처리기간의 연장을 통지하지 아니하면 7일(민원처리 관련 법령에 따라 처리기간이 연장 또는 재연장된 경우에는 해당 처리기간을 말한다)이 지난 날의 다음 날에 신고 또는 변경신고가 수리된 것으로 본다(법 제16조의2 제5항).

(4) 표준약관

산업통상자원부장관은 전기신사업의 공정한 거래질서를 확립하기 위하여 공정거래위원회 위원장과 협의를 거쳐 표준약관을 제정 또는 개정할 수 있으며, (1)에 따라 약관의 신

고 또는 변경신고를 하지 아니한 전기신사업자는 표준약관을 사용하여야 한다(법 제16조의2 제6항 · 제7항).

08 전기요금의 청구

전기판매사업자는 전기사용자에게 청구하는 전기요금청구서에 산업통상자원부령으로 정하는 방법에 따라 요금명세를 항목별로 구분하여 명시하여야 한다(법 제17조).

09 전기품질의 유지

(1) 유지의무

전기사업자 등은 그가 공급하는 전기가 표준전압 · 표준주파수 및 허용오차의 범위에서 유지되도록 하여야 한다(법 제18조 제1항, 규칙 제18조 제1항). 산업통상자원부장관은 전기사업자 등이 공급하는 전기의 품질이 이에 적합하게 유지되지 아니하여 전기사용자의 이익을 해친다고 인정하는 경우에는 전기위원회의 심의를 거쳐 그 전기사업자 등에게 전기설비의 수리 또는 개조, 전기설비의 운용방법의 개선, 그 밖에 필요한 조치를 할 것을 명할 수 있다(법 제18조 제3항).

(2) 정기적 측정

전기사업자 및 한국전력거래소는 다음의 사항을 매년 1회 이상 측정하여야 하며, 측정 결과를 3년간 보존하여야 한다(법 제18조 제2항, 규칙 제19조).

① 발전사업자 및 송전사업자의 경우에는 전압 및 주파수
② 배전사업자 및 전기판매사업자의 경우에는 전압
③ 한국전력거래소의 경우에는 주파수

10 전력량계의 설치 · 관리

다음의 자는 시간대별로 전력거래량을 측정할 수 있는 전력량계를 설치 · 관리하여야 한다(법 제19조 제1항).

① 발전사업자(대통령령으로 정하는 발전사업자는 제외한다)
② 자가용 전기설비를 설치한 자(법 제31조 제2항 단서)
③ 구역전기사업자(법 제31조 제3항)
④ 배전사업자
⑤ 전력을 직접 구매하는 전기사용자(법 제32조 단서)

11 전기설비의 이용제공

(1) 송전사업자 또는 배전사업자는 그 전기설비를 다른 전기사업자 등 또는 전력을 직접 구매하는 전기사용자에게 차별 없이 이용할 수 있도록 하여야 한다(법 제20조 제1항).

(2) 전기사업자는 지능정보화 기본법에 따른 전기통신선로설비(이하 '전기통신선로설비'라 한다)의 설치를 필요로 하는 자에게 전기설비를 대여할 수 있다(법 제20조 제2항).

(3) 전기사업자는 지능정보화 기본법 제37조 제4항에 따른 협의가 성립된 경우에는 그 협의 결과에 따라 같은 조 제3항에 따른 조정을 요청한 자에게 전기설비를 대여하여야 한다(법 제20조 제3항).

(4) 전기설비를 대여받아 전기통신선로설비를 설치하는 자는 전기설비의 안전관리에 관한 기술기준을 준수하여야 한다(법 제20조 제4항).

(5) 송전사업자 또는 배전사업자는 그 전기설비를 다른 전기사업자가 이용할 수 있도록 산업통상자원부령으로 정하는 바에 따라 전기설비용량 및 전기사업자의 이용현황 등 전기설비의 정보를 공개하여야 한다(법 제20조의2).

12 전기사업자 등의 금지행위

(1) 금지행위

전기사업자 등은 전력시장에서의 공정한 경쟁을 해치거나 전기사용자의 이익을 해칠 우려가 있는 다음의 어느 하나의 행위를 하거나 제3자로 하여금 이를 하게 하여서는 아니 되며(법 제21조 제1항), 이에 따른 행위의 유형 및 기준은 대통령령으로 정한다(법 제21조 제2항).

① 전력거래가격(법 제33조)을 부당하게 높게 형성할 목적으로 발전소에서 생산되는 전기에 대한 거짓자료를 한국전력거래소에 제출하는 행위
② 송전용 또는 배전용 전기설비의 이용을 제공할 때 부당하게 차별을 하거나 이용을 제공하는 의무를 이행하지 아니하는 행위 또는 지연하는 행위
③ 송전용 또는 배전용 전기설비의 이용을 제공함으로 인하여 알게 된 정보 등을 자신의 사적 이익을 위해 부당하게 사용하거나 이러한 정보 등을 이용하여 다른 전기사업자 등의 영업활동 또는 전기사용자의 이익을 부당하게 해치는 행위
④ 비용이나 수익을 부당하게 분류하여 전기요금이나 송전용 또는 배전용 전기설비의 이용요금을 부당하게 산정하는 행위
⑤ 전기사업자 등의 업무처리 지연 등 전기공급과정에서 전기사용자의 이익을 현저하게 해치는 행위
⑥ 전력계통의 운영에 관한 한국전력거래소의 지시를 정당한 사유 없이 이행하지 아니하는 행위

(2) 금지행위에 대한 조치

① 허가권자는 전기사업자 등이 금지행위를 한 것으로 인정하는 경우에는 전기위원회의 심의를 거쳐 전기사업자에게 다음의 어느 하나의 조치를 명하거나 금지행위에 관여한 임직원의 징계를 요구할 수 있다. 다만, 전기신사업자와 허가권자가 시 · 도지사인 전기사업자의 경우에는 전기위원회의 심의를 거치지 아니한다(법 제23조 제1항, 영 제11조).

> ㉠ 송전용 또는 배전용 전기설비의 이용 제공
> ㉡ 내부 규정 등의 변경
> ㉢ 정보의 공개
> ㉣ 금지행위의 중지
> ㉤ 금지행위를 하여 시정조치를 명령받은 사실에 대한 공표
> ㉥ 금지행위로 인한 위법사항의 원상회복을 위하여 필요한 조치로서 대통령령으로 정하는 사항

② 위 ①에 따라 허가권자의 명령을 받은 전기사업자 등은 허가권자가 정한 기간에 이를 이행하여야 한다. 다만, 허가권자는 천재지변이나 그 밖의 부득이한 사유로 전기사업자 등이 그 기간에 명령을 이행할 수 없다고 인정되는 경우에는 그 이행기간을 연장할 수 있다(법 제23조 제2항).

(3) 금지행위에 대한 과징금의 부과 · 징수

① **과징금의 부과:** 허가권자는 전기사업자 등이 (1)의 금지행위를 한 경우에는 전기위원회의 심의(전기신사업자와 허가권자가 시 · 도지사인 전기사업자의 경우는 제외한다)를 거쳐 대통령령으로 정하는 바에 따라 그 전기사업자 등의 매출액의 100분의 5의 범위에서 과징금을 부과 · 징수할 수 있다(법 제24조 제1항 본문, 영 제12조 제1항 본문).

● 매출액

매출액이란 해당 전기사업자의 금지행위와 관련된 전기사업에 대한 금지행위를 한 날이 속한 사업연도('해당 사업연도'라 한다)의 직전 3개 사업연도의 연평균 매출액을 말한다. 다만, 해당 사업연도 첫날 현재 사업을 시작한 후 3년이 되지 아니하는 경우에는 해당 사업연도의 직전 사업연도 말일까지의 매출액을 연평균 매출액으로 환산한 금액을 말하고, 해당 사업연도에 사업을 시작한 경우에는 사업개시일부터 금지행위를 한 날까지의 매출액을 연매출액으로 환산한 금액을 말한다.

② **부과기준의 예외:** 매출액이 없거나 매출액의 산정이 곤란한 경우로서 다음의 경우에는 10억원 이하의 과징금을 부과 · 징수할 수 있다(법 제24조 제1항 단서, 영 제12조 제2항).

㉠ 영업중단 등으로 인하여 영업실적이 없는 경우
㉡ 전기사업자가 매출액 산정자료의 제출을 거부하거나 거짓자료를 제출한 경우
㉢ 그 밖에 객관적인 매출액의 산정이 곤란한 경우

③ **과징금의 통지와 납부:** 통지를 받은 자는 통지를 받은 날부터 30일 이내에 과징금을 내야 한다. 다만, 천재지변이나 그 밖의 부득이한 사유로 그 기간에 과징금을 낼 수 없을 때에는 그 사유가 없어진 날부터 7일 이내에 내야 하며, 과징금은 분할하여 낼 수 없다(영 제14조).

제3항 사실조사 등

(1) 금지행위에 대한 조사

허가권자는 공공의 이익을 보호하기 위하여 필요하다고 인정되거나 전기사업자 등이 금지행위를 한 것으로 인정되는 경우에는 전기위원회 소속 공무원(허가권자가 시 · 도지사인 전기사업자의 경우에는 해당 시 · 도 소속 공무원을 말한다. 이하 같다)으로 하여금 이를 확인하기 위하여 필요한 조사를 하게 할 수 있다(법 제22조 제1항).

(2) 자료제출의 명령

허가권자는 조사를 위하여 필요한 경우에는 전기사업자 등에게 필요한 자료나 물건의 제출을 명할 수 있으며, 대통령령으로 정하는 바에 따라 전기위원회 소속 공무원으로 하여금 전기사업자 등의 사무소와 사업장 또는 전기사업자 등의 업무를 위탁받아 취급하는 자의 사업장에 출입하여 장부 · 서류나 그 밖의 자료 또는 물건을 조사하게 할 수 있으며(법 제22조 제2항), 이 경우 조사하려는 공무원은 조사할 때 해당 사무소 또는 사업장의 관계인을 참석시켜야 하고(영 제10조 제1항), 필요하다고 인정하는 때에는 관계 전문가를 참여시킬 수 있다. 이 경우 관계 전문가에게는 예산의 범위에서 수당과 여비, 그 밖에 필요한 비용을 지급할 수 있다(영 제10조 제2항).

(3) 조사대상자 통지

허가권자는 (2)에 따른 조사를 하는 경우에는 조사 7일 전까지 조사일시, 조사이유 및 조사내용 등을 포함한 조사계획을 조사대상자에게 알려야 한다. 다만, 긴급한 경우나 사전에 알리면 증거인멸 등으로 조사목적을 달성할 수 없다고 인정하는 경우에는 그러하지 아니하다(법 제22조 제3항).

제4항 구역전기사업자에 대한 준용

구역전기사업자에 관하여는 전기공급의 의무, 전기설비의 이용요금과 그 밖의 이용조건, 전기의 공급약관, 전기요금의 청구 및 전기설비의 이용제공을 준용한다(법 제24조의2).

제3절 전력수급의 안정

01 전력수급기본계획

(1) 수립

산업통상자원부장관은 전력수급의 안정을 위하여 다음의 사항이 포함된 전력수급기본계획(이하 '기본계획'이라 한다)을 2년 단위로 수립하고 공고하여야 한다. 기본계획을 변경하는 경우에도 또한 같다(법 제25조 제1항 · 제6항, 영 제15조 제1항).

① 전력수급의 기본방향에 관한 사항
② 전력수급의 장기전망에 관한 사항
③ 발전설비계획 및 주요 송전 · 변전설비계획에 관한 사항
④ 전력수요의 관리에 관한 사항
⑤ 직전 기본계획의 평가에 관한 사항
⑥ 분산형전원의 확대에 관한 사항
⑦ 그 밖에 전력수급에 관하여 필요하다고 인정하는 사항

(2) 수립절차

산업통상자원부장관은 기본계획을 수립하거나 변경하고자 하는 때에는 관계 중앙행정기관의 장과 협의하고 공청회를 거쳐 의견을 수렴한 후 전력정책심의회의 심의를 거쳐 이를 확정한다. 다만, 산업통상자원부장관이 책임질 수 없는 사유로 공청회가 정상적으로 진행되지 못하는 등 대통령령으로 정하는 사유가 있는 경우에는 공청회를 개최하지 아니할 수 있으며 이 경우 대통령령으로 정하는 바에 따라 공청회에 준하는 방법으로 의견을 들어야 한다(법 제25조 제2항).

02 전기설비의 시설계획 및 전기공급계획

전기사업자는 매년 12월 말까지 계획기간을 3년 이상으로 한 전기설비의 시설계획 및 전기공급계획을 작성하여 산업통상자원부장관에게 신고하여야 한다(법 제26조 전단, 영 제17조 제1항). 신고한 사항을 변경하는 경우에도 또한 같다(법 제26조 후단).

03 전기설비의 구비 및 유지 · 관리

송전사업자 · 배전사업자 및 구역전기사업자는 전기의 수요 · 공급의 변화에 따라 전기를 원활하게 송전 또는 배전할 수 있도록 산업통상자원부장관이 정하여 고시하는 기준에 적합한 설비를 갖추고 이를 유지 · 관리하여야 한다(법 제27조).

04 전력계통의 신뢰도 유지

(1) 산업통상자원부장관은 전력계통의 신뢰도 유지를 위한 기준을 정하여 고시하여야 하고, 한국전력거래소 및 전기사업자는 이 기준에 따라 전력계통의 신뢰도를 유지하여야 한다(법 제27조의2 제1항 · 제2항).

(2) 산업통상자원부장관은 대통령령으로 정하는 바에 따라 전력계통의 신뢰도 유지 여부에 관한 감시 · 평가 및 조사 등(이하 '전력계통 신뢰도 관리'라 한다)을 실시하고 그 결과를 공개하여야 하며, 전력계통 신뢰도 관리를 위하여 필요한 때에는 한국전력거래소 및 전기사업자에게 자료의 제출을 요구할 수 있다. 이 경우 자료 제출을 요구받은 자는 특별한 사유가 없으면 이에 따라야 하고, 산업통상자원부장관은 전력계통의 신뢰도가 (1)에서 정한 기준에 적합하게 유지되지 아니하여 전기사용자의 이익을 해친다고 인정하는 경우에는 전기위원회의 심의를 거쳐 한국전력거래소 및 전기사업자에게 필요한 조치를 할 것을 명할 수 있다(법 제27조의2 제3항 · 제4항 · 제5항).

05 원자력발전연료의 제조 · 공급계획

원자력발전연료를 원자력발전사업자에게 제조 · 공급하려는 자는 대통령령으로 정하는 바에 따라 장기적인 원자력발전연료의 제조 · 공급계획을 작성하여 산업통상자원부장관의 승인을 받아야 하며, 승인받은 사항을 변경하려는 경우에도 또한 같다(법 제28조).

06 전기의 수급조절명령

(1) 산업통상자원부장관은 천재지변, 전시 · 사변, 경제사정의 급격한 변동, 그 밖에 이에 준하는 사태가 발생하여 공공의 이익을 위하여 특히 필요하다고 인정하는 경우에는 전기사업자 또는 자가용 전기설비를 설치한 자에게 다음의 어느 하나에 해당하는 사항을 명할 수 있다(법 제29조 제1항).

> ① 특정한 전기판매사업자 또는 구역전기사업자에 대한 전기의 공급
> ② 특정한 전기사용자에 대한 전기의 공급
> ③ 특정한 전기판매사업자 · 구역전기사업자 또는 전기사용자에 대한 송전용 또는 배전용 전기설비의 이용제공

(2) 명령이 있는 경우 당사자간에 지급 또는 수령할 금액과 그 밖에 필요한 사항에 관하여는 당사자간의 협의에 따른다(법 제29조 제2항).

(3) 산업통상자원부장관은 해당 명령에 따라 전기사업자 또는 자가용 전기설비를 설치한 자가 손실을 입은 경우에는 정당한 보상을 하여야 한다(법 제30조).

제4절 전력시장 및 전력계통

제1항 전력시장

01 전력거래

(1) 전력시장에의 참여자격

한국전력거래소의 회원이 아닌 자는 전력시장에서 전력거래를 하지 못한다(법 제44조).

(2) 발전사업자 및 전기판매사업자의 전력거래

발전사업자 및 전기판매사업자는 전력시장운영규칙으로 정하는 바에 따라 전력시장에서 전력거래를 하여야 한다. 다만, 도서지역 등 다음의 경우에는 그러하지 아니하다(법 제31조 제1항, 영 제19조 제1항).

> ① 한국전력거래소가 운영하는 전력계통에 연결되어 있지 아니한 도서지역에서 전력을 거래하는 경우
> ② 신에너지 및 재생에너지 개발 · 이용 · 보급 촉진법에 따른 신 · 재생에너지발전사업자가 1천킬로와트 이하의 발전설비용량을 이용하여 생산한 전력을 거래하는 경우
> ③ 산업통상자원부장관이 정하여 고시하는 요건을 갖춘 신 · 재생에너지발전사업자(자가용 전기설비를 설치한 자는 제외한다)가 발전설비용량(둘 이상의 신 · 재생에너지발전사업자가 공동으로 공급하는 경우에는 그 발전설비용량을 합산한다)이 1천킬로와트를 초과하는 발전설비를 이용하여 생산한 전력을 전기판매사업자에게 공급하고, 전기판매사업자가 그 전력을 산업통상자원부장관이 정하여 고시하는 요건을 갖춘 전기사용자에게 공급하는 방법으로 전력을 거래하는 경우
> ④ 산업통상자원부장관이 정하여 고시하는 요건을 갖춘 신 · 재생에너지발전사업자가 발전설비용량이 1천킬로와트를 초과하는 발전설비를 이용하여 생산한 전력을 재생에너지전기공급사업자에게 공급하는 경우
> ⑤ 수소경제 육성 및 수소 안전관리에 관한 법률에 따른 수소발전사업자가 생산한 전력을 수소발전 입찰시장에서 거래하는 경우
> ⑥ 산업통상자원부장관이 정하여 고시하는 요건을 갖춘 재생에너지발전사업자(신 · 재생에너지발전사업자 중 재생에너지를 이용하여 발전사업을 하는 자를 말한다. 이하 같다)가 발전설비용량이 1천킬로와트(송전용 또는 배전용 전기설비 없이 공급하는 경우에는 500킬로와트)를 초과하는 발전설비를 이용하여 생산한 전력을 재생에너지전기저장판매사업자에게 공급하는 경우
> ⑦ 산업통상자원부장관이 정하여 고시하는 요건을 갖춘 재생에너지발전사업자가 발전설비를 이용하여 생산한 전력을 전기자동차충전사업자에게 공급하는 경우

(3) 자가용 전기설비의 전력거래

자가용 전기설비를 설치한 자는 그가 생산한 전력을 전력시장에서 거래할 수 없다. 다만, 다음의 어느 하나에 해당하는 경우에는 그러하지 아니하다(법 제31조 제2항, 영 제19조 제2항).

> ① 태양광 설비를 설치한 자가 해당 설비를 통하여 생산한 전력 중 자기가 사용하고 남은 전력을 거래하는 경우
> ② 태양광 설비 외의 설비를 설치한 자가 해당 설비를 통하여 생산한 전력의 연간 총생산량의 50퍼센트 미만의 범위에서 전력을 거래하는 경우

(4) 구역전기사업자의 전력거래

구역전기사업자는 다음에 해당하는 경우에는 특정한 공급구역의 수요에 부족하거나 남는 전력을 전력시장에서 거래할 수 있다(법 제31조 제3항, 영 제19조 제4항).

> ① 허가받은 공급능력으로 해당 특정한 공급구역의 수요에 부족하거나 남는 전력
> ② 발전기의 고장, 정기점검 및 보수 등으로 인하여 해당 특정한 공급구역의 수요에 부족한 전력
> ③ 영 제59조의2 제1호에 해당하는 자가 산업통상자원부령으로 정하는 기간 동안 해당 특정한 공급구역의 열 수요가 감소함에 따라 발전기 가동을 단축하는 경우 생산한 전력으로는 해당 특정한 공급구역의 수요에 부족한 전력

(5) 전기판매사업자의 전력우선구매

전기판매사업자는 다음의 어느 하나에 해당하는 자가 생산한 전력을 전력시장운영규칙으로 정하는 바에 따라 우선적으로 구매할 수 있다(법 제31조 제4항, 영 제19조 제5항).

> ① 설비용량이 2만킬로와트 이하인 발전사업자
> ② 자가용 전기설비를 설치한 자((3)의 단서에 따라 전력거래를 하는 경우만 해당한다)
> ③ 신에너지 및 재생에너지 개발 · 이용 · 보급 촉진법에 따른 신 · 재생에너지를 이용하여 전기를 생산하는 발전사업자
> ④ 집단에너지사업법에 따라 발전사업의 허가를 받은 것으로 보는 집단에너지사업자
> ⑤ 수력발전소를 운영하는 발전사업자

기출예제

전기사업법령상 전력거래에 관한 설명으로 옳은 것은? 제26회

① 발전사업자 및 전기판매사업자는 한국전력거래소가 운영하는 전력계통에 연결되어 있지 아니한 도서지역에서 전력을 거래하는 경우 전력시장에서 전력거래를 하여야 한다.
② 태양광 설비를 설치한 자가 해당 설비를 통하여 생산한 전력 중 자기가 사용하고 남은 전력을 거래하는 경우에는 전력시장에서 거래할 수 없다.
③ 전기판매사업자는 설비용량이 3만킬로와트인 발전사업자가 생산한 전력을 전력시장운영규칙으로 정하는 바에 따라 우선적으로 구매할 수 있다.
④ 구역전기사업자는 발전기의 고장, 정기점검 및 보수 등으로 인하여 해당 특정한 공급구역의 수요에 부족한 전력을 전력시장에서 거래할 수 있다.
⑤ 소규모전력중개사업자는 모집한 소규모전력자원에서 생산 또는 저장한 전력을 전력시장에서 거래하지 아니할 수 있다.

해설

① 도서지역에서 전력거래하는 경우와 신·재생에너지발전사업자가 1천킬로와트 이하로 생산한 전력을 거래하는 경우에는 전력시장을 통한 거래의 예외사유이다.
② 태양광 설비의 생산전력 중 자기가 사용하고 남은 전력을 거래하는 경우와 태양광 설비 외 설비를 설치한 자가 연간 생산량의 50퍼센트 미만의 범위에서 전력을 거래하는 경우에는 전력시장을 통하여 거래할 수 있다.
③ 설비용량이 2만킬로와트 이하인 발전사업자이다.
⑤ 소규모전력중개사업자는 모집한 소규모전력자원에서 생산 또는 저장한 전력을 전력시장운영규칙으로 정하는 바에 따라 전력시장에서 거래하여야 한다.

정답: ④

(6) 수요관리사업자의 전력거래

지능형전력망의 구축 및 이용촉진에 관한 법률에 따라 지능형전력망 서비스 제공사업자로 등록한 자 중 대통령령으로 정하는 자(이하 '수요관리사업자'라 한다)는 전력시장운영규칙으로 정하는 바에 따라 전력시장에서 전력거래를 할 수 있다. 다만, 수요관리사업자 중 독점규제 및 공정거래에 관한 법률의 상호출자제한 기업집단에 속하는 자가 전력거래를 하는 경우에는 대통령령으로 정하는 전력거래량의 비율에 관한 기준을 충족하여야 한다(법 제31조 제5항).

(7) 소규모전력중개사업자와 통합발전소사업자의 전력거래

소규모전력중개사업자는 모집한 소규모전력자원에서 생산 또는 저장한 전력을 전력시장운영규칙으로 정하는 바에 따라 전력시장에서 거래하여야 하며(법 제31조 제6항), 통합발전소사업자는 전력시장운영규칙에서 정하는 바에 따라 통합발전소에서 생산 또는 저장한 전력을 전력시장에서 거래할 수 있다(법 제31조 제7항).

(8) 전기사용자의 전력구매

전기사용자는 전력시장에서 전력을 직접 구매할 수 없다(법 제32조 본문). 다만, 수전설비(受電設備)의 용량이 3만킬로볼트암페어 이상인 전기사용자는 그러하지 아니하다(법 제32조 단서, 영 제20조).

(9) 전력의 거래가격

전력시장에서 이루어지는 전력의 거래가격(이하 '전력거래가격'이라 한다)은 시간대별로 전력의 수요와 공급에 따라 결정되는 가격으로 한다. 그러나 산업통상자원부장관은 전기사용자의 이익을 보호하기 위하여 필요한 경우에는 전력거래가격의 상한을 정하여 고시할 수 있다. 이 경우 산업통상자원부장관은 미리 전기위원회의 심의를 거쳐야 한다(법 제33조 제1항 · 제2항). 전력거래의 정산은 전력거래가격을 기초로 하며, 구체적인 정산방법은 전력시장운영규칙에 따른다(법 제33조 제3항).

(10) 차액계약

① **차액계약의 체결:** 발전사업자는 전력구매자(전기판매사업자, 전력을 구매하는 구역전기사업자 또는 전력을 직접 구매하는 전기사용자를 말한다)와 전력거래가격의 변동으로 인하여 발생하는 위험을 줄이기 위하여 일정한 기준가격을 설정하고 그 기준가격과 전력거래가격간의 차액 보전에 관한 계약(이하 '차액계약'이라 한다)을 체결할 수 있다(법 제34조 제1항).

② **차액계약으로 인한 출연금 감소에 대한 보전:** 전력수급의 안정을 도모하고 전기사용자의 이익을 보호하기 위하여 대통령령으로 정하는 기준에 해당하는 발전사업자와 전력구매자는 산업통상자원부장관이 정하여 고시하는 전력량에 대해서는 차액계약을 통하여서만 전력을 거래하여야 한다. 다만, 차액계약의 체결로 인하여 댐건설 · 관리 및 주변지역 지원 등에 관한 법률 제44조 제2항 제1호에 따른 출연금이 감소하는 경우 전력구매자는 대통령령으로 정하는 바에 따라 감소한 출연금을 보전하여야 한다(법 제34조 제2항).

③ **차액계약의 인가:** 위 ②에 따라 차액계약을 체결한 발전사업자와 전력구매자는 대통령령으로 정하는 바에 따라 차액계약의 내용에 대하여 공동으로 산업통상자원부장관의 인가를 받아야 하며, 산업통상자원부장관은 인가를 하려는 경우에는 전기위원회의 심의를 거쳐야 한다(법 제34조 제3항 · 제4항).

(11) 충전요금의 표시

① 전기자동차충전사업자는 충전요금을 표시하여야 하며, 산업통상자원부장관은 거래의 투명성을 높여 경쟁을 촉진하고 충전요금의 적정화를 위하여 영업비밀을 침해하지 아니하는 범위에서 전기자동차충전사업자의 충전요금을 공개할 수 있다(법 제96조의5).

② 전기자동차충전사업자는 ①에 따라 충전요금을 표시하는 경우에는 충전요금 정보를 소비자가 쉽게 알아볼 수 있도록 표시판을 설치하거나 인터넷 홈페이지 또는 이동통신 단말장치에서 사용되는 애플리케이션(Application)에 게시하는 방법 등으로 충전요금을 표시하여야 한다(영 제61조의4 제1항).

③ 전기자동차충전사업자는 ①에 따른 표시판을 추가로 설치하거나 충전요금표시와 관련된 도형 등을 따로 표시 또는 사용할 수 있다(영 제61조의4 제2항).

기출예제

전기사업법령상 전기자동차충전사업에 관한 설명으로 옳은 것은? 제27회

① 전기자동차충전사업을 하려는 자는 산업통상자원부장관의 허가를 받아야 한다.
② 전기자동차충전사업자는 충전요금을 표시하는 경우 이동통신단말장치에서 사용되는 애플리케이션에 게시하는 방법으로 할 수 있다.
③ 전기자동차충전사업자는 재생에너지를 이용하여 생산한 전기라도 전력시장을 거치지 아니하고는 전기자동차에 공급할 수 없다.
④ 전기자동차충전사업자는 전기요금과 그 밖의 공급조건에 관한 약관을 작성하여 산업통상자원부장관의 인가를 받아야 한다.
⑤ 전기자동차에 전기를 유상으로 공급하는 것을 주된 목적으로 하는 사업은 '전기판매사업'에 해당한다.

해설

① 전기신사업은 산업통상자원부장관에게 등록하여야 한다.
③ 전기자동차충전사업자는 대통령령으로 정하는 범위에서 재생에너지를 이용하여 생산한 전기를 전력시장을 거치지 아니하고 전기자동차에 공급할 수 있다.
④ 전기신사업자의 약관 등은 신고를 하여야 한다.
⑤ 전기판매사업에는 전기자동차충전사업, 재생에너지전기공급 · 저장판매사업은 해당하지 아니한다. 정답: ②

02 긴급사태에 대한 처분

(1) 산업통상자원부장관은 천재지변, 전시 · 사변, 경제사정의 급격한 변동, 그 밖에 이에 준하는 사태가 발생하여 전력시장에서 전력거래가 정상적으로 이루어질 수 없다고 인정하는 경우에는 전력시장에서의 전력거래의 정지 · 제한이나 그 밖에 필요한 조치를 할 수 있다(법 제46조 제1항).

(2) 산업통상자원부장관은 (1)에 따른 조치를 한 후 그 사유가 없어졌다고 인정되는 경우에는 지체 없이 해제하여야 한다(법 제46조 제2항).

제2항 전력계통

(1) 한국전력거래소는 전기사업자 및 수요관리사업자에게 전력계통의 운영을 위하여 필요한 지시를 할 수 있다. 이 경우 발전사업자 및 수요관리사업자에 대한 지시는 전력시장에서 결정된 우선순위에 따라 하여야 한다(법 제45조 제1항).

(2) 한국전력거래소는 (1)의 후단에도 불구하고 전력계통의 운영을 위하여 필요하다고 인정하면 우선순위와 다르게 지시를 할 수 있다. 이 경우 변경된 지시는 객관적으로 공정한 기준에 따라 결정되어야 한다(법 제45조 제2항).

(3) 산업통상자원부장관은 송전사업자 또는 배전사업자에 대하여 산업통상자원부령으로 정하는 바에 따라 전력계통의 운영에 관한 업무 중 일부를 수행하게 할 수 있다. 이 경우 업무의 범위 등에 관하여 필요한 사항은 산업통상자원부장관이 정하여 고시한다(법 제45조 제3항).

제3항 전력시장운영규칙과 중개시장운영규칙

01 전력시장운영규칙

(1) 한국전력거래소는 전력시장 및 전력계통의 운영에 관한 규칙(이하 '전력시장운영규칙'이라 한다)을 정하여야 한다(법 제43조 제1항).

(2) 한국전력거래소는 전력시장운영규칙을 제정·변경 또는 폐지하려는 경우에는 산업통상자원부장관의 승인을 받아야 한다(법 제43조 제2항). 산업통상자원부장관은 이에 따른 승인을 하려면 전기위원회의 심의를 거쳐야 한다(법 제43조 제3항).

(3) 전력시장운영규칙에 포함할 사항(법 제43조 제4항)

① 전력거래방법에 관한 사항
② 전력거래의 정산 · 결제에 관한 사항
③ 전력거래의 정보공개에 관한 사항
④ 전력계통의 운영절차와 방법에 관한 사항
⑤ 전력량계의 설치 및 계량 등에 관한 사항
⑥ 전력거래에 관한 분쟁조정에 관한 사항
⑦ 그 밖에 전력시장의 운영에 필요하다고 인정되는 사항

02 중개시장운영규칙

(1) 한국전력거래소는 소규모전력중개시장의 운영에 관한 규칙을 정하여야 한다(법 제43조의2 제1항).

(2) 한국전력거래소는 중개시장운영규칙을 제정 · 변경 또는 폐지하려는 경우에는 산업통상자원부장관의 승인을 받아야 한다(법 제43조의2 제2항). 산업통상자원부장관은 이에 따른 승인을 하려면 전기위원회의 심의를 거쳐야 한다(법 제43조의2 제3항).

(3) 중개시장운영규칙에 포함할 사항(법 제43조의2 제4항)

① 소규모전력자원의 모집에 관한 사항
② 소규모전력자원에서 생산 또는 저장된 전력의 거래에 따른 정산 · 결제에 관한 사항
③ 소규모전력자원 모집 · 관리의 정보공개에 관한 사항
④ 소규모전력자원 모집 · 관리 등의 분쟁조정에 관한 사항
⑤ 그 밖에 소규모전력중개시장의 운영에 필요하다고 인정되는 사항

제4항 한국전력거래소

(1) 설립

① 전력시장 및 전력계통의 운영을 위하여 한국전력거래소를 설립하고(법 제35조 제1항), 한국전력거래소는 법인으로 한다(법 제35조 제2항). 또한 한국전력거래소의 주된 사무소는 정관으로 정하며(법 제35조 제3항), 주된 사무소의 소재지에서 설립등기를 함으로써 성립한다(법 제35조 제4항).
② 한국전력거래소에 대하여 이 법 및 공공기관의 운영에 관한 법률에 규정된 것을 제외하고는 민법 중 사단법인에 관한 규정을 준용한다(법 제38조 전단).

(2) 회원

한국전력거래소의 회원은 다음의 자로 한다(법 제39조).

① 전력시장에서 전력거래를 하는 발전사업자
② 전기판매사업자
③ 전력시장에서 전력을 직접 구매하는 전기사용자
④ 전력시장에서 전력거래를 하는 자가용 전기설비를 설치한 자
⑤ 전력시장에서 전력거래를 하는 구역전기사업자
⑥ 전력시장에서 전력거래를 하지 아니하는 자 중 한국전력거래소의 정관으로 정하는 요건을 갖춘 자

⑦ 전력시장에서 전력거래를 하는 수요관리사업자
⑧ 전력시장에서 전력거래를 하는 소규모전력중개사업자
⑨ 전력시장에서 전력거래를 하는 통합발전소사업자

(3) 업무

한국전력거래소는 그 목적을 달성하기 위하여 다음의 업무를 수행한다(법 제36조 제1항).

① 전력시장 및 소규모전력중개시장의 개설 · 운영에 관한 업무
② 전력거래에 관한 업무
③ 회원의 자격심사에 관한 업무
④ 전력거래대금 및 전력거래에 따른 비용의 청구 · 정산 및 지불에 관한 업무
⑤ 전력거래량의 계량에 관한 업무
⑥ 전력시장운영규칙 및 제43조의2에 따른 중개시장운영규칙 등 관련 규칙의 제정 · 개정에 관한 업무
⑦ 전력계통의 운영에 관한 업무
⑧ 전기품질의 측정 · 기록 · 보존(법 제18조 제2항)에 관한 업무
⑨ 그 밖에 ①부터 ⑧까지의 업무에 딸린 업무

제5절 전력산업의 기반조성

01 전력산업기반조성계획

(1) 수립

산업통상자원부장관은 전력산업의 지속적인 발전과 전력수급의 안정을 위하여 전력산업의 기반조성을 위한 계획을 3년 단위로 수립 · 시행하여야 한다(법 제47조 제1항 · 제3항, 영 제23조 제1항).

(2) 절차

산업통상자원부장관은 전력산업기반조성계획을 수립하려는 경우에는 전력정책심의회의 심의를 거쳐야 한다. 이를 변경하려는 경우에도 또한 같다(법 제47조 제3항, 영 제23조 제2항).

(3) 시행계획의 수립

산업통상자원부장관은 전력산업기반조성계획을 효율적으로 추진하기 위하여 전력정책심의회의 심의를 거쳐 다음의 사항이 포함된 시행계획을 매년 수립하고 공고하여야 한다(법 제47조 제3항, 영 제24조 제1항 · 제2항).

① 전력산업기반조성사업의 시행에 관한 사항
② 필요한 자금 및 자금조달계획
③ 시행방법
④ 자금지원에 관한 사항
⑤ 그 밖에 시행계획의 추진에 필요한 사항

02 전력산업기반조성사업

산업통상자원부장관은 전기사업자, 한국전력거래소 및 대통령령으로 정하는 관계 기관 및 단체(영 제16조 각 호의 자)(이하 '주관기관'이라 한다)로 하여금 전력산업기반조성사업의 시행에 관한 사항을 실시하게 할 수 있으며(영 제25조 제1항), 산업통상자원부장관은 전력산업기반조성사업을 실시하려는 경우에는 주관기관의 장과 다음의 사항이 포함된 협약을 체결하여야 한다(영 제26조).

① 사업과제, 사업범위 및 사업 수행방법에 관한 사항
② 사업비의 지급에 관한 사항
③ 사업시행의 결과 보고 및 그 결과의 활용에 관한 사항
④ 협약의 변경 · 해약 및 위반에 관한 사항
⑤ 연구개발사업인 경우 기술료의 징수에 관한 사항
⑥ 그 밖에 산업통상자원부장관이 필요하다고 인정하는 사항

03 전력산업기반기금

(1) 기금의 설치

정부는 전력산업의 지속적인 발전과 전력산업의 기반조성에 필요한 재원을 확보하기 위하여 전력산업기반기금(이하 '기금'이라 한다)을 설치한다(법 제48조).

(2) 부담금

① **부담금의 징수**: 산업통상자원부장관은 기금이 사용되는 사업을 수행하기 위하여 전기사용자에 대하여 전기요금(전력을 직접 구매하는 전기사용자의 경우에는 구매가격에 송전용 또는 배전용 전기설비의 이용요금을 포함한 금액을 말한다)의 1천분의 65 이내의 범위에서 대통령령으로 정하는 바에 따라 부담금을 부과 · 징수할 수 있다(법 제51조 제1항). 여기서 대통령령으로 정하는 부담금은 전기요금의 1천분의 27에 해당하는 금액으로 한다(영 제36조).

② **부담금의 면제**: 산업통상자원부장관은 다음의 어느 하나에 해당하는 전기를 사용하는 자에게는 ①에도 불구하고 부담금을 부과 · 징수하지 아니할 수 있다(법 제51조 제2항).

> ㉠ 자가발전설비(신에너지 및 재생에너지 개발 · 이용 · 보급 촉진법에 따른 자가발전설비를 포함한다)에 의하여 생산된 전기
> ㉡ 전력시장에 판매할 전기를 생산할 목적으로 사용되는 양수발전사업용 전기
> ㉢ 구역전기사업자(이 법에 따라 구역전기사업자로 보는 집단에너지사업자를 포함한다)가 특정한 공급구역에서 공급하는 전기

③ **가산금의 징수**: 산업통상자원부장관은 부담금의 징수대상자가 납부기한까지 부담금을 내지 아니한 경우에는 그 납부기한 다음 날부터 납부한 날의 전날까지의 기간에 대하여 100분의 5를 초과하지 아니하는 범위에서 다음의 가산금을 징수한다(법 제51조 제3항, 영 제37조).

> ㉠ **연체기간(부담금의 납부기한 다음 날부터 납부일 전날까지의 기간을 말한다. 이하 같다)이 1개월 이하인 경우**: 부담금의 1천분의 15에 해당하는 금액을 연체일수에 따라 일할계산하여 산정한 금액
> ㉡ **연체기간이 1개월 초과 2개월 미만인 경우**: 처음 1개월에 대한 가산금(부담금의 1천분의 15에 해당하는 금액을 말한다)과 1개월을 초과하는 부분에 대한 가산금(부담금의 1천분의 10에 해당하는 금액을 연체일수에 따라 일할계산하여 산정한 금액을 말한다)을 합산한 금액
> ㉢ **연체기간이 2개월 이상인 경우**: 부담금의 1천분의 25에 해당하는 금액

④ **가산금의 납부 등**: 산업통상자원부장관은 징수한 부담금 및 가산금을 기금에 내야 하며, 부담금이 축소되도록 노력하고, 이에 필요한 조치를 마련하여야 한다(법 제51조 제5항 · 제6항).

(3) 기금의 재원

① 기금은 다음의 재원으로 조성한다(법 제50조 제1항, 영 제35조).

> ㉠ 법 제51조에 따른 부담금 및 가산금
> ㉡ 신에너지 및 재생에너지 개발 · 이용 · 보급촉진법 제12조의6 제1항에 따른 과징금
> ㉢ 기금을 운용하여 생긴 수익금
> ㉣ 영 제25조 제4항에 따른 기술료
> ㉤ 기금의 부담으로 차입하는 자금

② 산업통상자원부장관은 ①에 따라 조성된 재원 외에 기금의 부담으로 에너지 및 자원사업 특별회계 또는 다른 기금 등으로부터 자금을 차입할 수 있으며, 산업통상자원부장관은 자금을 차입하는 경우에는 미리 기획재정부장관과 협의하여야 한다(법 제50조 제2항 · 제3항).

(4) 기금의 운용 · 관리

① 기금은 산업통상자원부장관이 운용 · 관리한다(법 제52조 제1항).

② 산업통상자원부장관은 기금의 운용 · 관리에 관한 업무의 일부를 다음의 법인 또는 단체에 위탁할 수 있다(법 제52조 제2항, 영 제38조 제1항).

> ㉠ 기획관리평가전담기관
> ㉡ 전기사업자
> ㉢ 금융회사 등

04 전력정책심의회

(1) 전력수급 및 전력산업기반조성에 관한 중요사항을 심의하기 위하여 산업통상자원부에 전력정책심의회를 둔다(법 제47조의2 제1항).

(2) 전력정책심의회는 위원장 1명을 포함한 30명 이내의 위원으로 구성하며, 다음의 사항을 심의한다(법 제47조의2 제2항 · 제3항).

> ① 기본계획
> ② 전력산업기반조성계획
> ③ 전력산업기반조성계획의 시행계획
> ④ 그 밖에 전력산업의 발전에 중요한 사항으로서 산업통상자원부장관이 심의에 부치는 사항

제6절 전기위원회 및 분쟁의 재정

01 전기위원회

(1) 설치

전기사업 등의 공정한 경쟁환경조성 및 전기사용자의 권익보호에 관한 사항의 심의와 전기사업 등과 관련된 분쟁의 재정을 위하여 산업통상자원부에 전기위원회를 둔다(법 제53조 제1항).

(2) 구성

전기위원회는 위원장 1명을 포함한 9명 이내의 위원으로 구성한다(법 제53조 제2항).

(3) 기능

전기위원회는 전기사업의 허가 또는 변경허가에 관한 사항 등 법정사항을 심의하고 재정을 한다(법 제56조 제1항).

(4) 회의 및 운영

전기위원회의 의사는 재적위원 과반수의 찬성으로 의결하는데(법 제58조), 이 법에 규정된 것 외에 전기위원회의 조직 및 운영 등에 필요한 사항은 대통령령으로 정한다(법 제60조).

02 분쟁의 재정

(1) 재정의 신청

전기사업자 등 또는 전기사용자 등은 전기사업 등과 관련한 다음의 어느 하나의 사항에 관하여 당사자간에 협의가 이루어지지 아니하거나 협의를 할 수 없는 경우에는 전기위원회에 재정을 신청할 수 있다(법 제57조 제1항).

① 송전용 또는 배전용 전기설비 이용요금과 그 밖의 이용조건(법 제15조)에 관한 사항
② 공급약관에 관한 사항
③ 수급조절명령(법 제29조)에 따른 금액의 지급 또는 수령 등에 관한 당사자간의 협의에 관한 사항
④ 비용의 부담(법 제72조)에 관한 사항
⑤ 손실보상(법 제90조, 법 제90조의2)에 관한 사항
⑥ 그 밖에 전기사업 등과 관련한 분쟁이나 다른 법률에서 전기위원회의 재정사항으로 규정한 사항

(2) 재정을 위한 의견청취

전기위원회는 재정신청을 받은 경우에는 그 사실을 다른 당사자에게 통지하고 기간을 정하여 의견을 진술할 기회를 주어야 한다. 다만, 당사자가 정당한 사유 없이 이에 응하지 아니하는 경우에는 그러하지 아니하다(법 제57조 제2항).

(3) 재정의 방법

전기위원회는 재정신청에 대하여 재정을 한 경우에는 지체 없이 재정서의 정본을 당사자에게 송달하여야 한다(법 제57조 제3항).

(4) 재정의 효력

전기위원회가 재정을 한 경우 그 재정의 내용에 대하여 재정서의 정본(正本)이 당사자에게 송달된 날부터 60일 이내에 다른 당사자를 피고로 하는 소송이 제기되지 아니하거나 그 소송이 취하된 경우에는 당사자간에 그 재정의 내용과 동일한 합의가 성립된 것으로 본다(법 제57조 제4항).

제7절 전기설비의 안전관리

01 전기사업용 전기설비의 공사계획 등

(1) 공사계획의 인가

전기사업자는 전기사업용 전기설비의 설치공사 또는 변경공사로서 산업통상자원부령으로 정하는 공사를 하려는 경우에는 그 공사계획에 대하여 산업통상자원부장관의 인가를 받아야 한다. 인가받은 사항을 변경하려는 경우에도 또한 같다(법 제61조 제1항). 다만, 인가를 받은 사항 중 산업통상자원부령으로 정하는 경미한 사항을 변경하려는 경우에는 산업통상자원부장관에게 신고하여야 한다(법 제61조 제2항).

(2) 인가대상 공사 외의 공사의 착수신고

전기사업자는 인가를 받아야 하는 공사 외의 전기사업용전기설비의 설치공사 또는 변경공사로서 산업통상자원부령으로 정하는 공사를 하려는 경우에는 공사를 시작하기 전에 허가권자에게 신고하여야 한다. 신고한 사항을 변경하려는 경우에도 또한 같다(법 제61조 제3항).

(3) 부득이한 사유로 인한 공사개시의 신고

전기사업자는 전기설비가 사고 · 재해 또는 그 밖의 사유로 멸실 · 파손되거나 전시 · 사변 등 비상사태가 발생하여 부득이하게 공사를 한 자는 공사개시일부터 10일 이내에 부득이한 공사신고서를 산업통상자원부장관 또는 시 · 도지사(1만킬로와트 미만인 발전설비 또는 전압 20만볼트 미만인 송전 · 변전설비의 경우로 한정한다)에게 제출하여야 한다(법 제61조 제5항, 규칙 제30조 제1항).

02 전기사업용 설비의 검사

(1) 사용전검사

① **사용전검사의 신청:** 전기사업용 설비의 설치공사 또는 변경공사를 한 자는 산업통상자원부장관 또는 시 · 도지사가 실시하는 검사에 합격한 후에 이를 사용하여야 한다(법 제63조). 다만, 다음의 어느 하나에 해당하는 경우에는 그러하지 아니하다(규칙 제31조 제1항).

> ㉠ 전기설비를 시험하기 위하여 일시사용하는 경우
> ㉡ 전기설비의 일부가 완성된 경우에 다른 전기설비를 시험하기 위하여 그 완성된 부분을 일시사용할 필요가 있는 경우
> ㉢ 전기설비의 공사내용과 설치장소의 상황을 고려할 때 산업통상자원부장관이 안전상 지장이 없다고 인정하여 고시하는 경우

② **신청절차:** 사용전검사를 받으려는 자는 사용전검사신청서에 일정한 서류를 첨부하여 검사를 받으려는 날의 7일 전까지 한국전기안전공사(이하 '안전공사'라 한다)에 제출하여야 한다(규칙 제31조 제5항).

③ **검사결과:** 안전공사는 검사를 한 경우에는 검사완료일부터 5일 이내에 검사확인증을 검사신청인에게 내주어야 한다. 다만, 검사결과 불합격인 경우에는 그 내용 · 사유 및 재검사기한을 통지하여야 한다(규칙 제34조 제1항).

④ **재검사의 결과 등:** 안전공사는 검사시기에 검사를 받지 아니하고 전기설비를 사용하는 자와 재검사 결과가 기술기준에 부적합한 것으로 나온 경우에는 그 내용을 산업통상자원부장관 또는 시 · 도지사에게 보고하여야 한다(규칙 제34조 제2항).

(2) 임시사용

① **임시사용의 조건:** 산업통상자원부장관 또는 시 · 도지사는 검사에 불합격한 경우에도 안전상 지장이 없고 전기설비의 임시사용이 필요하다고 인정되는 경우에는 사용기간 및 방법을 정하여 그 설비를 임시로 사용하게 할 수 있다. 이 경우 허가권자는 그 사용기간 및 방법을 정하여 통지를 하여야 한다(법 제64조 제1항).

② 임시사용의 기간: 전기설비의 임시사용기간은 3개월 이내로 한다. 다만, 임시사용기간에 임시사용의 사유를 해소할 수 없는 특별한 사유가 있다고 인정되는 경우에는 전체 임시사용기간이 1년을 초과하지 아니하는 범위에서 임시사용기간을 연장할 수 있다(규칙 제31조의2 제2항).

(3) 송 · 배전사업자의 자체검사

송전사업자 및 배전사업자는 산업통상자원부령으로 정하는 바에 따라 송전사업자 · 배전사업자의 전기설비에 대하여 자체적으로 검사를 하여야 하고 산업통상자원부장관에게 검사결과를 보고하여야 한다(법 제65조의2).

03 기술기준

(1) 제정

① 산업통상자원부장관은 원활한 전기공급 및 전기설비의 안전관리를 위하여 필요한 기술기준(이하 '기술기준'이라 한다)을 정하여 고시하여야 한다. 이를 변경하는 경우에도 또한 같다(법 제67조 제1항).

② 산업통상자원부장관은 ①에 따라 기술기준을 변경하는 경우 기존의 전기설비에 대하여는 변경 전의 기술기준을 적용한다. 다만, 공공의 안전확보를 위하여 변경된 기술기준을 적용할 수 있다(법 제67조 제3항).

(2) 기술기준에의 적합

① 전기사업자는 전기설비를 기술기준에 적합하도록 유지하여야 한다(법 제68조).

② 허가권자는 법 제63조에 따른 검사의 결과 전기설비 또는 제20조 제4항에 따라 설치한 전기통신선로설비가 기술기준에 적합하지 아니하다고 인정되는 경우에는 해당 전기사업자 및 전기통신선로를 설치한 자에게 그 전기설비 또는 전기통신선로설비의 수리 · 개조 · 이전 또는 사용정지나 사용제한을 명할 수 있다(법 제71조).

04 전기설비의 유지

(1) 전기설비의 유지

전기사업자와 자가용 전기설비 또는 일반용 전기설비의 소유자나 점유자는 전기설비를 기술기준에 적합하도록 유지하여야 한다(법 제68조).

(2) 물밑선로의 보호(법 제69조)

① 전기사업자는 물밑에 설치한 전선로(이하 '물밑선로'라 한다)를 보호하기 위하여 필요한 경우에는 물밑선로보호구역의 지정을 산업통상자원부장관에게 신청할 수 있다.

② 산업통상자원부장관은 ①에 따른 신청이 있는 경우에는 물밑선로보호구역을 지정할 수 있다. 이 경우 양식산업발전법에 따른 양식업 면허를 받은 지역을 물밑선로보호구역으로 지정하려는 경우에는 그 양식업 면허를 받은 자의 동의를 받아야 한다.
③ 산업통상자원부장관은 물밑선로보호구역을 지정하려는 경우에는 미리 해양수산부장관과 협의하여야 한다.

(3) 물밑선로보호구역의 선로 손상행위 금지

누구든지 물밑선로보호구역에서는 다음의 행위를 하여서는 아니 된다. 다만, 산업통상자원부장관의 승인을 받은 경우에는 그러하지 아니하다(법 제70조, 영 제44조).

① 물밑선로를 손상시키는 행위
② 선박의 닻을 내리는 행위
③ 물밑에서 광물 · 수산물을 채취하는 행위
④ 안강망어업 · 저인망어업 또는 트롤어업행위
⑤ 연해 · 근해 준설(浚渫) 작업행위
⑥ 해저탐사를 위한 지형변경행위
⑦ 어초(魚礁) 설치행위

(4) 설비의 이설(법 제72조)

① 전기사업용 전기설비 또는 자가용 전기설비와 다른 자의 전기설비나 그 밖의 물건 또는 다른 사업간에 상호 장애가 발생하거나 발생할 우려가 있는 경우에는 후에 그 원인을 제공한 자가 그 장애를 제거하기 위하여 필요한 조치를 하거나 그 조치에 드는 비용을 부담하여야 한다.
② 전기사업용 전기설비가 다른 자가 설치하거나 설치하려는 지상물 또는 그 밖의 물건으로 인하여 기술기준에 적합하지 아니하게 되거나 아니하게 될 우려가 있는 경우 그 지상물 또는 그 밖의 물건을 설치하거나 설치하려는 자는 그 전기사업용 전기설비가 기술기준에 적합하도록 하기 위하여 필요한 조치를 하거나 전기사업자로 하여금 필요한 조치를 할 것을 요구할 수 있다.
③ 전기사업자는 ②에 따른 요구를 받은 경우 그 조치를 위한 이설부지 확보가 불가능하거나 기술기준에 적합하도록 할 수 없는 등 업무를 수행함에 있어서나 기술적으로 곤란한 경우로서 대통령령으로 정하는 경우를 제외하고는 필요한 조치를 하여야 한다.
④ 위 ②와 ③에 따른 조치에 필요한 비용은 지상물 또는 그 밖의 물건을 설치하거나 설치하려는 자가 부담하여야 한다. 다만, 다른 자의 토지의 지상 또는 지하공간에 전선로를 설치한 후 그 토지의 소유자 또는 점유자가 그 토지에 지상물 또는 그 밖의 물건을 설치하거나 설치하려는 경우에는 그 전선로의 이설계획 및 경과연도 등 대통령령으로 정하는 기준에 따라 이설비용을 감면할 수 있다.

(5) 가공전선로의 지중이설(법 제72조의2)

① 시장 · 군수 · 구청장 또는 토지소유자는 전주와 그 전주에 가공으로 설치된 전선로(법 제20조에 따라 전주에 설치된 전기통신선로설비를 포함한다)의 지중이설(이하 '지중이설'이라 한다)이 필요하다고 판단하는 경우 전기사업자에게 이를 요청할 수 있다.

② 위 ①에 따른 지중이설에 필요한 비용은 그 요청을 한 자가 부담한다. 다만, 시장 · 군수 · 구청장이 공익적인 목적을 위하여 지중이설을 요청하는 경우 전선로를 설치한 자는 산업통상자원부장관이 정하는 기준과 절차에 따라 그 비용의 일부를 부담할 수 있다.

③ 산업통상자원부장관은 ②에 따른 비용부담의 기준과 절차, 그 밖에 지중이설의 원활한 추진에 필요한 구체적인 사항을 정하여 고시할 수 있다.

제8절 보칙

01 타인의 토지 등의 사용

(1) 다른 자의 토지 등의 사용

① 전기사업자는 전기사업용 전기설비의 설치나 이를 위한 실지조사 · 측량 및 시공 또는 전기사업용 전기설비의 유지 · 보수를 위하여 필요한 경우에는 공익사업을 위한 토지 등의 취득 및 보상에 관한 법률에서 정하는 바에 따라 다른 자의 토지 또는 이에 정착된 건물이나 그 밖의 공작물(이하 '토지 등'이라 한다)을 사용하거나 다른 자의 식물 또는 그 밖의 장애물을 변경 또는 제거할 수 있다(법 제87조 제1항).

② 전기사업자는 다음의 어느 하나에 해당하는 경우에는 다른 자의 토지 등을 일시사용하거나 다른 자의 식물을 변경 또는 제거할 수 있다. 다만, 다른 자의 토지 등이 주거용으로 사용되고 있는 경우에는 그 사용일시 및 기간에 관하여 미리 거주자와 협의하여야 한다(법 제87조 제2항).

> ㉠ 천재지변, 전시 · 사변, 그 밖의 긴급한 사태로 전기사업용 전기설비 등이 파손되거나 파손될 우려가 있는 경우 15일 이내에서의 다른 자의 토지 등의 일시사용
> ㉡ 전기사업용 전선로에 장애가 되는 식물을 방치하여 그 전선로를 현저하게 파손하거나 화재 또는 그 밖의 재해를 일으키게 할 우려가 있다고 인정되는 경우 그 식물의 변경 또는 제거

③ 전기사업자는 ②에 따라 다른 자의 토지 등을 일시사용하거나 식물의 변경 또는 제거를 한 경우에는 즉시 그 점유자나 소유자에게 그 사실을 통지하여야 한다(법 제87조 제3항).

(2) 다른 자의 토지 등에의 출입

① 전기사업자는 전기설비의 설치 · 유지 및 안전관리를 위하여 필요한 경우에는 다른 자의 토지 등에 출입할 수 있다. 이 경우 전기사업자는 출입방법 및 출입기간 등에 대하여 미리 토지 등의 소유자 또는 점유자와 협의하여야 한다(법 제88조 제1항).

② 전기사업자는 ①에 따른 협의가 성립되지 아니하거나 협의를 할 수 없는 경우에는 시장 · 군수 또는 구청장의 허가를 받아 토지 등에 출입할 수 있다(법 제88조 제2항).

③ 시장 · 군수 또는 구청장은 ②에 따른 허가신청이 있는 경우에는 그 사실을 토지 등의 소유자 또는 점유자에게 알리고 의견을 진술할 기회를 주어야 한다(법 제88조 제3항).

④ 전기사업자는 ②에 따라 다른 자의 토지 등에 출입하려면 미리 토지 등의 소유자 또는 점유자에게 그 사실을 알려야 한다(법 제88조 제4항).

⑤ 위 ②에 따라 다른 자의 토지 등에 출입하는 자는 그 권한을 표시하는 증표를 지니고 이를 관계인에게 내보여야 한다(법 제88조 제5항).

(3) 다른 자의 토지의 지상 등의 사용

전기사업자는 그 사업을 수행하기 위하여 필요한 경우에는 현재의 사용방법을 방해하지 아니하는 범위에서 다른 자의 토지의 지상 또는 지하공간에 전선로를 설치할 수 있다. 이 경우 전기사업자는 전선로의 설치방법 및 존속기간 등에 대하여 미리 그 토지의 소유자 또는 점유자와 협의하여야 한다(법 제89조 제1항).

(4) 구분지상권의 설정등기 등

① 전기사업자는 다른 자의 토지의 지상 또는 지하공간의 사용에 관하여 구분지상권의 설정 또는 이전을 전제로 그 토지의 소유자 및 공익사업을 위한 토지 등의 취득 및 보상에 관한 법률에 따른 관계인과 협의하여 그 협의가 성립된 경우에는 구분지상권을 설정 또는 이전한다(법 제89조의2 제1항).

② 전기사업자는 공익사업을 위한 토지 등의 취득 및 보상에 관한 법률에 따라 토지의 지상 또는 지하공간의 사용에 관한 구분지상권의 설정 또는 이전을 내용으로 하는 수용 · 사용의 재결을 받은 경우에는 부동산등기법을 준용하여 단독으로 해당 구분지상권의 설정 또는 이전등기를 신청할 수 있다(법 제89조의2 제2항).

③ 토지의 지상 또는 지하공간의 사용에 관한 구분지상권의 등기절차에 관하여 필요한 사항은 대법원규칙으로 정한다(법 제89조의2 제3항).

④ 위 ① 및 ②에 따른 구분지상권의 존속기간은 민법 제280조 및 제281조에도 불구하고 송전선로[발전소 상호간, 변전소 상호간 및 발전소와 변전소간을 연결하는 전선로(통신용으로 전용하는 것은 제외한다)와 이에 속하는 전기설비를 말한다. 이하 같다]가 존속하는 때까지로 한다(법 제89조의2 제4항).

(5) 토지의 일시사용 등에 대한 손실보상

전기사업자는 (1)의 ②에 따른 다른 자의 토지 등의 일시사용, 다른 자의 식물의 변경 또는 제거나, (2)의 ①에 따른 다른 자의 토지 등에의 출입으로 인하여 손실이 발생한 때에는 손실을 입은 자에게 정당한 보상을 하여야 한다(법 제90조).

(6) 토지의 지상 등의 사용에 대한 손실보상

① 전기사업자는 (3)에 따른 다른 자의 토지의 지상 또는 지하공간에 송전선로를 설치함으로 인하여 손실이 발생한 때에는 손실을 입은 자에게 정당한 보상을 하여야 한다(법 제90조의2 제1항).

② 위 ①에 따른 보상금액의 산정기준이 되는 토지면적은 다음의 구분에 따른다(법 제90조의2 제2항).

> ㉠ **지상공간의 사용:** 송전선로의 양측 가장 바깥선으로부터 수평으로 3미터를 더한 범위에서 수직으로 대응하는 토지의 면적. 이 경우 건축물 등의 보호가 필요한 경우에는 기술기준에 따른 전선과 건축물간의 전압별 이격거리까지 확장할 수 있다.
> ㉡ **지하공간의 사용:** 송전선로 시설물의 설치 또는 보호를 위하여 사용되는 토지의 지하부분에서 수직으로 대응하는 토지의 면적

(7) 원상회복

전기사업자는 (1) ②의 ㉠에 따른 토지 등의 일시사용이 끝난 경우에는 토지 등을 원상으로 회복하거나 이에 필요한 비용을 토지 등의 소유자 또는 점유자에게 지급하여야 한다(법 제91조).

(8) 공공용 토지의 사용

① 전기사업자는 국가 · 지방자치단체나 그 밖의 공공기관이 관리하는 공공용 토지에 전기사업용 전선로를 설치할 필요가 있는 경우에는 그 토지 관리자의 허가를 받아 토지를 사용할 수 있다(법 제92조 제1항).

② 위 ①의 경우에 토지 관리자가 정당한 사유 없이 허가를 거절하거나 허가조건이 적절하지 아니한 경우에는 전기사업자의 신청을 받아 그 토지를 관할하는 주무부장관이 사용을 허가하거나 허가조건을 변경할 수 있다(법 제92조 제2항).

③ 주무부장관은 ②에 따라 사용을 허가하거나 허가조건을 변경하려는 경우에는 미리 산업통상자원부장관과 협의하여야 한다(법 제92조 제3항).

02 집단에너지사업자의 전기공급에 대한 특례

(1) 집단에너지사업법(제9조)에 따라 사업허가를 받은 집단에너지사업자 중 50만킬로와트 이하의 범위에서 대통령령으로 정하는 발전설비용량을 갖춘 자는 집단에너지사업법(제9조)에 따라 허가받은 공급구역에서 전기를 공급할 수 있다(법 제92조의2 제1항).

(2) 위 (1)의 집단에너지사업자는 이 법을 적용할 때에는 구역전기사업자로 본다(법 제92조의2 제2항).

마무리STEP 1 | OX 문제

01 발전사업이란 전기를 생산하여 이를 전력시장을 통하여 전기사용자에게 공급하는 것을 주된 목적으로 하는 사업을 말한다. ( )

02 구역전기사업이란 3만 5천킬로와트 이하의 발전설비를 갖추고 특정한 공급구역의 수요에 맞추어 전기를 생산하여 전력시장을 통하여 그 공급구역의 전기사용자에게 공급하는 것을 주된 목적으로 하는 사업을 말한다. ( )

03 전기신사업이란 전기자동차충전사업, 소규모전력중개사업, 재생에너지전기공급사업, 통합발전소사업, 재생에너지전기저장판매사업 및 송전제약발생지역전기공급사업을 말하며, 여기서 통합발전소사업이란 정보통신 및 자동제어기술을 이용해 대통령령으로 정하는 에너지자원을 연결 · 제어하여 하나의 발전소처럼 운영하는 시스템을 활용하는 사업이다. ( )

04 전기사용자가 언제 어디서나 적정한 요금으로 전기를 사용할 수 있도록 전기를 공급하는 것을 전력계통이라 한다. ( )

05 전기사업을 하려는 자는 대통령령으로 정하는 바에 따라 전기사업의 종류별 또는 규모별로 산업통상자원부장관 또는 시 · 도지사(허가권자)의 허가를 받아야 하며, 전기신사업을 하려는 자는 전기신사업의 종류별로 산업통상자원부장관에게 등록하여야 한다. ( )

01 × 발전사업이란 전기판매사업자에게 공급하는 것을 주된 목적으로 하는 사업을 말한다.

02 × 구역전기사업이란 전력시장을 통하지 아니하고 그 공급구역의 전기사용자에게 공급하는 것을 주된 목적으로 하는 사업을 말한다.

03 ○

04 × 주어진 내용은 보편적 공급에 대한 설명이다. 전력계통이란 전기의 원활한 흐름과 품질유지를 위하여 전기의 흐름을 통제 · 관리하는 체제를 말한다.

05 ○

06 허가권자는 필요한 경우 사업구역 및 특정한 공급구역별로 구분하여 전기사업의 허가를 할 수 있다. 다만, 발전사업의 경우에는 발전소별로 허가할 수 있으며, 전기사업자는 허가권자가 지정한 준비기간에 사업에 필요한 전기설비를 설치하고 사업을 시작하여야 한다. ( )

07 전기사업자는 사업을 시작한 경우에는 지체 없이 그 사실을 허가권자에게 신고하여야 한다. 다만, 발전사업자의 경우에는 최초로 전력거래를 한 날부터 30일 이내에 신고하여야 한다. ( )

08 송전사업자 또는 배전사업자는 전기설비의 이용요금과 그 밖의 이용조건에 관한 사항을 정하여 산업통상자원부장관에게 신고하여야 하며, 전기판매사업자는 전기요금과 그 밖의 공급조건에 관한 약관을 작성하여 산업통상자원부장관에게 신고하여야 한다. ( )

09 구역전기사업자는 사고나 그 밖의 사유로 전력이 부족하거나 남는 경우에는 부족한 전력 또는 남는 전력을 전기판매사업자와 거래할 수 있고, 전기판매사업자는 전력거래에 따른 전기요금과 그 밖의 거래조건에 관한 사항을 내용으로 하는 약관(보완공급약관)을 작성하여 산업통상자원부장관의 인가를 받아야 한다. ( )

10 재생에너지 설비를 설치하여 전력거래를 하려는 발전사업자는 산지관리법 제39조 제2항에 따른 중간복구명령이 있는 경우 이를 전력거래 전에 완료하여야 한다. ( )

11 전기신사업자는 요금과 그 밖의 이용조건에 관한 약관을 작성하여 산업통상자원부장관에게 신고할 수 있다. 이를 변경한 경우에도 또한 같으며, 전기신사업자는 약관의 신고 또는 변경신고를 한 경우에는 신고 또는 변경신고한 약관을 사용하여야 한다. ( )

06 ○
07 ○
08 × 두 경우 모두 인가를 받아야 한다.
09 ○
10 ○
11 ○

12 산업통상자원부장관은 전력수급의 안정을 위하여 전력수급기본계획을 2년 단위로 수립하고 공고하여야 하며, 전기사업자는 매년 12월 말까지 계획기간을 3년 이상으로 한 전기설비의 시설계획 및 전기공급계획을 작성하여 산업통상자원부장관에게 신고하여야 한다. ( )

13 소규모전력중개사업자는 모집한 소규모전력자원에서 생산 또는 저장한 전력을 전력시장운영규칙으로 정하는 바에 따라 전력시장에서 거래하여야 하며, 통합발전소사업자는 전력시장운영규칙에서 정하는 바에 따라 통합발전소에서 생산 또는 저장한 전력을 전력시장에서 거래할 수 있다. ( )

14 전기사용자는 전력시장에서 전력을 직접 구매할 수 없다. 다만, 수전설비의 용량이 10만킬로볼트암페어 이상인 전기사용자는 그러하지 아니하다. ( )

12 ○

13 ○

14 × 3만킬로볼트암페어이다.

마무리STEP 2 | 확인문제

01 전기사업법령상 규정내용으로 틀린 것은? 제11회

① 산업통상자원부장관은 전력수급의 안정을 위하여 전력수급기본계획을 2년 단위로 수립하고 공고하여야 한다.
② 전기사업에 있어서 동일인이 배전사업과 전기판매사업을 겸업할 수 없다.
③ 전기사업을 하려는 자는 전기사업의 종류별로 허가권자의 허가를 받아야 한다.
④ 법인이 아닌 전기사업자가 사망한 경우에는 그 상속인은 전기사업자의 지위를 승계한다.
⑤ 안전관리란 국민의 생명과 재산을 보호하기 위하여 전기사업법에서 정하는 바에 따라 전기설비의 공사·유지 및 운용에 필요한 조치를 하는 것을 말한다.

정답 | 해설

01 ② 동일인에게는 두 종류 이상의 전기사업을 허가할 수 없다. 다만, 다음의 경우에는 그러하지 아니하다.
- 배전사업과 전기판매사업을 겸업하는 경우
- 도서지역에서 전기사업을 하는 경우
- 집단에너지사업법에 의하여 발전사업의 허가를 받은 것으로 보는 집단에너지사업자가 전기판매사업을 겸업하는 경우. 다만, 동법에 의하여 허가받은 공급구역에 전기를 공급하고자 하는 경우에 한한다.

02 전기사업법령상 전기사업에 관한 설명으로 옳지 않은 것은? 제14회

① 발전사업자 및 전기판매사업자는 정당한 사유 없이 전기의 공급을 거부하여서는 아니 된다.

② 송전사업자 또는 배전사업자는 대통령령으로 정하는 바에 따라 전기설비의 이용요금과 그 밖의 이용조건에 관한 사항을 정하여 산업통상자원부장관의 인가를 받아야 한다.

③ 전기판매사업자는 전기사용자에게 청구하는 전기요금청구서에 산업통상자원부령으로 정하는 방법에 따라 요금명세를 항목별로 구분하여 명시하여야 한다.

④ 전기사업자 및 전기위원회는 산업통상자원부령으로 정하는 바에 따라 전기품질을 측정하고 그 결과를 기록 · 보존하여야 한다.

⑤ 전기사업자는 산업통상자원부령으로 정하는 바에 따라 그가 공급하는 전기의 품질을 유지하여야 한다.

03 전기사업법령상 발전사업자 및 전기판매사업자가 전기의 공급을 거부할 수 있는 사유에 해당하지 않는 것은? 제17회

① 전기요금을 납기일까지 납부하지 아니한 전기사용자가 공급약관에서 정하는 기한까지 해당 요금을 내지 아니하는 경우

② 전기사용자가 표준전압 또는 표준주파수 외의 전압 또는 주파수로 전기의 공급을 요청하는 경우

③ 전기의 공급을 요청하는 자가 불합리한 조건을 제시하거나 전기판매사업자의 정당한 조건에 따르지 아니하고 다른 방법으로 전기의 공급을 요청하는 경우

④ 다른 법률에 따라 시 · 도지사 또는 그 밖의 행정기관의 장이 전기공급의 정지를 요청하는 경우

⑤ 전기를 대량으로 사용하려는 자가 사용예정일 4년 전에 용량 10만킬로와트 이상 30만킬로와트 미만의 전기를 사업자에게 요청하는 경우

04 **전기사업법령상 아파트에 설치된 일반용 전기설비의 정기점검은 사용전점검 또는 정기점검을 한 후 얼마 후에 실시하는가?** 제10회

① 1년이 되는 날이 속하는 달
② 2년이 되는 날이 속하는 달의 전후 1개월 이내
③ 2년이 되는 날이 속하는 달의 전후 2개월 이내
④ 3년이 되는 날이 속하는 달의 전후 1개월 이내
⑤ 3년이 되는 날이 속하는 달의 전후 2개월 이내

05 **전기사업법령상 전기설비의 안전관리에 관한 설명으로 옳지 않은 것은?** 제12회

① 자가용 전기설비의 설치공사계획은 행정안전부장관의 인가를 받아야 한다.
② 전기사업자는 일정한 전기설비에 대하여 산업통상자원부장관 또는 시 · 도지사로부터 정기검사를 받아야 한다.
③ 전기사업자는 정기검사 결과 불합격인 경우 적합하지 아니한 부분에 대하여 검사완료일부터 3개월 이내에 재검사를 받아야 한다.
④ 한국전기안전공사는 정기검사 완료일로부터 5일 이내에 검사필증을 검사신청인에게 교부하여야 한다.
⑤ 한국전기안전공사는 특별안전점검의 결과를 전기설비의 소유자 또는 점유자와 관계 행정기관에 통보하여야 한다.

정답 | 해설

02 ④ 전기사업자 및 한국전력거래소는 산업통상자원부령으로 정하는 바에 따라 전기품질을 측정하고 그 결과를 기록 · 보존하여야 한다.

03 ⑤ 전기를 대량으로 사용하려는 자가 다음 각 시기까지 전기판매사업자에게 미리 전기의 공급을 요청하여야 한다. 요청하지 아니하는 경우에는 공급을 거부할 수 있다.
- 용량 5천킬로와트(건축법 시행령 [별표 1] 제14호에 따른 업무시설 중 나목에 해당하는 경우에는 2천킬로와트) 이상 1만킬로와트 미만: 사용예정일 1년 전
- 용량 1만킬로와트 이상 10만킬로와트 미만: 사용예정일 2년 전
- 용량 10만킬로와트 이상 30만킬로와트 미만: 사용예정일 3년 전
- 용량 30만킬로와트 이상: 사용예정일 4년 전

04 ⑤ 한국전기안전공사는 일반용 전기설비의 정기점검을 사용전점검 또는 정기점검을 한 후 전기설비가 설치되는 시설의 종류에 따라 1년이 되는 날, 2년이 되는 날, 3년이 되는 날이 속하는 달의 전후 2개월 이내에 실시하여야 하는데, 아파트에 설치된 일반용 전기설비의 정기점검은 사용전점검 또는 정기점검을 한 후 3년이 되는 날이 속하는 달의 전후 2개월 이내에 실시하여야 한다.

05 ① 자가용 전기설비의 설치공사계획은 산업통상자원부장관의 인가를 받아야 한다.

2025 해커스 주택관리사(보)

house.Hackers.com

10개년 출제비중분석

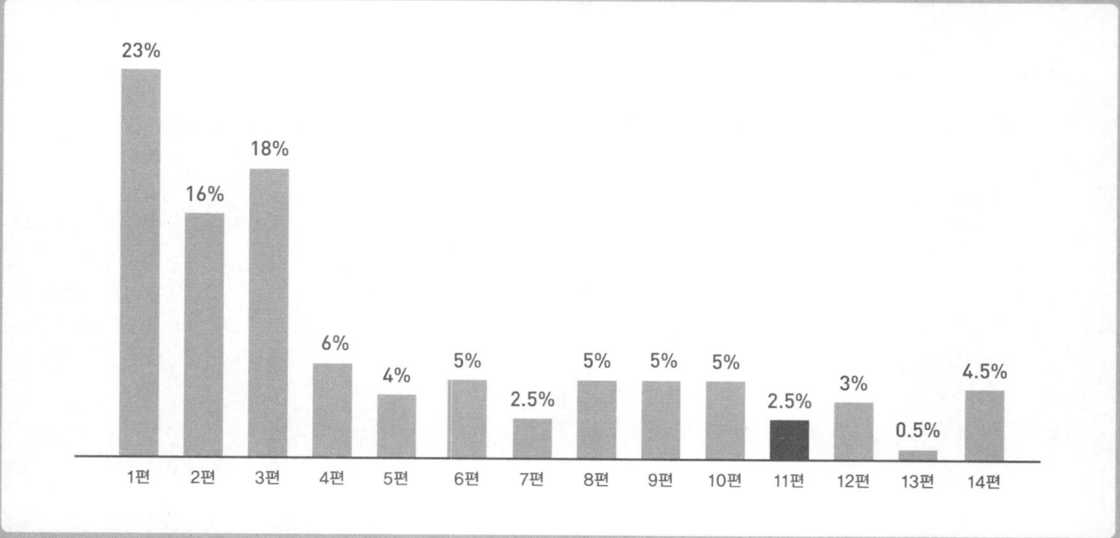

제11편

집합건물의 소유 및 관리에 관한 법률

제 11 편 집합건물의 소유 및 관리에 관한 법률

목차 내비게이션 집합건물의 소유 및 관리에 관한 법률

단원길라잡이

집합건물의 소유 및 관리에 관한 법률에서는 매년 1문제가 출제되고 있다. 이 단원에서는 용어의 정의, 구분소유자의 권리 · 의무, 공용부분에 대한 공유관계, 대지사용권, 관리단 및 관리인, 규약 및 집회, 의무위반자에 대한 조치, 재건축 등을 중점적으로 학습하여야 한다.

출제포인트

- 공용부분의 변경
- 관리인의 선임 및 해임
- 관리인의 사무관리
- 회계감사
- 규약의 설정 · 변경 · 폐지
- 의무위반자에 대한 조치
- 집합건물의 재건축

제1절 건물의 구분소유

제1항 총칙

01 구분소유의 목적

(1) 일반건물의 경우

1동의 건물 중 구조상 구분된 여러 개의 부분이 독립한 건물로서 사용될 수 있을 때에는 그 각 부분은 이 법에서 정하는 바에 따라 각각 소유권의 목적으로 할 수 있다(법 제1조). 즉, 일반건물의 경우는 1동의 건물의 여러 개의 부분이 '구조상 구분성'과 '사용상 독립성'을 갖추고 있어야 구분소유의 목적으로 할 수 있다.

(2) 상가건물의 경우

① **이용상의 구분**: 1동의 건물이 다음에 해당하는 방식으로 여러 개의 건물부분으로 이용상 구분된 경우에 그 건물부분(이하 '구분점포'라 한다)은 이 법에서 정하는 바에 따라 각각 소유권의 목적으로 할 수 있다(법 제1조의2 제1항).

> ㉠ 용도: 구분점포의 용도가 건축법의 판매시설 및 운수시설일 것
> ㉡ 경계표지: 경계를 명확하게 알아볼 수 있는 표지를 바닥에 견고하게 설치할 것
> ㉢ 건물번호표지: 구분점포별로 부여된 건물번호표지를 견고하게 붙일 것

② **경계표지**: 경계표지는 바닥에 너비 3센티미터 이상의 동판, 스테인리스강판, 석재 또는 그 밖에 쉽게 부식 · 손상 또는 마모되지 아니하는 재료로서 구분점포의 바닥재료와는 다른 재료로 설치하여야 하며, 경계표지 재료의 색은 건물 바닥의 색과 명확히 구분되어야 한다(법 제1조의2 제2항, 영 제2조).

③ **건물번호표지판(법 제1조의2 제2항, 영 제3조)**

㉠ 건물번호표지는 구분점포 내 바닥의 잘 보이는 곳에 설치하여야 한다.

㉡ 건물번호표지 글자의 가로규격은 5센티미터 이상, 세로규격은 10센티미터 이상이 되어야 한다.

㉢ 구분점포의 위치가 표시된 현황도를 건물 각 층 입구의 잘 보이는 곳에 견고하게 설치하여야 한다.

㉣ 건물번호표지의 재료와 색에 관하여는 ②를 준용한다.

02 용어의 정의

이 법에서 사용하는 용어의 뜻은 다음과 같다(법 제2조).

(1) 구분소유권, 구분소유자

① **구분소유권**: 구분소유권이란 구분소유의 목적인 건물부분[규약으로써 공용부분(共用部分)으로 된 것은 제외한다]을 목적으로 하는 소유권을 말한다(법 제2조 제1호).

② **구분소유자**: 구분소유자란 구분소유권을 가지는 자를 말한다(법 제2조 제2호).

(2) 전유부분, 공용부분

① **전유부분**: 전유부분이란 구분소유권의 목적인 건물부분을 말한다(법 제2조 제3호).

② **공용부분**: 공용부분이란 ㉠ 전유부분 외의 건물부분, 전유부분에 속하지 아니하는 건물의 부속물 및 ㉡ 규약에 따라 공용부분으로 된 부속의 건물을 말한다(법 제2조 제4호).

> ㉠ 구조상 공용부분: 전유부분 외의 건물부분, 전유부분에 속하지 아니하는 건물의 부속물인데, 여러 개의 전유부분으로 통하는 복도, 계단, 그 밖에 구조상 구분소유자 전원 또는 일부의 공용(共用)에 제공되는 건물부분은 구분소유권의 목적으로 할 수 없다(법 제3조 제1항).
>
> ㉡ 규약상 공용부분
>
> ⓐ 구분소유의 목적인 건물부분과 부속의 건물은 규약으로써 공용부분으로 정할 수 있다(법 제3조 제2항).
>
> ⓑ 구분소유의 목적인 건물부분의 전부 또는 부속건물을 소유하는 자는 공정증서(公正證書)로써 규약에 상응하는 것을 정할 수 있다(법 제3조 제3항).
>
> ⓒ 규약과 공정증서로써 공용부분을 정하는 경우에는 **공용부분이라는 취지를 등기하여야** 한다(법 제3조 제4항).

(3) 건물의 대지, 대지사용권

① **건물의 대지**: 건물의 대지란 ㉠ 전유부분이 속하는 1동의 건물이 있는 토지 및 ㉡ 규약에 따라 건물의 대지로 된 토지를 말한다(법 제2조 제5호).

> ㉠ **법정대지**: 전유부분이 속하는 1동의 건물이 있는 토지이다.
>
> ㉡ **규약대지**
>
> ⓐ 통로, 주차장, 정원, 부속건물의 대지, 그 밖에 전유부분이 속하는 1동의 건물 및 그 건물이 있는 토지와 하나로 관리되거나 사용되는 토지는 규약으로써 건물의 대지로 할 수 있다(법 제4조 제1항).

ⓑ 토지를 소유하는 자는 공정증서(公正證書)로써 규약에 상응하는 것을 정할 수 있다(법 제4조 제2항, 제3조 제3항).

ⓒ 건물이 있는 토지가 건물이 일부 멸실함에 따라 건물이 있는 토지가 아닌 토지로 된 경우에는 그 토지는 규약으로써 건물의 대지로 정한 것으로 본다(법 제4조 제3항 전단). 건물이 있는 토지의 일부가 분할로 인하여 건물이 있는 토지가 아닌 토지로 된 경우에도 같다(법 제4조 제3항 후단).

② **대지사용권**: 대지사용권이란 구분소유자가 전유부분을 소유하기 위하여 건물의 대지에 대하여 가지는 권리를 말한다(법 제2조 제6호).

03 구분소유자의 권리와 의무

(1) 구분소유자의 행위금지 및 사용청구

① 구분소유자의 행위금지

㉠ 구분소유자는 건물의 보존에 해로운 행위나 그 밖에 건물의 관리 및 사용에 관하여 구분소유자 공동의 이익에 어긋나는 행위를 하여서는 아니 된다(법 제5조 제1항).

㉡ 전유부분이 주거의 용도로 분양된 것인 경우에는 구분소유자는 정당한 사유 없이 그 부분을 주거 외의 용도로 사용하거나 그 내부 벽을 철거하거나 파손하여 증축·개축하는 행위를 하여서는 아니 된다(법 제5조 제2항).

㉢ 전유부분을 점유하는 자로서 구분소유자가 아닌 자(이하 '점유자'라 한다)에 대하여는 ㉠과 ㉡을 준용한다(법 제5조 제4항).

② 구분소유자의 사용청구

㉠ 구분소유자는 그 전유부분이나 공용부분을 보존하거나 개량하기 위하여 필요한 범위에서 다른 구분소유자의 전유부분 또는 자기의 공유(共有)에 속하지 아니하는 공용부분의 사용을 청구할 수 있다. 이 경우 다른 구분소유자가 손해를 입었을 때에는 보상하여야 한다(법 제5조 제3항).

㉡ 전유부분을 점유하는 자로서 구분소유자가 아닌 자(이하 '점유자'라 한다)에 대하여는 ①과 ②의 ㉠을 준용한다(법 제5조 제4항).

(2) 건물의 설치·보존상의 흠 추정

전유부분이 속하는 1동의 건물의 설치 또는 보존의 흠으로 인하여 다른 자에게 손해를 입힌 경우에는 그 흠은 공용부분에 존재하는 것으로 추정한다(법 제6조).

(3) 구분소유권 매도청구권

대지사용권을 가지지 아니한 구분소유자가 있을 때에는 그 전유부분의 철거를 청구할 권리를 가진 자는 그 구분소유자에 대하여 구분소유권을 시가(時價)로 매도할 것을 청구할 수 있다(법 제7조).

(4) 대지공유자의 분할청구의 금지

대지 위에 구분소유권의 목적인 건물이 속하는 1동의 건물이 있을 때에는 그 대지의 공유자는 그 건물사용에 필요한 범위의 대지에 대하여는 분할을 청구하지 못한다(법 제8조).

04 다른 법률과의 관계

집합주택의 관리방법과 기준, 하자담보책임에 관한 주택법 및 공동주택관리법의 특별한 규정은 이 법에 저촉되어 구분소유자의 기본적인 권리를 해치지 아니하는 범위에서 효력이 있다(법 제2조의2).

05 구분건물에 대한 담보책임

(1) 담보책임의 발생

① 구분건물을 건축하여 분양한 자(이하 '분양자'라 한다)와 분양자와의 계약에 따라 건물을 건축한 자로서 대통령령으로 정하는 자(이하 '시공자'라 한다)는 구분소유자에 대하여 담보책임을 진다. 이 경우 그 담보책임에 관하여는 민법 제667조 및 제668조를 준용한다(법 제9조 제1항).

② 위 ①에도 불구하고 시공자가 분양자에게 부담하는 담보책임에 관하여 다른 법률에 특별한 규정이 있으면 시공자는 그 법률에서 정하는 담보책임의 범위에서 구분소유자에게 ①의 담보책임을 진다(법 제9조 제2항).

③ 위 ① 및 ②에 따른 시공자의 담보책임 중 민법 제667조 제2항에 따른 손해배상책임은 분양자에게 회생절차개시신청, 파산신청, 해산, 무자력 또는 그 밖에 이에 준하는 사유가 있는 경우에만 지며, 시공자가 이미 분양자에게 손해배상을 한 경우에는 그 범위에서 구분소유자에 대한 책임을 면(免)한다(법 제9조 제3항).

④ 분양자와 시공자의 담보책임에 관하여 이 법과 민법에 규정된 것보다 매수인에게 불리한 특약은 효력이 없다(법 제9조 제4항).

(2) 담보책임의 존속기간(법 제9조의2, 영 제5조)

① 담보책임에 관한 구분소유자의 권리는 다음의 기산점으로부터 다음의 기간 내에 행사하여야 한다.

> ㉠ 건축법에 따른 건물의 주요구조부 및 지반공사의 하자: 10년
> ㉡ 위 ㉠에 규정된 하자 외의 하자: 하자의 중대성, 내구연한, 교체가능성 등을 고려하여 5년의 범위에서 다음에서 정하는 기간
> ⓐ 법 제9조의2 제2항 각 호에 따른 기산일 전에 발생한 하자: 5년
> ⓑ 법 제9조의2 제2항 각 호에 따른 기산일 이후에 발생한 하자: 다음의 구분에 따른다.
> • 대지조성공사, 철근콘크리트공사, 철골공사, 조적공사, 지붕 및 방수공사의 하자 등 건물의 구조상 또는 안전상의 하자: 5년
> • 건축법에 따른 건축설비공사(이와 유사한 설비공사를 포함한다), 목공사, 창호공사 및 조경공사의 하자 등 건물의 기능상 또는 미관상의 하자: 3년
> • 마감공사의 하자 등 하자의 발견 · 교체 및 보수가 용이한 하자: 2년

② 담보책임기간은 다음의 날부터 기산한다.
㉠ **전유부분**: 구분소유자에게 인도한 날
㉡ **공용부분**: 주택법 제49조에 따른 사용검사일(집합건물 전부에 대하여 임시사용승인을 받은 경우에는 그 임시사용승인일을 말하고, 주택법 제49조 제1항 단서에 따라 분할사용검사나 동별사용검사를 받은 경우에는 분할사용검사일 또는 동별사용검사일을 말한다) 또는 건축법 제22조에 따른 사용승인일

③ 하자로 인하여 건물이 멸실되거나 훼손된 경우에는 그 멸실되거나 훼손된 날부터 1년 이내에 권리를 행사하여야 한다.

(3) 분양자의 관리의무(법 제9조의3)

① 분양자는 법 제24조 제3항에 따라 선임(選任)된 관리인이 사무를 개시(開始)할 때까지 선량한 관리자의 주의로 건물과 대지 및 부속시설을 관리하여야 한다.

② 분양자는 표준규약 및 지역별 표준규약을 참고하여 공정증서로써 규약에 상응하는 것을 정하여 분양계약을 체결하기 전에 분양을 받을 자에게 주어야 한다.

③ 분양자는 예정된 매수인의 2분의 1 이상이 이전등기를 한 때에는 규약 설정 및 관리인 선임을 위한 관리단집회를 소집할 것을 대통령령으로 정하는 바에 따라 구분소유자에게 통지하여야 한다. 이 경우 통지받은 날부터 3개월 이내에 관리단집회를 소집할 것을 명시하여야 한다.

④ 분양자는 구분소유자가 ③의 통지를 받은 날부터 3개월 이내에 관리단집회를 소집하지 아니하는 경우에는 지체 없이 관리단집회를 소집하여야 한다.

제2항 공용부분

01 공용부분의 귀속

(1) 전원공용부분

공용부분은 구분소유자 전원의 공유에 속한다(법 제10조 제1항 본문).

(2) 일부공용부분

일부의 구분소유자만이 공용하도록 제공되는 것임이 명백한 공용부분(이하 '일부공용부분'이라 한다)은 그들 구분소유자의 공유에 속한다(법 제10조 제1항 단서).

02 공용부분에 대한 공유관계

공용부분에 대한 공유에 관하여는 다음의 (1)부터 (5)까지에 따른다. 다만, (2)와 (4)에 관하여는 규약으로써 달리 정할 수 있다(법 제10조 제2항).

(1) 공용부분의 사용

각 공유자는 공용부분을 그 용도에 따라 사용할 수 있다(법 제11조).

(2) 공용부분에 대한 지분

① 지분의 비율

㉠ **전원공용부분**: 각 공유자의 지분은 그가 가지는 전유부분의 면적비율에 따른다(법 제12조 제1항).

㉡ **일부공용부분**: 위 ㉠의 경우 일부공용부분으로서 면적이 있는 것은 그 공용부분을 공용하는 구분소유자의 전유부분의 면적비율에 따라 배분하여 그 면적을 각 구분소유자의 전유부분 면적에 포함한다(법 제12조 제2항).

② 지분의 전유부분과의 일체성

㉠ 공용부분에 대한 공유자의 지분은 그가 가지는 전유부분의 처분에 따른다(법 제13조 제1항).

㉡ 공유자는 그가 가지는 전유부분과 분리하여 공용부분에 대한 지분을 처분할 수 없다(법 제13조 제2항).

㉢ 공용부분에 관한 물권의 득실변경(得失變更)은 등기가 필요하지 아니하다(법 제13조 제3항).

(3) 공용부분의 변경 및 관리

① 공용부분의 변경

㉠ 공용부분의 변경에 관한 사항은 관리단집회에서 구분소유자의 3분의 2 이상 및 의결권의 3분의 2 이상의 결의로써 결정한다. 다만, 다음의 어느 하나에 해당하는 경우에는 통상의 집회결의로써 결정할 수 있다(법 제15조 제1항).

> ⓐ 공용부분의 개량을 위한 것으로서 지나치게 많은 비용이 드는 것이 아닐 경우
> ⓑ 관광진흥법에 따른 휴양 콘도미니엄업의 운영을 위한 휴양 콘도미니엄의 공용부분 변경에 관한 사항인 경우

㉡ 공용부분의 변경이 다른 구분소유자의 권리에 특별한 영향을 미칠 때에는 그 구분소유자의 승낙을 받아야 한다(법 제15조 제2항).

기출예제

집합건물의 소유 및 관리에 관한 법령상 공용부분에 관한 설명으로 옳지 않은 것은? 제27회

① 공용부분의 변경에 관한 사항은 관리단집회에서 구분소유자 전원의 동의로써 결정한다.
② 구분소유할 수 있는 건물부분은 규약으로써 공용부분으로 정할 수 있다.
③ 공유자는 그가 가지는 전유부분과 분리하여 공용부분에 대한 지분을 처분할 수 없다.
④ 공용부분에 대한 각 공유자의 지분은 그가 가지는 전유부분의 면적 비율에 따르되, 규약으로써 달리 정할 수 있다.
⑤ 공용부분의 보존행위는 규약으로 달리 정하지 않는 한 각 공유자가 할 수 있다.

해설

공용부분의 변경에 관한 사항은 관리단집회에서 구분소유자의 3분의 2 이상 및 의결권의 3분의 2 이상의 결의로써 결정한다. 다만, 경미한 사항은 통상 집회결의로써, 구분소유권 및 대지사용권의 범위나 내용에 변동을 일으키는 공용부분의 변경에 관한 사항은 관리단집회에서 구분소유자의 5분의 4 이상 및 의결권의 5분의 4 이상의 결의로써 결정한다.

정답: ①

② 권리변동 있는 공용부분의 변경

㉠ 위 ①에도 불구하고 건물의 노후화 억제 또는 기능 향상 등을 위한 것으로 구분소유권 및 대지사용권의 범위나 내용에 변동을 일으키는 공용부분의 변경에 관한 사항은 관리단집회에서 구분소유자의 5분의 4 이상 및 의결권의 5분의 4 이상의 결의로써 결정한다. 다만, 관광진흥법 제3조 제1항 제2호 나목에 따른 휴양 콘도미니엄업의 운영을 위한 휴양 콘도미니엄의 권리변동 있는 공용부분 변경에 관한 사항은 구분소유자의 3분의 2 이상 및 의결권의 3분의 2 이상의 결의로써 결정한다(법 제15조의2 제1항).

㉡ 위 ㉠의 결의에서는 다음의 사항을 정하여야 한다. 이 경우 ⓒ부터 ⓖ까지의 사항은 각 구분소유자 사이에 형평이 유지되도록 정하여야 한다(법 제15조의2 제2항).

ⓐ 설계의 개요
ⓑ 예상공사기간 및 예상비용(특별한 손실에 대한 전보비용을 포함한다)
ⓒ ⓑ에 따른 비용의 분담방법
ⓓ 변경된 부분의 용도
ⓔ 전유부분 수의 증감이 발생하는 경우에는 변경된 부분의 귀속에 관한 사항
ⓕ 전유부분이나 공용부분의 면적에 증감이 발생하는 경우에는 변경된 부분의 귀속에 관한 사항
ⓖ 대지사용권의 변경에 관한 사항
ⓗ 그 밖에 규약으로 정한 사항

㉢ 위 ㉠의 결의를 위한 관리단집회의 의사록에는 결의에 대한 각 구분소유자의 찬반의사를 적어야 한다(법 제15조의2 제3항).

③ 관리

㉠ 전원공용부분

ⓐ 공용부분의 관리에 관한 사항은 공용부분의 변경(권리변동 있는 공용부분의 변경을 포함한다)의 경우를 제외하고는 통상의 집회결의로써 결정한다(법 제16조 제1항 본문). 다만, 보존행위는 각 공유자가 할 수 있다(법 제16조 제1항 단서).

ⓑ 구분소유자의 승낙을 받아 전유부분을 점유하는 자는 ⓐ에 따른 집회에 참석하여 그 구분소유자의 의결권을 행사할 수 있다. 다만, 구분소유자와 점유자가 달리 정하여 관리단에 통지한 경우에는 그러하지 아니하며, 구분소유자의 권리·의무에 특별한 영향을 미치는 사항을 결정하기 위한 집회인 경우에는 점유자는 사전에 구분소유자에게 의결권 행사에 대한 동의를 받아야 한다(법 제16조 제2항).

ⓒ 위 ⓐ와 ⓑ는 규약으로써 달리 정할 수 있다(법 제16조 제3항).

㉡ **일부공용부분:** 일부공용부분의 관리에 관한 사항 중 구분소유자 전원에게 이해관계가 있는 사항과 규약으로써 정한 사항은 구분소유자 전원의 집회결의로써 결정하고, 그 밖의 사항은 그것을 공용하는 구분소유자만의 집회결의로써 결정한다(법 제14조).

④ 수선적립금

㉠ **수선계획의 수립:** 관리단은 규약에 달리 정한 바가 없으면 관리단집회 결의에 따라 건물이나 대지 또는 부속시설의 교체 및 보수에 관한 수선계획을 수립할 수 있다(법 제17조의2 제1항).

㉡ **수선적립금의 징수 · 적립**: 관리단은 규약에 달리 정한 바가 없으면 관리단집회의 결의에 따라 수선적립금을 징수하여 적립할 수 있다. 다만, 다른 법률에 따라 장기 수선을 위한 계획이 수립되어 충당금 또는 적립금이 징수 · 적립된 경우에는 그러하지 아니하다(법 제17조의2 제2항).

㉢ **수선적립금의 귀속**: 수선적립금은 구분소유자로부터 징수하며 관리단에 귀속된다(법 제17조의2 제3항).

㉣ **수선적립금의 사용용도**: 관리단은 규약에 달리 정한 바가 없으면 수선적립금을 다음의 용도로 사용하여야 하며, 기타 수선계획의 수립 및 수선적립금의 징수 · 적립에 필요한 사항은 대통령령으로 정한다(법 제17조의2 제4항).

ⓐ 위 ㉠의 수선계획에 따른 공사
ⓑ 자연재해 등 예상하지 못한 사유로 인한 수선공사
ⓒ 위 ⓐ 및 ⓑ의 용도로 사용한 금원의 변제

(4) 공용부분의 부담 · 수익

각 공유자는 규약에 달리 정한 바가 없으면 그 지분의 비율에 따라 공용부분의 관리비용과 그 밖의 의무를 부담하며 공용부분에서 생기는 이익을 취득한다(법 제17조).

(5) 공용부분에 관하여 발생한 채권의 효력

공유자가 공용부분에 관하여 다른 공유자에 대하여 가지는 채권은 그 특별승계인에 대하여도 행사할 수 있다(법 제18조).

(6) 공용부분에 관한 규정의 준용

건물의 대지 또는 공용부분 외의 부속시설(이들에 대한 권리를 포함한다)을 구분소유자가 공유하는 경우에는 그 대지 및 부속시설에 관하여 공용부분의 변경 및 관리, 공용부분의 부담 · 수익을 준용한다(법 제19조).

제3항 대지사용권

(1) 대지사용의 전유부분과의 일체성

① 구분소유자의 대지사용권은 그가 가지는 전유부분의 처분에 따른다(법 제20조 제1항).

② 구분소유자는 그가 가지는 전유부분과 분리하여 대지사용권을 처분할 수 없다. 다만, 규약으로써 달리 정한 경우에는 그러하지 아니하다(법 제20조 제2항).

③ 위 ② 본문의 분리처분금지는 그 취지를 등기하지 아니하면 선의(善意)로 물권을 취득한 제3자에게 대항하지 못한다(법 제20조 제3항).

④ 위 ② 단서의 경우에 구분소유자는 공정증서로써 규약에 상응하는 것을 정할 수 있다(법 제20조 제4항, 법 제3조 제3항).

(2) 전유부분의 처분에 따르는 대지사용권의 비율

① 구분소유자가 둘 이상의 전유부분을 소유한 경우에는 각 전유부분의 처분에 따르는 대지사용권은 공용부분에 대한 지분비율에 따른다. 다만, 규약으로써 달리 정할 수 있다(법 제21조 제1항).

② 위 ① 단서의 경우에 구분소유자는 공정증서로써 규약에 상응하는 것을 정할 수 있다(법 제21조 제2항, 법 제3조 제3항).

(3) 민법 제267조의 적용배제

구분소유자는 그가 가지는 전유부분과 분리하여 대지사용권을 처분할 수 없는데, 이 경우 대지사용권에 대하여는 민법 제267조(같은 법 제278조에서 준용하는 경우를 포함한다)를 적용하지 아니한다(법 제22조).

민법

제267조 【지분포기 등의 경우의 귀속】 공유자가 그 지분을 포기하거나 상속인 없이 사망한 때에는 그 지분은 다른 공유자에게 각 지분의 비율로 귀속한다.

제278조 【준공동소유】 본절(공동소유)의 규정은 소유권 이외의 재산권에 준용한다. 그러나 다른 법률에 특별한 규정이 있으면 그에 의한다.

제4항 관리단, 관리인, 관리위원회

01 관리단

(1) 관리단의 당연설립

① **전원공용부분**: 건물에 대하여 구분소유관계가 성립되면 구분소유자 전원을 구성원으로 하여 건물과 그 대지 및 부속시설의 관리에 관한 사업의 시행을 목적으로 하는 관리단이 설립된다(법 제23조 제1항).

② **일부공용부분**: 일부공용부분이 있는 경우 그 일부의 구분소유자는 규약에 따라 그 공용부분의 관리에 관한 사업의 시행을 목적으로 하는 관리단을 구성할 수 있다(법 제23조 제2항).

(2) 관리단의 채무에 대한 구분소유자의 책임

① 관리단이 그의 재산으로 채무를 전부 변제할 수 없는 경우에는 구분소유자는 공용부분에 대한 지분비율에 따라 관리단의 채무를 변제할 책임을 진다(법 제27조 제1항 본문). 다만, 규약으로써 그 부담비율을 달리 정할 수 있다(법 제27조 제1항 단서).

② 구분소유자의 특별승계인은 승계 전에 발생한 관리단의 채무에 관하여도 책임을 진다(법 제27조 제2항).

(3) 관리단의 의무

관리단은 건물의 관리 및 사용에 관한 공동이익을 위하여 필요한 구분소유자의 권리와 의무를 선량한 관리자의 주의로 행사하거나 이행하여야 한다(법 제23조의2).

02 관리인

(1) 선임과 해임

① 구분소유자가 10인 이상일 때에는 관리단을 대표하고 관리단의 사무를 집행할 관리인을 선임하여야 한다(법 제24조 제1항).

② 관리인은 구분소유자일 필요가 없으며, 그 임기는 2년의 범위에서 규약으로 정한다(법 제24조 제2항).

③ 관리인은 관리단집회의 결의로 선임되거나 해임된다. 다만, 규약으로 관리위원회의 결의로 선임되거나 해임되도록 정한 경우에는 그에 따른다(법 제24조 제3항).

④ 구분소유자의 승낙을 받아 전유부분을 점유하는 자는 관리단집회에 참석하여 그 구분소유자의 의결권을 행사할 수 있다. 다만, 구분소유자와 점유자가 달리 정하여 관리단에 통지하거나 구분소유자가 집회 이전에 직접 의결권을 행사할 것을 관리단에 통지한 경우에는 그러하지 아니하다(법 제24조 제4항).

⑤ 관리인에게 부정한 행위나 그 밖에 그 직무를 수행하기에 적합하지 아니한 사정이 있을 때에는 각 구분소유자는 관리인의 해임을 법원에 청구할 수 있다(법 제24조 제5항).

⑥ 전유부분이 50개 이상인 건물(공동주택관리법에 따른 의무관리대상 공동주택 및 임대주택과 유통산업발전법에 따라 신고한 대규모점포 등 관리자가 있는 대규모점포 및 준대규모점포는 제외한다)의 관리인으로 선임된 자는 대통령령으로 정하는 바에 따라 선임된 사실을 특별자치시장, 특별자치도지사, 시장, 군수 또는 자치구의 구청장(이하 '소관청'이라 한다)에게 신고하여야 한다(법 제24조 제6항).

(2) 임시관리인의 선임 등

① 구분소유자, 그의 승낙을 받아 전유부분을 점유하는 자, 분양자 등 이해관계인은 선임된 관리인이 없는 경우에는 법원에 임시관리인의 선임을 청구할 수 있다(법 제24조의2 제1항).

② 임시관리인은 선임된 날부터 6개월 이내에 관리인 선임을 위하여 관리단집회 또는 관리위원회를 소집하여야 한다(법 제24조의2 제2항).

③ 임시관리인의 임기는 선임된 날부터 관리인이 선임될 때까지로 하되, 규약으로 정한 임기를 초과할 수 없다(법 제24조의2 제3항).

(3) 권한과 의무

① 관리인은 다음의 행위를 할 권한과 의무를 가진다(법 제25조 제1항).

> ㉠ 공용부분의 보존행위
> ㉡ 공용부분의 관리 및 변경에 관한 관리단집회 결의를 집행하는 행위
> ㉢ 공용부분의 관리비용 등 관리단의 사무집행을 위한 비용과 분담금을 각 구분소유자에게 청구 · 수령하는 행위 및 그 금원을 관리하는 행위
> ㉣ 관리단의 사업시행과 관련하여 관리단을 대표하여 하는 재판상 또는 재판 외의 행위
> ㉤ 소음 · 진동 · 악취 등을 유발하여 공동생활의 평온을 해치는 행위의 중지요청 또는 분쟁조정절차 권고 등 필요한 조치를 하는 행위
> ㉥ 그 밖에 규약에 정하여진 행위

② **대표권 제한**: 관리인의 대표권은 제한할 수 있다(법 제25조 제2항 본문). 다만, 이로써 선의의 제3자에게 대항할 수 없다(법 제25조 제2항 단서).

(4) 관리인의 사무관리

① **사무보고**: 관리인은 대통령령으로 정하는 사무에 대하여 매년 1회 이상 구분소유자 및 그의 승낙을 받아 전유부분을 점유하는 자에게 그 사무에 관한 보고를 하여야 한다(법 제26조 제1항, 영 제6조 제1항).

② **월별 보고사항**: 관리인은 규약에 달리 정한 바가 없으면 월 1회 구분소유자에게 관리단의 사무집행을 위한 분담금액과 비용의 산정방법을 서면으로 보고하여야 한다(영 제6조 제2항).

③ **정기 관리단집회에 보고**: 관리인은 법 제32조에 따른 정기 관리단집회에 출석하여 관리단이 수행한 사무의 주요 내용과 예산 · 결산내역을 보고하여야 한다(영 제6조 제3항).

④ **장부관리**: 전유부분이 50개 이상인 건물의 관리인은 관리단의 사무집행을 위한 비용과 분담금 등 금원의 징수 · 보관 · 사용 · 관리 등 모든 거래행위에 관하여 장부를 월별로 작성하여 그 증빙서류와 함께 해당 회계연도 종료일부터 5년간 보관하여야 한다(법 제26조 제2항).

⑤ 열람 등

㉠ 이해관계인은 관리인에게 위 ①에 따른 보고자료, ④에 따른 장부나 증빙서류의 열람을 청구하거나 자기 비용으로 등본의 교부를 청구할 수 있다. 이 경우 관리인은 다음의 정보를 제외하고 이에 응하여야 한다(법 제26조 제3항).

> ⓐ 개인정보 보호법 제24조에 따른 고유식별정보 등 개인의 사생활의 비밀 또는 자유를 침해할 우려가 있는 정보

ⓑ 의사결정과정 또는 내부검토과정에 있는 사항 등으로서 공개될 경우 업무의 공정한 수행에 현저한 지장을 초래할 우려가 있는 정보

ⓒ 공동주택관리법에 따른 의무관리대상 공동주택 및 임대주택과 유통산업발전법에 따라 신고한 대규모점포 등 관리자가 있는 대규모점포 및 준대규모점포에 대해서는 ①부터 ⑤까지를 적용하지 아니한다(법 제26조 제4항).

ⓒ 이 법 또는 규약에서 규정하지 아니한 관리인의 권리의무에 관하여는 민법의 위임에 관한 규정을 준용한다(법 제26조 제5항).

(5) 회계감사

① 전유부분이 150개 이상으로서 다음에 해당하는 건물의 관리인은 주식회사 등의 외부감사에 관한 법률 제2조 제7호에 따른 감사인의 회계감사를 매년 1회 이상 받아야 한다. 다만, 관리단집회에서 구분소유자의 3분의 2 이상 및 의결권의 3분의 2 이상이 회계감사를 받지 아니하기로 결의한 연도에는 그러하지 아니하다(법 제26조의2 제1항, 영 제6조의2 제1항).

㉠ 직전 회계연도에 구분소유자로부터 징수한 관리비(전기료, 수도료 등 구분소유자 또는 점유자가 납부하는 사용료를 포함한다)가 3억원 이상인 건물
㉡ 직전 회계연도 말 기준으로 적립되어 있는 수선적립금이 3억원 이상인 건물

② 구분소유자의 승낙을 받아 전유부분을 점유하는 자는 ①에 따른 관리단집회에 참석하여 그 구분소유자의 의결권을 행사할 수 있다. 다만, 구분소유자와 점유자가 달리 정하여 관리단에 통지하거나 구분소유자가 집회 이전에 직접 의결권을 행사할 것을 관리단에 통지한 경우에는 그러하지 아니하다(법 제26조의2 제2항).

③ 전유부분이 50개 이상 150개 미만으로서 다음에 해당하는 건물의 관리인은 구분소유자의 5분의 1 이상이 연서(連署)하여 요구하는 경우에는 감사인의 회계감사를 받아야 한다. 이 경우 구분소유자의 승낙을 받아 전유부분을 점유하는 자가 구분소유자를 대신하여 연서할 수 있다(법 제26조의2 제3항, 영 제6조의2 제2항).

㉠ 위 ①의 어느 하나에 해당하는 건물
㉡ 직전 회계연도를 포함하여 3년 이상 주식회사 등의 외부감사에 관한 법률 제2조 제7호에 따른 감사인(이하 '감사인'이라 한다)의 회계감사를 받지 않은 건물로서 다음의 어느 하나에 해당하는 건물
ⓐ 직전 회계연도에 구분소유자로부터 징수한 관리비가 1억원 이상인 건물
ⓑ 직전 회계연도 말 기준으로 적립되어 있는 수선적립금이 1억원 이상인 건물

④ 관리인은 ① 또는 ③에 따라 회계감사를 받은 경우에는 대통령령으로 정하는 바에 따라 감사보고서 등 회계감사의 결과를 구분소유자 및 그의 승낙을 받아 전유부분을 점유하는 자에게 보고하여야 한다(법 제26조의2 제4항).

⑤ 위 ① 또는 ③에 따른 회계감사의 기준 · 방법 및 감사인의 선정방법 등에 관하여 필요한 사항은 대통령령으로 정한다(법 제26조의2 제5항).

⑥ 회계감사를 받는 관리인은 다음의 어느 하나에 해당하는 행위를 하여서는 아니 된다(법 제26조의2 제6항).

> ㉠ 정당한 사유 없이 감사인의 자료열람 · 등사 · 제출요구 또는 조사를 거부 · 방해 · 기피하는 행위
> ㉡ 감사인에게 거짓자료를 제출하는 등 부정한 방법으로 회계감사를 방해하는 행위

⑦ 공동주택관리법에 따른 의무관리대상 공동주택 및 임대주택과 유통산업발전법에 따라 신고한 대규모점포 등 관리자가 있는 대규모점포 및 준대규모점포에는 ①부터 ⑥까지의 규정을 적용하지 아니한다(법 제26조의2 제7항).

03 관리위원회

(1) 관리위원회의 설치 및 기능

① 관리단에는 규약으로 정하는 바에 따라 관리위원회를 둘 수 있으며, 관리위원회는 이 법 또는 규약으로 정한 관리인의 사무집행을 감독한다(법 제26조의3 제1항 · 제2항).

② 관리위원회를 둔 경우 관리인은 법 제25조 제1항 각 호의 행위(관리인의 권한과 의무)를 하려면 관리위원회의 결의를 거쳐야 한다. 다만, 규약으로 달리 정한 사항은 그러하지 아니하다(법 제26조의3 제3항).

(2) 관리위원회의 구성

① 관리위원회의 위원은 구분소유자 중에서 관리단집회의 결의에 의하여 선출한다. 다만, 규약으로 관리단집회의 결의에 관하여 달리 정한 경우에는 그에 따른다(법 제26조의4 제1항).

② 관리인은 규약에 달리 정한 바가 없으면 관리위원회의 위원이 될 수 없다(법 제26조의4 제2항).

③ 관리위원회 위원의 임기는 2년의 범위에서 규약으로 정한다(법 제26조의4 제3항).

④ 위 ①부터 ③까지에서 규정한 사항 외에 관리위원회의 구성 및 운영에 필요한 사항은 대통령령으로 정한다(법 제26조의4 제4항).

⑤ 구분소유자의 승낙을 받아 전유부분을 점유하는 자는 ①의 본문에 따른 관리단집회에 참석하여 그 구분소유자의 의결권을 행사할 수 있다. 다만, 구분소유자와 점유자가 달리 정하여 관리단에 통지하거나 구분소유자가 집회 이전에 직접 의결권을 행사할 것을 관리단에 통지한 경우에는 그러하지 아니하다(법 제26조의4 제5항).

(3) 관리위원회의 소집(영 제9조)

① 관리위원회의 위원장은 필요하다고 인정할 때에는 관리위원회를 소집할 수 있다.

② 관리위원회의 위원장은 다음의 어느 하나에 해당하는 경우에는 관리위원회를 소집하여야 한다.

> ㉠ 관리위원회 위원 5분의 1 이상이 청구하는 경우
> ㉡ 관리인이 청구하는 경우
> ㉢ 그 밖에 규약에서 정하는 경우

③ 위 ②의 청구가 있은 후 관리위원회의 위원장이 청구일부터 2주일 이내의 날을 회의일로 하는 소집통지절차를 1주일 이내에 밟지 아니하면 소집을 청구한 사람이 관리위원회를 소집할 수 있다.

④ 관리위원회를 소집하려면 회의일 1주일 전에 회의의 일시, 장소, 목적사항을 구체적으로 밝혀 각 관리위원회 위원에게 통지하여야 한다. 다만, 이 기간은 규약으로 달리 정할 수 있다.

⑤ 관리위원회는 관리위원회의 위원 전원이 동의하면 ④에 따른 소집절차를 거치지 아니하고 소집할 수 있다.

더 알아보기 **관리위원회 위원의 결격사유(영 제8조)**

1. 미성년자, 피성년후견인
2. 파산선고를 받은 자로서 복권되지 아니한 사람
3. 금고 이상의 형을 선고받고 그 집행이 끝나거나 그 집행을 받지 아니하기로 확정된 후 5년이 지나지 아니한 사람(과실범은 제외한다)
4. 금고 이상의 형을 선고받고 그 집행유예기간이 끝난 날부터 2년이 지나지 아니한 사람(과실범은 제외한다)
5. 집합건물의 관리와 관련하여 벌금 100만원 이상의 형을 선고받은 후 5년이 지나지 아니한 사람
6. 관리위탁계약 등 관리단의 사무와 관련하여 관리단과 계약을 체결한 자 또는 그 임직원
7. 관리단에 매달 납부하여야 할 분담금을 3개월 연속하여 체납한 사람

(4) 관리위원회의 의결방법

① 관리위원회의 의사는 규약에 달리 정한 바가 없으면 관리위원회 재적위원 과반수의 찬성으로 의결한다(영 제10조 제1항).

② 관리위원회 위원은 질병, 해외체류 등 부득이한 사유가 있는 경우 외에는 서면이나 대리인을 통하여 의결권을 행사할 수 없다(영 제10조 제2항).

(5) 집합건물의 관리에 관한 감독

특별시장 · 광역시장 · 특별자치시장 · 도지사 · 특별자치도지사(이하 '시 · 도지사'라 한다) 또는 시장 · 군수 · 구청장(자치구의 구청장을 말하며, 이하 '시장 · 군수 · 구청장'이라 한다)은 집합건물의 효율적인 관리와 주민의 복리증진을 위하여 필요하다고 인정하는 경우에는 전유부분이 50개 이상인 건물의 관리인에게 다음의 사항을 보고하게 하거나 관련 자료의 제출을 명할 수 있다(법 제26조의5 제1항).

① 수선적립금의 징수 · 적립 · 사용 등에 관한 사항
② 관리인의 선임 · 해임에 관한 사항
③ 보고와 장부의 작성 · 보관 및 증빙서류의 보관에 관한 사항
④ 회계감사에 관한 사항
⑤ 정기 관리단집회의 소집에 관한 사항
⑥ 그 밖에 집합건물의 관리에 관한 감독을 위하여 필요한 사항으로서 대통령령으로 정하는 사항

제5항 규약 및 집회

01 규약

(1) 규약의 내용

① **전원공용부분**: 건물과 대지 또는 부속시설의 관리 또는 사용에 관한 구분소유자들 사이의 사항 중 이 법에서 규정하지 아니한 사항은 규약으로써 정할 수 있다(법 제28조 제1항). 이 경우에 구분소유자 외의 자의 권리를 침해하지 못한다(법 제28조 제3항).

② **일부공용부분**: 일부공용부분에 관한 사항으로서 구분소유자 전원에게 이해관계가 있지 아니한 사항은 구분소유자 전원의 규약에 따로 정하지 아니하면 일부공용부분을 공용하는 구분소유자의 규약으로써 정할 수 있다(법 제28조 제2항). 이 경우에 구분소유자 외의 자의 권리를 침해하지 못한다(법 제28조 제3항).

③ **표준규약**: 법무부장관은 이 법을 적용받는 건물과 대지 및 부속시설의 효율적이고 공정한 관리를 위하여 표준규약을 마련하여야 하며, 시 · 도지사는 표준규약을 참고하여 대통령령으로 정하는 바에 따라 지역별 표준규약을 마련하여 보급하여야 한다(법 제28조 제4항 · 제5항).

(2) 규약의 설정 · 변경 · 폐지

① 규약의 설정 · 변경 및 폐지는 관리단집회에서 구분소유자의 4분의 3 이상 및 의결권의 4분의 3 이상의 찬성을 얻어서 한다. 이 경우 규약의 설정 · 변경 및 폐지가 일부 구분소유자의 권리에 특별한 영향을 미칠 때에는 그 구분소유자의 승낙을 받아야 한다(법 제29조 제1항).

② 일부공용부분에 관한 사항으로서 구분소유자 전원의 이해에 관계가 없는 사항에 관한 구분소유자 전원의 규약의 설정 · 변경 또는 폐지는 그 일부공용부분을 공용하는 구분소유자의 4분의 1을 초과하는 자 또는 의결권의 4분의 1을 초과하는 의결권을 가진 자가 반대할 때에는 할 수 없다(법 제29조 제2항).

(3) 규약의 효력

① 규약은 구분소유자의 특별승계인에 대하여도 효력이 있다(법 제42조 제1항).

② 점유자는 구분소유자가 건물이나 대지 또는 부속시설의 사용과 관련하여 규약에 따라 부담하는 의무와 동일한 의무를 진다(법 제42조 제2항).

(4) 보관 및 열람

① 규약은 관리인 또는 구분소유자나 그 대리인으로서 건물을 사용하고 있는 자 중 1인이 보관하여야 한다(법 제30조 제1항).

② 규약을 보관할 구분소유자나 그 대리인은 규약에 다른 규정이 없으면 관리단집회의 결의로써 정한다(법 제30조 제2항).

③ 이해관계인은 규약을 보관하는 자에게 규약의 열람을 청구하거나 자기 비용으로 등본의 발급을 청구할 수 있다(법 제30조 제3항).

02 집회

(1) 권한

집회는 관리단의 사무에 관한 의사결정권을 갖는데, 관리단의 사무는 이 법 또는 규약으로 관리인에게 위임한 사항 외에는 관리단집회의 결의에 따라 수행한다(법 제31조). 관리단집회는 관리단의 최고의사결정기관이자 필수기관이다.

(2) 종류

① 정기 관리단집회: 관리인은 매년 회계연도 종료 후 3개월 이내에 정기 관리단집회를 소집하여야 한다(법 제32조).

② 임시 관리단집회

㉠ 관리인은 필요하다고 인정할 때에는 관리단집회를 소집할 수 있다(법 제33조 제1항).

㉡ 구분소유자의 5분의 1 이상이 회의의 목적사항을 구체적으로 밝혀 관리단집회의 소집을 청구하면 관리인은 관리단집회를 소집하여야 한다. 이 정수는 규약으로 감경할 수 있다(법 제33조 제2항).

㉢ 위 ㉡의 청구가 있은 후 1주일 내에 관리인이 청구일부터 2주일 이내의 날을 관리단집회일로 하는 소집통지절차를 밟지 아니하면 소집을 청구한 구분소유자는 법원의 허가를 받아 관리단집회를 소집할 수 있다(법 제33조 제3항).

㉣ 관리인이 없는 경우에는 구분소유자의 5분의 1 이상은 관리단집회를 소집할 수 있다. 이 정수는 규약으로 감경할 수 있다(법 제33조 제4항).

(3) 소집

① 절차

㉠ 관리단집회를 소집하려면 관리단집회일 1주일 전에 회의의 목적사항을 구체적으로 밝혀 각 구분소유자에게 통지하여야 한다. 다만, 이 기간은 규약으로 달리 정할 수 있다(법 제34조 제1항).

㉡ 전유부분을 여럿이 공유하는 경우에 ㉠의 통지는 정하여진 의결권을 행사할 자(그가 없을 때에는 공유자 중 1인)에게 통지하여야 한다(법 제34조 제2항).

㉢ 위 ㉠의 통지는 구분소유자가 관리인에게 따로 통지장소를 제출하였으면 그 장소로 발송하고, 제출하지 아니하였으면 구분소유자가 소유하는 전유부분이 있는 장소로 발송한다. 이 경우 ㉠의 통지는 통상적으로 도달할 시기에 도달한 것으로 본다(법 제34조 제3항).

㉣ 건물 내에 주소를 가지는 구분소유자 또는 ㉢의 통지장소를 제출하지 아니한 구분소유자에 대한 ㉠의 통지는 건물 내의 적당한 장소에 게시함으로써 소집통지를 갈음할 수 있음을 규약으로 정할 수 있다. 이 경우 ㉠의 통지는 게시한 때에 도달한 것으로 본다(법 제34조 제4항).

② **소집절차의 생략:** 관리단집회는 구분소유자 전원이 동의하면 소집절차를 거치지 아니하고 소집할 수 있다(법 제35조).

(4) 결의

① 결의사항

㉠ 관리단집회는 통지한 사항에 관하여만 결의할 수 있다(법 제36조 제1항).

㉡ 위 ㉠은 이 법에 관리단집회의 결의에 관하여 특별한 정수가 규정된 사항을 제외하고는 규약으로 달리 정할 수 있다(법 제36조 제2항).

㉢ 위 ㉠과 ㉡은 소집절차를 거치지 아니한 관리단집회에 관하여는 적용하지 아니한다(법 제36조 제3항).

② 의결권

㉠ 각 구분소유자의 의결권은 규약에 특별한 규정이 없으면 공용부분에 대한 지분비율에 따른다(법 제37조 제1항).

㉡ 전유부분을 여럿이 공유하는 경우에는 공유자는 관리단집회에서 의결권을 행사할 1인을 정한다(법 제37조 제2항).

㉢ 구분소유자의 승낙을 받아 동일한 전유부분을 점유하는 자가 여럿인 경우에는 해당 구분소유자의 의결권을 행사할 1인을 정하여야 한다(법 제37조 제3항).

③ 의결방법

㉠ 관리단집회의 의사는 이 법 또는 규약에 특별한 규정이 없으면 구분소유자의 과반수 및 의결권의 과반수로써 의결한다(법 제38조 제1항).

㉡ 의결권은 서면이나 전자적 방법(전자정보처리조직을 사용하거나 그 밖에 정보통신기술을 이용하는 방법으로서 대통령령으로 정하는 방법을 말한다. 이하 같다)으로 또는 대리인을 통하여 행사할 수 있다(법 제38조 제2항).

㉢ 관리단집회의 소집통지나 소집통지를 갈음하는 게시를 할 때에는 ㉡에 따라 의결권을 행사할 수 있다는 내용과 구체적인 의결권 행사방법을 명확히 밝혀야 한다(법 제38조 제3항).

④ 의장과 의사록

㉠ 관리단집회의 의장은 관리인 또는 집회를 소집한 구분소유자 중 연장자가 된다(법 제39조 제1항 본문). 다만, 규약에 특별한 규정이 있거나 관리단집회에서 다른 결의를 한 경우에는 그러하지 아니하다(법 제39조 제1항 단서).

㉡ 관리단집회의 의사에 관하여는 의사록을 작성하여야 한다(법 제39조 제2항).

㉢ 의사록에는 의사의 경과와 그 결과를 적고 의장과 구분소유자 2인 이상이 서명날인하여야 한다(법 제39조 제3항).

㉣ 의사록에 관하여는 규약의 보관 및 열람을 준용한다(법 제39조 제4항).

⑤ 점유자의 의견진술권

㉠ 구분소유자의 승낙을 받아 전유부분을 점유하는 자는 집회의 목적사항에 관하여 이해관계가 있는 경우에는 집회에 출석하여 의견을 진술할 수 있다(법 제40조 제1항).

㉡ 위 ㉠의 경우 집회를 소집하는 자는 소집통지를 한 후 지체 없이 집회의 일시, 장소 및 목적사항을 건물 내의 적당한 장소에 게시하여야 한다(법 제40조 제2항).

⑥ 서면결의

㉠ 이 법 또는 규약에 따라 관리단집회에서 결의할 것으로 정한 사항에 관하여 구분소유자의 4분의 3 이상 및 의결권의 4분의 3 이상이 서면이나 전자적 방법 또는 서면과 전자적 방법으로 합의하면 관리단집회를 소집하여 결의한 것으로 본다(법 제41조 제1항).

㉡ 위 ㉠에도 불구하고 다음의 경우에는 그 구분에 따른 의결정족수 요건을 갖추어 서면이나 전자적 방법 또는 서면과 전자적 방법으로 합의하면 관리단집회를 소집하여 결의한 것으로 본다(법 제41조 제2항).

> ⓐ **법 제15조 제1항 제2호의 경우:** 구분소유자의 과반수 및 의결권의 과반수
> ⓑ **법 제15조의2 제1항 본문, 제47조 제2항 본문 및 제50조 제4항의 경우:** 구분소유자의 5분의 4 이상 및 의결권의 5분의 4 이상
> ⓒ **법 제15조의2 제1항 단서 및 제47조 제2항 단서의 경우:** 구분소유자의 3분의 2 이상 및 의결권의 3분의 2 이상

㉢ 구분소유자들은 미리 그들 중 1인을 대리인으로 정하여 관리단에 신고한 경우에는 그 대리인은 그 구분소유자들을 대리하여 관리단집회에 참석하거나 서면 또는 전자적 방법으로 의결권을 행사할 수 있다(법 제41조 제3항).

㉣ 서면 또는 전자적 방법으로 기록된 정보에 관하여는 법 제30조를 준용한다(법 제41조 제4항).

기출예제

집합건물의 소유 및 관리에 관한 법률상 규약 및 집회에 관한 설명으로 옳지 않은 것은?

제26회

① 규약의 설정 · 변경 및 폐지는 관리단집회에서 구분소유자의 4분의 3 이상 및 의결권의 4분의 3 이상의 찬성을 얻어서 한다.
② 규약은 관리인 또는 구분소유자나 그 대리인으로서 건물을 사용하고 있는 자 중 1인이 보관하여야 한다.
③ 관리단집회는 집회소집 통지한 사항에 관하여만 결의할 수 있다.
④ 관리단집회는 구분소유자 전원이 동의하면 소집절차를 거치지 아니하고 소집할 수 있다.
⑤ 구분소유자는 관리단집회의 결의내용이 법령 또는 규약에 위배되는 경우 집회 결의사실을 안 날부터 90일 이내에 결의취소의 소를 제기하여야 한다.

해설

규약 및 관리단집회

- 규약의 설정 · 변경 · 폐지는 집회에서 구분소유자의 4분의 3 이상 및 의결권의 4분의 3 이상의 찬성으로 한다.
- 규약은 관리인 또는 구분소유자나 그 대리인으로서 건물을 사용하고 있는 자 중 1인이 보관하여야 한다.
- 관리단집회는 통지한 사항에 관하여만 결의할 수 있으나 전원이 동의하여 소집한 관리단집회에 관하여는 적용하지 아니한다.
- 전원이 동의하여 소집하는 집회는 소집절차와 결의사항의 제한이 없다.
- 구분소유자는 집회 결의사실을 안 날부터 6개월 이내에, 결의한 날부터 1년 이내에 결의취소의 소를 제기할 수 있다.

정답: ⑤

⑦ 효력

㉠ 관리단집회의 결의는 구분소유자의 특별승계인에 대하여도 효력이 있다(법 제42조 제1항).

㉡ 점유자는 구분소유자가 건물이나 대지 또는 부속시설의 사용과 관련하여 관리단집회의 결의에 따라 부담하는 의무와 동일한 의무를 진다(법 제42조 제2항).

⑧ **결의취소의 소:** 구분소유자는 다음의 어느 하나에 해당하는 경우에는 집회 결의사실을 안 날부터 6개월 이내에, 결의한 날부터 1년 이내에 결의취소의 소를 제기할 수 있다(법 제42조의2).

> ㉠ 집회의 소집절차나 결의방법이 법령 또는 규약에 위반되거나 현저하게 불공정한 경우
> ㉡ 결의내용이 법령 또는 규약에 위배되는 경우

제6항 의무위반자에 대한 조치

(1) 행위정지 등의 청구

① 구분소유자가 건물의 보존에 해로운 행위나 그 밖에 건물의 관리 및 사용에 관하여 구분소유자 공동의 이익에 어긋나는 행위를 한 경우 또는 그 행위를 할 우려가 있는 경우에는 관리인 또는 관리단집회의 결의로 지정된 구분소유자는 구분소유자 공동의 이익을 위하여 그 행위를 정지하거나 그 행위의 결과를 제거하거나 그 행위의 예방에 필요한 조치를 할 것을 청구할 수 있다(법 제43조 제1항).

② 위 ①에 따른 소송의 제기는 관리단집회의 결의가 있어야 한다(법 제43조 제2항).

③ 점유자가 건물의 보존에 해로운 행위나 그 밖에 건물의 관리 및 사용에 관하여 구분소유자 공동의 이익에 어긋나는 행위를 한 경우 또는 그 행위를 할 우려가 있는 경우에도 ①과 ②를 준용한다(법 제43조 제3항).

(2) 사용금지의 청구

① 구분소유자가 하는 건물의 보존에 해로운 행위나 그 밖에 건물의 관리 및 사용에 관하여 구분소유자 공동의 이익에 어긋나는 행위로 구분소유자의 공동생활상의 장해가 현저하여 행위정지 등의 청구로는 그 장해를 제거하여 공용부분의 이용확보나 구분소유자의 공동생활유지를 도모함이 매우 곤란할 때에는 관리인 또는 관리단집회의 결의로 지정된 구분소유자는 관리단집회의 결의에 근거하여 소(訴)로써 적당한 기간 동안 해당 구분소유자의 전유부분 사용금지를 청구할 수 있다(법 제44조 제1항).

② 위 ①의 결의는 구분소유자의 4분의 3 이상 및 의결권의 4분의 3 이상으로 결정한다(법 제44조 제2항).

③ 위 ①의 결의를 할 때에는 미리 해당 구분소유자에게 변명할 기회를 주어야 한다(법 제44조 제3항).

(3) 구분소유권에 대한 경매청구

① 구분소유자가 행위금지의 의무를 위반하거나 규약에서 정한 의무를 현저히 위반한 결과 공동생활을 유지하기 매우 곤란하게 된 경우에는 관리인 또는 관리단집회의 결의로 지정된 구분소유자는 해당 구분소유자의 전유부분 및 대지사용권의 경매를 명할 것을 법원에 청구할 수 있다(법 제45조 제1항).

② 위 ①의 청구는 구분소유자의 4분의 3 이상 및 의결권의 4분의 3 이상의 관리단집회 결의가 있어야 한다(법 제45조 제2항).

③ 위 ②의 결의를 할 때에는 미리 해당 구분소유자에게 변명할 기회를 주어야 한다(법 제45조 제3항).

④ 위 ①의 청구에 따라 경매를 명한 재판이 확정되었을 때에는 그 청구를 한 자는 경매를 신청할 수 있다. 다만, 그 재판확정일부터 6개월이 지나면 그러하지 아니하다(법 제45조 제4항).

⑤ 위 ①의 해당 구분소유자는 ④ 본문의 신청에 의한 경매에서 경락인이 되지 못한다(법 제45조 제5항).

(4) 전유부분의 점유자에 대한 인도청구

① 점유자가 의무위반을 한 결과 공동생활을 유지하기 매우 곤란하게 된 경우에는 관리인 또는 관리단집회의 결의로 지정된 구분소유자는 그 전유부분을 목적으로 하는 계약의 해제 및 그 전유부분의 인도를 청구할 수 있다(법 제46조 제1항).

② 위 ①의 경우에는 관리단집회의 결의 및 변명의 기회제공을 준용한다(법 제46조 제2항).

③ 위 ①에 따라 전유부분을 인도받은 자는 지체 없이 그 전유부분을 점유할 권원(權原)이 있는 자에게 인도하여야 한다(법 제46조 제3항).

제7항 재건축 및 멸실복구

01 재건축

(1) 결의

① 목적: 건물 건축 후 상당한 기간이 지나 건물이 훼손되거나 일부 멸실되거나 그 밖의 사정으로 건물가격에 비하여 지나치게 많은 수리비 · 복구비나 관리비용이 드는 경우 또는 부근 토지의 이용상황의 변화나 그 밖의 사정으로 건물을 재건축하면 재건축에 드는 비용에 비하여 현저하게 효용이 증가하게 되는 경우에 관리단집회는 그 건물을 철거하여 그 대지를 구분소유권의 목적이 될 새 건물의 대지로 이용할 것을 결의할 수

있다(법 제47조 제1항 본문). 다만, 재건축의 내용이 단지 내 다른 건물의 구분소유자에게 특별한 영향을 미칠 때에는 그 구분소유자의 승낙을 받아야 한다(법 제47조 제1항 단서).

② **결의요건**: 재건축의 결의는 구분소유자의 5분의 4 이상 및 의결권의 5분의 4 이상의 결의에 따른다. 다만, 관광진흥법 제3조 제1항 제2호 나목에 따른 휴양 콘도미니엄업의 운영을 위한 휴양 콘도미니엄의 재건축 결의는 구분소유자의 3분의 2 이상 및 의결권의 3분의 2 이상의 결의에 따른다(법 제47조 제2항).

③ **결의사항**: 재건축을 결의할 때에는 다음의 사항을 정하여야 하는데(법 제47조 제3항), ㉢ 및 ㉣의 사항은 각 구분소유자 사이에 형평이 유지되도록 정하여야 한다(법 제47조 제4항).

> ㉠ 새 건물의 설계개요
> ㉡ 건물의 철거 및 새 건물의 건축에 드는 비용을 개략적으로 산정한 금액
> ㉢ 비용의 분담에 관한 사항
> ㉣ 새 건물의 구분소유권 귀속에 관한 사항

④ **찬부 기재**: 재건축 결의를 위한 관리단집회의 의사록에는 결의에 대한 각 구분소유자의 찬반의사를 적어야 한다(법 제47조 제5항).

(2) 재건축 결의의 효과

① 참가

㉠ 재건축의 결의가 있으면 집회를 소집한 자는 지체 없이 그 결의에 찬성하지 아니한 구분소유자(그의 승계인을 포함한다)에 대하여 그 결의내용에 따른 재건축에 참가할 것인지 여부를 회답할 것을 서면으로 촉구하여야 한다(법 제48조 제1항).

㉡ 위 ㉠의 촉구를 받은 구분소유자는 촉구를 받은 날부터 2개월 이내에 회답하여야 한다(법 제48조 제2항).

㉢ 위 ㉡의 기간 내에 회답하지 아니한 경우 그 구분소유자는 재건축에 참가하지 아니하겠다는 뜻을 회답한 것으로 본다(법 제48조 제3항).

② 불참가자에 대한 매도청구

㉠ 매도청구

ⓐ 재건축참가 회답기간이 지나면 재건축 결의에 찬성한 각 구분소유자, 재건축 결의내용에 따른 재건축에 참가할 뜻을 회답한 각 구분소유자(그의 승계인을 포함한다) 또는 이들 전원의 합의에 따라 구분소유권과 대지사용권을 매수하도록 지정된 자(이하 '매수지정자'라 한다)는 재건축참가 회답기간 만료일부터 2개월 이내에 재건축에 참가하지 아니하겠다는 뜻을 회답한 구분소유자(그의 승계인을 포함한다)에게 구분소유권과 대지사용권을 시가로 매도할 것을 청구할 수 있다

(법 제48조 제4항 본문). 재건축 결의가 있은 후에 이 구분소유자로부터 대지사용권만을 취득한 자의 대지사용권에 대하여도 또한 같다(법 제48조 제4항 단서).

ⓑ 위 ⓐ에 따른 청구가 있는 경우에 재건축에 참가하지 아니하겠다는 뜻을 회답한 구분소유자가 건물을 명도(明渡)하면 생활에 현저한 어려움을 겪을 우려가 있고 재건축의 수행에 큰 영향이 없을 때에는 법원은 그 구분소유자의 청구에 의하여 대금 지급일 또는 제공일부터 1년을 초과하지 아니하는 범위에서 건물 명도에 대하여 적당한 기간을 허락할 수 있다(법 제48조 제5항).

ⓛ 재매도청구

ⓐ 재건축 결의일부터 2년 이내에 건물 철거공사가 착수되지 아니한 경우에는 ㉠의 ⓐ 본문에 따라 구분소유권이나 대지사용권을 매도한 자는 이 기간이 만료된 날부터 6개월 이내에 매수인이 지급한 대금에 상당하는 금액을 그 구분소유권이나 대지사용권을 가지고 있는 자에게 제공하고 이들의 권리를 매도할 것을 청구할 수 있다(법 제48조 제6항 본문). 다만, 건물 철거공사가 착수되지 아니한 타당한 이유가 있을 경우에는 그러하지 아니하다(법 제48조 제6항 단서).

ⓑ 위 ⓐ의 단서에 따른 건물 철거공사가 착수되지 아니한 타당한 이유가 없어진 날부터 6개월 이내에 공사에 착수하지 아니하는 경우에는 ⓐ의 본문을 준용한다(법 제48조 제7항 전단). 이 경우 ⓐ의 본문 중 "이 기간이 만료된 날부터 6개월 이내에"는 "건물 철거공사가 착수되지 아니한 타당한 이유가 없어진 것을 안 날부터 6개월 또는 그 이유가 없어진 날부터 2년 중 빠른 날까지"로 본다(법 제48조 제7항 후단).

(3) 합의의제

재건축 결의에 찬성한 각 구분소유자, 재건축 결의내용에 따른 재건축에 참가할 뜻을 회답한 각 구분소유자 및 구분소유권 또는 대지사용권을 매수한 각 매수지정자(이들의 승계인을 포함한다)는 재건축 결의내용에 따른 재건축에 합의한 것으로 본다(법 제49조).

02 멸실복구

(1) 건물가격의 2분의 1 이하의 멸실의 경우

① 건물가격의 2분의 1 이하에 상당하는 건물부분이 멸실되었을 때에는 각 구분소유자는 멸실한 공용부분과 자기의 전유부분을 복구할 수 있다(법 제50조 제1항 본문). 다만, 공용부분의 복구에 착수하기 전에 재건축의 결의나 공용부분의 복구에 대한 결의가 있는 경우에는 그러하지 아니하다(법 제50조 제1항 단서).

② 위 ①에 따라 공용부분을 복구한 자는 다른 구분소유자에게 공용부분에 대한 지분비율에 따라 복구에 든 비용의 상환을 청구할 수 있는데(법 제50조 제2항), 법원은 이 경우에 상환청구를 받은 구분소유자의 청구에 의하여 상환금의 지급에 관하여 적당한 기간을 허락할 수 있다(법 제50조 제8항).

③ 위 ① 및 ②는 규약으로 달리 정할 수 있다(법 제50조 제3항).

(2) 건물가격의 2분의 1 초과의 멸실의 경우

① 건물이 일부 멸실된 경우로서 (1)의 ① 본문의 경우를 제외한 경우에 관리단집회는 구분소유자의 5분의 4 이상 및 의결권의 5분의 4 이상으로 멸실한 공용부분을 복구할 것을 결의할 수 있다(법 제50조 제4항).

② 위 ①의 결의가 있는 경우에는 재건축 결의에 대한 찬부기재를 준용한다(법 제50조 제5항).

③ 위 ①의 결의가 있을 때에는 그 결의에 찬성한 구분소유자(그의 승계인을 포함한다) 외의 구분소유자는 결의에 찬성한 구분소유자(그의 승계인을 포함한다)에게 건물 및 그 대지에 관한 권리를 시가로 매수할 것을 청구할 수 있다(법 제50조 제6항).

④ 위 ①의 경우에 건물 일부가 멸실한 날부터 6개월 이내에 ① 또는 재건축의 결의가 없을 때에는 각 구분소유자는 다른 구분소유자에게 건물 및 그 대지에 관한 권리를 시가로 매수할 것을 청구할 수 있다(법 제50조 제7항).

⑤ 법원은 ③ 및 ④의 경우에 상환 또는 매수청구를 받은 구분소유자의 청구에 의하여 상환금 또는 대금의 지급에 관하여 적당한 기간을 허락할 수 있다(법 제50조 제8항).

제2절 보칙

제1항 단지관리단

(1) 전부 단지관리단

① 한 단지에 여러 동의 건물이 있고 그 단지 내의 토지 또는 부속시설(이들에 관한 권리를 포함한다)이 그 건물소유자(전유부분이 있는 건물에서는 구분소유자를 말한다)의 공동소유에 속하는 경우에는 이들 소유자는 그 단지 내의 토지 또는 부속시설을 관리하기 위한 단체를 구성하여 이 법에서 정하는 바에 따라 집회를 개최하고 규약을 정하며 관리인을 둘 수 있다(법 제51조 제1항).

② 위 ①의 단지관리단은 단지관리단의 구성원이 속하는 각 관리단의 사업의 전부 또는 일부를 그 사업목적으로 할 수 있다(법 제51조 제3항 본문). 이 경우 각 관리단의 구성원의 4분의 3 이상 및 의결권의 4분의 3 이상에 의한 관리단집회의 결의가 있어야 한다(법 제51조 제3항 단서).

(2) 일부 단지관리단

한 단지에 여러 동의 건물이 있고 단지 내의 토지 또는 부속시설(이들에 관한 권리를 포함한다)이 그 건물 소유자(전유부분이 있는 건물에서는 구분소유자를 말한다) 중 일부의 공동소유에 속하는 경우에는 이들 소유자는 그 단지 내의 토지 또는 부속시설을 관리하기 위한 단체를 구성하여 이 법에서 정하는 바에 따라 집회를 개최하고 규약을 정하며 관리인을 둘 수 있다(법 제51조 제2항).

(3) 단지에의 준용

단지관리단의 경우에는 법 제3조(공용부분), 제23조의2(관리단의 의무), 제24조부터 제26조까지(관리인), 제26조의2(회계감사), 제26조의3(관리위원회), 제27조부터 제42조까지(관리단과 규약 등) 및 제42조의2(결의취소의 소)를 준용한다(법 제52조).

제2항 집합건물분쟁조정위원회

01 집합건물분쟁조정위원회

(1) 설치

이 법을 적용받는 건물과 관련된 분쟁을 심의 · 조정하기 위하여 특별시 · 광역시 · 특별자치시 · 도 또는 특별자치도(이하 '시 · 도'라 한다)에 집합건물분쟁조정위원회(이하 '조정위원회'라 한다)를 둔다(법 제52조의2 제1항).

(2) 심의 · 조정사항

조정위원회는 분쟁 당사자의 신청에 따라 다음의 분쟁(이하 '집합건물분쟁'이라 한다)을 심의 · 조정한다(법 제52조의2 제2항).

① 이 법을 적용받는 건물의 하자에 관한 분쟁. 다만, 공동주택관리법 제36조 및 제37조에 따른 공동주택의 담보책임 및 하자보수 등과 관련된 분쟁은 제외한다.
② 관리인 · 관리위원의 선임 · 해임 또는 관리단 · 관리위원회의 구성 · 운영에 관한 분쟁
③ 공용부분의 보존 · 관리 또는 변경에 관한 분쟁
④ 관리비의 징수 · 관리 및 사용에 관한 분쟁
⑤ 규약의 제정 · 개정에 관한 분쟁
⑥ 재건축과 관련된 철거, 비용분담 및 구분소유권 귀속에 관한 분쟁
⑦ 소음 · 진동 · 악취 등 공동생활과 관련된 분쟁
⑧ 그 밖에 이 법을 적용받는 건물과 관련된 분쟁으로서 대통령령으로 정한 분쟁

(3) 구성과 운영(법 제52조의3)

① 조정위원회는 위원장 1명과 부위원장 1명을 포함한 10명 이내의 위원으로 구성한다.

② 조정위원회의 위원은 집합건물분쟁에 관한 법률지식과 경험이 풍부한 사람으로서 다음의 어느 하나에 해당하는 사람 중에서 시 · 도지사가 임명하거나 위촉한다. 이 경우 ㉠ 및 ㉡에 해당하는 사람이 각각 2명 이상 포함되어야 한다.

> ㉠ 법학 또는 조정 · 중재 등의 분쟁조정 관련 학문을 전공한 사람으로서 대학에서 조교수 이상으로 3년 이상 재직한 사람
> ㉡ 변호사 자격이 있는 사람으로서 3년 이상 법률에 관한 사무에 종사한 사람
> ㉢ 건설공사, 하자감정 또는 공동주택관리에 관한 전문적 지식을 갖춘 사람으로서 해당 업무에 3년 이상 종사한 사람
> ㉣ 해당 시 · 도 소속 5급 이상 공무원으로서 관련 업무에 3년 이상 종사한 사람

③ 조정위원회의 위원장은 해당 시 · 도지사가 위원 중에서 임명하거나 위촉한다.

④ 조정위원회에는 분쟁을 효율적으로 심의 · 조정하기 위하여 3명 이내의 위원으로 구성되는 소위원회를 둘 수 있다. 이 경우 소위원회에는 ②의 ㉠ 및 ㉡에 해당하는 사람이 각각 1명 이상 포함되어야 한다.

⑤ 조정위원회는 재적위원 과반수의 출석과 출석위원 과반수의 찬성으로 의결하며, 소위원회는 재적위원 전원 출석과 출석위원 과반수의 찬성으로 의결한다.

02 조정절차

(1) 조정의 신청(법 제52조의5)

① 조정위원회는 당사자 일방으로부터 분쟁의 조정신청을 받은 경우에는 지체 없이 그 신청내용을 상대방에게 통지하여야 한다.

② 위 ①에 따라 통지를 받은 상대방은 그 통지를 받은 날부터 7일 이내에 조정에 응할 것인지에 관한 의사를 조정위원회에 통지하여야 한다.

③ 위 ①에 따라 분쟁의 조정신청을 받은 조정위원회는 분쟁의 성질 등 조정에 적합하지 아니한 사유가 있다고 인정하는 경우에는 해당 조정의 불개시결정을 할 수 있다. 이 경우 조정의 불개시결정 사실과 그 사유를 당사자에게 통보하여야 한다.

(2) 조정의 절차(법 제52조의6)

① 조정위원회는 조정신청을 받으면 조정 불응 또는 조정의 불개시결정이 있는 경우를 제외하고는 지체 없이 조정절차를 개시하여야 하며, 신청을 받은 날부터 60일 이내에 그 절차를 마쳐야 한다.

② 조정위원회는 ①의 기간 내에 조정을 마칠 수 없는 경우에는 조정위원회의 의결로 그 기간을 30일의 범위에서 한 차례만 연장할 수 있다. 이 경우 그 사유와 기한을 분명히 밝혀 당사자에게 서면으로 통지하여야 한다.
③ 조정위원회는 ①에 따른 조정의 절차를 개시하기 전에 이해관계인 등의 의견을 들을 수 있다.
④ 조정위원회는 ①에 따른 절차를 마쳤을 때에는 조정안을 작성하여 지체 없이 각 당사자에게 제시하여야 한다.
⑤ 위 ④에 따른 조정안을 제시받은 당사자는 제시받은 날부터 14일 이내에 조정안의 수락 여부를 조정위원회에 통보하여야 한다. 이 경우 당사자가 그 기간 내에 조정안에 대한 수락 여부를 통보하지 아니한 경우에는 조정안을 수락한 것으로 본다.

(3) 조정의 중지(법 제52조의8)

① 조정위원회는 당사자가 조정에 응하지 아니할 의사를 통지하거나 조정안을 거부한 경우에는 조정을 중지하고 그 사실을 상대방에게 서면으로 통보하여야 한다.
② 조정위원회는 당사자 중 일방이 소를 제기한 경우에는 조정을 중지하고 그 사실을 상대방에게 통보하여야 한다.
③ 조정위원회는 법원에 소송 계속 중인 당사자 중 일방이 조정을 신청한 때에는 해당 조정신청을 결정으로 각하하여야 한다.

(4) 조정의 효력(법 제52조의9)

① 당사자가 조정안을 수락하면 조정위원회는 지체 없이 조정서 3부를 작성하여 위원장 및 각 당사자로 하여금 조정서에 서명날인하게 하여야 한다.
② 위 ①의 경우 당사자간에 조정서와 같은 내용의 합의가 성립된 것으로 본다.

(5) 하자 등의 감정(법 제52조의10)

① 조정위원회는 당사자의 신청으로 또는 당사자와 협의하여 대통령령으로 정하는 안전진단기관, 하자감정전문기관 등에 하자진단 또는 하자감정 등을 요청할 수 있다.
② 조정위원회는 당사자의 신청으로 또는 당사자와 협의하여 공동주택관리법 제39조에 따른 하자심사·분쟁조정위원회에 하자판정을 요청할 수 있다.
③ 위 ① 및 ②에 따른 비용은 대통령령으로 정하는 바에 따라 당사자가 부담한다.

마무리STEP 1 | OX 문제

01 전유부분이 속하는 1동의 건물의 설치 또는 보존의 흠으로 인하여 다른 자에게 손해를 입힌 경우에는 그 흠은 공용부분에 존재하는 것으로 간주한다. (　　)

02 하자로 인하여 건물이 멸실되거나 훼손된 경우에는 그 멸실되거나 훼손된 날부터 5년 이내에 권리를 행사하여야 한다. (　　)

03 분양자는 예정된 매수인의 2분의 1 이상이 입주한 때에는 규약 설정 및 관리인 선임을 위한 관리단집회를 소집할 것을 대통령령으로 정하는 바에 따라 구분소유자에게 통지하여야 한다. 이 경우 통지받은 날부터 3개월 이내에 관리단집회를 소집할 것을 명시하여야 한다. (　　)

04 각 공유자는 공용부분을 그 지분의 비율에 따라 사용할 수 있고, 각 공유자의 지분은 그가 가지는 전유부분의 면적비율에 따른다. (　　)

05 공용부분의 변경에 관한 사항은 관리단집회에서 구분소유자의 과반수 및 의결권의 과반수 결의로써 결정한다. (　　)

01 × 간주가 아니라 추정한다.
02 × 5년이 아니라 1년 이내에 권리를 행사하여야 한다.
03 × 예정된 매수인의 2분의 1 이상이 이전등기를 한 때이다.
04 × 각 공유자는 공용부분을 그 용도에 따라 사용할 수 있다.
05 × 구분소유자의 3분의 2 이상 및 의결권의 3분의 2 이상의 결의로써 결정한다.

06 구분소유권 및 대지사용권의 범위나 내용에 변동을 일으키는 공용부분의 변경에 관한 사항은 관리단집회에서 구분소유자의 5분의 4 이상 및 의결권의 5분의 4 이상의 결의로써 결정한다. 다만, 관광진흥법 제3조 제1항 제2호 나목에 따른 휴양 콘도미니엄업의 운영을 위한 휴양 콘도미니엄의 권리변동 있는 공용부분 변경에 관한 사항은 구분소유자의 3분의 2 이상 및 의결권의 3분의 2 이상의 결의로써 결정한다. ( )

07 공용부분의 관리에 관한 사항은 공용부분의 변경(권리변동 있는 공용부분의 변경을 포함한다)의 경우를 제외하고는 통상의 집회결의로써 결정한다. 다만, 보존행위는 각 공유자가 할 수 있다. ( )

08 관리단은 규약에 달리 정한 바가 없으면 관리단집회의 결의에 따라 수선적립금을 징수하여 적립할 수 있고, 수선적립금은 구분소유자로부터 징수하며 관리단에 귀속된다. ( )

09 관리단이 그의 재산으로 채무를 전부 변제할 수 없는 경우에는 구분소유자는 공용부분에 대한 지분비율에 따라 관리단의 채무를 변제할 책임을 지며, 구분소유자의 특별승계인은 승계 전에 발생한 관리단의 채무에 관하여도 책임을 진다. ( )

10 구분소유자가 10인 이상일 때에는 관리단을 대표하고 관리단의 사무를 집행할 관리인을 선임하여야 하며, 여기서 관리인은 구분소유자일 필요가 없으며, 그 임기는 2년의 범위에서 규약으로 정한다. ( )

06 ○
07 ○
08 ○
09 ○
10 ○

11 전유부분이 100개 이상인 건물(의무관리대상 공동주택 및 임대주택과 대규모점포 등 관리자가 있는 대규모점포 및 준대규모점포는 제외한다)의 관리인으로 선임된 자는 선임된 사실을 특별자치시장, 특별자치도지사, 시장 · 군수 또는 자치구의 구청장에게 신고하여야 한다. ( )

12 전유부분이 50개 이상인 건물의 관리인은 관리단의 사무 집행을 위한 비용과 분담금 등 금원의 징수 · 보관 · 사용 · 관리 등 모든 거래행위에 관하여 장부를 월별로 작성하여 그 증빙서류와 함께 해당 회계연도 종료일부터 5년간 보관하여야 한다. ( )

13 전유부분이 100개 이상인 건물의 관리인은 감사인의 회계감사를 매년 1회 이상 받아야 한다. 다만, 관리단집회에서 구분소유자의 3분의 2 이상 및 의결권의 3분의 2 이상이 회계감사를 받지 아니하기로 결의한 연도에는 그러하지 아니하다. ( )

11 × 전유부분이 50개 이상인 건물이다.

12 ○

13 × 전유부분이 150개 이상인 경우이다.

마무리STEP 2 | 확인문제

01 **집합건물의 소유 및 관리에 관한 법률상 건물의 구분소유에 관한 설명으로 옳은 것은?** 제14회

① 구조상 구분소유자 전원 또는 일부의 공용(共用)에 제공되는 건물부분은 구분소유권의 목적으로 할 수 있다.
② 전유부분이 속하는 1동의 건물의 설치 또는 보존의 흠으로 인하여 다른 자에게 손해를 입힌 경우에는 그 흠은 공용부분에 존재하는 것으로 간주한다.
③ 대지사용권을 가지지 아니한 구분소유자가 있을 때에는 그 전유부분의 철거를 청구할 권리를 가진 자는 그 구분소유자에 대하여 구분소유권을 공시지가로 매도할 것을 청구할 수 있다.
④ 공용부분의 변경에 관한 사항은 법률에서 달리 정한 경우를 제외하고는 관리단집회에서 구분소유자의 4분의 3 이상 및 의결권의 4분의 3 이상의 결의로써 결정한다.
⑤ 공용부분의 보존행위에 관한 사항은 규약에도 불구하고 통상의 집회결의로써 결정한다.

02 **집합건물의 소유 및 관리에 관한 법률상 구분소유 등에 관한 설명으로 옳지 않은 것은?** 제15회

① 대지사용권이란 구분소유자가 전유부분을 소유하기 위하여 건물의 대지에 대하여 가지는 권리를 말한다.
② 구분소유자는 그가 가지는 전유부분과 분리하여 대지사용권을 처분할 수 없다. 다만, 규약으로써 달리 정하는 경우에는 그러하지 아니하다.
③ 공유자가 공용부분에 관하여 다른 공유자에 대하여 가지는 채권은 그 특별승계인에 대하여 행사할 수 없다.
④ 전유부분이 속하는 1동의 건물의 설치 또는 보존의 흠으로 인하여 다른 자에게 손해를 입힌 경우에는 그 흠은 공용부분에 존재하는 것으로 추정한다.
⑤ 공용부분에 대한 공유자의 지분은 그가 가지는 전유부분의 처분에 따른다.

03 집합건물의 소유 및 관리에 관한 법률의 내용으로 옳은 것을 모두 고른 것은?

제16회

> ㉠ 통로, 주차장, 정원, 부속건물의 대지, 그 밖에 전유부분이 속하는 1동의 건물 및 그 건물이 있는 토지와 하나로 관리되거나 사용되는 토지는 규약으로써 건물의 대지로 할 수 있다.
> ㉡ 각 공유자는 규약에 달리 정한 바가 없으면 균등한 비율로 공용부분의 관리비용과 그 밖의 의무를 부담하며 공용부분에서 생기는 이익을 취득한다.
> ㉢ 공용부분에 대한 공유자의 지분은 그가 가지는 전유부분의 처분에 따르며, 공유자는 그가 가지는 전유부분과 분리하여 공용부분에 대한 지분을 처분할 수 없다.
> ㉣ 공유자가 공용부분에 관하여 다른 공유자에 대하여 가지는 채권은 그 특별승계인에 대하여는 행사할 수 없다.

① ㉠, ㉡
② ㉠, ㉢
③ ㉡, ㉢
④ ㉡, ㉣
⑤ ㉢, ㉣

정답 | 해설

01 ④ ① 구분소유권의 목적으로 할 수 없다.
② 간주한다가 아니라 추정한다이다.
③ 공시지가가 아니라 시가로 매도할 것을 청구할 수 있다.
⑤ 보존행위는 각 공유자가 할 수 있다.

02 ③ 공유자가 공용부분에 관하여 다른 공유자에 대하여 가지는 채권은 그 특별승계인에 대하여 행사할 수 있다.

03 ② 옳은 것은 ㉠㉢이다.
㉡ 각 공유자는 규약에 달리 정한 바가 없으면 그 지분의 비율에 따라 공용부분의 관리비용과 그 밖의 의무를 부담하며 공용부분에서 생기는 이익을 취득한다.
㉣ 특별승계인에 대하여도 행사할 수 있다.

04 **집합건물의 소유 및 관리에 관한 법률상 구분소유자 등의 권리나 의무에 관한 설명 중 틀린 것은?** 제10회

① 대지사용권을 가지지 아니한 구분소유자가 있을 때에는 그 전유부분의 철거를 청구할 권리를 가진 자는 그 구분소유자에 대하여 구분소유권을 시가로 매도할 것을 청구할 수 있다.

② 구분소유자 공동의 이익에 어긋나는 행위로 공동생활 유지를 도모함이 매우 곤란할 때에는 관리인은 관리단집회의 결의에 근거하여 소로써 적당한 기간 동안 해당 구분소유자의 전유부분 사용금지를 청구할 수 있다.

③ 점유자가 건물의 보존에 해로운 행위를 한 결과 공동생활을 유지하기 매우 곤란하게 된 경우에는 관리인은 그 전유부분을 목적으로 하는 계약의 해제 및 그 전유부분의 인도를 청구할 수 있다.

④ 구분소유자가 정당한 사유 없이 주택의 내부 벽을 철거하여 증축·개축하는 행위를 한 결과 공동생활을 유지하기 매우 곤란하게 된 경우에는 관리인은 해당 구분소유자의 전유부분 및 대지사용권의 경매를 명할 것을 법원에 즉시 청구할 수 있다.

⑤ 구분소유자는 자기의 공유에 속하는 공용부분을 보존하거나 개량하기 위하여 필요한 범위에서 다른 구분소유자의 전유부분의 사용을 청구할 수 있다.

05 **집합건물의 소유 및 관리에 관한 법령상 관리인의 권한과 의무에 관한 설명으로 옳지 않은 것은?** 제13회

① 관리인은 공용부분의 보존·관리 및 변경을 위한 행위를 할 권한과 의무를 가진다.

② 관리인의 대표권은 제한할 수 있다. 다만, 이로써 선의의 제3자에게 대항할 수 없다.

③ 관리인은 관리단의 사업시행과 관련하여 관리단을 대표하여 하는 재판상 또는 재판외의 행위를 할 권한과 의무를 가진다.

④ 관리인이 구분소유자에게 그 사무에 관하여 보고를 하지 아니하거나 거짓으로 보고를 한 경우에는 200만원 이하의 과태료를 부과한다.

⑤ 관리인에게 부정한 행위나 그 밖에 그 직무를 수행하기에 적합하지 아니한 사정이 있을 때에는 각 구분소유자는 관리인의 해임을 법원에 청구할 수 있다.

06 **집합건물의 소유 및 관리에 관한 법령상의 내용으로서 옳은 것은?** 제11회

① 구분소유자가 10인 이상일 때에는 관리인을 선임하여야 한다.

② 전유부분이 속하는 1동의 건물의 설치의 흠으로 인하여 다른 자에게 손해를 입힌 경우에는 그 흠은 전유부분에 존재하는 것으로 간주한다.

③ 공용부분에 대한 공유자의 지분은 전유부분과 분리하여 처분할 수 있다.

④ 일부공용부분의 관리에 관한 사항 중 구분소유자 전원에게 이해관계가 있는 사항은 구분소유자 3분의 2 이상의 집회결의로써 결정한다.

⑤ 공용부분의 관리에 관한 사항 중 보존행위는 규약으로써 달리 정함이 없는 한 통상의 집회결의로써 결정한다.

정답 | 해설

04 ④ 구분소유자가 정당한 사유 없이 주택의 내부 벽을 철거하여 증축 · 개축하는 행위를 한 결과 공동생활을 유지하기 매우 곤란하게 된 경우에는 관리인은 해당 구분소유자의 전유부분 및 대지사용권의 경매를 명할 것을 법원에 청구할 수 있는데, 이의청구는 구분소유자의 4분의 3 이상 및 의결권의 4분의 3 이상의 관리단집회 결의가 있어야 하고, 이의결의를 할 때에는 미리 해당 구분소유자에게 변명할 기회를 주어야 한다.

05 ④ 관리인이 구분소유자에게 그 사무에 관하여 보고를 하지 아니하거나 거짓으로 보고를 한 경우에는 100만원 이하의 과태료를 부과한다.

06 ① ② 전유부분이 속하는 1동의 건물의 설치의 흠으로 인하여 다른 자에게 손해를 입힌 경우에는 그 흠은 공용부분에 존재하는 것으로 추정한다.
③ 공용부분에 대한 공유자의 지분은 전유부분과 분리하여 처분할 수 없다.
④ 일부공용부분의 관리에 관한 사항 중 구분소유자 전원에게 이해관계가 있는 사항은 구분소유자 전원의 집회결의로써 결정하고, 그 밖의 사항은 그것을 공용하는 구분소유자만의 집회결의로써 결정한다.
⑤ 공용부분의 관리에 관한 사항 중 보존행위는 규약으로써 달리 정함이 없는 한 각 공유자가 할 수 있다.

07 **집합건물의 소유 및 관리에 대한 법률상 관리단에 관한 설명으로 옳은 것은?** 제17회

① 관리인은 구분소유자이어야 하며, 그 임기는 2년의 범위에서 규약으로 정한다.

② 관리위원회의 결의로 관리인이 선임되거나 해임되도록 규약으로 정한 경우에는 그에 따른다.

③ 관리인은 관리단의 사업시행과 관련하여 관리단을 대표하여 하는 재판상의 행위를 할 권한이 없다.

④ 관리인의 대표권은 제한할 수 없다.

⑤ 구분소유자의 특별승계인은 승계 전에 발생한 관리단의 채무에 관하여 책임을 지지 않는다.

08 **집합건물의 소유 및 관리에 관한 법률상 공용부분에 관한 설명으로 옳지 않은 것은?** 제12회

① 공용부분은 원칙적으로 구분소유자 전원의 공유에 속한다.

② 공유자는 그가 가지는 전유부분과 분리하여 공용부분에 대한 지분을 처분할 수 없다.

③ 각 공유자는 규약에 달리 정한 바가 없으면 그 지분의 비율에 따라 공용부분의 관리비용과 그 밖의 의무를 부담한다.

④ 공용부분의 변경에 관한 사항은 관리단집회에서 구분소유자의 4분의 3 이상 및 의결권의 2분의 1 이상의 결의로써 결정한다.

⑤ 공유자가 공용부분에 관하여 다른 공유자에 대하여 가지는 채권은 그 특별승계인에 대하여도 행사할 수 있다.

정답 | 해설

07 ② ① 관리인은 구분소유자일 필요가 없다.
③ 관리인은 관리단의 사업시행과 관련하여 관리단을 대표하여 하는 재판상 또는 재판 외의 행위를 할 수 있다.
④ 관리인의 대표권은 제한할 수 있다. 다만, 이로써 선의의 제3자에게 대항할 수 없다.
⑤ 관리단의 채무에 관하여 책임을 진다.

08 ④ 공용부분의 변경에 관한 사항은 관리단집회에서 구분소유자의 4분의 3 이상 및 의결권의 4분의 3 이상의 결의로써 결정한다.

house.Hackers.com

2025 해커스 주택관리사(보)
house.Hackers.com

10개년 출제비중분석

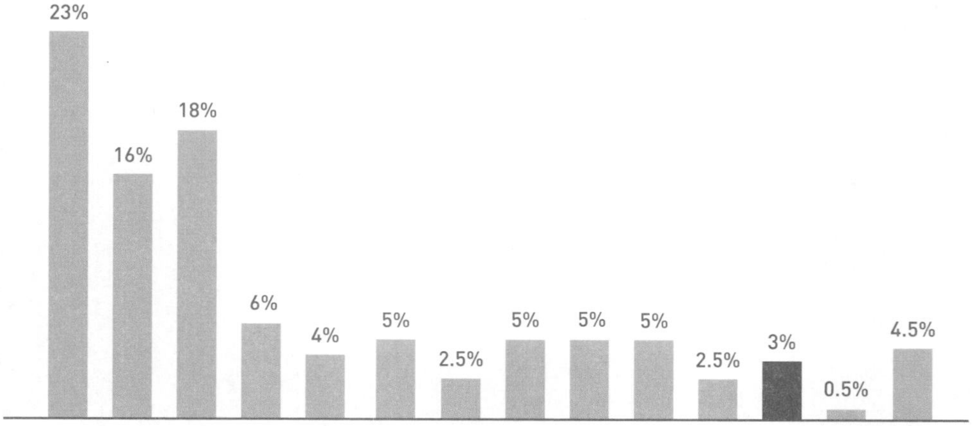

제12편

소방기본법

제 12 편 소방기본법

목차 내비게이션 소방기본법

단원길라잡이

소방기본법은 매년 1문제가 출제되고 있다. 이 단원에서는 용어의 정의, 취급, 화재 등의 통지, 소방활동, 소방응원 활동, 소방지원활동, 소방활동 종사명령 등을 중점적으로 학습하여야 한다.

출제포인트

- 소방기본법령상의 용어의 정의
- 소방용수시설의 기준
- 소방자동차 전용구역의 설치
- 소방활동구역의 설정 등
- 소방업무의 응원 및 동원
- 소방지원활동과 생활안전활동
- 소방활동에 따른 손실보상

제1절 총칙

01 제정목적

이 법은 화재를 예방 · 경계하거나 진압하고 화재, 재난 · 재해, 그 밖의 위급한 상황에서의 구조 · 구급활동 등을 통하여 국민의 생명 · 신체 및 재산을 보호함으로써 공공의 안녕 및 질서유지와 복리증진에 이바지함을 목적으로 한다(법 제1조).

02 소방업무에 관한 종합계획

(1) 수립

소방청장은 화재, 재난 · 재해, 그 밖의 위급한 상황으로부터 국민의 생명 · 신체 및 재산을 보호하기 위하여 소방업무에 관한 종합계획을 5년마다 수립 · 시행하여야 하고, 이에 필요한 재원을 확보하도록 노력하여야 한다(법 제6조 제1항).

(2) 내용

종합계획은 소방청장이 관계 중앙행정기관의 장과의 협의를 거쳐 계획 시행 전년도 10월 31일까지 수립하며, 다음의 사항이 포함되어야 한다(법 제6조 제2항, 영 제1조의3 제2항).

① 소방서비스의 질 향상을 위한 정책의 기본방향
② 소방업무에 필요한 체계의 구축, 소방기술의 연구 · 개발 및 보급
③ 소방업무에 필요한 장비의 구비
④ 소방전문인력 양성
⑤ 소방업무에 필요한 기반조성
⑥ 소방업무의 교육 및 홍보(소방자동차의 우선통행 등에 관한 홍보를 포함한다)
⑦ 그 밖에 소방업무의 효율적 수행을 위하여 필요한 사항으로서 대통령령으로 정하는 사항

(3) 소방청장은 (1)에 따라 수립한 종합계획을 관계 중앙행정기관의 장, 시 · 도지사에게 통보하여야 한다(법 제6조 제3항).

(4) 시 · 도지사는 관할 지역의 특성을 고려하여 종합계획의 시행에 필요한 세부계획을 계획 시행 전년도 12월 31일까지 매년 수립하여 소방청장에게 제출하여야 하며, 세부계획에 따른 소방업무를 성실히 수행하여야 한다(법 제6조 제4항, 영 제1조의3 제3항).

(5) 소방청장은 소방업무의 체계적 수행을 위하여 필요한 경우 (4)에 따라 시 · 도지사가 제출한 세부계획의 보완 또는 수정을 요청할 수 있다(법 제6조 제5항).

03 용어의 정의

이 법에서 사용하는 용어의 정의는 다음과 같다(법 제2조).

(1) 소방대상물

건축물, 차량, 선박(선박법에 따른 선박으로서 항구에 매어둔 선박만 해당한다), 선박건조구조물, 산림, 그 밖의 인공구조물 또는 물건을 말한다.

(2) 관계지역, 관계인

① **관계지역:** 소방대상물이 있는 장소 및 그 이웃지역으로서 화재의 예방 · 경계 · 진압, 구조 · 구급 등의 활동에 필요한 지역을 말한다.

② **관계인:** 소방대상물의 소유자 · 관리자 또는 점유자를 말한다.

(3) 소방본부장, 소방대, 소방대장

① **소방본부장:** 특별시 · 광역시 · 도 또는 특별자치도(이하 '시 · 도'라 한다)에서 화재의 예방 · 경계 · 진압 · 조사 및 구조 · 구급 등의 업무를 담당하는 부서의 장을 말한다.

② **소방대:** 화재를 진압하고 화재, 재난 · 재해, 그 밖의 위급한 상황에서 구조 · 구급활동 등을 하기 위하여 다음의 사람으로 구성된 조직체를 말한다.

> ㉠ 소방공무원법에 따른 소방공무원
> ㉡ 의무소방대설치법에 따라 임용된 의무소방원
> ㉢ 의용소방대 설치 및 운영에 관한 법률에 따른 의용소방대원

③ **소방대장:** 소방본부장 또는 소방서장 등 화재, 재난 · 재해, 그 밖의 위급한 상황이 발생한 현장에서 소방대를 지휘하는 사람을 말한다.

04 소방기관의 설치 등

(1) 국가와 지방자치단체의 책무

국가와 지방자치단체는 화재, 재난 · 재해, 그 밖의 위급한 상황으로부터 국민의 생명 · 신체 및 재산을 보호하기 위하여 필요한 시책을 수립 · 시행하여야 한다(법 제2조의2).

(2) 소방기관의 설치

시 · 도의 화재예방 · 경계 · 진압 및 조사, 소방안전교육 · 홍보와 화재, 재난 · 재해, 그 밖의 위급한 상황에서의 구조 · 구급 등의 업무(이하 '소방업무'라 한다)를 수행하는 소방기관의 설치에 필요한 사항은 대통령령으로 정한다(법 제3조 제1항).

(3) 소방업무의 지휘 · 감독 등

① 소방업무를 수행하는 소방본부장 또는 소방서장은 그 소재지를 관할하는 특별시장 · 광역시장 · 도지사 또는 특별자치시장 · 특별자치도지사(이하 '시 · 도지사'라 한다)의 지휘와 감독을 받는다(법 제3조 제2항).

② 위 ②에도 불구하고 소방청장은 화재예방 및 대형재난 등 필요한 경우 시 · 도 소방본부장 및 소방서장을 지휘 · 감독할 수 있다(법 제3조 제3항).

③ 시 · 도에서 소방업무를 수행하기 위하여 시 · 도지사 직속으로 소방본부를 둔다(법 제3조 제4항).

(4) 소방공무원의 배치

① 위 **(2)**의 소방기관 및 **(3)**의 ③ 소방본부에는 지방자치단체에 두는 국가공무원의 정원에 관한 법률에도 불구하고 대통령령으로 정하는 바에 따라 소방공무원을 둘 수 있다(법 제3조의2).

② 제주특별자치도에는 제주특별자치도 설치 및 국제자유도시 조성을 위한 특별법 제44조에도 불구하고 같은 법 제6조 제1항 단서에 따라 ①을 우선하여 적용한다(법 제3조의3).

(5) 119종합상황실

① **119종합상황실의 설치 · 운영**: 소방청장, 소방본부장 및 소방서장은 화재, 재난 · 재해, 그 밖에 구조 · 구급이 필요한 상황이 발생하였을 때에 신속한 소방활동(소방업무를 위한 모든 활동을 말한다)을 위한 정보를 수집 · 전파하기 위하여 119종합상황실을 설치 · 운영하여야 하며(법 제4조 제1항, 규칙 제2조 제1항), 종합상황실에 소방력 기준에 관한 규칙에 의한 전산 · 통신요원을 배치하고, 소방청장이 정하는 유 · 무선통신시설을 갖추어야 하며, 24시간 운영체제를 유지하여야 한다(규칙 제2조 제2항 · 제3항).

② **119종합상황실 실장의 업무**: 종합상황실의 실장[종합상황실에 근무하는 자 중 최고직위에 있는 자(최고직위에 있는 자가 2인 이상인 경우에는 선임자)를 말한다. 이하 같다]은 다음의 업무를 행하고, 그에 관한 내용을 기록 · 관리하여야 한다(규칙 제3조 제1항).

> ㉠ 화재, 재난 · 재해, 그 밖에 구조 · 구급이 필요한 상황(재난상황)의 발생의 신고접수
> ㉡ 접수된 재난상황을 검토하여 가까운 소방서에 인력 및 장비의 동원을 요청하는 등의 사고수습
> ㉢ 하급소방기관에 대한 출동지령 또는 동급 이상의 소방기관 및 유관기관에 대한 지원요청
> ㉣ 재난상황의 전파 및 보고
> ㉤ 재난상황이 발생한 현장에 대한 지휘 및 피해현황의 파악
> ㉥ 재난상황의 수습에 필요한 정보수집 및 제공

③ **상황보고:** 종합상황실의 실장은 다음의 상황이 발생하는 때에는 그 사실을 지체 없이 서면·모사전송 또는 컴퓨터통신 등으로 소방서의 종합상황실의 경우는 소방본부의 종합상황실에, 소방본부의 종합상황실의 경우는 소방청의 종합상황실에 각각 보고하여야 한다(규칙 제3조 제2항).

> ㉠ 다음의 어느 하나에 해당하는 화재
> ⓐ 사망자가 5인 이상 발생하거나 사상자가 10인 이상 발생한 화재
> ⓑ 이재민이 100인 이상 발생한 화재
> ⓒ 재산피해액이 50억원 이상 발생한 화재
> ⓓ 관공서·학교·정부미도정공장·문화재·지하철 또는 지하구의 화재
> ⓔ 관광호텔, 층수(건축법 시행령 제119조 제1항 제9호의 규정에 의하여 산정한 층수를 말한다. 이하 같다)가 11층 이상인 건축물, 지하상가, 시장, 백화점, 위험물안전관리법 제2조 제2항의 규정에 의한 지정수량의 3천배 이상의 위험물의 제조소·저장소·취급소, 층수가 5층 이상이거나 객실이 30실 이상인 숙박시설, 층수가 5층 이상이거나 병상이 30개 이상인 종합병원·정신병원·한방병원·요양소, 연면적 1만 5천제곱미터 이상인 공장 또는 화재의 예방 및 안전관리에 관한 법률 제18조 제1항 각 목에 따른 화재경계지구에서 발생한 화재
> ⓕ 철도차량, 항구에 매어둔 총톤수가 1천톤 이상인 선박, 항공기, 발전소 또는 변전소에서 발생한 화재
> ⓖ 가스 및 화약류의 폭발에 의한 화재
> ⓗ 다중이용업소의 안전관리에 관한 특별법 제2조에 따른 다중이용업소의 화재
> ㉡ 긴급구조대응활동 및 현장지휘에 관한 규칙에 의한 통제단장의 현장지휘가 필요한 재난상황
> ㉢ 언론에 보도된 재난상황
> ㉣ 그 밖에 소방청장이 정하는 재난상황

④ 소방본부에 설치하는 119종합상황실에는 지방자치단체에 두는 국가공무원의 정원에 관한 법률에도 불구하고 대통령령으로 정하는 바에 따라 경찰공무원을 둘 수 있다(법 제4조 제2항).

⑤ 소방청장 및 시·도지사는 119종합상황실 등의 효율적 운영을 위하여 소방정보통신망을 구축·운영할 수 있다(법 제4조의2 제1항).

⑥ 소방청장 및 시·도지사는 소방정보통신망의 안정적 운영을 위하여 소방정보통신망의 회선을 이중화할 수 있다. 이 경우 이중화된 각 회선은 서로 다른 사업자로부터 제공받아야 한다(법 제4조의2 제2항).

(6) 소방기술민원센터의 설치 · 운영

① 소방청장 또는 소방본부장은 소방시설, 소방공사 및 위험물 안전관리 등과 관련된 법령해석 등의 민원을 종합적으로 접수하여 처리할 수 있는 기구(소방기술민원센터)를 소방청, 소방본부에 설치 · 운영할 수 있다(법 제4조의3 제1항).

② 소방기술민원센터는 센터장을 포함하여 18명 이내로 구성한다(영 제1조의2 제2항).

③ 소방기술민원센터는 다음의 업무를 수행한다(영 제1조의2 제3항).

> ㉠ 소방시설, 소방공사와 위험물 안전관리 등과 관련된 법령해석 등의 민원(이하 '소방기술민원'이라 한다)의 처리
> ㉡ 소방기술민원과 관련된 질의회신집 및 해설서 발간
> ㉢ 소방기술민원과 관련된 정보시스템의 운영 · 관리
> ㉣ 소방기술민원과 관련된 현장확인 및 처리
> ㉤ 그 밖에 소방기술민원과 관련된 업무로서 소방청장 또는 소방본부장이 필요하다고 인정하여 지시하는 업무

(7) 한국119청소년단

① 청소년에게 소방안전에 관한 올바른 이해와 안전의식을 함양시키기 위하여 한국119청소년단을 설립한다(법 제17조의6 제1항).

② 한국119청소년단은 법인으로 하고, 그 주된 사무소의 소재지에 설립등기를 함으로써 성립한다(법 제17조의6 제2항).

③ 국가나 지방자치단체는 한국119청소년단에 그 조직 및 활동에 필요한 시설 · 장비를 지원할 수 있으며, 운영경비와 시설비 및 국내외 행사에 필요한 경비를 보조할 수 있다(법 제17조의6 제3항).

④ 개인 · 법인 또는 단체는 한국119청소년단의 시설 및 운영 등을 지원하기 위하여 금전이나 그 밖의 재산을 기부할 수 있다(법 제17조의6 제4항).

⑤ 이 법에 따른 한국119청소년단이 아닌 자는 한국119청소년단 또는 이와 유사한 명칭을 사용할 수 없다(법 제17조의6 제5항).

⑥ 한국119청소년단의 정관 또는 사업의 범위 · 지도 · 감독 및 지원에 필요한 사항은 행정안전부령으로 정한다(법 제17조의6 제6항).

⑦ 한국119청소년단에 관하여 이 법에서 규정한 것을 제외하고는 민법 중 사단법인에 관한 규정을 준용한다(법 제17조의6 제7항).

(8) 소방박물관과 소방체험관의 설립 · 운영

① **소방박물관:** 소방의 역사와 안전문화를 발전시키고 국민의 안전의식을 높이기 위하여 소방청장은 소방박물관을 설립하여 운영할 수 있고, 설립과 운영에 필요한 사항은 행정안전부령으로 정한다(법 제5조 제1항 · 제2항).

② **소방체험관:** 시 · 도지사는 소방체험관(화재현장에서의 피난 등을 체험할 수 있는 체험관을 말한다)을 설립하여 운영할 수 있고, 설립과 운영에 필요한 사항은 행정안전부령으로 정하는 기준에 따라 시 · 도의 조례로 정한다(법 제5조 제1항 · 제2항).

05 소방의 날

국민의 안전의식과 화재에 대한 경각심을 높이고 안전문화를 정착시키기 위하여 매년 11월 9일을 소방의 날로 정하여 기념행사를 한다(법 제7조 제1항). 소방의 날 행사에 관하여 필요한 사항은 소방청장 또는 시 · 도지사가 따로 정하여 시행할 수 있다(법 제7조 제2항).

기출예제

소방기본법 제7조(소방의 날 제정과 운영 등) 제1항 규정이다. (   )에 들어갈 아라비아 숫자를 쓰시오.

제27회

> 국민의 안전의식과 화재에 대한 경각심을 높이고 안전문화를 정착시키기 위하여 매년 (㉠)월 (㉡)일을 소방의 날로 정하여 기념행사를 한다.

정답: ㉠ 11, ㉡ 9

06 명예소방대원

소방청장은 다음에 해당하는 사람을 명예직 소방대원으로 위촉할 수 있다(법 제7조 제3항).

① 의사상자 등 예우 및 지원에 관한 법률 제2조에 따른 의사상자(義死傷者)로서 같은 법 제3조 제3호 또는 제4호에 해당하는 사람
② 소방행정 발전에 공로가 있다고 인정되는 사람

제2절 소방력과 소방용수시설, 비상소화장치

01 소방력

(1) 소방력의 기준

소방기관이 소방업무를 수행하는 데에 필요한 인력과 장비 등[이하 '소방력(消防力)'이라 한다]에 관한 기준은 행정안전부령(소방력 기준에 관한 규칙)으로 정하고, 소방자동차 등 소방장비의 분류 · 표준화와 그 관리 등에 필요한 사항은 따로 법률에서 정한다(법 제8조 제1항 · 제3항).

(2) 소방력 확충계획

시 · 도지사는 소방력의 기준에 따라 관할 구역의 소방력을 확충하기 위하여 필요한 계획을 수립하여 시행하여야 한다(법 제8조 제2항).

(3) 국고보조

국가는 소방장비의 구입 등 시 · 도의 소방업무에 필요한 경비의 일부를 보조하며, 보조대상 사업의 범위와 기준보조율은 대통령령으로 정한다(법 제9조 제1항 · 제2항).

더 알아보기 국고보조대상 사업의 범위(영 제2조 제1항)

1. 다음의 소방활동장비와 설비의 구입 및 설치
   - 소방자동차
   - 소방헬리콥터 및 소방정
   - 소방전용통신설비 및 전산설비
   - 그 밖에 방화복 등 소방활동에 필요한 소방장비
2. 소방관서용 청사의 건축

(4) 소방자동차의 보험가입

시 · 도지사는 소방자동차의 공무상 운행 중 교통사고가 발생한 경우 그 운전자의 법률상 분쟁에 소요되는 비용을 지원할 수 있는 보험에 가입하여야 하며, 국가는 보험가입비용의 일부를 지원할 수 있다(법 제16조의4).

02 소방용수시설

(1) 설치 · 관리의무자

시 · 도지사는 소방활동에 필요한 소화전 · 급수탑 · 저수조(이하 '소방용수시설'이라 한다)를 설치하고 유지 · 관리하여야 한다. 다만, 수도법 제45조에 따라 소화전을 설치하는 일반수도사업자는 관할 소방서장과 사전협의를 거친 후 소화전을 설치하여야 하며, 설치 사실을 관할 소방서장에게 통지하고, 그 소화전을 유지 · 관리하여야 한다(법 제10조 제1항).

(2) 소방용수시설의 설치기준

소방용수시설 설치의 기준은 행정안전부령([별표 3])으로 정한다(법 제10조 제3항).

더 알아보기 소방용수시설의 설치기준([별표 3])

1. 공통기준
   ① 국토의 계획 및 이용에 관한 법률의 규정에 의한 주거지역 · 상업지역 및 공업지역에 설치하는 경우: 소방대상물과의 수평거리를 100미터 이하가 되도록 할 것
   ② 위 ① 외의 지역에 설치하는 경우: 소방대상물과의 수평거리를 140미터 이하가 되도록 할 것
2. 소방용수시설별 설치기준
   ① 소화전의 설치기준: 상수도와 연결하여 지하식 또는 지상식의 구조로 하고, 소방용 호스와 연결하는 소화전의 연결금속구의 구경은 65밀리미터로 할 것
   ② 급수탑의 설치기준: 급수배관의 구경은 100밀리미터 이상으로 하고, 개폐밸브는 지상에서 1.5미터 이상 1.7미터 이하의 위치에 설치하도록 할 것
   ③ 저수조의 설치기준
   - 지면으로부터의 낙차가 4.5미터 이하일 것
   - 흡수부분의 수심이 0.5미터 이상일 것
   - 소방펌프자동차가 쉽게 접근할 수 있도록 할 것
   - 흡수에 지장이 없도록 토사 및 쓰레기 등을 제거할 수 있는 설비를 갖출 것
   - 흡수관의 투입구가 사각형의 경우에는 한 변의 길이가 60센티미터 이상, 원형의 경우에는 지름이 60센티미터 이상일 것
   - 저수조에 물을 공급하는 방법은 상수도에 연결하여 자동으로 급수되는 구조일 것

(3) 소방용수시설과 비상소화장치의 사용제한

누구든지 다음에 해당하는 행위를 하여서는 아니 된다(법 제28조).

① 정당한 사유 없이 소방용수시설 또는 비상소화장치를 사용하는 행위
② 정당한 사유 없이 손상 · 파괴, 철거 또는 그 밖의 방법으로 소방용수시설 또는 비상소화장치의 효용(效用)을 해치는 행위
③ 소방용수시설 또는 비상소화장치의 정당한 사용을 방해하는 행위

03 비상소화장치

(1) 설치 · 관리의무자

시 · 도지사는 소방자동차의 진입이 곤란한 지역 등 화재발생시에 초기 대응이 필요한 다음의 지역에 소방호스 또는 호스릴 등을 소방용수시설에 연결하여 화재를 진압하는 시설이나 장치(이하 '비상소화장치'라 한다)를 설치하고 유지 · 관리할 수 있다(법 제10조 제2항, 영 제2조의2).

① 화재예방강화지구
② 시 · 도지사가 비상소화장치의 설치가 필요하다고 인정하는 지역

(2) 비상소화장치의 설치기준

비상소화장치의 설치기준은 행정안전부령([별표 3])으로 정한다(법 제10조 제3항).

04 화재 등 발생사실 및 오인행위의 통지

(1) 화재 등 발생사실의 통지

화재현장 또는 구조 · 구급이 필요한 사고현장을 발견한 사람은 그 현장의 상황을 소방본부 · 소방서 또는 관계 행정기관에 지체 없이 알려야 한다(법 제19조 제1항).

(2) 화재 등 오인행위의 사전통지

다음의 어느 하나에 해당하는 지역 또는 장소에서 화재로 오인할 만한 우려가 있는 불을 피우거나 연막소독을 실시하고자 하는 자는 시 · 도의 조례가 정하는 바에 따라 관할 소방본부장 또는 소방서장에게 신고하여야 한다(법 제19조 제2항).

① 시장지역
② 공장 · 창고가 밀집한 지역
③ 목조건물이 밀집한 지역
④ 위험물의 저장 및 처리시설이 밀집한 지역
⑤ 석유화학제품을 생산하는 공장이 있는 지역
⑥ 그 밖에 시 · 도의 조례가 정하는 지역 또는 장소

제3절 소방활동

01 관계인의 소방활동

(1) 관계인은 소방대상물에 화재, 재난 · 재해, 그 밖의 위급한 상황이 발생한 경우에는 소방대가 현장에 도착할 때까지 경보를 울리거나 대피를 유도하는 등의 방법으로 사람을 구출하는 조치 또는 불을 끄거나 불이 번지지 아니하도록 필요한 조치를 하여야 한다(법 제20조 제1항).

(2) 관계인은 소방대상물에 화재, 재난 · 재해, 그 밖의 위급한 상황이 발생한 경우에는 이를 소방본부, 소방서 또는 관계 행정기관에 지체 없이 알려야 한다(법 제20조 제2항).

02 자체소방대의 설치 · 운영

(1) 관계인은 화재를 진압하거나 구조 · 구급활동을 하기 위하여 상설 조직체(위험물안전관리법 제19조 및 그 밖의 다른 법령에 따라 설치된 자체소방대를 포함하며, 이하 '자체소방대'라 한다)를 설치 · 운영할 수 있다(법 제20조의2 제1항).

(2) 자체소방대는 소방대가 현장에 도착한 경우 소방대장의 지휘 · 통제에 따라야 한다(법 제20조의2 제2항).

(3) 소방청장, 소방본부장 또는 소방서장은 자체소방대의 역량 향상을 위하여 필요한 교육 · 훈련 등을 지원할 수 있다(법 제20조의2 제3항).

(4) 소방청장, 소방본부장 또는 소방서장은 자체소방대의 역량 향상을 위하여 다음에 해당하는 교육 · 훈련 등을 지원할 수 있다(규칙 제11조).

① 소방공무원 교육훈련기관에서의 자체소방대 교육훈련과정
② 자체소방대에서 수립하는 교육 · 훈련계획의 지도 · 자문
③ 소방기관과 자체소방대와의 합동 소방훈련
④ 소방기관에서 실시하는 자체소방대의 현장실습
⑤ 그 밖에 소방청장이 자체소방대의 역량 향상을 위하여 필요하다고 인정하는 교육 · 훈련

03 소방대의 출동

소방청장, 소방본부장 또는 소방서장은 화재, 재난 · 재해, 그 밖의 위급한 상황이 발생하였을 때에는 소방대를 현장에 신속하게 출동시켜 화재진압과 인명구조 · 구급 등 소방에 필요한 활동(소방활동)을 하게 하여야 하며, 누구든지 정당한 사유 없이 출동한 소방대의 소방활동을 방해하여서는 아니 된다(법 제16조).

04 소방대의 긴급통행

소방대는 화재, 재난 · 재해, 그 밖의 위급한 상황이 발생한 현장에 신속하게 출동하기 위하여 긴급할 때에는 일반적인 통행에 쓰이지 아니하는 도로 · 빈터 또는 물 위로 통행할 수 있다(법 제22조).

05 소방자동차의 우선통행

(1) 모든 차와 사람은 소방자동차(지휘를 위한 자동차와 구조 · 구급차를 포함한다)가 화재진압 및 구조 · 구급활동을 위하여 출동을 할 때에는 이를 방해하여서는 아니 된다(법 제21조 제1항).

(2) 소방자동차가 화재진압 및 구조 · 구급활동을 위하여 출동하거나 훈련을 위하여 필요할 때에는 사이렌을 사용할 수 있다(법 제21조 제2항).

(3) 모든 차와 사람은 소방자동차가 화재진압 및 구조 · 구급활동을 위하여 (2)에 따라 사이렌을 사용하여 출동하는 경우에는 다음의 행위를 하여서는 아니 된다(법 제21조 제3항).

> ① 소방자동차에 진로를 양보하지 아니하는 행위
> ② 소방자동차 앞에 끼어들거나 소방자동차를 가로막는 행위
> ③ 그 밖에 소방자동차의 출동에 지장을 주는 행위

(4) 위 (3)의 경우를 제외하고 소방자동차의 우선통행에 관하여는 도로교통법에서 정하는 바에 따른다(법 제21조 제4항).

06 소방자동차 전용구역 등

(1) 소방자동차 전용구역의 설치

① 공동주택 중 100세대 이상인 아파트와 3층 이상의 기숙사의 건축주는 소방활동의 원활한 수행을 위하여 공동주택에 소방자동차 전용구역을 설치하여야 한다(법 제21조의2 제1항, 영 제7조의12).

② 누구든지 전용구역에 다음의 방해행위를 하여서는 아니 된다(법 제21조의2 제2항, 영 제7조의14).

> ㉠ 전용구역에 물건 등을 쌓거나 주차하는 행위
> ㉡ 전용구역의 앞면, 뒷면 또는 양 측면에 물건 등을 쌓거나 주차하는 행위. 다만, 주차장법 제19조에 따른 부설주차장의 주차구획 내에 주차하는 경우는 제외한다.
> ㉢ 전용구역 진입로에 물건 등을 쌓거나 주차하여 전용구역으로의 진입을 가로막는 행위

㉣ 전용구역 노면표지를 지우거나 훼손하는 행위
㉤ 그 밖의 방법으로 소방자동차가 전용구역에 주차하는 것을 방해하거나 전용구역으로 진입하는 것을 방해하는 행위

(2) 소방자동차 전용구역의 설치기준 · 방법

① 위 (1)의 ①에 따른 공동주택의 건축주는 소방자동차가 접근하기 쉽고 소방활동이 원활하게 수행될 수 있도록 각 동별 전면 또는 후면에 소방자동차 전용구역을 1개 소 이상 설치하여야 한다. 다만, 하나의 전용구역에서 여러 동에 접근하여 소방활동이 가능한 경우로서 소방청장이 정하는 경우에는 각 동별로 설치하지 아니할 수 있다(영 제7조의13 제1항).

② 전용구역의 설치방법은 다음과 같다(영 제7조의13 제2항).

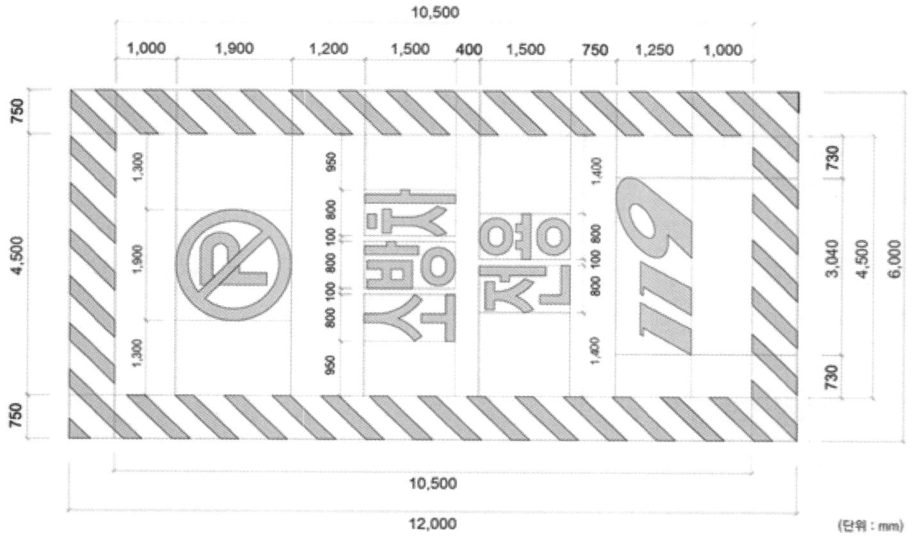

㉠ 전용구역 노면표지의 외곽선은 빗금무늬로 표시하되, 빗금은 두께를 30센티미터로 하여 50센티미터 간격으로 표시한다.
㉡ 전용구역 노면표지 도료의 색채는 황색을 기본으로 하되, 문자(P, 소방차 전용)는 백색으로 표시한다.

07 소방자동차 교통안전 분석시스템

(1) 소방청장 또는 소방본부장은 다음의 소방자동차에 운행기록장치를 장착하고 운용하여야 한다(법 제21조의3 제1항, 영 제7조의15).

① 소방펌프차
② 소방물탱크차
③ 소방화학차
④ 소방고가차(消防高架車)
⑤ 무인방수차
⑥ 구조차
⑦ 그 밖에 소방청장이 소방자동차의 안전한 운행 및 교통사고 예방을 위하여 운행기록장치 장착이 필요하다고 인정하여 정하는 소방자동차

(2) 소방청장은 운행기록장치 데이터의 수집 · 저장 · 통합 · 분석 등의 업무를 전자적으로 처리하기 위한 시스템(소방자동차 교통안전 분석시스템)을 구축 · 운영할 수 있다(법 제21조의3 제2항).

(3) 소방청장, 소방본부장 및 소방서장은 소방자동차 교통안전 분석시스템으로 처리된 자료(전산자료)를 이용하여 소방자동차의 장비운용자 등에게 어떠한 불리한 제재나 처벌을 하여서는 아니 된다(법 제21조의3 제3항).

08 소방활동구역

(1) 소방활동구역의 설정

소방대장은 화재, 재난 · 재해, 그 밖의 위급한 상황이 발생한 현장에 소방활동구역을 정하여 소방활동에 필요한 사람으로서 다음의 사람 외에는 그 구역에 출입하는 것을 제한할 수 있다(법 제23조 제1항, 영 제8조).

① 소방활동구역 안에 있는 소방대상물의 소유자 · 관리자 또는 점유자
② 전기 · 가스 · 수도 · 통신 · 교통의 업무에 종사하는 자로서 원활한 소방활동을 위하여 필요한 자
③ 의사 · 간호사, 그 밖의 구조 · 구급업무에 종사하는 자
④ 취재인력 등 보도업무에 종사하는 자
⑤ 수사업무에 종사하는 자
⑥ 그 밖에 소방대장이 소방활동을 위하여 출입을 허가한 자

(2) 경찰공무원의 조치

경찰공무원은 소방대가 소방활동구역에 있지 아니하거나 소방대장의 요청이 있는 때에는 (1)에 따른 조치를 할 수 있다(법 제23조 제2항).

09 소방활동의 종사

(1) 소방활동의 종사명령

소방본부장, 소방서장 또는 소방대장은 화재, 재난 · 재해, 그 밖의 위급한 상황이 발생한 현장에서 소방활동을 위하여 필요할 때에는 그 관할 구역에 사는 사람 또는 그 현장에 있는 사람으로 하여금 사람을 구출하는 일 또는 불을 끄거나 불이 번지지 아니하도록 하는 일을 하게 할 수 있다. 이 경우 소방본부장, 소방서장 또는 소방대장은 소방활동에 필요한 보호장구를 지급하는 등 안전을 위한 조치를 하여야 한다(법 제24조 제1항).

(2) 소방활동 종사에 따른 비용

위 (1)의 명령에 따라 소방활동에 종사한 자는 시 · 도지사로부터 소방활동의 비용을 지급받을 수 있다. 다만, 다음에 해당하는 자의 경우에는 그러하지 아니하다(법 제24조 제3항).

① 소방대상물에 화재, 재난 · 재해, 그 밖의 위급한 상황이 발생한 경우 그 관계인
② 고의 또는 과실로 화재 또는 구조 · 구급활동이 필요한 상황을 발생시킨 사람
③ 화재 또는 구조 · 구급현장에서 물건을 가져간 사람

기출예제

소방기본법령상 소방활동 등에 관한 설명으로 옳지 않은 것은? 제26회

① 소방서장은 공공의 안녕질서 유지 또는 복리증진을 위하여 필요한 경우 소방활동 외에 방송제작 또는 촬영 관련 소방지원활동을 하게 할 수 있다.
② 화재발생 현장에서 소방활동 종사명령에 따라 소방활동에 종사한 소방대상물의 점유자는 시 · 도지사로부터 소방활동의 비용을 지급받을 수 있다.
③ 소방대장은 화재발생을 막기 위하여 가스 · 전기 또는 유류 등의 시설에 대하여 위험물질의 공급을 차단할 수 있다.
④ 시장지역에서 화재로 오인할 만한 우려가 있는 불을 피우려는 자는 시 · 도의 조례로 정하는 바에 따라 관할 소방본부장 또는 소방서장에게 신고하여야 한다.
⑤ 경찰공무원은 소방대가 화재발생 현장의 소방활동구역에 있지 아니한 경우 소방활동에 필요한 사람으로서 대통령령으로 정하는 사람 외에는 그 구역의 출입을 제한할 수 있다.

해설

소방활동 종사명령

소방본부장, 소방서장, 소방대장 등은 위급시 그 관할 구역에 사는 사람 또는 현장에 있는 사람으로 하여금 인명구출, 소방진압활동을 하게 할 수 있으며, 종사한 자는 시 · 도지사로부터 소방활동비용을 지급받을 수 있다. 다만, 소방대상물의 관계인, 고의과실로 불을 낸 자, 현장에서 물건을 가져간 자는 제외한다.

정답: ②

10 소방강제처분

(1) 소방대상물 등에 대한 처분

소방본부장, 소방서장 또는 소방대장은 사람을 구출하거나 불이 번지는 것을 막기 위하여 필요할 때에는 화재가 발생하거나 불이 번질 우려가 있는 소방대상물 및 토지를 일시적으로 사용하거나 그 사용의 제한 또는 소방활동에 필요한 처분을 할 수 있다(법 제25조 제1항). 사람을 구출하거나 불이 번지는 것을 막기 위하여 긴급하다고 인정할 때에는 소방대상물 또는 토지 외의 소방대상물과 토지에 대하여도 필요한 처분을 할 수 있다(법 제25조 제2항).

(2) 소방출동을 위한 강제처분

소방본부장, 소방서장 또는 소방대장은 소방활동을 위하여 긴급하게 출동할 때에는 소방자동차의 통행과 소방활동에 방해가 되는 주차 또는 정차된 차량 및 물건 등을 제거하거나 이동시킬 수 있다(법 제25조 제3항).

(3) 지원요청

소방본부장, 소방서장 또는 소방대장은 (2)에 따른 소방활동에 방해가 되는 주차 또는 정차된 차량의 제거나 이동을 위하여 관할 지방자치단체 등 관련 기관에 견인차량과 인력 등에 대한 지원을 요청할 수 있고, 요청을 받은 관련 기관의 장은 정당한 사유가 없으면 이에 협조하여야 하며, 시 · 도지사는 견인차량과 인력 등을 지원한 자에게 시 · 도의 조례로 정하는 바에 따라 비용을 지급할 수 있다(법 제25조 제4항 · 제5항).

11 피난명령

소방본부장, 소방서장 또는 소방대장은 화재, 재난 · 재해, 그 밖의 위급한 상황이 발생하여 사람의 생명을 위험하게 할 것으로 인정할 때에는 일정한 구역을 지정하여 그 구역에 있는 사람에게 그 구역 밖으로 피난할 것을 명할 수 있고(법 제26조 제1항), 이를 위하여 필요하면 관할 경찰서장 또는 자치경찰단장에게 협조를 요청할 수 있다(법 제26조 제2항).

12 위험시설 등에 대한 긴급조치

(1) 소방용수를 위한 조치

소방본부장, 소방서장 또는 소방대장은 화재진압 등 소방활동을 위하여 필요할 때에는 소방용수 외에 댐 · 저수지 또는 수영장 등의 물을 사용하거나 수도의 개폐장치 등을 조작할 수 있다(법 제27조 제1항).

(2) 화염의 확산방지를 위한 조치

소방본부장, 소방서장 또는 소방대장은 화재발생을 막거나 폭발 등으로 화재가 확대되는 것을 막기 위하여 가스 · 전기 또는 유류 등의 시설에 대하여 위험물질의 공급을 차단하는 등 필요한 조치를 할 수 있다(법 제27조 제2항).

제4절 소방 기타 업무

01 소방업무의 응원

(1) 소방응원의 요청

소방본부장이나 소방서장은 소방활동을 할 때에 긴급한 경우에는 이웃한 소방본부장 또는 소방서장에게 소방업무의 응원(應援)을 요청할 수 있고(법 제11조 제1항), 응원요청을 받은 소방본부장 또는 소방서장은 정당한 사유 없이 이를 거절하여서는 아니 된다(법 제11조 제2항). 그리고 소방업무의 응원을 위하여 파견된 소방대원은 응원을 요청한 소방본부장 또는 소방서장의 지휘에 따라야 한다(법 제11조 제3항).

(2) 비용의 부담

시 · 도지사는 소방업무의 응원을 요청하는 경우를 대비하여 출동 대상지역 및 규모와 필요한 경비의 부담 등에 관하여 필요한 사항을 행정안전부령으로 정하는 바에 따라 이웃하는 시 · 도지사와 협의하여 미리 규약으로 정하여야 한다(법 제11조 제4항).

02 소방력의 동원

(1) 동원의 요청

소방청장은 해당 시 · 도의 소방력만으로는 소방활동을 효율적으로 수행하기 어려운 화재, 재난 · 재해, 그 밖의 구조 · 구급이 필요한 상황이 발생하거나 특별히 국가적 차원에서 소방활동을 수행할 필요가 인정될 때에는 각 시 · 도지사에게 행정안전부령으로 정하는 바에 따라 소방력을 동원할 것을 요청할 수 있고(법 제11조의2 제1항), 동원요청을 받은 시 · 도지사는 정당한 사유 없이 요청을 거절하여서는 아니 된다(법 제11조의2 제2항).

(2) 소방대의 편성 등

소방청장은 시 · 도지사에게 동원된 소방력을 화재, 재난 · 재해 등이 발생한 지역에 지원 · 파견하여 줄 것을 요청하거나 필요한 경우 직접 소방대를 편성하여 화재진압 및 인명구조 등 소방에 필요한 활동을 하게 할 수 있다(법 제11조의2 제3항).

(3) 소방대의 지휘계통

소방대원이 다른 시 · 도에 파견 · 지원되어 소방활동을 수행할 때에는 특별한 사정이 없으면 화재, 재난 · 재해 등이 발생한 지역을 관할하는 소방본부장 또는 소방서장의 지휘에 따라야 한다. 다만, 소방청장이 직접 소방대를 편성하여 소방활동을 하게 하는 경우에는 소방청장의 지휘에 따라야 한다(법 제11조의2 제4항).

(4) 비용의 부담

① **동원된 소방력에 대한 비용부담:** 동원된 소방력의 소방활동 수행과정에서 발생하는 경비는 화재, 재난 · 재해 또는 그 밖의 구조 · 구급이 필요한 상황이 발생한 특별시 · 광역시 · 도 또는 특별자치도(이하 '시 · 도'라 한다)에서 부담하는 것을 원칙으로 하되, 구체적인 내용은 해당 시 · 도가 서로 협의하여 정한다(영 제2조의3 제1항).

② **동원된 민간소방인력에 대한 보상:** 소방활동에 동원된 민간소방인력이 소방활동을 수행하다가 사망하거나 부상을 입은 경우 화재, 재난 · 재해 또는 그 밖의 구조 · 구급이 필요한 상황이 발생한 시 · 도가 해당 시 · 도의 조례로 정하는 바에 따라 보상한다(영 제2조의3 제2항).

③ **동원된 소방력의 운용 등:** 동원된 소방력의 운용과 관련하여 필요한 사항은 소방청장이 정한다(영 제2조의3 제3항).

03 소방지원활동

(1) 지원업무의 범위

소방청장 · 소방본부장 또는 소방서장은 공공의 안녕질서 유지 또는 복리증진을 위하여 필요한 경우 소방활동 외에 다음의 활동(이하 '소방지원활동'이라 한다)을 하게 할 수 있다(법 제16조의2 제1항, 규칙 제8조의4).

① 산불에 대한 예방 · 진압 등 지원활동
② 자연재해에 따른 급수 · 배수 및 제설 등 지원활동
③ 집회 · 공연 등 각종 행사시 사고에 대비한 근접대기 등 지원활동
④ 화재, 재난 · 재해로 인한 피해복구 지원활동
⑤ 그 밖에 행정안전부령으로 정하는 다음의 활동
  ㉠ 군 · 경찰 등 유관기관에서 실시하는 훈련지원활동
  ㉡ 소방시설 오작동 신고에 따른 조치
  ㉢ 방송제작 또는 촬영 관련 지원활동

(2) 지원의 한계

소방지원활동은 소방활동 수행에 지장을 주지 아니하는 범위에서 할 수 있다(법 제16조의2 제2항).

(3) 비용의 부담

유관기관 · 단체 등의 요청에 따른 소방지원활동에 드는 비용은 지원요청을 한 유관기관 · 단체 등에 부담하게 할 수 있다. 다만, 부담금액 및 부담방법에 관하여는 지원요청을 한 유관기관 · 단체 등과 협의하여 결정한다(법 제16조의2 제3항).

04 생활안전활동

(1) 생활안전활동의 범위

소방청장 · 소방본부장 또는 소방서장은 신고가 접수된 생활안전 및 위험제거활동(화재, 재난 · 재해, 그 밖의 위급한 상황에 해당하는 것은 제외한다)에 대응하기 위하여 소방대를 출동시켜 다음의 활동(이하 '생활안전활동'이라 한다)을 하게 하여야 한다(법 제16조의3 제1항).

① 붕괴, 낙하 등이 우려되는 고드름, 나무, 위험구조물 등의 제거활동
② 위해동물, 벌 등의 포획 및 퇴치활동
③ 끼임, 고립 등에 따른 위험제거 및 구출활동
④ 단전사고시 비상전원 또는 조명의 공급
⑤ 그 밖에 방치하면 급박해질 우려가 있는 위험을 예방하기 위한 활동

(2) 방해금지

누구든지 정당한 사유 없이 **(1)**에 따라 출동하는 소방대의 생활안전활동을 방해하여서는 아니 된다(법 제16조의3 제2항).

05 소방활동에 대한 지원

(1) 소방활동에 대한 면책

소방공무원이 소방활동으로 인하여 타인을 사상(死傷)에 이르게 한 경우 그 소방활동이 불가피하고 소방공무원에게 고의 또는 중대한 과실이 없는 때에는 그 정상을 참작하여 사상에 대한 형사책임을 감경하거나 면제할 수 있다(법 제16조의5).

(2) 소송지원

소방청장, 소방본부장 또는 소방서장은 소방공무원이 소방활동, 소방지원활동, 생활안전활동으로 인하여 민 · 형사상 책임과 관련된 소송을 수행할 경우 변호인 선임 등 소송수행에 필요한 지원을 할 수 있다(법 제16조의6).

06 손실보상

(1) 손실보상의 대상

소방청장 또는 시 · 도지사는 다음의 어느 하나에 해당하는 자에게 손실보상심의위원회의 심사 · 의결에 따라 정당한 보상을 하여야 한다(법 제49조의2 제1항).

① 법 제16조의3 제1항에 따른 조치로 인하여 손실을 입은 자
② 법 제24조 제1항 전단에 따른 소방활동 종사로 인하여 사망하거나 부상을 입은 자
③ 법 제25조 제2항 또는 제3항에 따른 처분으로 인하여 손실을 입은 자. 다만, 같은 조 제3항에 해당하는 경우로서 법령을 위반하여 소방자동차의 통행과 소방활동에 방해가 된 경우는 제외한다.
④ 법 제27조 제1항 또는 제2항에 따른 조치로 인하여 손실을 입은 자
⑤ 그 밖에 소방기관 또는 소방대의 적법한 소방업무 또는 소방활동으로 인하여 손실을 입은 자

(2) 소멸시효

위 **(1)**에 따라 손실보상을 청구할 수 있는 권리는 손실이 있음을 안 날부터 3년, 손실이 발생한 날부터 5년간 행사하지 아니하면 시효의 완성으로 소멸한다(법 제49조의2 제2항).

(3) 손실보상의 기준 및 보상금액

위 **(1)**의 어느 하나(②는 제외한다)에 해당하는 자에게 물건의 멸실 · 훼손으로 인한 손실보상을 하는 때에는 다음의 기준에 따른 금액으로 보상한다. 이 경우 영업자가 손실을 입은 물건의 수리나 교환으로 인하여 영업을 계속할 수 없는 때에는 영업을 계속할 수 없는 기간의 영업이익액에 상당하는 금액을 더하여 보상한다(영 제11조 제1항). 다만, 물건의 멸실 · 훼손으로 인한 손실 외의 재산상 손실에 대해서는 직무집행과 상당한 인과관계가 있는 범위에서 보상한다(영 제11조 제2항).

① 손실을 입은 물건을 수리할 수 있는 때: 수리비에 상당하는 금액
② 손실을 입은 물건을 수리할 수 없는 때: 손실을 입은 당시의 해당 물건의 교환가액

(4) 보상금 지급절차 및 방법

① 소방기관 또는 소방대의 적법한 소방업무 또는 소방활동으로 인하여 발생한 손실을 보상받으려는 자는 행정안전부령으로 정하는 보상금 지급청구서에 손실내용과 손실금액을 증명할 수 있는 서류를 첨부하여 소방청장 또는 시 · 도지사(이하 '소방청장 등'이라 한다)에게 제출하여야 한다. 이 경우 소방청장 등은 손실보상금의 산정을 위하여 필요하면 손실보상을 청구한 자에게 증빙 · 보완자료의 제출을 요구할 수 있다(영 제12조 제1항).

② 소방청장은 손실보상심의위원회의 심사 · 의결을 거쳐 특별한 사유가 없으면 보상금 지급청구서를 받은 날부터 60일 이내에 보상금 지급 여부 및 보상금액을 결정하여야 한다(영 제12조 제2항).

③ 소방청장 등은 다음의 어느 하나에 해당하는 경우에는 그 청구를 각하(却下)하는 결정을 하여야 한다(영 제12조 제3항).

> ㉠ 청구인이 같은 청구원인으로 보상금 청구를 하여 보상금 지급 여부 결정을 받은 경우. 다만, 기각결정을 받은 청구인이 손실을 증명할 수 있는 새로운 증거가 발견되었음을 소명(疎明)하는 경우는 제외한다.
> ㉡ 손실보상 청구가 요건과 절차를 갖추지 못한 경우. 다만, 그 잘못된 부분을 시정할 수 있는 경우는 제외한다.

④ 소방청장 등은 ② 또는 ③에 따른 결정일부터 10일 이내에 행정안전부령으로 정하는 바에 따라 결정내용을 청구인에게 통지하고, 보상금을 지급하기로 결정한 경우에는 특별한 사유가 없으면 통지한 날부터 30일 이내에 보상금을 지급하여야 한다(영 제12조 제4항).

⑤ 소방청장 등은 보상금을 지급받을 자가 지정하는 예금계좌(우체국예금 · 보험에 관한 법률에 따른 체신관서 또는 은행법에 따른 은행의 계좌를 말한다)에 입금하는 방법으로 보상금을 지급한다. 다만, 보상금을 지급받을 자가 체신관서 또는 은행이 없는 지역에 거주하는 등 부득이한 사유가 있는 경우에는 그 보상금을 지급받을 자의 신청에 따라 현금으로 지급할 수 있다(영 제12조 제5항).

⑥ 보상금은 일시불로 지급하되, 예산 부족 등의 사유로 일시불로 지급할 수 없는 특별한 사정이 있는 경우에는 청구인의 동의를 받아 분할하여 지급할 수 있으며, 위 ①부터 ⑤까지에서 규정한 사항 외에 보상금의 청구 및 지급에 필요한 사항은 소방청장이 정한다(영 제12조 제6항 · 제7항).

07 소방교육과 훈련

(1) 소방대원에 대한 교육

소방청장 · 소방본부장 또는 소방서장은 소방업무를 전문적이고 효과적으로 수행하기 위하여 소방대원에게 필요한 교육 · 훈련을 실시하여야 하는데(법 제17조 제1항), 이에 따른 교육 · 훈련의 종류 및 대상자, 그 밖에 교육 · 훈련의 실시에 관하여 필요한 사항은 다음과 같이 정한다(법 제17조 제4항, 규칙 제9조 제2항).

① 소방교육 · 훈련의 종류와 종류별 소방교육 · 훈련의 대상자
  ㉠ 화재진압훈련: 화재진압업무를 담당하는 소방공무원과 의무소방원 및 의용소방대원
  ㉡ 인명구조훈련: 구조업무를 담당하는 소방공무원과 의무소방원 및 의용소방대원
  ㉢ 응급처치훈련: 구급업무를 담당하는 소방공무원과 의무소방원 및 의용소방대원
  ㉣ 인명대피훈련: 소방공무원과 의무소방원 및 의용소방대원
  ㉤ 현장지휘훈련: 지방소방위 · 지방소방경 · 지방소방령 및 지방소방정
② 소방교육 · 훈련은 2년마다 1회 이상 실시하되, 교육 · 훈련기간은 2주 이상으로 한다.
③ 그 밖에 소방교육 · 훈련의 실시에 관하여 필요한 사항은 소방청장이 정한다.

(2) 학생 등에 대한 소방교육 및 훈련

① 교육대상: 소방청장 · 소방본부장 또는 소방서장은 화재를 예방하고 화재발생시 인명과 재산피해를 최소화하기 위하여 다음에 해당하는 사람을 대상으로 소방안전교육과 훈련을 실시할 수 있다. 이 경우 소방청장 · 소방본부장 또는 소방서장은 해당 어린이집 · 유치원 · 학교의 장 또는 장애인복지시설의 장과 교육일정 등에 관하여 협의하여야 한다(법 제17조 제2항).

㉠ 영유아보육법 제2조에 따른 어린이집의 영유아
㉡ 유아교육법 제2조에 따른 유치원의 유아
㉢ 초 · 중등교육법 제2조에 따른 학교의 학생
㉣ 장애인복지법 제58조에 따른 장애인복지시설에 거주하거나 해당 시설을 이용하는 장애인

② 교육훈련 기본계획의 수립 등: 소방청장은 소방안전교육과 훈련을 실시하기 위하여 소방안전교육훈련 기본계획을 수립하여야 하며, 소방청장 · 소방본부장 또는 소방서장은 기본계획에 따라 ①에 해당하는 자를 대상으로 소방안전교육과 훈련을 연 1회 이상 실시할 수 있다(법 제17조 제2항, 규칙 제9조 제1항).

08 소방안전교육사

(1) 자격

소방청장은 소방안전교육을 위하여 소방청장이 실시하는 시험에 합격한 사람에게 소방안전교육사 자격을 부여하며, 소방안전교육사는 소방안전교육의 기획 · 진행 · 분석 · 평가 및 교수업무를 수행한다(법 제17조의2 제1항 · 제2항).

(2) 결격사유

다음의 어느 하나에 해당하는 사람은 소방안전교육사가 될 수 없다(법 제17조의3).

① 피성년후견인
② 금고 이상의 실형을 선고받고 그 집행이 끝나거나(집행이 끝난 것으로 보는 경우를 포함한다) 집행이 면제된 날부터 2년이 지나지 아니한 사람
③ 금고 이상의 형의 집행유예를 선고받고 그 유예기간 중에 있는 사람
④ 법원의 판결 또는 다른 법률에 따라 자격이 정지되거나 상실된 사람

(3) 배치

소방안전교육사를 소방청, 소방본부 또는 소방서, 그 밖에 다음의 기관에 배치할 수 있다(법 제17조의5, 영 제7조의10).

① 법 제40조에 따라 설립된 한국소방안전원
② 소방산업의 진흥에 관한 법률 제14조에 따른 한국소방산업기술원

09 소방신호

화재예방, 소방활동 또는 소방훈련을 위하여 사용되는 소방신호의 종류와 방법은 다음과 같이 행정안전부령으로 정한다(법 제18조, 규칙 제10조).

① **경계신호**: 화재예방상 필요하다고 인정되거나 화재위험경보시 발령
② **발화신호**: 화재가 발생한 때 발령
③ **해제신호**: 소화활동이 필요없다고 인정되는 때 발령
④ **훈련신호**: 훈련상 필요하다고 인정되는 때 발령

10 소방산업의 육성 · 진흥 및 지원

(1) 국가의 책무

국가는 소방산업(소방용 기계 · 기구의 제조, 연구 · 개발 및 판매 등에 관한 일련의 산업을 말한다)의 육성 · 진흥을 위하여 필요한 계획의 수립 등 행정상 · 재정상의 지원시책을 마련하여야 한다(법 제39조의3).

(2) 소방산업과 관련된 기술개발 등의 지원

① **개발자금의 보조 등:** 국가는 소방산업과 관련된 기술(이하 '소방기술'이라 한다)의 개발을 촉진하기 위하여 기술개발을 실시하는 자에게 그 기술개발에 드는 자금의 전부나 일부를 출연하거나 보조할 수 있다(법 제39조의5 제1항).

② **무역전시장에 대한 지원:** 국가는 우수소방제품의 전시 · 홍보를 위하여 대외무역법에 따른 무역전시장 등을 설치한 자에게 다음에서 정한 범위에서 재정적인 지원을 할 수 있다(법 제39조의5 제2항).

> ㉠ 소방산업전시회 운영에 따른 경비의 일부
> ㉡ 소방산업전시회 관련 국외 홍보비
> ㉢ 소방산업전시회 기간 중 국외의 구매자 초청 경비

③ **소방기술의 연구 · 개발사업 수행:** 국가는 국민의 생명과 재산을 보호하기 위하여 다음의 어느 하나에 해당하는 기관이나 단체로 하여금 소방기술의 연구 · 개발사업을 수행하게 할 수 있으며(법 제39조의6 제1항), 다음의 기관이나 단체로 하여금 소방기술의 연구 · 개발사업을 수행하게 하는 경우에는 필요한 경비를 지원하여야 한다(법 제39조의6 제2항).

> ㉠ 국공립연구기관
> ㉡ 과학기술분야 정부출연연구기관 등의 설립 · 운영 및 육성에 관한 법률에 따라 설립된 연구기관
> ㉢ 특정연구기관 육성법에 따른 특정연구기관
> ㉣ 고등교육법에 따른 대학 · 산업대학 · 전문대학 및 기술대학
> ㉤ 민법이나 다른 법률에 따라 설립된 소방기술분야의 법인인 연구기관 또는 법인부설연구소
> ㉥ 기초연구진흥 및 기술개발지원에 관한 법률에 따라 인정받은 기업부설연구소
> ㉦ 소방산업의 진흥에 관한 법률에 따른 한국소방산업기술원
> ㉧ 그 밖에 대통령령으로 정하는 소방에 관한 기술개발 및 연구를 수행하는 기관 · 협회

④ **소방기술 및 소방산업의 국제화사업:** 국가는 소방기술 및 소방산업의 국제경쟁력과 국제적 통용성을 높이는 데에 필요한 기반 조성을 촉진하기 위한 시책을 마련하여야 한다(법 제39조의7 제1항).

⑤ **국제화사업의 추진:** 소방청장은 소방기술 및 소방산업의 국제경쟁력과 국제적 통용성을 높이기 위하여 다음의 사업을 추진하여야 한다(법 제39조의7 제2항).

> ㉠ 소방기술 및 소방산업의 국제협력을 위한 조사 · 연구
> ㉡ 소방기술 및 소방산업에 관한 국제전시회, 국제학술회의 개최 등 국제교류
> ㉢ 소방기술 및 소방산업의 국외시장 개척
> ㉣ 그 밖에 소방기술 및 소방산업의 국제경쟁력과 국제적 통용성을 높이기 위하여 필요하다고 인정하는 사업

제5절 보칙

01 의용소방대

의용소방대의 설치 및 운영에 관하여는 별도의 법률(의용소방대 설치 및 운영에 관한 법률)로 정한다(법 제37조).

02 한국소방안전원

(1) 설립

소방기술과 안전관리기술의 향상 및 홍보, 그 밖의 교육 · 훈련 등 행정기관이 위탁하는 업무의 수행과 소방 관계 종사자의 기술 향상을 위하여 한국소방안전원(이하 '안전원'이라 한다)을 소방청장의 인가를 받아 설립한다(법 제40조 제1항).

(2) 업무

안전원은 다음의 업무를 수행한다(법 제41조).

> ① 소방기술과 안전관리에 관한 교육 및 조사 · 연구
> ② 소방기술과 안전관리에 관한 각종 간행물 발간
> ③ 화재예방과 안전관리의식 고취를 위한 대국민 홍보
> ④ 소방업무에 관하여 행정기관이 위탁하는 업무
> ⑤ 소방안전에 관한 국제협력
> ⑥ 그 밖에 회원에 대한 기술지원 등 정관으로 정하는 사항

(3) 회원

안전원은 소방기술과 안전관리 역량의 향상을 위하여 다음의 사람을 회원으로 관리할 수 있다(법 제42조).

> ① 소방시설 설치 및 관리에 관한 법률, 소방시설공사업법 또는 위험물안전관리법에 따라 등록을 하거나 허가를 받은 사람으로서 회원이 되려는 사람
> ② 화재의 예방 및 안전관리에 관한 법률, 소방시설공사업법 또는 위험물안전관리법에 따라 소방안전관리자, 소방기술자 또는 위험물안전관리자로 선임되거나 채용된 사람으로서 회원이 되려는 사람
> ③ 그 밖에 소방분야에 관심이 있거나 학식과 경험이 풍부한 사람으로서 회원이 되려는 사람

(4) 안전원의 정관

안전원은 정관을 변경하려면 소방청장의 인가를 받아야 한다(법 제43조).

03 권한의 위임

소방청장은 안전원의 업무를 감독하며, 이 법에 따른 권한의 일부를 대통령령으로 정하는 바에 따라 시 · 도지사, 소방본부장 또는 소방서장에게 위임할 수 있다(법 제48조 제1항, 제49조).

마무리STEP 1 | OX 문제

01 소방청장은 화재, 재난 · 재해, 그 밖의 위급한 상황으로부터 국민의 생명 · 신체 및 재산을 보호하기 위하여 소방업무에 관한 종합계획을 10년마다 수립 · 시행하여야 하고, 이에 필요한 재원을 확보하도록 노력하여야 한다. ( )

02 관계지역이란 소방대상물이 있는 장소 및 그 이웃지역으로서 화재의 예방 · 경계 · 진압, 구조 · 구급 등의 활동에 필요한 지역을 말하며, 관계인이란 소방대상물의 소유자 · 관리자 또는 점유자를 말한다. ( )

03 소방청장은 소방력의 기준에 따라 관할 구역의 소방력을 확충하기 위하여 필요한 계획을 수립하여 시행하여야 하며, 국가는 소방장비의 구입 등 시 · 도의 소방업무에 필요한 경비의 일부를 보조한다. ( )

04 공동주택 중 300세대 이상인 아파트와 3층 이상의 기숙사의 건축주는 소방활동의 원활한 수행을 위하여 공동주택에 소방자동차 전용구역을 설치하여야 한다. ( )

05 소방본부장이나 소방서장은 소방활동을 할 때에 긴급한 경우에는 이웃한 소방본부장 또는 소방서장에게 소방업무의 동원을 요청할 수 있고, 동원요청을 받은 소방본부장 또는 소방서장은 정당한 사유 없이 이를 거절하여서는 아니 된다. ( )

01 × 5년마다 수립해야 한다.

02 ○

03 × 시 · 도지사가 수립한다.

04 × 100세대 이상인 아파트이다.

05 × 동원이 아니라 응원요청이다.

06 소방청장 · 소방본부장 또는 소방서장은 신고가 접수된 생활안전 및 위험제거활동(화재, 재난 · 재해, 그 밖의 위급한 상황에 해당하는 것)에 대응하기 위하여 소방대를 출동시켜 생활안전활동을 하게 하여야 한다. ( )

07 시 · 도지사는 소방공무원이 소방활동, 소방지원활동, 생활안전활동으로 인하여 민 · 형사상 책임과 관련된 소송을 수행할 경우 변호인 선임 등 소송수행에 필요한 지원을 할 수 있다. ( )

08 소방활동 등에 따른 손실보상을 청구할 수 있는 권리는 손실이 있음을 안 날부터 3년, 손실이 발생한 날부터 5년간 행사하지 아니하면 시효의 완성으로 소멸한다. ( )

09 소방청장은 손실보상심의위원회의 심사 · 의결을 거쳐 특별한 사유가 없으면 보상금 지급청구서를 받은 날부터 60일 이내에 보상금 지급 여부 및 보상금액을 결정하여야 하며, 결정일부터 10일 이내에 행정안전부령으로 정하는 바에 따라 결정내용을 청구인에게 통지하고, 보상금을 지급하기로 결정한 경우에는 특별한 사유가 없으면 통지한 날부터 30일 이내에 보상금을 지급하여야 한다. ( )

06 × 위급한 상황에 해당하는 것은 제외한다.
07 × 소방청장, 소방본부장 또는 소방서장이다.
08 ○
09 ○

01 소방기본법령상 용어의 정의로 틀린 것은? 제11회

① 소방대상물이라 함은 건축물, 차량, 선박(선박법 제1조의2 제1항의 규정에 따른 선박으로서 항구 안에 매어둔 선박에 한한다), 선박건조구조물, 산림, 그 밖의 공작물 또는 물건을 말한다.
② 화재경계지구라 함은 소방대상물이 있는 장소 및 그 이웃지역으로서 화재의 예방 · 경계 · 진압, 구조 · 구급 등의 활동에 필요한 지구를 말한다.
③ 관계인이라 함은 소방대상물의 소유자 · 관리자 또는 점유자를 말한다.
④ 소방본부장이란 특별시 · 광역시 · 도 또는 특별자치도에서 화재의 예방 · 경계 · 진압 · 조사 및 구조 · 구급 등의 업무를 담당하는 부서의 장을 말한다.
⑤ 소방대장이라 함은 소방본부장 또는 소방서장 등 화재, 재난 · 재해, 그 밖의 위급한 상황이 발생한 현장에서 소방대를 지휘하는 자를 말한다.

02 소방기본법령에 관한 설명으로 옳지 않은 것은? 제14회

① 의무소방대설치법에 따라 임용된 의무소방원으로 구성된 조직체는 소방기본법상 소방대에 속하지 않는다.
② 소방기본법상 관계인에는 소방대상물의 점유자를 포함한다.
③ 소방서장은 그 소재지를 관할하는 특별시장 · 광역시장 · 도지사 또는 특별자치시장 · 특별자치도지사의 지휘와 감독을 받는다.
④ 소방대상물로서의 선박은 선박법의 규정에 따른 선박으로서 항구 안에 매어둔 선박에 한한다.
⑤ 소방청장 · 소방본부장 및 소방서장은 화재 · 재난 · 재해, 그 밖에 구조 · 구급이 필요한 상황이 발생한 때에 신속한 소방활동을 위한 정보를 수집 · 전파하기 위하여 종합상황실을 설치 · 운영하여야 한다.

03 소방기본법령상 소방장비 및 소방용수시설 등에 관한 설명으로 옳지 않은 것은?

제12회

① 시 · 도지사는 소방력의 기준에 따라 관할 구역 안의 소방력을 확충하기 위하여 필요한 계획을 수립하여야 한다.
② 소방력이란 소방기관이 소방업무 수행에 필요한 인력과 장비 등을 말한다.
③ 소방본부장 또는 소방서장은 수도법에 따라 설치된 소화전을 유지 · 관리하여야 한다.
④ 소방업무의 응원을 요청받은 소방본부장 또는 소방서장은 정당한 사유 없이 이를 거절하여서는 아니 된다.
⑤ 소방업무의 응원을 위하여 파견된 소방대원은 응원을 요청한 소방본부장 또는 소방서장의 지휘에 따라야 한다.

정답 | 해설

01 ② '화재경계지구'가 아니라 '관계지역'이라 함은 소방대상물이 있는 장소 및 그 이웃지역으로서 화재의 예방 · 경계 · 진압, 구조 · 구급 등의 활동에 필요한 지구를 말한다.
화재경계지구는 시 · 도지사가 도시의 건물밀집지역 등 화재가 발생할 우려가 높거나 화재가 발생하는 경우 그로 인하여 피해가 클 것으로 예상되는 일정한 구역으로서 대통령령이 정하는 지역에 대하여 지정할 수 있는 지구이다.

02 ① 의무소방대는 소방대에 속한다.

03 ③ 시 · 도지사는 소방용수시설을 설치하고 유지 · 관리하여야 한다. 다만, 수도법에 따라 설치된 소화전의 경우에는 그 소화전의 설치자가 유지 · 관리하여야 한다.

04 소방기본법령상 소방활동 등에 관한 설명으로 옳은 것은? 제16회

① 소방대가 방송제작 또는 촬영 관련 지원활동을 하는 것은 소방지원활동에 속하지 아니한다.

② 유관기관 · 단체 등의 요청에 따른 소방지원활동에 드는 비용은 지원요청을 한 유관기관 · 단체 등에 부담하게 할 수 없다.

③ 소방대상물에 화재가 발생한 경우 소방활동 종사명령에 따라 소방활동에 종사한 그 소방대상물의 관계인은 시 · 도지사로부터 소방활동의 비용을 지급받을 수 있다.

④ 소방대장은 폭발 등으로 화재가 확대되는 것을 막기 위하여 가스 · 전기 또는 유류 등의 시설에 대하여 위험물질의 공급을 차단하는 등 필요한 조치를 할 수 없다.

⑤ 소방자동차의 우선통행에 관하여는 이 법에 있는 사항을 제외하고는 도로교통법에서 정하는 바에 따른다.

05 소방기본법령상 소방활동 종사명령에 관한 설명으로 옳지 않은 것은? 제12회

① 소방서장은 필요한 경우 그 관할 구역의 거주자 또는 화재현장에 있지 않은 자에게도 명령할 수 있다.

② 소방활동 종사자가 소방활동으로 인해 사망 또는 부상을 입은 경우 소방청장, 시 · 도지사는 손실보상심의위원회의 심사 · 의결에 따라 정당한 보상을 하여야 한다.

③ 과실로 화재를 발생시킨 자는 소방활동에 종사한 경우라도 소방활동비를 지급받을 수 없다.

④ 소방활동 종사자의 활동비용은 시 · 도지사가 지급한다.

⑤ 소방활동 종사자의 활동내용에는 사람을 구출하는 일도 포함된다.

정답 | 해설

04 ⑤ ① 방송촬영 등의 지원업무는 소방지원활동의 범위에 해당한다.
② 지원활동을 요청한 단체에 지원활동비용 등을 부담하게 할 수 있다.
③ 관계인과 화재를 야기한 자, 현장에서 물건을 훔쳐간 자 등에 대하여는 활동비용 등을 지급하지 아니한다.
④ 필요한 조치를 할 수 있다.

05 ① 소방본부장 · 소방서장 또는 소방대장은 화재, 재난 · 재해, 그 밖의 위급한 상황이 발생한 현장에서 소방활동을 위하여 필요한 때에는 그 관할 구역 안에 사는 자 또는 그 현장에 있는 자로 하여금 사람을 구출하는 일 또는 불을 끄거나 불이 번지지 아니하도록 하는 일을 하게 할 수 있다.

house.Hackers.com

2025 해커스 주택관리사(보)

house.Hackers.com

10개년 출제비중분석

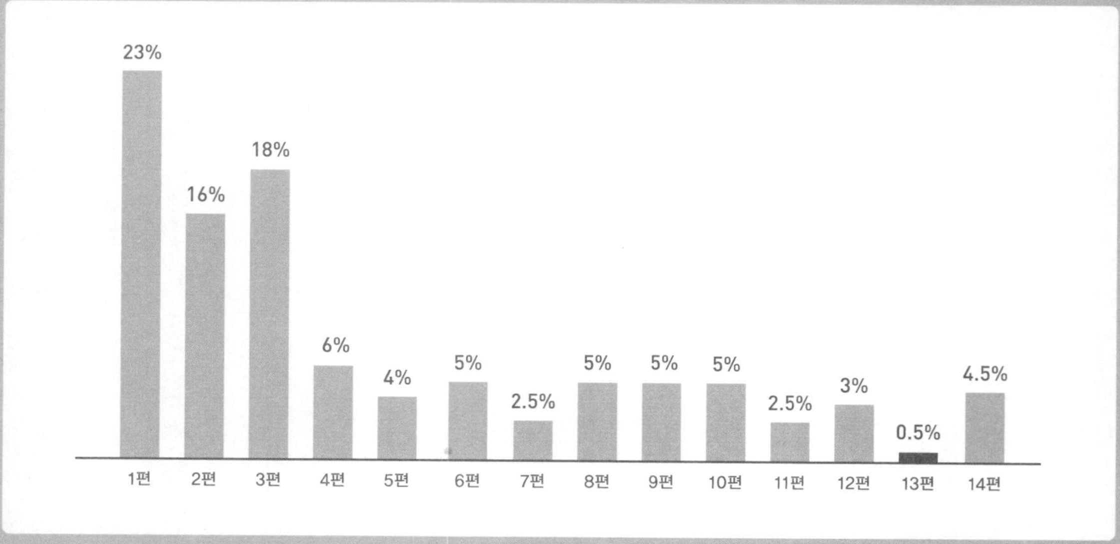

제13편

화재의 예방 및
안전관리에 관한 법률

제 13 편 화재의 예방 및 안전관리에 관한 법률

목차 내비게이션 화재의 예방 및 안전관리에 관한 법률

단원길라잡이

화재의 예방 및 안전관리에 관한 법률에서는 1문제가 출제될 것으로 예상된다. 이 단원에서는 용어의 정의, 화재안전조사, 화재예방강화지구, 소방안전관리 등을 중점적으로 학습하여야 한다.

출제포인트

- 화재안전조사
- 화재위험물에 대한 조치
- 화재예방강화지구
- 화재안전영향평가
- 특정소방대상물의 소방안전관리
- 건설현장 소방안전관리
- 공동소방안전관리

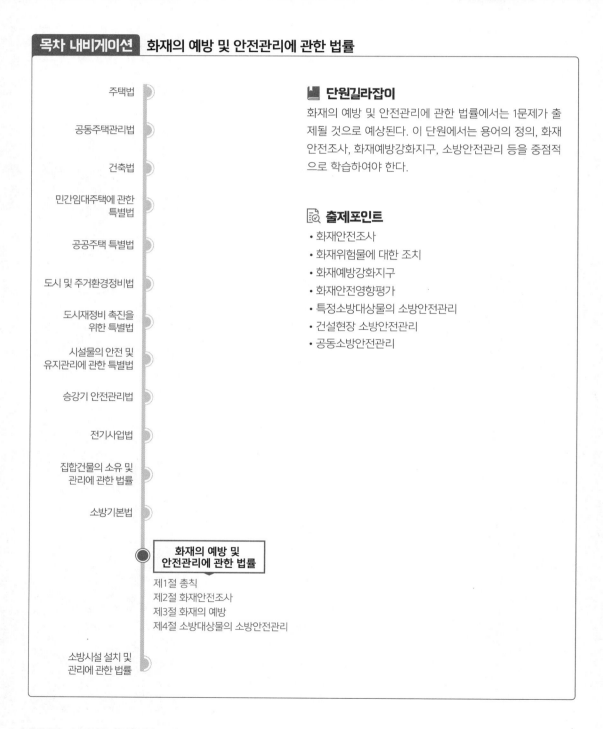

제1절 총칙

제1항 제정목적

이 법은 화재의 예방과 안전관리에 필요한 사항을 규정함으로써 화재로부터 국민의 생명 · 신체 및 재산을 보호하고 공공의 안전과 복리 증진에 이바지함을 목적으로 한다(법 제1조).

제2항 용어의 정의

이 법에서 사용하는 용어의 뜻은 다음과 같다(법 제2조 제1항).

(1) 예방

화재의 위험으로부터 사람의 생명 · 신체 및 재산을 보호하기 위하여 화재발생을 사전에 제거하거나 방지하기 위한 모든 활동을 말한다.

(2) 안전관리

화재로 인한 피해를 최소화하기 위한 예방, 대비, 대응 등의 활동을 말한다.

(3) 화재안전조사

소방청장, 소방본부장 또는 소방서장(이하 '소방관서장'이라 한다)이 소방대상물, 관계지역 또는 관계인에 대하여 소방시설 등이 소방 관계법령에 적합하게 설치 · 관리되고 있는지, 소방대상물에 화재의 발생 위험이 있는지 등을 확인하기 위하여 실시하는 현장조사 · 문서열람 · 보고요구 등을 하는 활동을 말한다.

(4) 화재예방강화지구

특별시장 · 광역시장 · 특별자치시장 · 도지사 또는 특별자치도지사(이하 '시 · 도지사'라 한다)가 화재발생 우려가 크거나 화재가 발생할 경우 피해가 클 것으로 예상되는 지역에 대하여 화재의 예방 및 안전관리를 강화하기 위해 지정 · 관리하는 지역을 말한다.

기출예제

화재의 예방 및 안전관리에 관한 법률 제2조(정의) 규정의 일부이다. (　　) 안에 들어갈 용어를 쓰시오. 제26회

(　　)(이)란 특별시장 · 광역시장 · 특별자치시장 · 도지사 또는 특별자치도지사가 화재발생 우려가 크거나 화재가 발생할 경우 피해가 클 것으로 예상되는 지역에 대하여 화재의 예방 및 안전관리를 강화하기 위해 지정 · 관리하는 지역을 말한다.

정답: 화재예방강화지구

(5) 화재예방안전진단

화재가 발생할 경우 사회 · 경제적으로 피해규모가 클 것으로 예상되는 소방대상물에 대하여 화재위험요인을 조사하고 그 위험성을 평가하여 개선대책을 수립하는 것을 말한다.

(6) 소방관서장

소방청장, 소방본부장 또는 소방서장을 말한다.

제3항 화재예방정책

01 화재예방정책의 수립

(1) 국가는 화재로부터 국민의 생명과 재산을 보호할 수 있도록 화재의 예방 및 안전관리에 관한 정책(이하 '화재예방정책'이라 한다)을 수립 · 시행하여야 한다(법 제3조 제1항).

(2) 지방자치단체는 국가의 화재안전정책에 맞추어 지역의 실정에 부합하는 화재안전정책을 수립 · 시행하여야 한다(법 제3조 제2항).

(3) 관계인은 국가와 지방자치단체의 화재예방정책에 적극적으로 협조하여야 한다(법 제3조 제3항).

02 화재의 예방 및 안전관리 기본계획

(1) 화재의 예방 및 안전관리 기본계획 등의 수립

① 소방청장은 화재예방정책을 체계적 · 효율적으로 추진하고 이에 필요한 기반 확충을 위하여 화재의 예방 및 안전관리에 관한 기본계획(이하 '기본계획'이라 한다)을 5년마다 수립 · 시행하여야 한다(법 제4조 제1항).

② 소방청장은 ①에 따른 기본계획을 계획시행 전년도 8월 31일까지 관계 중앙행정기관의 장과 협의한 후 계획시행 전년도 9월 30일까지 수립해야 한다(법 제4조 제2항, 영 제2조).

(2) 기본계획의 내용

기본계획에는 다음의 사항이 포함되어야 한다(법 제4조 제3항, 영 제3조).

① 화재예방정책의 기본목표 및 추진방향
② 화재의 예방과 안전관리를 위한 법령 · 제도의 마련 등 기반 조성
③ 화재의 예방과 안전관리를 위한 대국민 교육 · 홍보
④ 화재의 예방과 안전관리 관련 기술의 개발 · 보급

⑤ 화재의 예방과 안전관리 관련 전문인력의 육성 · 지원 및 관리
⑥ 화재의 예방과 안전관리 관련 산업의 국제경쟁력 향상
⑦ 화재발생 현황
⑧ 소방대상물의 환경 및 화재위험특성 변화 추세 등 화재예방정책의 여건 변화에 관한 사항
⑨ 소방시설의 설치 · 관리 및 화재안전기준의 개선에 관한 사항
⑩ 계절별 · 시기별 · 소방대상물별 화재예방대책의 추진 및 평가 등에 관한 사항
⑪ 그 밖에 화재의 예방 및 안전관리와 관련하여 소방청장이 필요하다고 인정하는 사항

(3) 시행계획의 수립과 통보

소방청장은 기본계획을 시행하기 위하여 다음 사항이 포함된 시행계획을 계획시행 전년도 10월 31일까지 매년 수립하여야 하며(법 제4조 제4항), 수립된 기본계획 및 시행계획을 관계 중앙행정기관의 장, 특별시장 · 광역시장 · 특별자치시장 · 도지사 · 특별자치도지사(이하 '시 · 도지사'라 한다)에게 각각 계획시행 전년도 10월 31일까지 통보해야 한다(법 제4조 제5항, 영 제4조).

① 기본계획의 시행을 위하여 필요한 사항
② 그 밖에 화재의 예방 및 안전관리와 관련하여 소방청장이 필요하다고 인정하는 사항

(4) 세부시행계획의 수립 등

위 (3)에 따라 기본계획과 시행계획을 통보받은 관계 중앙행정기관의 장 또는 시 · 도지사는 다음의 사항이 포함된 세부시행계획을 계획 시행 전년도 12월 31일까지 소방청장에게 통보해야 한다(법 제4조 제6항, 영 제5조 제2항 · 제3항).

① 기본계획 및 시행계획에 대한 관계 중앙행정기관 또는 특별시 · 광역시 · 특별자치시 · 도 · 특별자치도(이하 '시 · 도'라 한다)의 세부집행계획
② 직전 세부시행계획의 시행결과
③ 그 밖에 화재안전과 관련하여 관계 중앙행정기관의 장 또는 시 · 도지사가 필요하다고 결정한 사항

03 실태조사

(1) 소방청장은 기본계획 및 시행계획의 수립 · 시행에 필요한 기초자료를 확보하기 위하여 다음의 사항에 대하여 실태조사를 할 수 있다. 이 경우 관계 중앙행정기관의 장의 요청이 있는 때에는 합동으로 실태조사를 할 수 있다(법 제5조 제1항).

① 소방대상물의 용도별 · 규모별 현황
② 소방대상물의 화재의 예방 및 안전관리 현황
③ 소방대상물의 소방시설 등 설치 · 관리 현황
④ 그 밖에 기본계획 및 시행계획의 수립 · 시행을 위하여 필요한 사항

더 알아보기 **실태조사의 방법 및 절차(규칙 제2조)**

1. 실태조사는 통계조사, 문헌조사 또는 현장조사의 방법으로 하며, 정보통신망 또는 전자적인 방식을 사용할 수 있다.
2. 소방청장은 실태조사를 실시하려는 경우 실태조사 시작 7일 전까지 조사일시, 조사사유 및 조사내용 등을 포함한 조사계획을 조사대상자에게 서면 또는 전자우편 등의 방법으로 미리 알려야 한다.
3. 관계 공무원 및 실태조사를 의뢰받은 관계 전문가 등이 실태조사를 위하여 소방대상물에 출입할 때에는 그 권한 또는 자격을 표시하는 증표를 지니고 이를 관계인에게 내보여야 한다.

(2) 소방청장은 소방대상물의 현황 등 관련 정보를 보유 · 운용하고 있는 관계 중앙행정기관의 장, 지방자치단체의 장, 공공기관의 장 또는 관계인 등에게 실태조사에 필요한 자료의 제출을 요청할 수 있다. 이 경우 자료제출을 요청받은 자는 특별한 사유가 없으면 이에 따라야 한다(법 제5조 제2항).

04 통계의 작성 및 관리

(1) 소방청장은 화재의 예방 및 안전관리에 관한 통계를 매년 작성 · 관리하여야 하며, 그 작성 · 관리항목은 다음과 같다(법 제6조 제1항, 영 제6조 제1항).

① 소방대상물의 현황 및 안전관리에 관한 사항
② 소방시설 등의 설치 및 관리에 관한 사항
③ 다중이용업 현황 및 안전관리에 관한 사항
④ 위험물안전관리법 제2조 제1항 제6호에 따른 제조소 등(이하 '제조소 등'이라 한다) 현황
⑤ 화재발생 이력 및 화재안전조사 등 화재예방활동에 관한 사항
⑥ 법 제5조에 따른 실태조사결과
⑦ 화재예방강화지구의 현황 및 안전관리에 관한 사항
⑧ 법 제23조에 따른 어린이, 노인, 장애인 등 화재의 예방 및 안전관리에 취약한 자에 대한 지역별 · 성별 · 연령별 지원현황
⑨ 소방안전관리자 자격증 발급 및 선임 관련 지역별 · 성별 · 연령별 현황
⑩ 화재예방안전진단 대상의 현황 및 그 실시결과

⑪ 소방시설업자, 소방기술자 및 소방시설 설치 및 관리에 관한 법률 제29조에 따른 소방시설관리업 등록을 한 자의 지역별 · 성별 · 연령별 현황
⑫ 그 밖에 소방청장이 작성 · 관리가 필요하다고 인정하는 사항

(2) 소방청장은 (1)의 통계자료를 작성 · 관리하기 위하여 관계 중앙행정기관의 장, 지방자치단체의 장, 공공기관의 장 또는 관계인 등에게 필요한 자료와 정보의 제공을 요청할 수 있다. 이 경우 자료와 정보의 제공을 요청받은 자는 특별한 사정이 없으면 이에 따라야 한다(법 제6조 제2항).

(3) 소방청장은 (1)에 따른 통계자료의 작성 · 관리에 관한 업무의 전부 또는 일부를 다음의 전문성이 있는 기관을 지정하여 수행하게 할 수 있다(법 제6조 제3항, 규칙 제3조).

① 소방기본법 제40조 제1항에 따라 설립된 한국소방안전원
② 정부출연연구기관 등의 설립 · 운영 및 육성에 관한 법률 제8조에 따라 설립된 정부출연연구기관
③ 통계법 제15조에 따라 지정된 통계작성지정기관

(4) 소방청장은 통계를 체계적으로 작성 · 관리하고 분석하기 위하여 전산시스템을 구축 · 운영할 수 있으며, 소방청장은 전산시스템을 구축 · 운영하는 경우 빅데이터(대용량의 정형 또는 비정형의 데이터 세트)를 활용하여 화재발생 동향 분석 및 전망 등을 할 수 있다(영 제6조 제2항 · 제3항).

제2절 화재안전조사

(1) 화재안전조사의 실시대상

소방관서장은 다음의 어느 하나에 해당하는 경우 화재안전조사를 실시할 수 있다. 다만, 개인의 주거(실제 주거용도로 사용되는 경우에 한정한다)에 대한 화재안전조사는 관계인의 승낙이 있거나 화재발생의 우려가 뚜렷하여 긴급한 필요가 있는 때에 한정한다(법 제7조 제1항).

① 소방시설 설치 및 관리에 관한 법률 제22조에 따른 자체점검이 불성실하거나 불완전하다고 인정되는 경우
② 화재예방강화지구 등 법령에서 화재안전조사를 하도록 규정되어 있는 경우

③ 화재예방안전진단이 불성실하거나 불완전하다고 인정되는 경우
④ 국가적 행사 등 주요 행사가 개최되는 장소 및 그 주변의 관계 지역에 대하여 소방안전관리 실태를 조사할 필요가 있는 경우
⑤ 화재가 자주 발생하였거나 발생할 우려가 뚜렷한 곳에 대한 조사가 필요한 경우
⑥ 재난예측정보, 기상예보 등을 분석한 결과 소방대상물에 화재의 발생 위험이 크다고 판단되는 경우
⑦ 위 ①부터 ⑥까지에서 규정한 경우 외에 화재, 그 밖의 긴급한 상황이 발생할 경우 인명 또는 재산 피해의 우려가 현저하다고 판단되는 경우

(2) 화재안전조사의 항목 및 남용금지

화재안전조사는 다음의 항목에 대하여 실시한다. 이 경우 화재안전조사의 항목에는 화재의 예방조치 상황, 소방시설 등의 관리 상황 및 소방대상물의 화재 등의 발생 위험과 관련된 사항이 포함되어야 한다. 소방관서장은 화재안전조사를 실시하는 경우 다른 목적을 위하여 조사권을 남용하여서는 아니 된다(법 제7조 제2항 · 제3항, 영 제7조).

① 법 제17조에 따른 화재의 예방조치 등에 관한 사항
② 법 제24조, 제25조, 제27조 및 제29조에 따른 소방안전관리업무 수행에 관한 사항
③ 법 제36조에 따른 피난계획의 수립 및 시행에 관한 사항
④ 법 제37조에 따른 소화 · 통보 · 피난 등의 훈련 및 소방안전관리에 필요한 교육(이하 '소방훈련 · 교육'이라 한다)에 관한 사항
⑤ 소방기본법 제21조의2에 따른 소방자동차 전용구역의 설치에 관한 사항
⑥ 소방시설공사업법 제12조에 따른 시공, 같은 법 제16조에 따른 감리 및 같은 법 제18조에 따른 감리원의 배치에 관한 사항
⑦ 소방시설 설치 및 관리에 관한 법률 제12조에 따른 소방시설의 설치 및 관리에 관한 사항
⑧ 소방시설 설치 및 관리에 관한 법률 제15조에 따른 건설현장 임시소방시설의 설치 및 관리에 관한 사항
⑨ 소방시설 설치 및 관리에 관한 법률 제16조에 따른 피난시설, 방화구획(防火區劃) 및 방화시설의 관리에 관한 사항
⑩ 소방시설 설치 및 관리에 관한 법률 제20조에 따른 방염(防炎)에 관한 사항
⑪ 소방시설 설치 및 관리에 관한 법률 제22조에 따른 소방시설 등의 자체점검에 관한 사항
⑫ 다중이용업소의 안전관리에 관한 특별법 제8조, 제9조, 제9조의2, 제10조, 제10조의2 및 제11조부터 제13조까지의 규정에 따른 안전관리에 관한 사항
⑬ 위험물안전관리법 제5조, 제6조, 제14조, 제15조 및 제18조에 따른 위험물 안전관리에 관한 사항
⑭ 초고층 및 지하연계 복합건축물 재난관리에 관한 특별법 제9조, 제11조, 제12조, 제14조, 제16조 및 제22조에 따른 초고층 및 지하연계 복합건축물의 안전관리에 관한 사항
⑮ 그 밖에 소방대상물에 화재의 발생 위험이 있는지 등을 확인하기 위해 소방관서장이 화재안전조사가 필요하다고 인정하는 사항

(3) 화재안전조사의 방법 · 절차

① **조사의 구분:** 소방관서장은 화재안전조사의 목적에 따라 다음의 어느 하나에 해당하는 방법으로 화재안전조사를 실시할 수 있다(법 제8조 제1항, 영 제8조 제1항).

> ㉠ 종합조사: 영 제7조의 화재안전조사 항목 전부를 확인하는 조사
> ㉡ 부분조사: 영 제7조의 화재안전조사 항목 중 일부를 확인하는 조사

② **사전통지와 공개:** 소방관서장은 화재안전조사를 실시하려는 경우 사전에 관계인에게 조사대상, 조사기간 및 조사사유 등을 우편, 전화, 전자메일 또는 문자전송 등을 통하여 통지하고, 조사계획을 소방청, 소방본부 또는 소방서(이하 '소방관서'라 한다)의 인터넷 홈페이지나 전산시스템을 통해 7일 이상 공개해야 한다. 다음의 어느 하나에 해당하는 경우에는 그러하지 아니하다. 다만, 사전통지 없이 화재안전조사를 실시하는 경우에는 화재안전조사를 실시하기 전에 관계인에게 조사사유 및 조사범위 등을 현장에서 설명해야 한다(법 제8조 제2항, 영 제8조 제2항 · 제3항).

> ㉠ 화재가 발생할 우려가 뚜렷하여 긴급하게 조사할 필요가 있는 경우
> ㉡ 위 ㉠ 외에 화재안전조사의 실시를 사전에 통지하거나 공개하면 조사목적을 달성할 수 없다고 인정되는 경우

③ **조사시점:** 화재안전조사는 관계인의 승낙 없이 소방대상물의 공개시간 또는 근무시간 이외에는 할 수 없다. 다만, 화재가 발생할 우려가 뚜렷하여 긴급하게 조사할 필요가 있는 경우에는 그러하지 아니하다(법 제8조 제3항).

④ **조사의 연기:** 화재안전조사의 통지를 받은 관계인은 천재지변이나 그 밖에 다음에 해당하는 사유로 화재안전조사를 받기 곤란한 경우에는 화재안전조사를 통지한 소방관서장에게 대통령령으로 정하는 바에 따라 화재안전조사를 연기하여 줄 것을 신청할 수 있다. 이 경우 소방관서장은 연기신청 승인 여부를 결정하고 그 결과를 조사 시작 전까지 관계인에게 알려 주어야 한다. 다만, 소방관서장은 연기기간이 끝나기 전에 연기사유가 없어졌거나 긴급히 조사를 해야 할 사유가 발생하였을 때는 관계인에게 미리 알리고 화재안전조사를 할 수 있다(법 제8조 제4항, 영 제9조 제1항 · 제3항).

> ㉠ 재난 및 안전관리 기본법 제3조 제1호에 해당하는 재난이 발생한 경우
> ㉡ 관계인의 질병, 사고, 장기출장의 경우
> ㉢ 권한 있는 기관에 자체점검기록부, 교육 · 훈련일지 등 화재안전조사에 필요한 장부 · 서류 등이 압수되거나 영치(領置)되어 있는 경우

ⓔ 소방대상물의 증축·용도변경 또는 대수선 등의 공사로 화재안전조사를 실시하기 어려운 경우

(4) 화재안전조사단

① **편성 및 구성**: 소방관서장은 화재안전조사를 효율적으로 수행하기 위하여 소방청에는 중앙화재안전조사단을, 소방본부 및 소방서에는 지방화재안전조사단을 편성하여 운영할 수 있다. 이 경우 각각 단장을 포함하여 50명 이내의 단원으로 성별을 고려하여 구성한다(법 제9조 제1항, 영 제10조 제1항).

② **파견요청**: 소방관서장은 중앙화재안전조사단 및 지방화재안전조사단의 업무 수행을 위하여 필요한 경우에는 관계 기관의 장에게 그 소속 공무원 또는 직원의 파견을 요청할 수 있다. 이 경우 공무원 또는 직원의 파견요청을 받은 관계 기관의 장은 특별한 사유가 없으면 이에 협조하여야 한다(법 제9조 제2항).

③ **조사단원**: 조사단의 단원은 다음에 해당하는 사람 중에서 소방관서장이 임명하거나 위촉하고, 단장은 단원 중에서 소방관서장이 임명하거나 위촉한다(영 제10조 제2항).

> ㉠ 소방공무원
> ㉡ 소방업무와 관련된 단체 또는 연구기관 등의 임직원
> ㉢ 소방 관련 분야에서 전문적인 지식이나 경험이 풍부한 사람

④ **전문조사**: 소방관서장은 필요한 경우에는 소방기술사, 소방시설관리사, 그 밖에 화재안전분야에 전문지식을 갖춘 사람을 화재안전조사에 참여하게 할 수 있으며, 조사에 참여하는 외부 전문가에게는 예산의 범위에서 수당, 여비, 그 밖에 필요한 경비를 지급할 수 있다(법 제11조).

⑤ **조사수칙**: 화재안전조사업무를 수행하는 관계 공무원 및 관계 전문가는 그 권한 또는 자격을 표시하는 증표를 지니고 이를 관계인에게 내보여야 하며, 화재안전조사업무를 수행하는 관계 공무원 및 관계 전문가는 관계인의 정당한 업무를 방해하여서는 아니되며, 조사업무를 수행하면서 취득한 자료나 알게 된 비밀을 다른 사람 또는 기관에 제공 또는 누설하거나 목적 외의 용도로 사용하여서는 아니 된다(법 제12조).

(5) 화재안전조사위원회

① **구성**: 소방관서장은 화재안전조사의 대상을 객관적이고 공정하게 선정하기 위하여 필요한 경우 화재안전조사위원회를 구성하여 화재안전조사의 대상을 선정할 수 있다(법 제10조 제1항).

② **위원**: 위원회는 위원장 1명을 포함한 7명 이내의 위원으로 성별을 고려하여 구성하고, 위원장은 소방관서장이 되며, 위원회의 위원은 다음의 어느 하나에 해당하는 사람 중에서 소방관서장이 임명하거나 위촉하고, 위촉위원의 임기는 2년으로 하며, 한 차례만 연임할 수 있다(영 제11조).

> ㉠ 과장급 직위 이상의 소방공무원
> ㉡ 소방기술사
> ㉢ 소방시설관리사
> ㉣ 소방 관련 분야의 석사학위 이상을 취득한 사람
> ㉤ 소방 관련 법인 또는 단체에서 소방 관련 업무에 5년 이상 종사한 사람
> ㉥ 소방공무원 교육기관, 고등교육법의 학교 또는 연구소에서 소방과 관련한 교육 또는 연구에 5년 이상 종사한 사람

(6) 화재안전조사 결과 통보

소방관서장은 화재안전조사를 마친 때에는 그 조사 결과를 관계인에게 서면으로 통지하여야 한다. 다만, 화재안전조사의 현장에서 관계인에게 조사의 결과를 설명하고 화재안전조사 결과서의 부본을 교부한 경우에는 그러하지 아니하다(법 제13조).

(7) 화재안전조사 결과에 따른 조치명령

① 소방관서장은 화재안전조사 결과에 따른 소방대상물의 위치 · 구조 · 설비 또는 관리의 상황이 화재예방을 위하여 보완될 필요가 있거나 화재가 발생하면 인명 또는 재산의 피해가 클 것으로 예상되는 때에는 행정안전부령으로 정하는 바에 따라 관계인에게 그 소방대상물의 개수(改修) · 이전 · 제거, 사용의 금지 또는 제한, 사용폐쇄, 공사의 정지 또는 중지, 그 밖에 필요한 조치를 명할 수 있다(법 제14조 제1항).

② 소방관서장은 화재안전조사 결과 소방대상물이 법령을 위반하여 건축 또는 설비되었거나 소방시설 등, 피난시설 · 방화구획, 방화시설 등이 법령에 적합하게 설치 또는 관리되고 있지 아니한 경우에는 관계인에게 ①에 따른 조치를 명하거나 관계 행정기관의 장에게 필요한 조치를 하여 줄 것을 요청할 수 있다(법 제14조 제2항).

(8) 손실보상

① 소방청장 또는 시 · 도지사는 조치 등 명령으로 인하여 손실을 입은 자가 있는 경우에는 시가(時價)로 보상하여야 한다(법 제15조, 영 제14조 제1항).

② 손실보상에 관하여는 소방청장 또는 시 · 도지사와 손실을 입은 자가 협의해야 하며, 소방청장 또는 시 · 도지사는 보상금액에 관한 협의가 성립되지 않은 경우에는 그 보상금액을 지급하거나 공탁하고 이를 상대방에게 알려야 한다(영 제14조 제2항 · 제3항).

③ 위 ②에 따른 보상금의 지급 또는 공탁의 통지에 불복하는 자는 지급 또는 공탁의 통지를 받은 날부터 30일 이내에 공익사업을 위한 토지 등의 취득 및 보상에 관한 법률 제49조에 따른 중앙토지수용위원회 또는 관할 지방토지수용위원회에 재결(裁決)을 신청할 수 있다(영 제14조 제4항).

(9) 화재안전조사 결과의 공개

① **공개내용:** 소방관서장은 화재안전조사를 실시한 경우 다음의 전부 또는 일부를 인터넷 홈페이지나 전산시스템 등을 통하여 공개할 수 있다(법 제16조 제1항, 영 제15조 제1항).

> ㉠ 소방대상물의 위치, 연면적, 용도 등 현황
> ㉡ 소방시설 등의 설치 및 관리현황
> ㉢ 피난시설, 방화구획 및 방화시설의 설치 및 관리현황
> ㉣ 제조소 등 설치현황
> ㉤ 소방안전관리자 선임현황
> ㉥ 화재예방안전진단 실시결과

② **공개방법:** 소방관서장은 화재안전조사 결과를 공개하는 경우 30일 이상 해당 소방관서 인터넷 홈페이지나 전산시스템을 통해 공개해야 한다. 이 경우 화재안전조사 결과의 공개가 제3자의 법익을 침해하는 경우에는 제3자와 관련된 사실을 제외하고 공개해야 한다(영 제15조 제2항 · 제6항).

③ **사전통지:** 소방관서장은 화재안전조사 결과를 공개하려는 경우 공개기간, 공개내용 및 공개방법을 해당 소방대상물의 관계인에게 미리 알려야 한다(영 제15조 제3항).

④ **이의신청:** 소방대상물의 관계인은 ③에 따른 공개내용 등을 통보받은 날부터 10일 이내에 소방관서장에게 이의신청을 할 수 있으며, 소방관서장은 이의신청을 받은 날부터 10일 이내에 심사 · 결정하여 그 결과를 지체 없이 신청인에게 알려야 한다(영 제15조 제4항 · 제5항).

(10) 전산시스템의 운영

소방청장은 화재안전조사 결과를 체계적으로 관리하고 활용하기 위하여 전산시스템을 구축 · 운영하여야 하며, 건축, 전기 및 가스 등 화재안전과 관련된 정보를 소방활동 등에 활용하기 위하여 전산시스템과 관계 중앙행정기관, 지방자치단체 및 공공기관 등에서 구축 · 운용하고 있는 전산시스템을 연계하여 구축할 수 있다(법 제16조 제3항 · 제4항).

제3절 화재의 예방

01 화재의 예방조치

(1) 화재의 예방조치 등

① 누구든지 화재예방강화지구 및 이에 준하는 대통령령으로 정하는 장소에서는 다음의 어느 하나에 해당하는 행위를 하여서는 아니 된다. 다만, 행정안전부령으로 정하는 바에 따라 안전조치를 한 경우에는 그러하지 아니한다(법 제17조 제1항, 영 제16조 제2항).

> ㉠ 모닥불, 흡연 등 화기의 취급
> ㉡ 풍등 등 소형 열기구 날리기
> ㉢ 용접 · 용단 등 불꽃을 발생시키는 행위
> ㉣ 위험물안전관리법 제2조 제1항 제1호에 따른 위험물을 방치하는 행위

② 위 ①에서 말하는 '대통령령으로 정하는 장소'는 다음의 장소를 말한다(영 제16조 제1항).

> ㉠ 제조소 등
> ㉡ 고압가스 안전관리법 제3조 제1호에 따른 저장소
> ㉢ 액화석유가스의 안전관리 및 사업법 제2조 제1호에 따른 액화석유가스의 저장소 · 판매소
> ㉣ 수소경제 육성 및 수소 안전관리에 관한 법률 제2조 제7호에 따른 수소연료공급시설 및 같은 조 제9호에 따른 수소연료사용시설
> ㉤ 총포 · 도검 · 화약류 등의 안전관리에 관한 법률 제2조 제3항에 따른 화약류를 저장하는 장소

(2) 화재 등 위험물에 대한 조치

① 소방관서장은 화재발생 위험이 크거나 소화활동에 지장을 줄 수 있다고 인정되는 행위나 물건에 대하여 행위 당사자나 그 물건의 소유자, 관리자 또는 점유자에게 다음의 명령을 할 수 있다. 다만, ㉡ 및 ㉢에 해당하는 물건의 소유자, 관리자 또는 점유자를 알 수 없는 경우 소속 공무원으로 하여금 그 물건을 옮기거나 보관하는 등 필요한 조치를 하게 할 수 있다(법 제17조 제2항).

> ㉠ 위 (1) ①의 어느 하나에 해당하는 행위의 금지 또는 제한
> ㉡ 목재, 플라스틱 등 가연성이 큰 물건의 제거, 이격, 적재 금지 등
> ㉢ 소방차량의 통행이나 소화활동에 지장을 줄 수 있는 물건의 이동

② **공고 및 보관**: 소방관서장은 ①에 따라 옮긴 물건 등(이하 '옮긴 물건 등'이라 한다)을 보관하는 경우에는 그날부터 14일 동안 해당 소방관서의 인터넷 홈페이지에 그 사실을 공고해야 하며, 옮긴 물건 등의 보관기간은 공고기간의 종료일 다음 날부터 7일까지로 한다(영 제17조 제1항 · 제2항).

③ **매각 또는 폐기**: 소방관서장은 ②에 따른 보관기간이 종료된 때에는 보관하고 있는 옮긴 물건 등을 매각해야 한다. 다만, 보관하고 있는 옮긴 물건 등이 부패 · 파손 또는 이와 유사한 사유로 정해진 용도로 계속 사용할 수 없는 경우에는 폐기할 수 있다(영 제17조 제3항).

④ **사후처리**: 소방관서장은 보관하던 옮긴 물건 등을 ③에 따라 매각한 경우에는 지체 없이 국가재정법에 따라 세입조치를 해야 하고, 매각되거나 폐기된 옮긴 물건 등의 소유자가 보상을 요구하는 경우에는 보상금액에 대하여 소유자와의 협의를 거쳐 이를 보상해야 한다(영 제17조 제4항 · 제5항).

⑤ **손실보상**: 손실보상의 방법 및 절차 등에 관하여는 영 제14조를 준용한다(영 제17조 제6항).

(3) 불을 사용하는 설비의 관리

보일러, 난로, 건조설비, 가스 · 전기시설, 그 밖에 화재발생 우려가 있는 다음의 설비 또는 기구 등의 위치 · 구조 및 관리와 화재예방을 위하여 불을 사용할 때 지켜야 하는 사항은 대통령령으로 정한다(법 제17조 제4항, 영 제18조 제1항).

① 보일러
② 난로
③ 건조설비
④ 가스 · 전기시설
⑤ 불꽃을 사용하는 용접 · 용단 기구
⑥ 노(爐) · 화덕설비
⑦ 음식조리를 위하여 설치하는 설비

(4) 화재의 확대가 빠른 특수가연물

화재가 발생하는 경우 불길이 빠르게 번지는 고무류 · 플라스틱류 · 석탄 및 목탄 등 대통령령으로 정하는 특수가연물(特殊可燃物)의 저장 및 취급기준은 다음과 같다(법 제17조 제5항, 영 제19조 제2항).

① 품명별로 구분하여 쌓을 것

② 다음의 기준에 맞게 쌓을 것

구분	살수설비나 대형 수동식 소화기를 설치하는 경우	그 밖의 경우
높이	15미터 이하	10미터 이하
바닥면적	200제곱미터(석탄 · 목탄류는 300제곱미터) 이하	50제곱미터(석탄 · 목탄류는 200제곱미터) 이하

③ **실외에 쌓아 저장하는 경우:** 대지경계선, 도로 및 인접 건축물과 최소 6미터 이상 간격을 둘 것

④ **실내에 쌓아 저장하는 경우:** 주요구조부는 내화구조이면서 불연재료여야 하고, 다른 종류의 특수가연물과 같은 공간에 보관하지 않을 것. 다만, 내화구조의 벽으로 분리하는 경우는 그렇지 않다.

⑤ 쌓는 부분의 사이는 실내의 경우 1.2미터 또는 쌓는 높이의 2분의 1 중 큰 값 이상으로 간격을 두어야 하며, 실외의 경우 3미터 또는 쌓는 높이 중 큰 값 이상으로 간격을 둘 것

02 화재예방강화지구

(1) 화재예방강화지구의 지정

① **지정권자 및 지정대상:** 시 · 도지사는 다음의 어느 하나에 해당하는 지역을 화재예방강화지구로 지정하여 관리할 수 있다(법 제18조 제1항).

> ㉠ 시장지역
> ㉡ 공장 · 창고가 밀집한 지역
> ㉢ 목조건물이 밀집한 지역
> ㉣ 노후 · 불량건축물이 밀집한 지역
> ㉤ 위험물의 저장 및 처리시설이 밀집한 지역
> ㉥ 석유화학제품을 생산하는 공장이 있는 지역
> ㉦ 산업입지 및 개발에 관한 법률 제2조 제8호에 따른 산업단지
> ㉧ 소방시설 · 소방용수시설 또는 소방출동로가 없는 지역
> ㉨ 물류시설의 개발 및 운영에 관한 법률 제2조 제6호에 따른 물류단지
> ㉩ 그 밖에 ㉠부터 ㉨까지에 준하는 지역으로서 소방관서장이 화재예방강화지구로 지정할 필요가 있다고 인정하는 지역

② **지정요청:** 시 · 도지사가 화재예방강화지구로 지정할 필요가 있는 지역을 화재예방강화지구로 지정하지 아니하는 경우 소방청장은 해당 시 · 도지사에게 해당 지역의 화재예방강화지구 지정을 요청할 수 있다(법 제18조 제2항).

(2) 화재예방강화지구의 지정효과

① **화재안전조사:** 소방관서장은 화재예방강화지구 안의 소방대상물의 위치 · 구조 및 설비 등에 대한 화재안전조사를 연 1회 이상 실시하여야 한다(법 제18조 제3항, 영 제20조 제1항).

② **개수 등 명령:** 소방관서장은 ①에 따른 화재안전조사를 한 결과 화재의 예방 강화를 위하여 필요하다고 인정할 때에는 관계인에게 소화기구, 소방용수시설 또는 그 밖에 소방에 필요한 설비(이하 '소방설비 등'이라 한다)의 설치(보수, 보강을 포함한다. 이하 같다)를 명할 수 있다(법 제18조 제4항).

③ **소방훈련 및 교육:** 소방관서장은 화재예방강화지구 안의 관계인에 대하여 소방에 필요한 훈련 및 교육을 연 1회 이상 실시할 수 있다. 이 경우 관계인에게 훈련 또는 교육 10일 전까지 그 사실을 통보해야 한다(법 제18조 제5항, 영 제20조 제2항 · 제3항).

④ 시 · 도지사는 다음의 사항을 행정안전부령으로 정하는 화재예방강화지구관리대장에 매년 작성하고 관리해야 한다(법 제18조 제6항, 영 제20조 제4항).

> ㉠ 화재예방강화지구의 지정현황
> ㉡ 화재안전조사의 결과
> ㉢ 법 제18조 제4항에 따른 소화기구, 소방용수시설 또는 그 밖에 소방에 필요한 설비(이하 '소방설비 등'이라 한다)의 설치(보수, 보강을 포함한다) 명령현황
> ㉣ 법 제18조 제5항에 따른 소방훈련 및 교육의 실시현황
> ㉤ 그 밖에 화재예방 강화를 위하여 필요한 사항

03 화재예방에 대한 지원 등

(1) 화재의 예방 등에 대한 지원

① 소방청장은 법 제18조 제4항에 따라 소방설비 등의 설치를 명하는 경우 해당 관계인에게 소방설비 등의 설치에 필요한 지원을 할 수 있다(법 제19조 제1항).

② 소방청장은 관계 중앙행정기관의 장 및 시 · 도지사에게 ①에 따른 지원에 필요한 협조를 요청할 수 있다(법 제19조 제2항).

③ 시 · 도지사는 ②에 따라 소방청장의 요청이 있거나 화재예방강화지구 안의 소방대상물의 화재안전성능 향상을 위하여 필요한 경우 특별시 · 광역시 · 특별자치시 · 도 또는 특별자치도(이하 '시 · 도'라 한다)의 조례로 정하는 바에 따라 소방설비 등의 설치에 필요한 비용을 지원할 수 있다(법 제19조 제3항).

(2) 화재위험경보

소방관서장은 기상법 제13조, 제13조의2 및 제13조의4에 따른 기상현상 및 기상영향에 대한 예보 · 특보 · 태풍예보에 따라 화재의 발생 위험이 높다고 분석 · 판단되는 경우에는 행정안전부령으로 정하는 바에 따라 화재에 관한 위험경보를 발령하고 그에 따른 필요한 조치를 할 수 있다(법 제20조).

04 화재안전영향평가

(1) 화재안전영향평가의 실시

① 실시: 소방청장은 화재발생원인 및 연소과정을 조사 · 분석하는 등의 과정에서 법령이나 정책의 개선이 필요하다고 인정되는 경우 그 법령이나 정책에 대한 화재 위험성의 유발요인 및 완화방안에 대한 평가(이하 '화재안전영향평가'라 한다)를 실시할 수 있다(법 제21조 제1항).

② 통보: 소방청장은 ①에 따라 화재안전영향평가를 실시한 경우 그 결과를 해당 법령이나 정책의 소관 기관의 장에게 통보하여야 하며, 결과를 통보받은 소관 기관의 장은 특별한 사정이 없는 한 이를 해당 법령이나 정책에 반영하도록 노력하여야 한다(법 제21조 제2항 · 제3항).

(2) 화재안전영향평가의 방법 등

① 방법: 소방청장은 화재안전영향평가를 하는 경우 화재현장 및 자료조사 등을 기초로 화재 · 피난 모의실험 등 과학적인 예측 · 분석방법으로 실시할 수 있다(영 제21조 제1항).

② 자료 제출요청 : 소방청장은 화재안전영향평가를 위하여 필요한 경우 해당 법령이나 정책의 소관 기관의 장에게 관련 자료의 제출을 요청할 수 있다. 이 경우 자료 제출을 요청받은 소관 기관의 장은 특별한 사유가 없으면 이에 따라야 한다(영 제21조 제2항).

③ 기준: 소방청장은 다음의 사항이 포함된 화재안전영향평가의 기준을 화재안전영향평가심의회의 심의를 거쳐 정한다(영 제21조 제3항).

> ㉠ 법령이나 정책의 화재위험 유발요인
> ㉡ 법령이나 정책이 소방대상물의 재료, 공간, 이용자 특성 및 화재 확산경로에 미치는 영향
> ㉢ 법령이나 정책이 화재피해에 미치는 영향 등 사회경제적 파급효과
> ㉣ 화재위험 유발요인을 제어 또는 관리할 수 있는 법령이나 정책의 개선방안

05 화재안전영향평가심의회

(1) 심의회의 구성

① 소방청장은 화재안전영향평가에 관한 업무를 수행하기 위하여 화재안전영향평가심의회(이하 '심의회'라 한다)를 구성 · 운영할 수 있다(법 제22조 제1항).

② 심의회는 위원장 1명을 포함한 12명 이내의 위원으로 구성하며, 위원장은 위원 중에서 호선하고, 위원은 다음의 사람으로 한다(법 제22조 제2항 · 제3항, 영 제22조 제1항).

㉠ 다음의 중앙행정기관에서 화재안전 관련 법령이나 정책을 담당하는 고위공무원단에 속하는 일반직공무원(특정직공무원 및 별정직공무원을 포함한다) 중에서 해당 중앙행정기관의 장이 지명하는 사람 각 1명
  ⓐ 행정안전부 · 산업통상자원부 · 보건복지부 · 고용노동부 · 국토교통부
  ⓑ 그 밖에 심의회의 심의에 부치는 안건과 관련된 중앙행정기관
㉡ 소방청에서 화재안전 관련 업무를 수행하는 소방준감 이상의 소방공무원 중에서 소방청장이 지명하는 사람
㉢ 소방기술사
㉣ 다음의 기관이나 법인 또는 단체에서 화재안전 관련 업무를 수행하는 사람으로서 해당 기관이나 법인 또는 단체의 장이 추천하는 사람
  ⓐ 안전원
  ⓑ 기술원
  ⓒ 화재보험협회
  ⓓ 가스안전공사
  ⓔ 전기안전공사
㉤ 고등교육법 제2조에 따른 학교 또는 이에 준하는 학교나 공인된 연구기관에서 부교수 이상의 직(職) 또는 이에 상당하는 직에 있거나 있었던 사람으로서 화재안전 또는 관련 법령이나 정책에 전문성이 있는 사람

(2) 심의회의 운영

① 심의회의 업무를 효율적으로 수행하기 위하여 심의회에 분야별로 전문위원회를 둘 수 있다(영 제23조 제1항).

② 심의회 및 전문위원회에 출석한 위원 및 전문위원회의 위원에게는 예산의 범위에서 수당, 여비, 그 밖에 필요한 경비를 지급할 수 있다. 다만, 공무원인 위원 또는 전문위원회의 위원이 소관 업무와 직접 관련하여 심의회에 출석하는 경우는 그렇지 않다(영 제23조 제2항).

06 화재안전취약자에 대한 지원

(1) 지원

소방관서장은 어린이, 노인, 장애인 등 화재의 예방 및 안전관리에 취약한 자(이하 '화재안전취약자'라 한다)의 안전한 생활환경을 조성하기 위하여 소방용품의 제공 및 소방시설의 개선 등 필요한 사항을 지원하기 위하여 노력하여야 한다(법 제23조 제1항).

(2) 지원대상

위 (1)에 따른 화재안전취약자에 대한 지원의 대상은 다음과 같다(영 제24조 제1항).

① 국민기초생활 보장법 제2조 제2호에 따른 수급자
② 장애인복지법 제6조에 따른 중증장애인
③ 한부모가족지원법 제5조에 따른 지원대상자
④ 노인복지법 제27조의2에 따른 홀로 사는 노인
⑤ 다문화가족지원법 제2조 제1호에 따른 다문화가족의 구성원
⑥ 그 밖에 화재안전에 취약하다고 소방관서장이 인정하는 사람

(3) 지원사항

소방관서장은 위 (2)의 사람에게 다음의 사항을 지원할 수 있다(영 제24조 제2항).

① 소방시설 등의 설치 및 개선
② 소방시설 등의 안전점검
③ 소방용품의 제공
④ 전기 · 가스 등 화재위험 설비의 점검 및 개선
⑤ 그 밖에 화재안전을 위하여 필요하다고 인정되는 사항

제4절 소방대상물의 소방안전관리 – 특정소방대상물의 소방안전관리

01 관계인에 의한 소방안전관리

(1) 특정소방대상물의 관계인은 그 특정소방대상물에 대하여 소방안전관리업무를 수행하여야 한다(법 제27조 제1항).

(2) 소방안전관리대상물의 관계인은 소방안전관리자가 소방안전관리업무를 성실하게 수행할 수 있도록 지도 · 감독하여야 한다(법 제27조 제2항).

(3) 소방안전관리자는 인명과 재산을 보호하기 위하여 소방시설 · 피난시설 · 방화시설 및 방화구획 등이 법령에 위반된 것을 발견한 때에는 지체 없이 소방안전관리대상물의 관계인에게 소방대상물의 개수 · 이전 · 제거 · 수리 등 필요한 조치를 할 것을 요구하여야 하며, 관계인이 시정하지 아니하는 경우 소방본부장 또는 소방서장에게 그 사실을 알려야 한다. 이 경우 소방안전관리자는 공정하고 객관적으로 그 업무를 수행하여야 한다(법 제27조 제3항).

(4) 소방안전관리자로부터 (3)에 따른 조치요구 등을 받은 소방안전관리대상물의 관계인은 지체 없이 이에 따라야 하며, 이를 이유로 소방안전관리자를 해임하거나 보수(報酬)의 지급을 거부하는 등 불이익한 처우를 하여서는 아니 된다(법 제27조 제4항).

02 소방안전관리대상물의 소방안전관리

(1) 소방안전관리자를 두어야 하는 특정소방대상물

① **소방안전관리자 선임**: 특정소방대상물 중 전문적인 안전관리가 요구되는 대통령령으로 정하는 특정소방대상물(이하 '소방안전관리대상물'이라 한다)의 관계인은 소방안전관리업무를 수행하기 위하여 소방안전관리자 자격증을 발급받은 사람을 소방안전관리자로 선임하여야 한다. 이 경우 소방안전관리자의 업무에 대하여 보조가 필요한 대통령령으로 정하는 소방안전관리대상물의 경우에는 소방안전관리자 외에 소방안전관리보조자를 추가로 선임하여야 한다(법 제24조 제1항).

② **대행관리**: 위 ①에도 불구하고 소방안전관리대상물의 관계인은 소방안전관리업무를 대행하는 관리업자(소방시설관리업의 등록을 한 자)를 감독할 수 있는 사람을 지정하여 소방안전관리자로 선임할 수 있다. 이 경우 소방안전관리자로 선임된 자는 선임된 날부터 3개월 이내에 법 제34조에 따른 교육(소방안전관리자 등에 대한 교육)을 받아야 한다(법 제24조 제3항).

③ **전담 소방안전관리대상**: 다른 안전관리자(다른 법령에 따라 전기 · 가스 · 위험물 등의 안전관리업무에 종사하는 자를 말한다)는 소방안전관리대상물 중 소방안전관리업무의 전담이 필요한 다음의 소방안전관리대상물의 소방안전관리자를 겸할 수 없다. 다만, 다른 법령에 특별한 규정이 있는 경우에는 그러하지 아니하다(법 제24조 제2항, 영 제26조).

> ㉠ 특급 소방안전관리대상물
> ㉡ 1급 소방안전관리대상물

④ **소방안전관리업무**: 특정소방대상물(소방안전관리대상물은 제외한다)의 관계인과 소방안전관리대상물의 소방안전관리자는 다음의 업무를 수행한다. 다만, ㉠ · ㉡ · ㉤ 및 ㉦의 업무는 소방안전관리대상물의 경우에만 해당한다(법 제24조 제5항).

> ㉠ 피난계획에 관한 사항과 대통령령으로 정하는 사항이 포함된 소방계획서의 작성 및 시행
> ㉡ 자위소방대 및 초기대응체계의 구성, 운영 및 교육
> ㉢ 피난시설, 방화구획 및 방화시설의 관리
> ㉣ 소방시설이나 그 밖의 소방 관련 시설의 관리
> ㉤ 법 제37조에 따른 소방훈련 및 교육
> ㉥ 화기(火氣) 취급의 감독
> ㉦ 행정안전부령으로 정하는 바에 따른 소방안전관리에 관한 업무수행에 관한 기록 · 유지(㉢, ㉣ 및 ㉥의 업무를 말한다)
> ㉧ 화재발생시 초기대응
> ㉨ 그 밖에 소방안전관리에 필요한 업무

(2) 소방안전관리대상물의 구분

① **특급 소방안전관리대상물**: 특정소방대상물 중 다음의 어느 하나에 해당하는 것

> ㉠ 50층 이상(지하층은 제외한다)이거나 지상으로부터 200미터 이상인 아파트
> ㉡ 30층 이상(지하층을 포함한다)이거나 지상으로부터 120미터 이상인 특정소방대상물(아파트는 제외한다)
> ㉢ 위 ㉡에 해당하지 않는 연면적이 10만제곱미터 이상인 특정소방대상물(아파트는 제외한다)

② **1급 소방안전관리대상물**: 특정소방대상물 중 특급 소방안전관리대상물을 제외한 다음의 어느 하나에 해당하는 것

㉠ 30층 이상(지하층은 제외한다)이거나 지상으로부터 120미터 이상인 아파트
㉡ 연면적 1만 5천제곱미터 이상인 특정소방대상물(아파트 및 연립주택을 제외한다)
㉢ ㉡에 해당되지 아니하는 특정소방대상물로서 층수가 11층 이상인 것(아파트를 제외한다)
㉣ 가연성가스를 1천톤 이상 저장 · 취급하는 시설

③ **2급 소방안전관리대상물:** 특정소방대상물 중 특급 소방안전관리대상물 및 1급 소방안전관리대상물을 제외한 다음의 어느 하나에 해당하는 것

㉠ [별표 4] 제1호 다목에 따라 옥내소화전설비를 설치해야 하는 특정소방대상물, 같은 호 라목에 따라 스프링클러설비를 설치해야 하는 특정소방대상물 또는 같은 호 바목에 따라 물분무 등 소화설비[화재안전기준에 따라 호스릴(hose reel) 방식의 물분무 등 소화설비만을 설치할 수 있는 특정소방대상물은 제외한다]를 설치해야 하는 특정소방대상물
㉡ 가스제조설비를 갖추고 도시가스사업허가를 받아야 하는 시설 또는 가연성가스를 100톤 이상 1천톤 미만 저장 · 취급하는 시설
㉢ 지하구
㉣ 공동주택관리법 제2조 제1항 제2호의 어느 하나에 해당하는 공동주택(소방시설 설치 및 관리에 관한 법률 시행령 [별표 4] 제1호 다목 또는 라목에 따른 옥내소화전설비 또는 스프링클러설비가 설치된 공동주택으로 한정한다)
㉤ 문화유산의 보존 및 활용에 관한 법률에 따라 국보 또는 보물로 지정된 목조건축물

④ **3급 소방안전관리대상물:** 특정소방대상물 중 ①부터 ③까지에 해당하지 아니하는 특정소방대상물로서 다음의 어느 하나에 해당하는 것

㉠ 소방시설 설치 및 관리에 관한 법률 시행령 [별표 4] 제1호 마목에 따라 간이스프링클러설비(주택전용 간이스프링클러설비는 제외한다)를 설치해야 하는 특정소방대상물
㉡ 소방시설 설치 및 관리에 관한 법률 시행령 [별표 4] 제2호 다목에 따른 자동화재탐지설비를 설치해야 하는 특정소방대상물

⑤ 동 · 식물원, 철강 등 불연성 물품을 저장 · 취급하는 창고, 위험물 저장 및 처리시설 중 제조소 등과 지하구는 특급 소방안전관리대상물 및 1급 소방안전관리대상물에서 제외한다.

⑥ 건축물대장의 건축물현황도에 표시된 대지경계선 안의 지역 또는 인접한 2개 이상의 대지에 소방안전관리자를 두어야 하는 특정소방대상물이 둘 이상 있고, 그 관리에 관한 권원(權原)을 가진 자가 동일인인 경우에는 이를 하나의 특정소방대상물로 본다. 이 경우 해당 특정소방대상물이 등급 중 둘 이상에 해당하면 그중에서 등급이 높은 특정소방대상물로 본다(영 제25조 제3항).

(3) 소방안전관리자의 선임기준

① **특급 소방안전관리자:** 다음의 어느 하나에 해당하는 사람으로서 특급 소방안전관리자 자격증을 발급받은 사람

> ㉠ 소방기술사 또는 소방시설관리사의 자격이 있는 사람
> ㉡ 소방설비기사의 자격을 취득한 후 5년 이상 1급 소방안전관리대상물의 소방안전관리자로 근무한 실무경력(소방안전관리자로 선임되어 근무한 경력은 제외한다)이 있는 사람
> ㉢ 소방설비산업기사의 자격을 취득한 후 7년 이상 1급 소방안전관리대상물의 소방안전관리자로 근무한 실무경력이 있는 사람
> ㉣ 소방공무원으로 20년 이상 근무한 경력이 있는 사람
> ㉤ 소방청장이 실시하는 특급 소방안전관리대상물의 소방안전관리에 관한 시험에 합격한 사람

② **1급 소방안전관리자:** 다음의 어느 하나에 해당하는 사람으로서 1급 소방안전관리자 자격증을 발급받은 사람 또는 ①에 따른 특급 소방안전관리대상물의 소방안전관리자 자격증을 발급받은 사람

> ㉠ 소방설비기사 또는 소방설비산업기사의 자격이 있는 사람
> ㉡ 소방공무원으로 7년 이상 근무한 경력이 있는 사람
> ㉢ 소방청장이 실시하는 1급 소방안전관리대상물의 소방안전관리에 관한 시험에 합격한 사람

③ **2급 소방안전관리자:** 다음의 어느 하나에 해당하는 사람으로서 2급 소방안전관리자 자격증을 발급받은 사람 또는 ①에 따른 특급 소방안전관리대상물 및 ②에 따른 1급 소방안전관리대상물의 소방안전관리자 자격증을 발급받은 사람

> ㉠ 위험물기능장 · 위험물산업기사 또는 위험물기능사 자격이 있는 사람
> ㉡ 소방공무원으로 3년 이상 근무한 경력이 있는 사람
> ㉢ 소방청장이 실시하는 2급 소방안전관리대상물의 소방안전관리에 관한 시험에 합격한 사람
> ㉣ 기업활동 규제완화에 관한 특별조치법 제29조, 제30조 및 제32조에 따라 소방안전관리자로 선임된 사람(소방안전관리자로 선임된 기간으로 한정한다)

④ **3급 소방안전관리자:** 다음의 어느 하나에 해당하는 사람으로서 3급 소방안전관리자 자격증을 발급받은 사람 또는 ①부터 ③까지의 규정에 따라 특급 소방안전관리대상물, 1급 소방안전관리대상물 또는 2급 소방안전관리대상물의 소방안전관리자 자격증을 발급받은 사람

㉠ 소방공무원으로 1년 이상 근무한 경력이 있는 사람
㉡ 소방청장이 실시하는 3급 소방안전관리대상물의 소방안전관리에 관한 시험에 합격한 사람
㉢ 기업활동 규제완화에 관한 특별조치법 제29조, 제30조 및 제32조에 따라 소방안전관리자로 선임된 사람(소방안전관리자로 선임된 기간으로 한정한다)

(4) 소방안전관리자의 선임신고 등

① **선임신고**: 소방안전관리대상물의 관계인이 소방안전관리자 또는 소방안전관리보조자를 선임한 경우에는 행정안전부령으로 정하는 바에 따라 선임한 날부터 14일 이내에 소방본부장 또는 소방서장에게 신고하고, 소방안전관리대상물의 출입자가 쉽게 알 수 있도록 소방안전관리자의 성명과 그 밖에 행정안전부령으로 정하는 사항을 게시하여야 한다(법 제26조 제1항).

② **해임 확인**: 소방안전관리대상물의 관계인이 소방안전관리자 또는 소방안전관리보조자를 해임한 경우에는 그 관계인 또는 해임된 소방안전관리자 또는 소방안전관리보조자는 소방본부장이나 소방서장에게 그 사실을 알려 해임한 사실의 확인을 받을 수 있다(법 제26조 제2항).

(5) 소방안전관리자 선임명령

① **선임명령**: 소방본부장 또는 소방서장은 소방안전관리자 또는 소방안전관리보조자를 선임하지 아니한 소방안전관리대상물의 관계인에게 소방안전관리자 또는 소방안전관리보조자를 선임하도록 명할 수 있다(법 제28조 제1항).

② **업무이행명령**: 소방본부장 또는 소방서장은 업무를 다하지 아니하는 특정소방대상물의 관계인 또는 소방안전관리자에게 그 업무의 이행을 명할 수 있다(법 제28조 제2항).

(6) 소방안전관리보조자를 선임해야 하는 소방안전관리대상물

① **보조자선임대상 소방안전관리대상물**: 소방안전관리자를 선임해야 하는 소방안전관리대상물 중 다음의 어느 하나에 해당하는 소방안전관리대상물(영 제25조 제2항).

㉠ 아파트 중 300세대 이상인 아파트
㉡ 연면적이 1만 5천제곱미터 이상인 특정소방대상물(아파트 및 연립주택은 제외한다)
㉢ 위 ㉠ 및 ㉡에 따른 특정소방대상물을 제외한 특정소방대상물 중 다음의 어느 하나에 해당하는 특정소방대상물
ⓐ 공동주택 중 기숙사
ⓑ 의료시설
ⓒ 노유자시설

ⓓ 수련시설
ⓔ 숙박시설(숙박시설로 사용되는 바닥면적의 합계가 1천 500제곱미터 미만이고 관계인이 24시간 상시 근무하고 있는 숙박시설은 제외한다)

② 소방안전관리보조자의 선임인원

㉠ 위 ①의 ㉠에 따른 소방안전관리대상물의 경우에는 1명. 다만, 초과되는 300세대마다 1명 이상을 추가로 선임해야 한다.

㉡ 위 ①의 ㉡에 따른 소방안전관리대상물의 경우에는 1명. 다만, 초과되는 연면적 1만 5천제곱미터(특정소방대상물의 방재실에 자위소방대가 24시간 상시 근무하고 소방장비관리법 시행령 [별표 1] 제1호 가목에 따른 소방자동차 중 소방펌프차, 소방물탱크차, 소방화학차 또는 무인방수차를 운용하는 경우에는 3만제곱미터로 한다)마다 1명 이상을 추가로 선임해야 한다.

㉢ 위 ①의 ㉢에 따른 소방안전관리대상물의 경우에는 1명. 다만, 해당 특정소방대상물이 소재하는 지역을 관할하는 소방서장이 야간이나 휴일에 해당 특정소방대상물이 이용되지 않는다는 것을 확인한 경우에는 소방안전관리보조자를 선임하지 않을 수 있다.

기출예제

화재의 예방 및 안전관리에 관한 법령상 소방안전관리대상물 등에 관한 설명으로 옳은 것은? 제27회

① 건축법 시행령상 건축물 용도가 아파트인 경우에는 세대수와 무관하게 소방안전관리보조자를 추가로 선임하여야 한다.
② 특급 소방안전관리대상물의 경우에는 소방안전관리자를 2명 이상 선임하여야 한다.
③ 지하층을 포함해서 30층 이상인 아파트는 특급 소방안전관리대상물에 해당한다.
④ 소방안전관리대상물의 관계인은 화기(火氣) 취급의 감독 업무를 수행한다.
⑤ 건축물대장의 건축물현황도에 표시된 대지경계선 안의 지역에 소방안전관리자를 두어야 하는 특정소방대상물이 둘 이상 있는 경우, 그 관리에 관한 권원을 가진 자가 동일인인 때에는 이를 하나의 특정소방대상물로 본다.

해설

① 300세대 이상인 경우에 선임하여야 하며, 초과 300세대마다 추가 1명씩 선임한다.
② 소방안전관리자는 해당 급수에 맞는 1인 이상을 선임하여야 한다.
③ 특급 소방안전관리대상물에 해당하는 아파트는 지하층을 제외하고 50층 이상이거나 200미터 이상인 아파트이다.
④ 소방안전관리대상물을 제외한 특정소방대상물의 관계인인 경우이다.

정답: ⑤

③ 소방안전관리보조자의 자격

> ㉠ [별표 4]에 따른 특급 소방안전관리대상물, 1급 소방안전관리대상물, 2급 소방안전관리대상물 또는 3급 소방안전관리대상물의 소방안전관리자 자격이 있는 사람
> ㉡ 국가기술자격법 제2조 제3호에 따른 국가기술자격의 직무분야 중 건축, 기계제작, 기계장비설비 · 설치, 화공, 위험물, 전기, 전자 및 안전관리에 해당하는 국가기술자격이 있는 사람
> ㉢ 공공기관의 소방안전관리에 관한 규정 제5조 제1항 제2호 나목에 따른 강습교육을 수료한 사람
> ㉣ 법 제34조 제1항 제1호에 따른 강습교육 중 이 영 제33조 제1호부터 제4호까지에 해당하는 사람을 대상으로 하는 강습교육을 수료한 사람
> ㉤ 소방안전관리대상물에서 소방안전 관련 업무에 2년 이상 근무한 경력이 있는 사람

(7) 소방안전관리업무의 대행

① 소방안전관리대상물 중 연면적 등이 일정규모 미만인 다음의 소방안전관리대상물의 관계인은 관리업자로 하여금 소방안전관리업무 중 피난시설, 방화구획 및 방화시설의 관리와 소방시설이나 그 밖의 소방 관련 시설의 관리업무를 대행하게 할 수 있다. 이 경우 선임된 소방안전관리자는 관리업자의 대행업무 수행을 감독하고 대행업무 외의 소방안전관리업무는 직접 수행하여야 한다(법 제25조 제1항, 영 제28조).

> ㉠ 지상층의 층수가 11층 이상인 1급 소방안전관리대상물(연면적 1만 5천제곱미터 이상인 특정소방대상물과 아파트는 제외한다)
> ㉡ 2급 소방안전관리대상물
> ㉢ 3급 소방안전관리대상물

② 소방안전관리업무를 관리업자에게 대행하게 하는 경우의 대가(代價)는 엔지니어링산업 진흥법 제31조에 따른 엔지니어링사업의 대가기준 가운데 실비정액가산방식에 따라 산정한다(법 제25조 제3항, 규칙 제13조).

03 건설현장의 소방안전관리

(1) 소방시설 설치 및 관리에 관한 법률 제15조 제1항에 따른 공사시공자가 화재발생 및 화재피해의 우려가 큰 다음의 특정소방대상물(이하 '건설현장 소방안전관리대상물'이라 한다)을 신축 · 증축 · 개축 · 재축 · 이전 · 용도변경 또는 대수선하는 경우에는 소방안전관리자로서 법 제34조에 따른 교육을 받은 사람을 소방시설공사 착공신고일부터 건축물 사용승인일까지 소방안전관리자로 선임하고 행정안전부령으로 정하는 바에 따라 소방본부장 또는 소방서장에게 신고하여야 한다(법 제29조 제1항, 영 제29조).

① 신축 · 증축 · 개축 · 재축 · 이전 · 용도변경 또는 대수선을 하려는 부분의 연면적의 합계가 1만 5천제곱미터 이상인 것
② 신축 · 증축 · 개축 · 재축 · 이전 · 용도변경 또는 대수선을 하려는 부분의 연면적이 5천제곱미터 이상인 것으로서 다음의 어느 하나에 해당하는 것
㉠ 지하층의 층수가 2개 층 이상인 것
㉡ 지상층의 층수가 11층 이상인 것
㉢ 냉동창고, 냉장창고 또는 냉동 · 냉장창고

(2) 건설현장 소방안전관리대상물의 소방안전관리자의 업무는 다음과 같다(법 제29조 제2항).

① 건설현장의 소방계획서의 작성
② 임시소방시설의 설치 및 관리에 대한 감독
③ 공사진행 단계별 피난안전구역, 피난로 등의 확보와 관리
④ 건설현장의 작업자에 대한 소방안전교육 및 훈련
⑤ 초기대응체계의 구성 · 운영 및 교육
⑥ 화기취급의 감독, 화재위험작업의 허가 및 관리
⑦ 그 밖에 건설현장의 소방안전관리와 관련하여 소방청장이 고시하는 업무

04 소방안전관리자의 자격 등

(1) 자격

소방안전관리자의 자격은 다음의 어느 하나에 해당하는 사람으로서 소방청장으로부터 소방안전관리자 자격증을 발급받은 사람으로 한다(법 제30조 제1항).

① 소방청장이 실시하는 소방안전관리자 자격시험에 합격한 사람
② 다음에 해당하는 사람으로서 대통령령으로 정하는 사람
㉠ 소방안전과 관련한 국가기술자격증을 소지한 사람
㉡ 위 ㉠에 해당하는 국가기술자격증 중 일정 자격증을 소지한 사람으로서 소방안전관리자로 근무한 실무경력이 있는 사람
㉢ 소방공무원 경력자
㉣ 기업활동 규제완화에 관한 특별조치법에 따라 소방안전관리자로 선임된 사람(소방안전관리자로 선임된 기간에 한정한다)

(2) 자격취소 등

소방청장은 소방안전관리자 자격증을 발급받은 사람이 다음의 어느 하나에 해당하는 경우에는 행정안전부령으로 정하는 바에 따라 그 자격을 취소하거나 1년 이하의 기간을

정하여 그 자격을 정지시킬 수 있다. 다만, ① 또는 ③에 해당하는 경우에는 그 자격을 취소하여야 한다(법 제31조 제1항).

> ① 거짓이나 그 밖의 부정한 방법으로 소방안전관리자 자격증을 발급받은 경우
> ② 법 제24조 제5항에 따른 소방안전관리업무를 게을리한 경우
> ③ 법 제30조 제4항을 위반하여 소방안전관리자 자격증을 다른 사람에게 빌려준 경우
> ④ 법 제34조에 따른 실무교육을 받지 아니한 경우
> ⑤ 이 법 또는 이 법에 따른 명령을 위반한 경우

(3) 재발급

위 (2)에 따라 소방안전관리자 자격이 취소된 사람은 취소된 날부터 2년간 소방안전관리자 자격증을 발급받을 수 없다(법 제31조 제2항).

(4) 교육 등

소방안전관리자가 되려고 하는 사람 또는 소방안전관리자(소방안전관리보조자를 포함한다)로 선임된 사람은 소방안전관리업무에 관한 능력의 습득 또는 향상을 위하여 행정안전부령으로 정하는 바에 따라 소방청장이 실시하는 다음의 강습교육 또는 실무교육을 받아야 한다(법 제34조 제1항).

> ① 강습교육
> ㉠ 소방안전관리자의 자격을 인정받으려는 사람으로서 대통령령으로 정하는 사람
> ㉡ 법 제24조 제3항에 따른 소방안전관리자로 선임되고자 하는 사람
> ㉢ 법 제29조에 따른 소방안전관리자로 선임되고자 하는 사람
> ② 실무교육
> ㉠ 법 제24조 제1항에 따라 선임된 소방안전관리자 및 소방안전관리보조자
> ㉡ 법 제24조 제3항에 따라 선임된 소방안전관리자

05 관리의 권원이 분리된 특정소방대상물의 소방안전관리

(1) 소방안전관리자의 선임

① **원칙**: 다음의 어느 하나에 해당하는 특정소방대상물로서 그 관리의 권원이 분리되어 있는 특정소방대상물의 경우에 관계인은 소유권, 관리권 및 점유권에 따라 각각 소방안전관리자를 선임해야 한다. 다만, 둘 이상의 소유권, 관리권 또는 점유권이 동일인에게 귀속된 경우에는 하나의 관리 권원으로 보아 소방안전관리자를 선임할 수 있다(법 제35조 제1항 전단, 영 제34조 제1항).

㉠ 복합건축물(지하층을 제외한 층수가 11층 이상 또는 연면적 3만제곱미터 이상인 건축물)
㉡ 지하가(지하의 인공구조물 안에 설치된 상점 및 사무실, 그 밖에 이와 비슷한 시설이 연속하여 지하도에 접하여 설치된 것과 그 지하도를 합한 것을 말한다)
㉢ 판매시설 중 도매시장, 소매시장 및 전통시장

② 예외: 위 ①에도 불구하고 소방본부장 또는 소방서장은 관리의 권원이 많아 효율적인 소방안전관리가 이루어지지 아니한다고 판단되는 경우로서 다음의 어느 하나에 해당하는 경우에는 해당 사항에서 정하는 바에 따라 소방안전관리자를 선임할 수 있다(법 제35조 제1항 후단, 영 제34조 제2항).

㉠ **법령 또는 계약 등에 따라 공동으로 관리하는 경우:** 하나의 관리 권원으로 보아 소방안전관리자 1명 선임
㉡ **화재수신기 또는 소화펌프(가압송수장치를 포함한다)가 별도로 설치되어 있는 경우:** 설치된 화재수신기 또는 소화펌프가 화재를 감지 · 소화 또는 경보할 수 있는 부분을 각각 하나의 관리 권원으로 보아 각각 소방안전관리자 선임
㉢ **하나의 화재수신기 및 소화펌프가 설치된 경우:** 하나의 관리 권원으로 보아 소방안전관리자 1명 선임

(2) 총괄소방안전관리자의 선임

① 관리의 권원별 관계인은 상호 협의하여 특정소방대상물의 전체에 걸쳐 소방안전관리상 필요한 업무를 총괄하는 소방안전관리자(이하 '총괄소방안전관리자'라 한다)를 위 (1)에 따라 선임된 소방안전관리자 중에서 선임하거나 별도로 선임하여야 한다(법 제35조 제2항).

② 총괄소방안전관리자는 소방안전관리대상물의 등급별 선임자격을 갖춰야 한다. 이 경우 관리의 권원이 분리되어 있는 특정소방대상물에 대하여 소방안전관리대상물의 등급을 결정할 때에는 해당 특정소방대상물 전체를 기준으로 한다(법 제35조 제2항, 영 제36조).

(3) 공동소방안전관리협의회

① 위 (1), (2)에 따라 선임된 소방안전관리자 및 총괄소방안전관리자는 해당 특정소방대상물의 소방안전관리를 효율적으로 수행하기 위하여 공동소방안전관리협의회를 구성하고, 해당 특정소방대상물에 대한 소방안전관리를 공동으로 수행하여야 한다(법 제35조 제4항).

② 총괄소방안전관리자 등은 다음의 공동소방안전관리업무를 협의회의 협의를 거쳐 공동으로 수행한다(영 제37조 제2항).

㉠ 특정소방대상물 전체의 소방계획 수립 및 시행에 관한 사항
㉡ 특정소방대상물 전체의 소방훈련 · 교육의 실시에 관한 사항
㉢ 공용부분의 소방시설 및 피난 · 방화시설의 유지 · 관리에 관한 사항
㉣ 그 밖에 공동으로 소방안전관리를 할 필요가 있는 사항

③ 협의회는 공동소방안전관리업무의 수행에 필요한 기준을 정하여 운영할 수 있다(영 제37조 제3항).

06 피난계획 및 근무자와 거주자에 대한 소방훈련 · 교육

(1) 피난계획

① **피난계획의 수립:** 소방안전관리대상물의 관계인은 그 장소에 근무하거나 거주 또는 출입하는 사람들이 화재가 발생한 경우에 안전하게 피난할 수 있도록 피난계획을 수립하여 시행하여야 하며, 그 피난계획에는 그 특정소방대상물의 구조, 피난시설 등을 고려하여 설정한 피난경로가 포함되어야 한다(법 제36조 제1항 · 제2항).

② **피난계획의 제공:** 소방안전관리대상물의 관계인은 피난시설의 위치, 피난경로 또는 대피요령이 포함된 피난유도 안내정보를 근무자 또는 거주자에게 정기적으로 제공하여야 한다(법 제36조 제3항).

(2) 소방안전관리자를 두는 특정소방대상물의 소방훈련

① **소방훈련과 교육의 실시:** 소방안전관리대상물의 관계인은 그 장소에 근무하거나 거주하는 사람 등(이하 '근무자 등'이라 한다)에게 소화 · 통보 · 피난 등의 훈련(이하 '소방훈련'이라 한다)과 소방안전관리에 필요한 교육을 하여야 하고, 피난훈련은 그 소방대상물에 출입하는 사람을 안전한 장소로 대피시키고 유도하는 훈련을 포함하여야 한다(법 제37조 제1항).

② **교육주기:** 소방안전관리대상물의 관계인은 소방훈련과 교육을 연 1회 이상 실시해야 한다. 다만, 소방본부장 또는 소방서장이 화재예방을 위하여 필요하다고 인정하여 2회의 범위에서 추가로 실시할 것을 요청하는 경우에는 소방훈련과 교육을 추가로 실시해야 한다(규칙 제36조 제1항).

③ **감독:** 소방본부장 또는 소방서장은 특급 및 1급 소방안전관리대상물의 관계인으로 하여금 ②에 따른 소방훈련과 교육을 소방기관과 합동으로 실시하게 할 수 있으며, 소방안전관리대상물의 관계인은 소방훈련과 교육을 실시하는 경우 소방훈련 및 교육에 필요한 장비 및 교재 등을 갖추어야 한다(규칙 제36조 제2항 · 제3항).

④ **기록의 보관**: 소방안전관리대상물의 관계인은 소방훈련과 교육을 실시했을 때에는 그 실시결과를 소방훈련 · 교육 실시결과기록부에 기록하고, 이를 소방훈련 및 교육을 실시한 날부터 2년간 보관해야 한다(규칙 제36조 제4항).

⑤ **결과의 제출**: 소방안전관리대상물 중 소방안전관리업무의 전담이 필요한 특급 및 1급 소방안전관리대상물의 관계인은 소방훈련 및 교육을 한 날부터 30일 이내에 소방훈련 및 교육결과를 행정안전부령으로 정하는 바에 따라 소방본부장 또는 소방서장에게 제출하여야 한다(법 제37조 제2항).

(3) 불특정 다수인이 이용하는 특정소방대상물에 대한 교육 등

소방본부장 또는 소방서장은 소방안전관리대상물 중 불특정 다수인이 이용하는 다음의 특정소방대상물의 근무자 등에게 불시에 소방훈련과 교육을 실시할 수 있다. 이 경우 소방본부장 또는 소방서장은 그 특정소방대상물 근무자 등의 불편을 최소화하고 안전 등을 확보하는 대책을 마련하여야 하며, 소방훈련과 교육의 내용, 방법 및 절차 등은 행정안전부령으로 정하는 바에 따라 관계인에게 사전에 통지하여야 한다(법 제37조 제4항, 영 제39조).

① 소방시설 설치 및 관리에 관한 법률 시행령 [별표 2] 제7호에 따른 의료시설
② 소방시설 설치 및 관리에 관한 법률 시행령 [별표 2] 제8호에 따른 교육연구시설
③ 소방시설 설치 및 관리에 관한 법률 시행령 [별표 2] 제9호에 따른 노유자시설
④ 그 밖에 화재 발생시 불특정 다수의 인명피해가 예상되어 소방본부장 또는 소방서장이 소방훈련 · 교육이 필요하다고 인정하는 특정소방대상물

07 공공기관의 소방안전관리

(1) 국가, 지방자치단체, 국공립학교 등 다음에서 정하는 공공기관의 장은 소관 기관의 근무자 등의 생명 · 신체와 건축물 · 인공구조물 및 물품 등을 화재로부터 보호하기 위하여 화재예방, 자위소방대의 조직 및 편성, 소방시설의 자체점검과 소방훈련 등의 소방안전관리를 하여야 한다(법 제39조 제1항).

① 국가 및 지방자치단체
② 국공립학교
③ 공공기관의 운영에 관한 법률 제4조에 따른 공공기관
④ 지방공기업법 제49조에 따라 설립된 지방공사 또는 같은 법 제76조에 따라 설립된 지방공단
⑤ 사립학교법 제2조 제1항에 따른 사립학교

(2) 다음의 사항에 관하여는 대통령령(공공기관의 소방안전관리에 관한 규정)으로 정하는 바에 따른다(법 제39조 제2항).

> ① 소방안전관리자의 자격, 책임 및 선임 등
> ② 소방안전관리의 업무대행
> ③ 자위소방대의 구성, 운영 및 교육
> ④ 근무자 등에 대한 소방훈련 및 교육
> ⑤ 그 밖에 소방안전관리에 필요한 사항

08 소방안전 특별관리시설물의 안전관리

(1) 소방안전 특별관리시설물

소방청장은 화재 등 재난이 발생할 경우 사회·경제적으로 피해가 큰 다음의 소방안전 특별관리시설물에 대하여 소방안전 특별관리를 하여야 한다(법 제40조 제1항, 영 제41조).

> ① 공항시설법 제2조 제8호의 공항시설
> ② 철도산업발전기본법 제3조 제2호의 철도시설
> ③ 도시철도법 제2조 제3호의 도시철도시설
> ④ 항만법 제2조 제5호의 항만시설
> ⑤ 문화유산의 보존 및 활용에 관한 법률 제2조 제3항의 지정문화유산 및 자연유산의 보존 및 활용에 관한 법률 제2조 제5호에 따른 천연기념물 등인 시설(시설이 아닌 지정문화유산 및 천연기념물 등을 보호하거나 소장하고 있는 시설을 포함한다)
> ⑥ 산업기술단지 지원에 관한 특례법 제2조 제1호의 산업기술단지
> ⑦ 산업입지 및 개발에 관한 법률 제2조 제8호의 산업단지
> ⑧ 초고층 및 지하연계 복합건축물 재난관리에 관한 특별법 제2조 제1호 및 제2호의 초고층 건축물 및 지하연계 복합건축물
> ⑨ 영화 및 비디오물의 진흥에 관한 법률 제2조 제10호의 영화상영관 중 수용인원 1천명 이상인 영화상영관
> ⑩ 전력용 및 통신용 지하구
> ⑪ 한국석유공사법 제10조 제1항 제3호의 석유비축시설
> ⑫ 한국가스공사법 제11조 제1항 제2호의 천연가스 인수기지 및 공급망
> ⑬ 전통시장 및 상점가 육성을 위한 특별법 제2조 제1호의 전통시장으로서 점포가 500개 이상인 전통시장
> ⑭ 전기사업법 제2조 제4호에 따른 발전사업자가 가동 중인 발전소(발전소주변지역 지원에 관한 법률 시행령 제2조 제2항에 따른 발전소는 제외한다)
> ⑮ 물류시설의 개발 및 운영에 관한 법률 제2조 제5호의2에 따른 물류창고로서 연면적 10만제곱미터 이상인 것
> ⑯ 도시가스사업법 제2조 제5호에 따른 가스공급시설

(2) 소방안전 특별관리기본계획

① 소방청장은 (1)에 따른 특별관리를 체계적이고 효율적으로 하기 위하여 시 · 도지사와 협의하여 소방안전 특별관리기본계획을 화재의 예방 및 안전관리에 관한 기본계획에 포함하여 5년마다 수립하여 시 · 도에 통보해야 하며, 특별관리기본계획에는 다음의 사항을 포함하여야 한다(법 제40조 제2항, 영 제42조 제1항 · 제2항).

> ㉠ 화재예방을 위한 중기 · 장기 안전관리정책
> ㉡ 화재예방을 위한 교육 · 홍보 및 점검 · 진단
> ㉢ 화재대응을 위한 훈련
> ㉣ 화재대응과 사후조치에 관한 역할 및 공조체계
> ㉤ 그 밖에 화재 등의 안전관리를 위하여 필요한 사항

② 시 · 도지사는 ①에 따른 소방안전 특별관리기본계획에 저촉되지 아니하는 범위에서 관할 구역에 있는 소방안전 특별관리시설물의 안전관리에 적합한 소방안전 특별관리 시행계획을 화재의 예방 및 안전관리에 관한 세부시행계획에 포함하여 매년 수립 및 시행하여야 하며, 그 결과를 다음 연도 1월 31일까지 소방청장에게 통보해야 한다(법 제40조 제3항, 영 제42조 제3항).

09 화재예방안전진단

(1) 다음의 소방안전 특별관리시설물의 관계인은 화재의 예방 및 안전관리를 체계적 · 효율적으로 수행하기 위하여 대통령령으로 정하는 바에 따라 소방기본법 제40조에 따른 한국소방안전원(이하 '안전원'이라 한다) 또는 소방청장이 지정하는 화재예방안전진단기관(이하 '진단기관'이라 한다)으로부터 정기적으로 화재예방안전진단을 받아야 한다(법 제41조 제1항, 영 제43조).

> ① 공항시설 중 여객터미널의 연면적이 1천제곱미터 이상인 공항시설
> ② 철도시설 중 역시설의 연면적이 5천제곱미터 이상인 철도시설
> ③ 도시철도시설 중 역사 및 역시설의 연면적이 5천제곱미터 이상인 도시철도시설
> ④ 항만시설 중 여객이용시설 및 지원시설의 연면적이 5천제곱미터 이상인 항만시설
> ⑤ 전력용 및 통신용 지하구 중 국토의 계획 및 이용에 관한 법률 제2조 제9호에 따른 공동구
> ⑥ 천연가스 인수기지 및 공급망 중 소방시설 설치 및 관리에 관한 법률 시행령 [별표 2] 제17호 나목에 따른 가스시설
> ⑦ 발전소 중 연면적이 5천제곱미터 이상인 발전소
> ⑧ 가스공급시설 중 가연성 가스탱크의 저장용량의 합계가 100톤 이상이거나 저장용량이 30톤 이상인 가연성 가스탱크가 있는 가스공급시설

(2) 최초 진단

소방안전관리대상물이 건축되어 소방안전 특별관리시설물에 해당하게 된 경우 해당 소방안전 특별관리시설물의 관계인은 건축법 제22조에 따른 사용승인 또는 소방시설공사업법 제14조에 따른 완공검사를 받은 날부터 5년이 경과한 날이 속하는 해에 최초의 화재예방안전진단을 받아야 한다(영 제44조 제1항).

(3) 정기 진단

화재예방안전진단을 받은 소방안전 특별관리시설물의 관계인은 안전등급에 따라 정기적으로 다음의 기간에 화재예방안전진단을 받아야 하며, 화재예방안전진단 결과는 우수, 양호, 보통, 미흡 및 불량의 안전등급으로 구분한다(영 제44조 제2항 · 제3항).

① **안전등급이 우수인 경우:** 안전등급을 통보받은 날부터 6년이 경과한 날이 속하는 해
② **안전등급이 양호 · 보통인 경우:** 안전등급을 통보받은 날부터 5년이 경과한 날이 속하는 해
③ **안전등급이 미흡 · 불량인 경우:** 안전등급을 통보받은 날부터 4년이 경과한 날이 속하는 해

(4) 화재예방안전진단의 범위는 다음과 같다(법 제41조 제2항, 영 제45조).

① 화재위험요인의 조사에 관한 사항
② 소방계획 및 피난계획 수립에 관한 사항
③ 소방시설 등의 유지 · 관리에 관한 사항
④ 비상대응조직 및 교육훈련에 관한 사항
⑤ 화재 위험성 평가에 관한 사항
⑥ 화재 등의 재난 발생 후 재발방지대책의 수립 및 그 이행에 관한 사항
⑦ 지진 등 외부 환경 위험요인 등에 대한 예방 · 대비 · 대응에 관한 사항
⑧ 화재예방안전진단 결과 보수 · 보강 등 개선요구사항 등에 대한 이행 여부

(5) 위 **(1)**에 따라 안전원 또는 진단기관의 화재예방안전진단을 받은 연도에는 소방훈련과 교육 및 소방시설 설치 및 관리에 관한 법률 제22조에 따른 자체점검을 받은 것으로 보며, 안전원 또는 진단기관은 화재예방안전진단 결과를 행정안전부령으로 정하는 바에 따라 소방본부장 또는 소방서장, 관계인에게 제출하여야 하고, 소방본부장 또는 소방서장은 화재예방안전진단 결과에 따라 보수 · 보강 등의 조치가 필요하다고 인정하는 경우에는 해당 소방안전 특별관리시설물의 관계인에게 보수 · 보강 등의 조치를 취할 것을 명할 수 있다(법 제41조 제3항 · 제4항 · 제5항).

마무리STEP 1 | OX 문제

01 화재안전조사란 소방청장, 소방본부장 또는 소방서장(소방관서장)이 소방대상물, 관계지역 또는 관계인에 대하여 소방시설 등이 소방 관계 법령에 적합하게 설치 · 관리되고 있는지, 소방대상물에 화재의 발생 위험이 있는지 등을 확인하기 위하여 실시하는 현장조사 · 문서열람 · 보고요구 등을 하는 활동을 말한다. ( )

02 소방관서장은 자체점검이 불성실하거나 불완전하다고 인정되는 경우에 화재안전조사를 실시할 수 있다. 다만, 개인의 주거(실제 주거용도로 사용되는 경우에 한정한다)에 대한 화재안전조사는 관계인의 승낙이 있거나 화재발생의 우려가 뚜렷하여 긴급한 필요가 있는 때에 한정한다. ( )

03 소방관서장은 화재안전조사를 실시하려는 경우 사전에 관계인에게 조사대상, 조사기간 및 조사사유 등을 우편, 전화, 전자메일 또는 문자전송 등을 통하여 통지하고, 조사계획을 소방청, 소방본부 또는 소방서(소방관서)의 인터넷 홈페이지나 전산시스템을 통해 10일 이상 공개해야 한다. ( )

04 소방관서장은 화재안전조사를 효율적으로 수행하기 위하여 소방청에는 중앙화재안전조사단을, 소방본부 및 소방서에는 지방화재안전조사단을 편성하여 운영할 수 있다. 이 경우 각각 단장을 포함하여 10명 이내의 단원으로 성별을 고려하여 구성한다. ( )

05 소방관서장은 화재안전조사의 대상을 객관적이고 공정하게 선정하기 위하여 필요한 경우 화재안전조사위원회를 구성하여 화재안전조사의 대상을 선정할 수 있으며, 위원회는 위원장 1명을 포함한 7명 이내의 위원으로 성별을 고려하여 구성하고, 위원장은 소방관서장이 된다. ( )

01 ○

02 ○

03 × 7일 이상 공개해야 한다.

04 × 각각 50명 이내로 구성한다.

05 ○

06 소방관서장은 화재 등 위험물을 옮긴 후 그 물건 등을 보관하는 경우에는 그날부터 7일 동안 해당 소방관서의 인터넷 홈페이지에 그 사실을 공고해야 하며, 옮긴 물건 등의 보관기간은 공고기간의 종료일 다음 날부터 14일까지로 한다. ( )

07 소방관서장은 화재예방강화지구 안의 소방대상물에 대한 화재안전조사를 연 1회 이상 실시할 수 있고, 관계인에 대하여 소방에 필요한 훈련 및 교육을 연 1회 이상 실시하여야 한다. ( )

08 30층 이상(지하층은 제외한다)이거나 지상으로부터 120미터 이상인 아파트는 특급 소방안전관리대상물에 해당한다. ( )

09 소방안전관리대상물의 관계인이 소방안전관리자 또는 소방안전관리보조자를 선임한 경우에는 행정안전부령으로 정하는 바에 따라 선임한 날부터 3개월 이내에 소방본부장 또는 소방서장에게 신고하고, 소방안전관리대상물의 출입자가 쉽게 알 수 있도록 소방안전관리자의 성명과 그 밖에 행정안전부령으로 정하는 사항을 게시하여야 한다. ( )

10 지하층의 층수가 1개 층 이상이거나, 지상층의 층수가 10층 이상인 특정소방대상물을 신축 등을 하는 공사시공자는 소방시설공사 착공신고일부터 건축물 사용승인일까지 소방안전관리자로 선임하고 행정안전부령으로 정하는 바에 따라 소방본부장 또는 소방서장에게 신고하여야 한다. ( )

11 관리의 권원이 분리되어 있는 특정소방대상물의 경우에 관계인은 소유권, 관리권 및 점유권에 따라 각각 소방안전관리자를 선임해야 한다. ( )

06 × 14일 동안 해당 소방관서의 인터넷 홈페이지에 그 사실을 공고하고, 그 후 보관기간은 공고기간의 종료일 다음 날부터 7일까지로 한다.

07 × 화재안전조사를 연 1회 이상 실시하여야 하고, 훈련 및 교육을 연 1회 이상 실시할 수 있다.

08 × 1급 소방안전관리대상물에 해당한다. 특급에 해당하는 아파트는 50층 이상(지하층은 제외한다)이거나 지상으로부터 200미터 이상인 아파트이다.

09 × 14일 이내에 신고하여야 한다.

10 × 지하층의 층수가 2개 층 이상이거나, 지상층의 층수가 11층 이상이다.

11 ○

01 **화재의 예방 및 안전관리에 관한 법령상 화재안전조사에 대한 다음 설명 중 옳지 않은 것은?**

① 소방관서장은 소방시설 설치 및 관리에 관한 법률 제22조에 따른 자체점검이 불성실하거나 불완전하다고 인정되는 경우에 실시할 수 있다.

② 소방관서장은 화재안전조사를 실시하려는 경우 사전에 관계인에게 조사대상, 조사기간 및 조사사유 등을 우편, 전화, 전자메일 또는 문자전송 등을 통하여 통지하고, 조사계획을 소방청, 소방본부 또는 소방서(이하 '소방관서'라 한다)의 인터넷 홈페이지나 전산시스템을 통해 7일 이상 공개해야 한다.

③ 화재안전조사는 관계인의 승낙 없이 소방대상물의 공개시간 또는 근무시간 이외에는 할 수 없다. 다만, 화재가 발생할 우려가 뚜렷하여 긴급하게 조사할 필요가 있는 경우에는 그러하지 아니하다.

④ 화재안전조사의 통지를 받은 관계인은 천재지변이나 그 밖에 대통령령으로 정하는 사유로 화재안전조사를 받기 곤란한 경우에는 화재안전조사를 통지한 소방관서장에게 대통령령으로 정하는 바에 따라 화재안전조사를 연기하여 줄 것을 신청할 수 있다.

⑤ 소방관서장은 ④에 따른 요청이 있는 경우에 연기신청 승인 여부를 결정하고 그 결과를 신청 7일 이내에 관계인에게 알려 주어야 한다.

정답 | 해설

01 ⑤ 소방관서장은 연기신청 승인 여부를 결정하고 그 결과를 조사 시작 전까지 관계인에게 알려 주어야 한다.

02 화재의 예방 및 안전관리에 관한 법령상 화재예방조치에 대한 다음 설명 중 옳지 않은 것은?

① 소방관서장은 화재발생 위험이 크거나 소화활동에 지장을 줄 수 있다고 인정되는 물건의 소유자, 관리자 또는 점유자를 알 수 없는 경우 소속 공무원으로 하여금 그 물건을 옮기거나 보관하는 등 필요한 조치를 하게 할 수 있다.

② 소방관서장은 ①에 따라 옮긴 물건 등을 보관하는 경우에는 그날부터 14일 동안 해당 소방관서의 인터넷 홈페이지에 그 사실을 공고해야 한다.

③ 옮긴 물건 등의 보관기간은 공고기간의 종료일 다음 날부터 15일까지로 한다.

④ 소방관서장은 ③에 따른 보관기간이 종료된 때에는 보관하고 있는 옮긴 물건 등을 매각해야 한다. 다만, 보관하고 있는 옮긴 물건 등이 부패 · 파손 또는 이와 유사한 사유로 정해진 용도로 계속 사용할 수 없는 경우에는 폐기할 수 있다.

⑤ 소방관서장은 보관하던 옮긴 물건 등을 매각한 경우에는 지체 없이 국가재정법에 따라 세입조치를 해야 하고, 매각되거나 폐기된 옮긴 물건 등의 소유자가 보상을 요구하는 경우에는 보상금액에 대하여 소유자와의 협의를 거쳐 이를 보상해야 한다.

03 화재의 예방 및 안전관리에 관한 법령상 화재예방강화지구에 대한 다음 설명 중 옳지 않은 것은?

① 시 · 도지사가 화재예방강화지구로 지정할 필요가 있는 지역을 화재예방강화지구로 지정하지 아니하는 경우 소방청장은 해당 시 · 도지사에게 해당 지역의 화재예방강화지구 지정을 요청할 수 있다.

② 소방관서장은 화재예방강화지구 안의 소방대상물의 위치 · 구조 및 설비 등에 대한 화재안전조사를 연 1회 이상 실시할 수 있다.

③ 소방관서장은 ②에 따른 화재안전조사를 한 결과 화재의 예방강화를 위하여 필요하다고 인정할 때에는 관계인에게 소방설비 등의 설치를 명할 수 있다.

④ 소방관서장은 화재예방강화지구 안의 관계인에 대하여 소방에 필요한 훈련 및 교육을 연 1회 이상 실시할 수 있다.

⑤ ④의 경우에 관계인에게 훈련 또는 교육 10일 전까지 그 사실을 통보해야 한다.

04 화재의 예방 및 안전관리에 관한 법령상 소방안전관리대상물에 대한 다음 설명 중 옳지 않은 것은?

① 50층 이상이거나 지상으로부터 200미터 이상인 아파트는 특급 소방안전관리대상물이다.

② 30층 이상이거나 지상으로부터 120미터 이상인 아파트를 제외한 특정소방대상물은 특급 소방안전관리대상물이다.

③ 위 ①과 ②에서의 층수에서 지하층은 제외한다.

④ 연면적 1만 5천제곱미터 이상인 특정소방대상물은 1급 소방안전관리대상물에 해당한다.

⑤ 위 ④에서는 아파트 및 연립주택을 제외한다.

정답 | 해설

02 ③ 옮긴 물건 등의 보관기간은 공고기간의 종료일 다음 날부터 7일까지로 한다.

03 ② 화재안전조사를 연 1회 이상 실시하여야 한다.

04 ③ 지하층은 특급과 1급에 해당하는 아파트에서는 층수에서 제외한다.

2025 해커스 주택관리사(보)

house.Hackers.com

10개년 출제비중분석

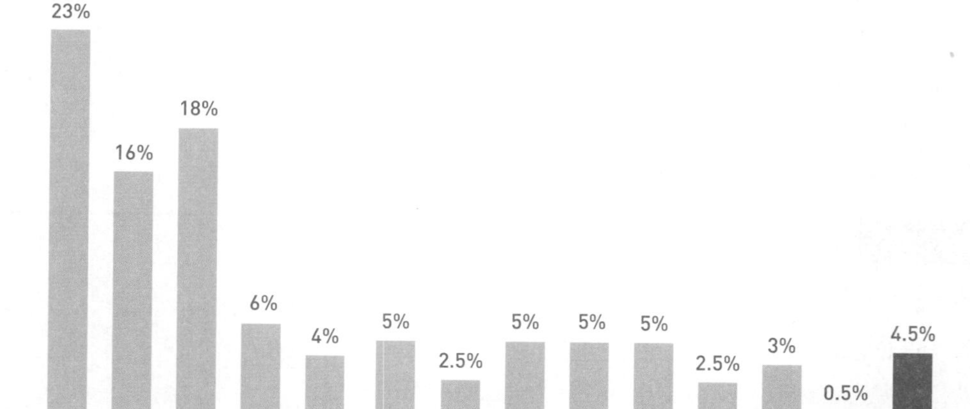

제14편

소방시설 설치 및 관리에 관한 법률

제 14 편 소방시설 설치 및 관리에 관한 법률

목차 내비게이션 소방시설 설치 및 관리에 관한 법률

단원길라잡이

소방시설 설치 및 관리에 관한 법률에서는 1문제가 출제될 것으로 예상된다. 이 단원에서는 용어의 정의, 소방동의대상물, 소방시설관리 등을 중점적으로 학습하여야 한다.

출제포인트

- 용어의 정의
- 건축허가 등에 대한 소방동의
- 자동차용 소화기
- 성능위주설계
- 화재안전기준의 강화
- 임시소방시설의 설치기준
- 방염대상 특정소방대상물

제1절 총칙

제1항 제정목적

이 법은 특정소방대상물 등에 설치하여야 하는 소방시설 등의 설치 · 관리와 소방용품 성능 관리에 필요한 사항을 규정함으로써 국민의 생명 · 신체 및 재산을 보호하고 공공의 안전과 복리 증진에 이바지함을 목적으로 한다(법 제1조).

제2항 용어의 정의

이 법에서 사용하는 용어의 뜻은 다음과 같다(법 제2조 제1항).

(1) 소방시설

소화설비 · 경보설비 · 피난구조설비 · 소화용수설비, 그 밖에 소화활동설비로서 다음의 것을 말한다(법 제2조 제1항 제1호, 영 제3조 [별표 1]).

① 소화설비: 물 또는 그 밖의 소화약제를 사용하여 소화하는 기계 · 기구 또는 설비로서 다음의 것
- ㉠ 소화기구
  - ⓐ 소화기
  - ⓑ 간이소화용구: 에어로졸식 소화용구, 투척용 소화용구 및 소화약제 외의 것을 이용한 간이소화용구
  - ⓒ 자동확산소화기
- ㉡ 자동소화장치
  - ⓐ 주거용 주방자동소화장치
  - ⓑ 상업용 주방자동소화장치
  - ⓒ 캐비닛형 자동소화장치
  - ⓓ 가스자동소화장치
  - ⓔ 분말자동소화장치
  - ⓕ 고체에어로졸자동소화장치
- ㉢ 옥내소화전설비(호스릴 옥내소화전설비를 포함한다)
- ㉣ 스프링클러설비 등
  - ⓐ 스프링클러설비
  - ⓑ 간이스프링클러설비(캐비닛형 간이스프링클러설비를 포함한다)
  - ⓒ 화재조기진압용 스프링클러설비
- ㉤ 물분무 등 소화설비
  - ⓐ 물분무소화설비
  - ⓑ 미분무소화설비

ⓒ 포소화설비
ⓓ 이산화탄소소화설비
ⓔ 할로겐화합물소화설비
ⓕ 청정소화약제소화설비
ⓖ 분말소화설비
ⓗ 강화액소화설비
ⓘ 고체에어로졸소화설비
ⓑ 옥외소화전설비

② **경보설비**: 화재 발생 사실을 통보하는 기계 · 기구 또는 설비로서 다음의 것
㉠ 단독경보형 감지기
㉡ **비상경보설비**
ⓐ 비상벨설비
ⓑ 자동식 사이렌설비
㉢ 시각경보기
㉣ 자동화재탐지설비
㉤ 화재알림설비
㉥ 비상방송설비
㉦ 자동화재속보설비
㉧ 통합감시시설
㉨ 누전경보기
㉩ 가스누설경보기

③ **피난구조설비**: 화재가 발생할 경우 피난하기 위하여 사용하는 기구 또는 설비로서 다음의 것
㉠ **피난기구**
ⓐ 피난사다리
ⓑ 구조대
ⓒ 완강기
ⓓ 간이완강기
ⓔ 그 밖에 화재안전기준으로 정하는 것
㉡ **인명구조기구**
ⓐ 방열복, 방화복(안전헬멧, 보호장갑 및 안전화를 포함한다)
ⓑ 공기호흡기
ⓒ 인공소생기
㉢ **유도등**
ⓐ 피난유도선
ⓑ 피난구유도등
ⓒ 통로유도등
ⓓ 객석유도등
ⓔ 유도표지

㉣ 비상조명등 및 휴대용 비상조명등
④ **소화용수설비**: 화재를 진압하는 데 필요한 물을 공급하거나 저장하는 설비로서 다음의 것
㉠ 상수도소화용수설비
㉡ 소화수조 · 저수조, 그 밖의 소화용수설비
⑤ **소화활동설비**: 화재를 진압하거나 인명구조활동을 위하여 사용하는 설비로서 다음의 것
㉠ 제연설비
㉡ 연결송수관설비
㉢ 연결살수설비
㉣ 비상콘센트설비
㉤ 무선통신보조설비
㉥ 연소방지설비

(2) 소방시설 등

소방시설과 비상구, 방화문 및 자동방화셔터를 말한다(법 제2조 제1항 제2호, 영 제4조).

(3) 특정소방대상물

건축물 등의 규모 · 용도 및 수용인원 등을 고려하여 소방시설을 설치하여야 하는 소방대상물로서 대통령령으로 정하는 것을 말하며, 주택 중에는 아파트 등과 기숙사만 해당한다. 그 외 주택의 소유자는 주택용 소방시설(소화기 및 단독경보형감지기)을 설치하여야 하며, 주택용 소방시설의 설치기준 및 자율적인 안전관리 등에 관한 사항은 특별시·광역시·특별자치시·도 또는 특별자치도의 조례로 정한다(법 제2조 제1항 제3호, 영 제5조).

기출예제

소방시설 설치 및 관리에 관한 법률 제2조(정의) 규정의 일부이다. (　　)에 들어갈 용어를 쓰시오.
제27회

'(　　)'(이)란 건축물 등의 규모·용도 및 수용인원 등을 고려하여 소방시설을 설치하여야 하는 소방대상물로서 대통령령으로 정하는 것을 말한다.

정답: 특정소방대상물

(4) 소방용품

소방시설 등을 구성하거나 소방용으로 사용되는 제품 또는 기기로서 다음의 것을 말한다(법 제2조 제1항 제7호, 영 제6조 [별표 3]).

① 소화설비를 구성하는 제품 또는 기기
  ㉠ [별표 1] 제1호 가목의 소화기구(소화약제 외의 것을 이용한 간이소화용구는 제외한다)
  ㉡ [별표 1] 제1호 나목의 자동소화장치
  ㉢ 소화설비를 구성하는 소화전, 송수구, 관창(菅槍), 소방호스, 스프링클러헤드, 기동용 수압개폐장치, 유수제어밸브 및 가스관선택밸브
② 경보설비를 구성하는 제품 또는 기기
  ㉠ 누전경보기 및 가스누설경보기
  ㉡ 경보설비를 구성하는 발신기, 수신기, 중계기, 감지기 및 음향장치(경종만 해당한다)
③ 피난구조설비를 구성하는 제품 또는 기기
  ㉠ 피난사다리, 구조대, 완강기(간이완강기 및 지지대를 포함한다)
  ㉡ 공기호흡기(충전기를 포함한다)
  ㉢ 피난구유도등, 통로유도등, 객석유도등 및 예비전원이 내장된 비상조명등
④ 소화용으로 사용하는 제품 또는 기기
  ㉠ 소화약제([별표 1] 제1호 나목 2)와 3)의 자동소화장치와 같은 호 마목 3)부터 8)까지의 소화설비용만 해당한다)
  ㉡ 방염제(방염액 · 방염도료 및 방염성 물질을 말한다)
⑤ 그 밖에 행정안전부령으로 정하는 소방 관련 제품 또는 기기

(5) 무창층

지상층 중 다음의 요건을 모두 갖춘 개구부(건축물에서 채광 · 환기 · 통풍 또는 출입 등을 위하여 만든 창 · 출입구, 그 밖에 이와 비슷한 것을 말한다)의 면적의 합계가 해당 층의 바닥면적의 30분의 1 이하가 되는 층을 말한다(영 제2조 제1호).

① 크기는 지름 50센티미터 이상의 원이 내접(內接)할 수 있는 크기일 것
② 해당 층의 바닥면으로부터 개구부 밑부분까지의 높이가 1.2미터 이내일 것
③ 도로 또는 차량이 진입할 수 있는 빈터를 향할 것
④ 화재시 건축물로부터 쉽게 피난할 수 있도록 창살이나 그 밖의 장애물이 설치되지 아니할 것
⑤ 내부 또는 외부에서 쉽게 부수거나 열 수 있을 것

(6) 피난층

곧바로 지상으로 갈 수 있는 출입구가 있는 층을 말한다(영 제2조 제2호).

(7) 화재안전성능

화재를 예방하고 화재 발생시 피해를 최소화하기 위하여 소방대상물의 재료, 공간 및 설비 등에 요구되는 안전성능을 말한다(법 제2조 제1항 제4호).

(8) 성능위주설계

건축물 등의 재료, 공간, 이용자, 화재 특성 등을 종합적으로 고려하여 공학적 방법으로 화재 위험성을 평가하고 그 결과에 따라 화재안전성능이 확보될 수 있도록 특정소방대상물을 설계하는 것을 말한다(법 제2조 제1항 제5호).

(9) 화재안전기준

소방시설 설치 및 관리를 위한 다음의 기준을 말한다(법 제2조 제1항 제6호).

> ① 성능기준: 화재안전 확보를 위하여 재료, 공간 및 설비 등에 요구되는 안전성능으로서 소방청장이 고시로 정하는 기준
> ② 기술기준: 위 ①에 따른 성능기준을 충족하는 상세한 규격, 특정한 수치 및 시험방법 등에 관한 기준으로서 행정안전부령으로 정하는 절차에 따라 소방청장의 승인을 받은 기준

제3항 국가 등의 책무

(1) 국가 및 지방자치단체의 책무

① 소방시설 등에 관한 정책의 수립

㉠ 국가와 지방자치단체는 소방시설 등의 설치 · 관리와 소방용품의 품질 향상 등을 위하여 필요한 정책을 수립하고 시행하여야 하며(법 제3조 제1항), 국가와 지방자치단체는 새로운 소방기술 · 기준의 개발 및 조사 · 연구, 전문인력 양성 등 필요한 노력을 하여야 한다(법 제3조 제2항).

㉡ 국가와 지방자치단체는 ㉠에 따른 정책을 수립 · 시행하는 데 있어 필요한 행정적 · 재정적 지원을 하여야 한다(법 제3조 제3항).

② 관계인의 의무

㉠ 관계인(소방기본법 제2조 제3호에 따른 관계인을 말한다. 이하 같다)은 소방시설 등의 기능과 성능을 보전 · 향상시키고 이용자의 편의와 안전성을 높이기 위하여 노력하여야 한다(법 제4조 제1항).

㉡ 관계인은 매년 소방시설 등의 관리에 필요한 재원을 확보하도록 노력하여야 한다(법 제4조 제2항).

㉢ 관계인은 국가 및 지방자치단체의 소방시설 등의 설치 및 관리활동에 적극 협조하여야 한다(법 제4조 제3항).

㉣ 관계인 중 점유자는 소유자 및 관리자의 소방시설 등 관리업무에 적극 협조하여야 한다(법 제4조 제4항).

(2) 다른 법률과의 관계

특정소방대상물 가운데 위험물안전관리법에 따른 위험물 제조소 등의 안전관리와 위험물 제조소 등에 설치하는 소방시설 등의 설치기준에 관하여는 위험물안전관리법에서 정하는 바에 따른다(법 제5조).

제2절 소방시설의 설치 및 유지 · 관리

제1항 건축허가 등에 대한 소방동의

(1) 사전소방동의

① **건축허가대상:** 건축물 등의 신축 · 증축 · 개축 · 재축 · 이전 · 용도변경 또는 대수선의 허가 · 협의 및 사용승인(주택법 제15조에 따른 승인 및 같은 법 제49조에 따른 사용검사, 학교시설사업 촉진법 제4조에 따른 승인 및 같은 법 제13조에 따른 사용승인을 포함하며, 이하 '건축허가 등'이라 한다)의 권한이 있는 행정기관은 건축허가 등을 할 때 미리 그 건축물 등의 시공지 또는 소재지를 관할하는 소방본부장이나 소방서장의 동의를 받아야 한다(법 제6조 제1항).

② **건축신고대상:** 건축물 등의 증축 · 개축 · 재축 · 용도변경 또는 대수선의 신고를 수리(受理)할 권한이 있는 행정기관은 그 신고를 수리하면 그 건축물 등의 시공지 또는 소재지를 관할하는 소방본부장이나 소방서장에게 지체 없이 그 사실을 알려야 한다(법 제6조 제2항).

③ 위 ①에 따른 건축허가 등의 권한이 있는 행정기관과 ②에 따른 신고를 수리할 권한이 있는 행정기관은 건축허가 등의 동의를 받거나 신고를 수리한 사실을 알릴 때 관할 소방본부장이나 소방서장에게 건축허가 등을 하거나 신고를 수리할 때 건축허가 등을 받으려는 자 또는 신고를 한 자가 제출한 설계도서 중 건축물의 내부구조를 알 수 있는 설계도면을 제출하여야 한다. 다만, 국가안보상 중요하거나 국가기밀에 속하는 건축물을 건축하는 경우로서 관계 법령에 따라 행정기관이 설계도면을 확보할 수 없는 경우에는 그러하지 아니하다(법 제6조 제3항).

④ 위 ①에 따라 사용승인에 대한 동의를 할 때에는 소방시설공사업법 제14조 제3항에 따른 소방시설공사의 완공검사증명서를 발급하는 것으로 동의를 갈음할 수 있다. 이 경우 ①에 따른 건축허가 등의 권한이 있는 행정기관은 소방시설공사의 완공검사증명서를 확인하여야 한다(법 제6조 제6항).

(2) 동의대상

건축허가 등을 함에 있어서 미리 소방본부장 또는 소방서장의 동의를 받아야 하는 건축물 등의 범위는 다음과 같다(법 제6조 제7항, 영 제7조 제1항).

① 연면적(건축법 시행령 제119조 제1항 제4호에 따라 산정된 면적을 말한다. 이하 같다)이 400제곱미터 이상인 건축물이나 시설. 다만, 다음의 어느 하나에 해당하는 건축물이나 시설은 해당 사항에서 정한 기준 이상인 건축물이나 시설로 한다.
  ㉠ 건축 등을 하려는 학교시설: 100제곱미터
  ㉡ 노유자(老幼者)시설 및 수련시설: 200제곱미터
  ㉢ 정신의료기관(입원실이 없는 정신건강의학과 의원은 제외한다): 300제곱미터
  ㉣ 장애인 의료재활시설: 300제곱미터
② 지하층 또는 무창층이 있는 건축물로서 바닥면적이 150제곱미터(공연장은 100제곱미터) 이상인 층이 있는 것
③ 차고 · 주차장 또는 주차 용도로 사용되는 시설로서 다음의 어느 하나에 해당하는 것
  ㉠ 차고 · 주차장으로 사용되는 바닥면적이 200제곱미터 이상인 층이 있는 건축물이나 주차시설
  ㉡ 승강기 등 기계장치에 의한 주차시설로서 자동차 20대 이상을 주차할 수 있는 시설
④ 층수가 6층 이상인 건축물
⑤ 항공기 격납고, 관망탑, 항공관제탑, 방송용 송수신탑
⑥ 의원(입원실이 있는 것으로 한정한다) · 조산원 · 산후조리원, 위험물 저장 및 처리시설, 발전시설 중 풍력발전소 · 전기저장시설, 지하구
⑦ 노인 관련 시설 중 다음의 어느 하나에 해당하는 시설(단독주택 · 공동주택에 설치되는 시설은 제외한다)
  ㉠ 노인복지법 제31조 제1호에 따른 노인주거복지시설, 같은 조 제2호에 따른 노인의료복지시설 및 같은 조 제4호에 따른 재가노인복지시설
  ㉡ 노인복지법 제31조 제7호에 따른 학대피해노인 전용쉼터
⑧ 아동복지시설(아동상담소, 아동전용시설 및 지역아동센터는 제외한다)
⑨ 장애인 거주시설
⑩ 정신질환자 관련 시설(공동생활가정을 제외한 재활훈련시설과 종합시설 중 24시간 주거를 제공하지 않는 시설은 제외한다)
⑪ 노숙인 관련 시설 중 노숙인자활시설, 노숙인재활시설 및 노숙인요양시설
⑫ 결핵환자나 한센인이 24시간 생활하는 노유자시설
⑬ 요양병원. 다만, 의료재활시설은 제외한다.
⑭ 공장 또는 창고시설로서 화재의 예방 및 안전관리에 관한 법률 시행령 [별표 2]에서 정하는 수량의 750배 이상의 특수가연물을 저장 · 취급하는 것
⑮ 가스시설로서 지상에 노출된 탱크의 저장용량의 합계가 100톤 이상인 것

(3) 동의가 필요 없는 경우

다음에 해당하는 특정소방대상물은 소방본부장 또는 소방서장의 건축허가 등의 동의대상에서 제외된다(영 제7조 제2항).

> ① 특정소방대상물에 설치되는 소화기구, 자동소화장치, 누전경보기, 단독경보형 감지기, 가스누설경보기 및 피난구조설비(비상조명등은 제외한다)가 화재안전기준에 적합한 경우 해당 특정소방대상물
> ② 건축물의 증축 또는 용도변경으로 인하여 해당 특정소방대상물에 추가로 소방시설이 설치되지 않는 경우 해당 특정소방대상물
> ③ 소방시설공사업법 시행령 제4조에 따른 소방시설공사의 착공신고대상에 해당하지 않는 경우 해당 특정소방대상물

(4) 동의절차

① **동의의 요구:** 건축허가 등의 권한이 있는 행정기관은 건축허가 등의 동의를 받으려는 경우에는 동의요구서에 다음의 서류를 첨부하여 해당 건축물 등의 소재지를 관할하는 소방본부장 또는 소방서장에게 동의를 요구하여야 한다(영 제12조 제3항, 규칙 제3조 제2항).

> ㉠ 건축허가신청서, 건축허가서 또는 건축 · 대수선 · 용도변경신고서 등 건축허가 등을 확인할 수 있는 서류의 사본. 이 경우 동의요구를 받은 담당 공무원은 특별한 사정이 있는 경우를 제외하고는 행정정보의 공동이용을 통하여 건축허가서를 확인함으로써 첨부서류의 제출을 갈음할 수 있다.
> ㉡ 다음의 설계도서. 다만, ⓐ 및 ⓑ ㉯ · ㉱의 설계도서는 소방시설공사업법 시행령 제4조에 따른 소방시설공사 착공신고대상에 해당되는 경우에만 제출한다.
> ⓐ 건축물 설계도서
> ㉮ 건축물 개요 및 배치도
> ㉯ 주단면도 및 입면도(물체를 정면에서 본 대로 그린 그림)
> ㉰ 층별 평면도(용도별 기준층 평면도를 포함한다)
> ㉱ 방화구획도(창호도를 포함한다)
> ㉲ 실내 · 실외 마감재료표
> ㉳ 소방자동차 진입 동선도 및 부서 공간 위치도(조경계획을 포함한다)
> ⓑ 소방시설 설계도서
> ㉮ 소방시설(기계 · 전기분야의 시설을 말한다)의 계통도(시설별 계산서를 포함한다)
> ㉯ 소방시설별 층별 평면도
> ㉰ 실내장식물 방염대상물품 설치계획(건축물의 마감재료는 제외한다)
> ㉱ 소방시설의 내진설계 계통도 및 기준층 평면도(내진시방서 및 계산서 등 세부내용이 포함된 상세설계도면은 제외한다)

㉢ 소방시설 설치계획표
㉣ 임시소방시설 설치계획서(설치시기 · 위치 · 종류 · 방법 등 임시소방시설의 설치와 관련된 세부사항을 포함한다)
㉤ 등록한 소방시설설계업등록증과 소방시설을 설계한 기술인력의 기술자격증 사본
㉥ 체결한 소방시설설계 계약서 사본

② **결과의 회신**: 동의요구를 받은 소방본부장 또는 소방서장은 건축허가 등의 동의요구서류를 접수한 날부터 5일(허가를 신청한 건축물 등이 특급 소방안전관리대상의 어느 하나에 해당하는 경우에는 10일) 이내에 해당 행정기관에 건축허가 등의 동의 여부를 회신하여야 하며, 회신하는 때에 건축허가 등의 동의대장에 이를 기재하고 관리하여야 한다(법 제6조 제4항, 규칙 제3조 제3항 · 제6항).

③ **보완요구**: 동의요구를 받은 소방본부장 또는 소방서장은 첨부서류가 미비한 경우에는 4일 이내의 기간을 정하여 보완을 요구할 수 있다. 이 경우 보완기간은 회신기간에 산입하지 아니하고, 보완기간 내에 보완하지 아니하는 때에는 동의요구서를 반려하여야 한다(영 제12조 제3항 단서, 규칙 제4조 제4항).

④ **건축허가의 취소 등의 경우의 조치사항**: 건축허가 등의 동의를 요구한 기관이 그 건축허가 등을 취소하였을 때에는 취소한 날부터 7일 이내에 건축물 등의 시공지 또는 소재지를 관할하는 소방본부장 또는 소방서장에게 그 사실을 통보하여야 한다(규칙 제3조 제5항).

(5) 소방동의 여부의 결정

① 소방본부장 또는 소방서장은 소방동의를 요구받은 경우 해당 건축물 등이 다음의 사항을 따르고 있는지를 검토하여야 한다(법 제6조 제4항).

㉠ 이 법 또는 이 법에 따른 명령
㉡ 소방기본법 제21조의2에 따른 소방자동차 전용구역의 설치

② 소방본부장 또는 소방서장은 ①에 따른 건축허가 등의 동의 여부를 알릴 경우에는 원활한 소방활동 및 건축물 등의 화재안전성능을 확보하기 위하여 필요한 다음의 사항에 대한 검토자료 또는 의견서를 첨부할 수 있다(법 제6조 제5항, 영 제7조 제4항).

㉠ 건축법 제49조 제1항 및 제2항에 따른 피난시설, 방화구획(防火區劃)
㉡ 건축법 제49조 제3항에 따른 소방관 진입창
㉢ 건축법 제50조, 제50조의2, 제51조, 제52조, 제52조의2 및 제53조에 따른 방화벽, 마감재료 등(이하 '방화시설'이라 한다)
㉣ 소방자동차의 접근이 가능한 통로의 설치

ⓜ 건축법 제64조 및 주택건설기준 등에 관한 규정 제15조에 따른 승강기의 설치
ⓑ 주택건설기준 등에 관한 규정 제26조에 따른 주택단지 안 도로의 설치
ⓢ 건축법 시행령 제40조 제2항에 따른 옥상광장, 같은 조 제3항에 따른 비상문 자동개폐장치 또는 같은 조 제4항에 따른 헬리포트의 설치
ⓞ 그 밖에 소방본부장 또는 소방서장이 소화활동 및 피난을 위해 필요하다고 인정하는 사항

제2항 소방시설의 유지 및 관리

01 특정소방대상물이 아닌 주택에 설치하는 소방시설

(1) 주택용 소방시설의 설치

다음의 주택의 소유자는 주택용 소방시설(소화기 및 단독경보형 감지기)을 설치하여야 한다(법 제10조 제1항, 영 제10조).

① 건축법 제2조 제2항 제1호의 단독주택
② 건축법 제2조 제2항 제2호의 공동주택(아파트 및 기숙사는 제외한다)

기출예제

소방시설 설치 및 관리에 관한 법률상 건축법에 따른 단독주택 또는 공동주택의 소유자가 주택용 소방시설을 설치하지 않아도 되는 것은? 제26회

① 기숙사 ② 연립주택
③ 다세대주택 ④ 다중주택
⑤ 다가구주택

해설

주택용 소방시설

다음 주택의 소유자는 주택용 소방시설(소화기 및 단독경보형 감지기)을 설치하여야 한다.
• 단독주택
• 공동주택(아파트 · 기숙사 제외)

정답: ①

(2) 자율적 안전관리의 촉진시책

국가 및 지방자치단체는 (1)에 따라 주택에 설치하여야 하는 소방시설(이하 '주택용 소방시설'이라 한다)의 설치 및 국민의 자율적인 안전관리를 촉진하기 위하여 필요한 시책을 마련하여야 하며, 주택용 소방시설의 설치기준 및 자율적인 안전관리 등에 관한 사항은 특별시 · 광역시 · 특별자치시 · 도 또는 특별자치도(이하 '시 · 도'라 한다)의 조례로 정한다(법 제10조 제2항 · 제3항).

02 자동차에 설치 또는 비치하는 소화기

(1) 자동차용 소화기의 설치대상

자동차관리법 제3조 제1항에 따른 자동차 중 다음의 어느 하나에 해당하는 자동차를 제작 · 조립 · 수입 · 판매하려는 자 또는 해당 자동차의 소유자는 차량용 소화기를 설치하거나 비치하여야 하고, 국토교통부장관은 자동차관리법 제43조 제1항에 따른 자동차 검사 시 차량용 소화기의 설치 또는 비치 여부 등을 확인하여야 하며, 그 결과를 매년 12월 31일까지 소방청장에게 통보하여야 한다(법 제11조 제1항 · 제3항).

① 5인승 이상의 승용자동차
② 승합자동차
③ 화물자동차
④ 특수자동차

(2) 자동차용 소화기의 설치기준

자동차에는 법 제37조 제5항에 따라 형식승인을 받은 차량용 소화기를 다음의 기준에 따라 설치 또는 비치해야 한다(규칙 제14조).

① **승용자동차**: 법 제37조 제5항에 따른 능력단위 1 이상의 소화기 1개 이상을 사용하기 쉬운 곳에 설치 또는 비치한다.
② **승합자동차**
  ㉠ **경형승합자동차**: 능력단위 1 이상의 소화기 1개 이상을 사용하기 쉬운 곳에 설치 또는 비치한다.
  ㉡ **승차정원 15인 이하**: 능력단위 2 이상인 소화기 1개 이상 또는 능력단위 1 이상인 소화기 2개 이상을 설치한다. 이 경우 승차정원 11인 이상 승합자동차는 운전석 또는 운전석과 옆으로 나란한 좌석 주위에 1개 이상을 설치한다.
  ㉢ **승차정원 16인 이상 35인 이하**: 능력단위 2 이상인 소화기 2개 이상을 설치한다. 이 경우 승차정원 23인을 초과하는 승합자동차로서 너비 2.3미터를 초과하는 경우에는 운전자 좌석 부근에 가로 600밀리미터, 세로 200밀리미터 이상의 공간을 확보하고 1개 이상의 소화기를 설치한다.
  ㉣ **승차정원 36인 이상**: 능력단위 3 이상인 소화기 1개 이상 및 능력단위 2 이상인 소화기 1개 이상을 설치한다. 다만, 2층 대형승합자동차의 경우에는 위층 차실에 능력단위 3 이상인 소화기 1개 이상을 추가 설치한다.
③ **화물자동차(피견인자동차는 제외한다) 및 특수자동차**
  ㉠ **중형 이하**: 능력단위 1 이상인 소화기 1개 이상을 사용하기 쉬운 곳에 설치한다.
  ㉡ **대형 이상**: 능력단위 2 이상인 소화기 1개 이상 또는 능력단위 1 이상인 소화기 2개 이상을 사용하기 쉬운 곳에 설치한다.

④ 지정수량 이상의 위험물 또는 고압가스를 운송하는 특수자동차(피견인자동차를 연결한 경우에는 이를 연결한 견인자동차를 포함한다): 이동탱크저장소 자동차용 소화기의 설치기준란에 해당하는 능력단위와 수량 이상을 설치한다.

03 성능위주설계

(1) 성능위주설계대상

① **대상:** 다음의 특정소방대상물(신축하는 것만 해당한다)에 소방시설을 설치하려는 자는 성능위주설계를 하여야 한다(법 제8조 제1항, 영 제9조).

㉠ 연면적 20만제곱미터 이상인 특정소방대상물. 다만, 아파트 등은 제외한다.
㉡ 50층 이상(지하층은 제외한다)이거나 지상으로부터 높이가 200미터 이상인 아파트 등
㉢ 30층 이상(지하층을 포함한다)이거나 지상으로부터 높이가 120미터 이상인 특정소방대상물(아파트 등은 제외한다)
㉣ 연면적 3만제곱미터 이상인 특정소방대상물로서 철도 및 도시철도시설, 공항시설
㉤ 창고시설 중 연면적 10만제곱미터 이상인 것 또는 지하층의 층수가 2개 층 이상이고 지하층의 바닥면적의 합계가 3만제곱미터 이상인 것
㉥ 하나의 건축물에 영화상영관이 10개 이상인 특정소방대상물
㉦ 지하연계 복합건축물에 해당하는 특정소방대상물
㉧ 터널 중 수저(水底)터널 또는 길이가 5천미터 이상인 것

② **신고:** 위 ①에 따라 소방시설을 설치하려는 자가 성능위주설계를 한 경우에는 건축허가를 신청하기 전에 해당 특정소방대상물의 시공지 또는 소재지를 관할하는 소방서장에게 신고하여야 한다. 해당 특정소방대상물의 연면적 · 높이 · 층수의 변경 등 행정안전부령으로 정하는 사유로 신고한 성능위주설계를 변경하려는 경우에도 또한 같다(법 제8조 제2항).

③ **수리:** 소방서장은 ②에 따른 신고 또는 변경신고를 받은 경우 그 내용을 검토하여 이 법에 적합하면 신고를 수리하여야 한다(법 제8조 제3항).

④ **사전검토:** 위 ②에 따라 성능위주설계의 신고 또는 변경신고를 하려는 자는 해당 특정소방대상물이 건축위원회의 심의를 받아야 하는 건축물인 경우에는 그 심의를 신청하기 전에 성능위주설계의 기본설계도서 등에 대해서 해당 특정소방대상물의 시공지 또는 소재지를 관할하는 소방서장의 사전검토를 받아야 한다(법 제8조 제4항).

⑤ **평가단의 검토:** 소방서장은 성능위주설계의 신고, 변경신고 또는 사전검토 신청을 받은 경우에는 소방청 또는 관할 소방본부에 설치된 성능위주설계 평가단의 검토 · 평가를 거쳐야 한다. 다만, 소방서장은 신기술 · 신공법 등 검토 · 평가에 고도의 기술이 필

요한 경우에는 중앙소방기술심의위원회에 심의를 요청할 수 있다(법 제8조 제5항).

⑥ **보완**: 소방서장은 ⑤에 따른 검토 · 평가 결과 성능위주설계의 수정 또는 보완이 필요하다고 인정되는 경우에는 성능위주설계를 한 자에게 그 수정 또는 보완을 요청할 수 있으며, 수정 또는 보완요청을 받은 자는 정당한 사유가 없으면 그 요청에 따라야 한다(법 제8조 제6항).

(2) 성능위주설계 평가단

① **설치**: 성능위주설계에 대한 전문적 · 기술적인 검토 및 평가를 위하여 소방청 또는 소방본부에 성능위주설계 평가단(이하 '평가단'이라 한다)을 둔다(법 제9조 제1항).

② **구성**: 평가단은 평가단장을 포함하여 50명 이내의 평가단원으로 성별을 고려하여 구성하고, 평가단장은 화재예방업무를 담당하는 부서의 장 또는 평가단원 중에서 학식 · 경험 · 전문성 등을 종합적으로 고려하여 소방청장 또는 소방본부장이 임명하거나 위촉하며, 평가단원의 임기는 2년으로 하되, 2회에 한정하여 연임할 수 있다(규칙 제10조).

③ **운영**: 평가단의 회의는 평가단장과 평가단장이 회의마다 지명하는 6명 이상 8명 이하의 평가단원으로 구성 · 운영하며, 과반수의 출석으로 개의하고 출석 평가단원 과반수의 찬성으로 의결한다. 성능위주설계의 변경신고에 대한 심의 · 의결을 하는 경우에는 건축물의 성능위주설계를 검토 · 평가한 평가단원 중 5명 이상으로 평가단을 구성 · 운영할 수 있다(규칙 제11조).

제3항 특정소방대상물에 설치하는 소방시설의 관리

01 특정소방대상물에 설치하는 소방시설의 관리 등

(1) 관계인에 의한 유지 · 관리

특정소방대상물의 관계인은 대통령령으로 정하는 소방시설을 소방청장이 정하여 고시하는 화재안전기준에 따라 설치 또는 유지 · 관리하여야 한다. 이 경우 장애인 · 노인 · 임산부 등의 편의증진 보장에 관한 법률 제2조 제1호에 따른 장애인 등이 사용하는 소방시설(경보설비 및 피난구조설비를 말한다)은 대통령령으로 정하는 바에 따라 장애인 등에 적합하게 설치 또는 유지 · 관리하여야 한다(법 제12조 제1항).

(2) 조치명령

소방본부장이나 소방서장은 (1)에 따른 소방시설이 (1)의 화재안전기준에 따라 설치 또는 유지 · 관리되어 있지 아니할 때에는 해당 특정소방대상물의 관계인에게 필요한 조치를 명할 수 있다(법 제12조 제2항).

(3) 소방시설 등의 폐쇄 등 금지

① 특정소방대상물의 관계인은 (1)에 따라 소방시설을 유지 · 관리할 때 소방시설의 기능과 성능에 지장을 줄 수 있는 폐쇄(잠금을 포함한다) · 차단 등의 행위를 하여서는 아니 된다. 다만, 소방시설의 점검 · 정비를 위한 폐쇄 · 차단은 할 수 있다(법 제12조 제3항).

② 소방청장은 ①의 단서에 따라 특정소방대상물의 관계인이 소방시설의 점검 · 정비를 위하여 폐쇄 · 차단을 하는 경우 안전을 확보하기 위하여 필요한 행동요령에 관한 지침을 마련하여 고시하여야 한다(법 제12조 제4항).

(4) 소방시설의 내진설계

지진 · 화산재해대책법 제14조 제1항의 시설 중 건축법 제2조 제1항 제2호에 따른 건축물로서 지진 · 화산재해대책법 시행령 제10조 제1항 각 호에 해당하는 시설에 소방시설 중 옥내소화전설비, 스프링클러설비, 물분무 등 소화설비를 설치하려는 자는 지진이 발생할 경우 소방시설이 정상적으로 작동될 수 있도록 소방청장이 정하는 내진설계기준에 맞게 소방시설을 설치하여야 한다(법 제7조, 영 제8조).

02 소방시설정보관리시스템

(1) 소방시설정보관리시스템의 구축 및 운영

① 소방청장, 소방본부장 또는 소방서장은 소방시설의 작동정보 등을 실시간으로 수집 · 분석할 수 있는 시스템(이하 '소방시설정보관리시스템'이라 한다)을 구축 · 운영할 수 있다(법 제12조 제5항).

② 소방청장, 소방본부장 또는 소방서장은 ①에 따른 작동정보를 해당 특정소방대상물의 관계인에게 통보하여야 한다(법 제12조 제6항).

(2) 소방시설정보관리시스템의 구축대상

① 소방시설정보관리시스템 구축 · 운영의 대상은 소방안전관리대상물 중 다음의 특정소방대상물로 한다(법 제12조 제7항, 영 제12조 제1항).

㉠ 문화 및 집회시설
㉡ 종교시설
㉢ 판매시설
㉣ 의료시설
㉤ 노유자시설
㉥ 숙박이 가능한 수련시설
㉦ 업무시설

ⓞ 숙박시설
ⓩ 공장
ⓧ 창고시설
ⓚ 위험물 저장 및 처리시설
ⓣ 지하가(地下街)
ⓟ 지하구
ⓗ 그 밖에 소방청장, 소방본부장 또는 소방서장이 소방안전관리의 취약성과 화재 위험성을 고려하여 필요하다고 인정하는 특정소방대상물

② 소방청장, 소방본부장 또는 소방서장은 소방시설정보관리시스템으로 수집되는 소방시설의 작동정보 등을 분석하여 해당 특정소방대상물의 관계인에게 해당 소방시설의 정상적인 작동에 필요한 사항과 관리방법 등 개선사항에 관한 정보를 제공할 수 있다(규칙 제15조 제1항).
③ 소방청장, 소방본부장 또는 소방서장은 소방시설정보관리시스템을 통하여 소방시설의 고장 등 비정상적인 작동정보를 수집한 경우에는 해당 특정소방대상물의 관계인에게 그 사실을 알려주어야 한다(규칙 제15조 제2항).
④ 소방청장, 소방본부장 또는 소방서장은 소방시설정보관리시스템의 체계적 · 효율적 · 전문적인 운영을 위해 전담인력을 둘 수 있다(규칙 제15조 제3항).

03 소방시설기준 적용의 특례

(1) 화재안전기준 등이 변경된 경우

① **종전 규정을 적용하는 경우**: 소방본부장이나 소방서장은 대통령령 또는 화재안전기준이 변경되어 그 기준이 강화되는 경우 기존의 특정소방대상물(건축물의 신축 · 개축 · 재축 · 이전 및 대수선 중인 특정소방대상물을 포함한다)의 소방시설에 대하여는 변경 전의 대통령령 또는 화재안전기준을 적용한다(법 제13조 제1항 본문).
② **강화된 기준을 적용하는 경우**: 다만, 다음의 어느 하나에 해당하는 소방시설의 경우에는 대통령령 또는 화재안전기준의 변경으로 강화된 기준을 적용할 수 있다(법 제13조 제1항 단서, 영 제13조).

㉠ 다음의 소방시설 중 대통령령 또는 화재안전기준으로 정하는 것
ⓐ 소화기구
ⓑ 비상경보설비
ⓒ 자동화재탐지설비
ⓓ 자동화재속보설비
ⓔ 피난구조설비

㉡ 다음의 특정소방대상물에 설치하는 소방시설 중 대통령령 또는 화재안전기준으로 정하는 것

ⓐ 공동구에 설치하는 소화기, 자동소화장치, 자동화재탐지설비, 통합감시시설, 유도등 및 연소방지설비

ⓑ 전력 및 통신사업용 지하구에 설치하는 소화기, 자동소화장치, 자동화재탐지설비, 통합감시시설, 유도등 및 연소방지설비

ⓒ 노유자시설에 설치하는 간이스프링클러설비, 자동화재탐지설비 및 단독경보형 감지기

ⓓ 의료시설에 설치하는 스프링클러설비, 간이스프링클러설비, 자동화재탐지설비 및 자동화재속보설비

(2) 화재안전기준 등이 변경된 경우에 증축과 용도변경의 적용기준

① **증축의 경우:** 소방본부장 또는 소방서장은 특정소방대상물이 증축되는 경우에는 기존 부분을 포함한 특정소방대상물의 전체에 대하여 증축 당시의 소방시설의 설치에 관한 대통령령 또는 화재안전기준을 적용해야 한다. 다만, 다음의 어느 하나에 해당하는 경우에는 기존부분에 대해서는 증축 당시의 소방시설의 설치에 관한 대통령령 또는 화재안전기준을 적용하지 않는다(법 제13조 제3항, 영 제15조 제1항).

㉠ 기존 부분과 증축부분이 내화구조로 된 바닥과 벽으로 구획된 경우

㉡ 기존 부분과 증축부분이 자동방화셔터 또는 60분+ 방화문으로 구획되어 있는 경우

㉢ 자동차생산공장 등 화재위험이 낮은 특정소방대상물 내부에 연면적 33제곱미터 이하의 직원 휴게실을 증축하는 경우

㉣ 자동차생산공장 등 화재위험이 낮은 특정소방대상물에 캐노피(기둥으로 받치거나 매달아 놓은 덮개를 말하며, 3면 이상에 벽이 없는 구조의 것을 말한다)를 설치하는 경우

② **용도변경의 경우:** 소방본부장 또는 소방서장은 특정소방대상물이 용도변경되는 경우에는 용도변경되는 부분에 대해서만 용도변경 당시의 소방시설의 설치에 관한 대통령령 또는 화재안전기준을 적용한다. 다만, 다음의 어느 하나에 해당하는 경우에는 특정소방대상물 전체에 대하여 용도변경 전에 해당 특정소방대상물에 적용되던 소방시설의 설치에 관한 대통령령 또는 화재안전기준을 적용한다(법 제13조 제3항, 영 제15조 제2항).

㉠ 특정소방대상물의 구조 · 설비가 화재연소 확대요인이 적어지거나 피난 또는 화재진압활동이 쉬워지도록 변경되는 경우

㉡ 용도변경으로 인하여 천장 · 바닥 · 벽 등에 고정되어 있는 가연성 물질의 양이 줄어드는 경우

(3) 유사소방시설의 설치 면제

소방본부장이나 소방서장은 특정소방대상물에 설치하여야 하는 소방시설 가운데 기능과 성능이 유사한 스프링클러설비, 물분무 등 소화설비, 비상경보설비 및 비상방송설비 등의 소방시설의 경우에는 대통령령으로 정하는 바에 따라 유사한 소방시설의 설치를 면제할 수 있다(법 제13조 제2항, 영 제14조).

(4) 소방시설의 설치 면제

다음의 어느 하나에 해당하는 특정소방대상물 가운데 대통령령으로 정하는 특정소방대상물에는 대통령령으로 정하는 소방시설을 설치하지 아니할 수 있다(법 제13조 제4항, 영 제16조).

① 화재 위험도가 낮은 특정소방대상물
② 화재안전기준을 적용하기 어려운 특정소방대상물
③ 화재안전기준을 다르게 적용하여야 하는 특수한 용도 또는 구조를 가진 특정소방대상물
④ 위험물안전관리법에 따른 자체소방대가 설치된 특정소방대상물

소방시설을 설치하지 않을 수 있는 특정소방대상물 및 소방시설의 범위

구분	특정소방대상물	설치하지 않을 수 있는 소방시설
화재 위험도가 낮은 특정소방대상물	석재, 불연성 금속, 불연성 건축재료 등의 가공공장·기계조립공장 또는 불연성 물품을 저장하는 창고	옥외소화전 및 연결살수설비
화재안전기준을 적용하기 어려운 특정소방대상물	펄프공장의 작업장, 음료수공장의 세정 또는 충전을 하는 작업장, 그 밖에 이와 비슷한 용도로 사용하는 것	스프링클러설비, 상수도소화용수설비 및 연결살수설비
	정수장, 수영장, 목욕장, 농예·축산·어류양식용 시설, 그 밖에 이와 비슷한 용도로 사용되는 것	자동화재탐지설비, 상수도소화용수설비 및 연결살수설비
화재안전기준을 달리 적용해야 하는 특수한 용도 또는 구조를 가진 특정소방대상물	원자력발전소, 중·저준위방사성폐기물의 저장시설	연결송수관설비 및 연결살수설비
위험물안전관리법 제19조에 따른 자체소방대가 설치된 특정소방대상물	자체소방대가 설치된 제조소 등에 부속된 사무실	옥내소화전설비, 소화용수설비, 연결살수설비 및 연결송수관설비

(5) 소방시설의 정비 등

① 소방시설을 정할 때에는 특정소방대상물의 규모 · 용도 및 수용인원 등을 고려하여야 한다(법 제14조 제1항).

② 소방청장은 건축환경 및 화재위험특성 변화사항을 효과적으로 반영할 수 있도록 ①에 따른 소방시설규정을 3년에 1회 이상 정비하여야 한다(법 제14조 제2항).

③ 소방청장은 건축환경 및 화재위험특성 변화추세를 체계적으로 연구하여 ②에 따른 정비를 위한 개선방안을 마련하여야 한다(법 제14조 제3항).

(6) 소방용품의 내용연수 등

① 특정소방대상물의 관계인은 내용연수(10년)가 경과한 소방용품을 교체하여야 한다. 이 경우 내용연수를 설정하여야 하는 소방용품은 분말형태의 소화약제를 사용하는 소화기로 한다(법 제17조 제1항, 영 제19조 제1항).

② 위 ①에도 불구하고 행정안전부령으로 정하는 절차 및 방법 등에 따라 소방용품의 성능을 확인받은 경우에는 그 사용기한을 연장할 수 있다(법 제17조 제2항, 영 제19조 제2항).

04 피난시설 · 방화구획 및 방화시설의 유지 · 관리

(1) 행위제한

특정소방대상물의 관계인은 건축법에 따른 피난시설 · 방화구획과 같은 법에 따른 방화벽 · 내부마감재료 등(이하 '방화시설'이라 한다)에 대하여 다음의 행위를 하여서는 아니 된다(법 제16조 제1항).

① 피난시설, 방화구획 및 방화시설을 폐쇄하거나 훼손하는 등의 행위
② 피난시설, 방화구획 및 방화시설의 주위에 물건을 쌓아두거나 장애물을 설치하는 행위
③ 피난시설, 방화구획 및 방화시설의 용도에 장애를 주거나 소방기본법 제16조에 따른 소방활동에 지장을 주는 행위
④ 그 밖에 피난시설, 방화구획 및 방화시설을 변경하는 행위

(2) 조치명령

소방본부장 또는 소방서장은 특정소방대상물의 관계인이 (1)에 해당하는 각 행위를 한 때에는 피난시설, 방화구획 및 방화시설의 유지 · 관리를 위하여 필요한 조치를 명할 수 있다(법 제16조 제2항).

05 건설현장의 임시소방시설의 설치 및 관리

(1) 임시소방시설의 설치

건설공사를 하는 자(이하 '공사시공자'라 한다)는 특정소방대상물의 신축 · 증축 · 개축 · 재축 · 이전 · 용도변경 · 대수선 또는 설비 설치 등을 위한 공사현장에서 인화성 물품을 취급하는 작업 등 다음의 작업(이하 '화재위험작업'이라 한다)을 하기 전에 설치 및 철거가 쉬운 화재대비시설(이하 '임시소방시설'이라 한다)을 설치하고 관리하여야 한다(법 제15조 제1항, 영 제18조 제1항).

① 인화성 · 가연성 · 폭발성 물질을 취급하거나 가연성 가스를 발생시키는 작업
② 용접 · 용단(금속 · 유리 · 플라스틱 따위를 녹여서 절단하는 일을 말한다) 등 불꽃을 발생시키거나 화기(火氣)를 취급하는 작업
③ 전열기구, 가열전선 등 열을 발생시키는 기구를 취급하는 작업
④ 알루미늄, 마그네슘 등을 취급하여 폭발성 부유분진(공기 중에 떠다니는 미세한 입자를 말한다)을 발생시킬 수 있는 작업
⑤ 그 밖에 ①부터 ④까지와 비슷한 작업으로 소방청장이 정하여 고시하는 작업

임시소방시설의 종류와 설치대상 공사

종류	의의	설치대상 공사
소화기	소방동의대상 특정소방대상물의 신축 · 증축 · 개축 · 재축 · 이전 · 용도변경 · 대수선공사	
간이소화장치	물을 방사하여 화재를 진화할 수 있는 장치로서 소방청장이 정하는 성능을 갖추고 있을 것	연면적 3천제곱미터 이상이거나 지하층, 무창층 또는 4층 이상의 층으로서 해당 층 바닥면적이 600제곱미터 이상인 경우
비상경보장치	화재가 발생한 경우 주변에 있는 작업자에게 화재사실을 알릴 수 있는 장치로서 소방청장이 정하는 성능을 갖추고 있을 것	연면적 400제곱미터 이상이거나 지하층 또는 무창층으로서 해당 층의 바닥면적이 150제곱미터 이상인 경우
가스누설경보기	가연성 가스가 누설되거나 발생된 경우 이를 탐지하여 경보하는 장치로서 법 제37조에 따른 형식승인 및 제품검사를 받은 것	바닥면적이 150제곱미터 이상인 지하층 또는 무창층의 화재위험 작업현장
간이피난유도선	화재가 발생한 경우 피난구 방향을 안내할 수 있는 장치로서 소방청장이 정하는 성능을 갖추고 있을 것	바닥면적이 150제곱미터 이상인 지하층 또는 무창층의 화재위험 작업현장

비상조명등	화재가 발생한 경우 안전하고 원활한 피난 활동을 할 수 있도록 자동 점등되는 조명 장치로서 소방청장이 정하는 성능을 갖추고 있을 것	바닥면적이 150제곱미터 이상인 지하층 또는 무창층의 화재위험 작업 현장
방화포	용접 · 용단 등의 작업시 발생하는 불티로부터 가연물이 점화되는 것을 방지해주는 천 또는 불연성 물품으로서 소방청장이 정하는 성능을 갖추고 있을 것	용접 · 용단 작업현장

(2) 임시소방시설의 설치 예외

위 (1)에도 불구하고 시공자가 화재위험 작업현장에 소방시설 중 임시소방시설과 기능 및 성능이 유사한 것으로서 다음의 소방시설을 화재안전기준에 맞게 설치하고 유지 · 관리하고 있는 경우에는 임시소방시설을 설치하고 유지 · 관리한 것으로 본다(법 제15조 제2항).

① **간이소화장치를 설치한 것으로 보는 소방시설:** 소방청장이 정하여 고시하는 기준에 맞는 소화기(연결송수관설비의 방수구 인근에 설치한 경우로 한정한다) 또는 옥내소화전설비
② **비상경보장치를 설치한 것으로 보는 소방시설:** 비상방송설비 또는 자동화재탐지설비
③ **간이피난유도선을 설치한 것으로 보는 소방시설:** 피난유도선, 피난구유도등, 통로유도등 또는 비상조명등

(3) 임시소방시설의 설치

소방본부장 또는 소방서장은 (1)이나 (2)에 따라 임시소방시설 또는 소방시설이 설치 또는 유지 · 관리되지 아니할 때에는 해당 시공자에게 필요한 조치를 하도록 명할 수 있으며, (1)에 따라 임시소방시설을 설치하여야 하는 공사의 종류와 규모, 임시소방시설의 종류 등에 관하여 필요한 사항은 대통령령으로 정하고, 임시소방시설의 설치 및 유지 · 관리 기준은 소방청장이 정하여 고시한다(법 제15조 제3항 · 제4항).

06 소방기술심의위원회

(1) 중앙위원회

다음의 사항을 심의하기 위하여 소방청에 중앙소방기술심의위원회(이하 '중앙위원회'라 한다)를 둔다(법 제18조 제1항, 영 제20조 제1항).

① 화재안전기준에 관한 사항
② 소방시설의 구조 및 원리 등에서 공법이 특수한 설계 및 시공에 관한 사항
③ 소방시설의 설계 및 공사감리의 방법에 관한 사항

④ 소방시설공사의 하자를 판단하는 기준에 관한 사항
⑤ 법 제8조 제5항 단서에 따라 신기술 · 신공법 등 검토 · 평가에 고도의 기술이 필요한 경우로서 중앙위원회에 심의를 요청한 사항
⑥ 연면적 10만제곱미터 이상의 특정소방대상물에 설치된 소방시설의 설계 · 시공 · 감리의 하자 유무에 관한 사항
⑦ 새로운 소방시설과 소방용품 등의 도입 여부에 관한 사항
⑧ 그 밖에 소방기술과 관련하여 소방청장이 소방기술심의위원회의 심의에 부치는 사항

(2) 지방위원회

다음의 사항을 심의하기 위하여 시 · 도에 지방소방기술심의위원회(이하 '지방위원회'라 한다)를 둔다(법 제18조 제2항, 영 제20조 제2항).

① 소방시설에 하자가 있는지의 판단에 관한 사항
② 연면적 10만제곱미터 미만의 특정소방대상물에 설치된 소방시설의 설계 · 시공 · 감리의 하자 유무에 관한 사항
③ 소방본부장 또는 소방서장이 위험물안전관리법 제2조 제1항 제6호에 따른 제조소 등(이하 '제조소 등'이라 한다)의 시설기준 또는 화재안전기준의 적용에 관하여 기술검토를 요청하는 사항
④ 그 밖에 소방기술과 관련하여 시 · 도지사가 소방기술심의위원회의 심의에 부치는 사항

(3) 구성

① 중앙소방기술심의위원회(이하 '중앙위원회'라 한다)는 위원장을 포함하여 60명 이내로 구성한다(영 제21조 제1항).
② 지방소방기술심의위원회(이하 '지방위원회'라 한다)는 위원장을 포함하여 5명 이상 9명 이하의 위원으로 구성한다(영 제21조 제2항).
③ 중앙위원회의 회의는 위원장과 위원장이 회의마다 지정하는 6명 이상 12명 이하의 위원으로 구성하고, 중앙위원회는 분야별 소위원회를 구성 · 운영할 수 있다(영 제21조 제3항 · 제4항).

(4) 위원

① 중앙위원회의 위원은 과장급 직위 이상의 소방공무원과 다음의 어느 하나에 해당하는 사람 중에서 소방청장이 임명하거나 성별을 고려하여 위촉하며, 위원장은 소방청장이 해당 위원 중에서 위촉한다(영 제22조 제1항 · 제3항).

㉠ 소방기술사
㉡ 석사 이상의 소방 관련 학위를 소지한 사람
㉢ 소방시설관리사
㉣ 소방 관련 법인 · 단체에서 소방 관련 업무에 5년 이상 종사한 사람
㉤ 소방공무원 교육기관, 대학교 또는 연구소에서 소방과 관련된 교육이나 연구에 5년 이상 종사한 사람

② 지방위원회의 위원은 해당 특별시 · 광역시 · 특별자치시 · 도 및 특별자치도 소속 소방공무원과 ①의 어느 하나에 해당하는 사람 중에서 시 · 도지사가 임명하거나 성별을 고려하여 위촉하며, 위원장은 시 · 도지사가 해당 위원 중에서 위촉한다(영 제22조 제2항 · 제3항).

제4항 소방대상물의 방염 등

(1) 방염대상물품의 설치

대통령령으로 정하는 특정소방대상물에 실내장식 등의 목적으로 설치 또는 부착하는 물품으로서 대통령령으로 정하는 물품(이하 '방염대상물품'이라 한다)은 방염성능기준 이상의 것으로 설치하여야 한다(법 제20조 제1항).

(2) 방염대상 특정소방대상물

방염성능기준 이상의 실내장식물 등을 설치하여야 하는 특정소방대상물은 다음의 어느 하나에 해당하는 것을 말한다(영 제30조).

① 근린생활시설 중 의원, 조산원, 산후조리원, 체력단련장, 공연장 및 종교집회장
② 건축물의 옥내에 있는 다음의 시설
  ㉠ 문화 및 집회시설
  ㉡ 종교시설
  ㉢ 운동시설(수영장은 제외한다)
③ 의료시설
④ 교육연구시설 중 합숙소
⑤ 노유자시설
⑥ 숙박이 가능한 수련시설
⑦ 숙박시설
⑧ 방송통신시설 중 방송국 및 촬영소
⑨ 다중이용업소의 안전관리에 관한 특별법 제2조 제1항 제1호에 따른 다중이용업의 영업소
⑩ 위 ①부터 ⑨까지의 시설에 해당하지 않는 것으로서 층수가 11층 이상인 것(아파트 등은 제외한다)

(3) 방염대상물품

방염대상물품은 제조 또는 가공공정에서 방염처리를 한 물품(합판 · 목재류의 경우에는 설치현장에서 방염처리를 한 것을 말한다)으로서 다음의 어느 하나에 해당하는 것을 말한다(영 제31조 제1항).

① 제조 또는 가공공정에서 방염처리를 한 다음의 물품
　㉠ 창문에 설치하는 커튼류(블라인드를 포함한다)
　㉡ 카펫, 두께가 2밀리미터 미만인 벽지류(종이벽지는 제외한다)
　㉢ 전시용 합판 또는 섬유판, 무대용 합판 또는 섬유판
　㉣ 암막 · 무대막(영화상영관에 설치하는 스크린과 골프연습장업에 설치하는 스크린을 포함한다)
　㉤ 섬유류 또는 합성수지류 등을 원료로 하여 제작된 소파 · 의자(단란주점영업, 유흥주점영업 및 노래연습장업의 영업장에 설치하는 것만 해당한다)

② 건축물 내부의 천장이나 벽에 부착하거나 설치하는 것으로서 다음의 어느 하나에 해당하는 것. 다만, 가구류(옷장, 찬장, 식탁, 식탁용 의자, 사무용 책상, 사무용 의자, 계산대 및 그 밖에 이와 비슷한 것을 말한다. 이하 같다)와 너비 10센티미터 이하인 반자돌림대 등과 건축법 제52조에 따른 내부마감재료는 제외한다.
　㉠ 종이류(두께 2밀리미터 이상인 것을 말한다) · 합성수지류 또는 섬유류를 주원료로 한 물품
　㉡ 합판이나 목재
　㉢ 공간을 구획하기 위하여 설치하는 간이 칸막이(접이식 등 이동 가능한 벽체나 천장 또는 반자가 실내에 접하는 부분까지 구획하지 아니하는 벽체를 말한다)
　㉣ 흡음(吸音)이나 방음(防音)을 위하여 설치하는 흡음재(흡음용 커튼을 포함한다) 또는 방음재(방음용 커튼을 포함한다)

(4) 방염성능기준

방염성능기준은 다음의 기준에 의하되, 방염대상물품의 종류에 따른 구체적인 방염성능기준은 다음 기준의 범위 내에서 소방청장이 정하여 고시하는 바에 의한다(법 제20조 제3항, 영 제31조 제2항).

① 버너의 불꽃을 제거한 때부터 불꽃을 올리며 연소하는 상태가 그칠 때까지 시간은 20초 이내일 것
② 버너의 불꽃을 제거한 때부터 불꽃을 올리지 않고 연소하는 상태가 그칠 때까지 시간은 30초 이내일 것
③ 탄화(炭化)한 면적은 50제곱센티미터 이내, 탄화한 길이는 20센티미터 이내일 것
④ 불꽃에 의하여 완전히 녹을 때까지 불꽃의 접촉 횟수는 3회 이상일 것
⑤ 소방청장이 정하여 고시한 방법으로 발연량(發煙量)을 측정하는 경우 최대 연기밀도는 400 이하일 것

(5) 방염처리제품의 사용권장

소방본부장 또는 소방서장은 (3)에 따른 물품 외에 다음의 어느 하나에 해당하는 물품의 경우에는 방염처리된 물품을 사용하도록 권장할 수 있다(영 제31조 제3항).

> ① 다중이용업소, 의료시설, 노유자시설, 숙박시설 또는 장례식장에서 사용하는 침구류 · 소파 및 의자
> ② 건축물 내부의 천장 또는 벽에 부착하거나 설치하는 가구류

(6) 위반시의 조치

소방본부장이나 소방서장은 방염대상물품이 방염성능기준에 미치지 못하거나 방염성능검사를 받지 아니한 것이면 소방대상물의 관계인에게 방염대상물품을 제거하도록 하거나 방염성능검사를 받도록 하는 등 필요한 조치를 명할 수 있다(법 제20조 제2항).

(7) 방염성능검사

① 특정소방대상물에서 사용하는 방염대상물품은 소방청장이 실시하는 방염성능검사를 받은 것이어야 한다. 다만, 대통령령으로 정하는 방염대상물품의 경우에는 시 · 도지사가 실시하는 방염성능검사를 받은 것이어야 한다(법 제21조 제1항).

② 소방시설공사업법 제4조에 따라 방염처리업의 등록을 한 자는 방염성능검사를 할 때에 거짓시료를 제출하여서는 아니 된다(법 제21조 제2항).

제3절 소방시설 등의 자체점검

(1) 자체점검

① 실시: 특정소방대상물의 관계인은 그 대상물에 설치되어 있는 소방시설 등이 적합하게 설치 · 관리되고 있는지에 대하여 다음 구분에 따른 기간 내에 스스로 점검하거나 관리업자 등(소방안전관리자로 선임된 소방시설관리사 및 소방기술사)으로 하여금 정기적으로 점검(자체점검)하게 하여야 한다. 이 경우 관리업자 등이 점검한 경우에는 그 점검결과를 자체점검이 끝난 날부터 5일 이내에 관계인에게 제출하여야 한다(법 제22조 제1항).

> ㉠ 소방시설 등이 신설된 경우: 건축물을 사용할 수 있게 된 날부터 60일
> ㉡ 위 ㉠ 외의 경우: 행정안전부령으로 정하는 기간

② **구분**: 소방시설 등에 대한 자체점검은 다음과 같이 구분한다(법 제22조 제2항, 규칙 제20조 제1항).

> ㉠ **작동점검**: 소방시설 등을 인위적으로 조작하여 소방시설이 정상적으로 작동하는지를 소방청장이 정하여 고시하는 소방시설 등 작동점검표에 따라 점검하는 것을 말한다.
> ㉡ **종합점검**: 소방시설 등의 작동점검을 포함하여 소방시설 등의 설비별 주요 구성부품의 구조기준이 화재안전기준과 관련 법령에서 정하는 기준에 적합한지 여부를 소방청장이 정하여 고시하는 소방시설 등 종합점검표에 따라 점검하는 것을 말하며, 다음과 같이 구분한다.
> ⓐ **최초점검**: 소방시설이 새로 설치되는 경우 – 건축물을 사용할 수 있게 된 날부터 60일 이내 점검하는 것을 말한다.
> ⓑ **그 밖의 종합점검**: 최초점검을 제외한 종합점검을 말한다.

③ **연기**: 관계인은 천재지변이나 그 밖에 다음의 사유로 자체점검을 실시하기 곤란한 경우에는 소방본부장 또는 소방서장에게 면제 또는 연기신청을 할 수 있다. 이 경우 소방본부장 또는 소방서장은 신청 3일 이내에 자체점검의 면제 또는 연기 여부를 결정하여 그 결과를 관계인에게 알려주어야(법 제22조 제6항, 영 제33조 제1항).

> ㉠ 재난 및 안전관리 기본법에 해당하는 재난이 발생한 경우
> ㉡ 경매 등의 사유로 소유권이 변동 중이거나 변동된 경우
> ㉢ 관계인의 질병, 사고, 장기출장의 경우
> ㉣ 그 밖에 관계인이 운영하는 사업에 부도 또는 도산 등 중대한 위기가 발생하여 자체점검을 실시하기 곤란한 경우

(2) 자체점검 결과의 조치

① 관계인은 자체점검 결과 다음의 중대위반사항이 발견된 경우에는 지체 없이 수리 등 필요한 조치를 하여야 한다(법 제23조 제1항, 영 제34조).

> ㉠ 소화펌프(가압송수장치를 포함한다. 이하 같다), 동력 · 감시 제어반 또는 소방시설용 전원(비상전원을 포함한다)의 고장으로 소방시설이 작동되지 않는 경우
> ㉡ 화재수신기의 고장으로 화재경보음이 자동으로 울리지 않거나 화재수신기와 연동된 소방시설의 작동이 불가능한 경우
> ㉢ 소화배관 등이 폐쇄 · 차단되어 소화수(消火水) 또는 소화약제가 자동 방출되지 않는 경우
> ㉣ 방화문 또는 자동방화셔터가 훼손되거나 철거되어 본래의 기능을 못하는 경우

② 관리업자 등은 자체점검 결과 중대위반사항을 발견한 경우 즉시 관계인에게 알려야 한다. 이 경우 관계인은 지체 없이 수리 등 필요한 조치를 하여야 한다(법 제23조 제2항).
③ 관계인은 자체점검 결과를 소방시설 등에 대한 수리 · 교체 · 정비에 관한 이행계획(중대위반사항에 대한 조치사항을 포함한다)을 첨부하여 소방본부장 또는 소방서장에게 보고하여야 한다. 이 경우 소방본부장 또는 소방서장은 점검결과 및 이행계획이 적합하지 아니하다고 인정되는 경우에는 관계인에게 보완을 요구할 수 있다(법 제23조 제3항).
④ 자체점검 결과보고를 마친 관계인은 관리업자 등, 점검일시, 점검자 등 자체점검과 관련된 사항을 점검기록표에 기록하여 특정소방대상물의 출입자가 쉽게 볼 수 있는 장소에 게시하여야 한다(법 제24조 제1항).

제4절 소방시설관리사 및 소방시설관리업

제1항 소방시설관리사

(1) 소방시설관리사

① **자격의 교부:** 소방시설관리사(이하 '관리사'라 한다)가 되려는 사람은 소방청장이 실시하는 관리사 시험에 합격하여야 하며, 소방청장은 관리사 시험에 합격한 사람에게는 소방시설관리사증을 발급하여야 한다(법 제25조 제1항 · 제5항).
② **업무의 수행:** 관리사는 소방시설관리사증을 다른 자에게 빌려주어서는 아니 되며, 동시에 둘 이상의 업체에 취업하여서도 아니 되고, 관리업의 기술인력으로 등록된 관리사는 성실하게 자체점검업무를 수행하여야 한다(법 제25조 제7항 · 제8항).
③ **부정취득자에 대한 제재:** 소방청장은 시험에서 부정한 행위를 한 응시자에 대하여는 그 시험을 정지 또는 무효로 하고, 그 처분이 있은 날부터 2년간 시험응시자격을 정지한다(법 제26조).

(2) 관리사의 결격사유

다음의 어느 하나에 해당하는 사람은 관리사가 될 수 없다(법 제27조).

① 피성년후견인
② 이 법, 소방기본법, 화재의 예방 및 안전관리에 관한 법률, 소방시설공사업법 또는 위험물안전관리법을 위반하여 금고 이상의 실형을 선고받고 그 집행이 끝나거나(집행이 끝난 것으로 보는 경우를 포함한다) 집행이 면제된 날부터 2년이 지나지 아니한 사람

③ 이 법, 소방기본법, 화재의 예방 및 안전관리에 관한 법률, 소방시설공사업법 또는 위험물안전관리법을 위반하여 금고 이상의 형의 집행유예를 선고받고 그 유예기간 중에 있는 사람
④ 아래 (3)에 따라 자격이 취소(위 ①에 해당하여 자격이 취소된 경우는 제외한다)된 날부터 2년이 지나지 아니한 사람

(3) 관리사에 대한 제재

소방청장은 관리사가 다음의 어느 하나에 해당할 때에는 행정안전부령으로 정하는 바에 따라 그 자격을 취소하거나 1년 이내의 기간을 정하여 그 자격의 정지를 명할 수 있다. 다만, ①·④·⑤ 또는 ⑦에 해당하면 그 자격을 취소하여야 한다(법 제28조).

① 거짓이나 그 밖의 부정한 방법으로 시험에 합격한 경우
② 화재의 예방 및 안전관리에 관한 법률 제25조 제2항에 따른 대행인력의 배치기준·자격·방법 등 준수사항을 지키지 아니한 경우
③ 법 제22조에 따른 점검을 하지 아니하거나 거짓으로 한 경우
④ 법 제25조 제7항을 위반하여 소방시설관리사증을 다른 사람에게 빌려준 경우
⑤ 법 제25조 제8항을 위반하여 동시에 둘 이상의 업체에 취업한 경우
⑥ 법 제25조 제9항을 위반하여 성실하게 자체점검업무를 수행하지 아니한 경우
⑦ 법 제27조 각 호의 어느 하나에 따른 결격사유에 해당하게 된 경우

제2항 소방시설관리업

(1) 등록

소방시설 등의 점검 및 관리를 업으로 하려는 자 또는 화재의 예방 및 안전관리에 관한 법률 제25조에 따른 소방안전관리업무의 대행을 하려는 자는 대통령령으로 정하는 업종별로 시·도지사에게 소방시설관리업(이하 '관리업'이라 한다) 등록을 하여야 한다(법 제29조).

(2) 등록의 결격사유

다음의 어느 하나에 해당하는 자는 관리업의 등록을 할 수 없다(법 제30조).

① 피성년후견인
② 이 법, 소방기본법, 화재의 예방 및 안전관리에 관한 법률, 소방시설공사업법 또는 위험물안전관리법을 위반하여 금고 이상의 실형을 선고받고 그 집행이 끝나거나(집행이 끝난 것으로 보는 경우를 포함한다) 집행이 면제된 날부터 2년이 지나지 아니한 사람
③ 이 법, 소방기본법, 화재의 예방 및 안전관리에 관한 법률, 소방시설공사업법 또는 위험물안전관리법을 위반하여 금고 이상의 형의 집행유예를 선고받고 그 유예기간 중에 있는 사람

④ 법 제35조 제1항에 따라 관리업의 등록이 취소(제1호에 해당하여 등록이 취소된 경우는 제외한다)된 날부터 2년이 지나지 아니한 자
⑤ 임원 중에 ①부터 ④까지의 어느 하나에 해당하는 사람이 있는 법인

(3) 소방시설관리업자의 지위승계

다음의 어느 하나에 해당하는 자는 종전의 관리업자의 지위를 승계하며, 승계한 자는 행정안전부령으로 정하는 바에 따라 시 · 도지사에게 신고하여야 한다(법 제32조).

① 관리업자가 사망한 경우 그 상속인
② 관리업자가 그 영업을 양도한 경우 그 양수인
③ 법인인 관리업자가 합병한 경우 합병 후 존속하는 법인이나 합병으로 설립되는 법인

(4) 관리업의 운영

관리업자는 자체점검을 할 때에는 행정안전부령으로 정하는 바에 따라 기술인력을 참여시켜야 하고, 소방시설 등의 점검을 마친 경우 점검일시, 점검자, 점검업체 등 점검과 관련된 사항을 점검기록표에 기록하고 이를 해당 특정소방대상물에 부착하여야 한다(법 제33조).

(5) 등록의 취소와 영업정지 등

시 · 도지사는 관리업자가 다음의 어느 하나에 해당할 때에는 그 등록을 취소하거나 6개월 이내의 기간을 정하여 이의 시정이나 그 영업의 정지를 명할 수 있다. 다만, ① · ④ 또는 ⑤에 해당할 때에는 등록을 취소하여야 한다(법 제35조 제1항).

① 거짓이나 그 밖의 부정한 방법으로 등록을 한 경우
② 법 제22조에 따른 점검을 하지 아니하거나 거짓으로 한 경우
③ 법 제29조 제2항에 따른 등록기준에 미달하게 된 경우
④ 법 제30조 각 호의 어느 하나에 해당하게 된 경우. 다만, 제30조 제5호에 해당하는 법인으로서 결격사유에 해당하게 된 날부터 2개월 이내에 그 임원을 결격사유가 없는 임원으로 바꾸어 선임한 경우는 제외한다.
⑤ 법 제33조 제2항을 위반하여 등록증 또는 등록수첩을 빌려준 경우
⑥ 법 제34조 제1항에 따른 점검능력평가를 받지 아니하고 자체점검을 한 경우

(6) 과징금처분

시 · 도지사는 영업정지를 명하는 경우로서 그 영업정지가 이용자에게 불편을 주거나 그 밖에 공익을 해칠 우려가 있을 때에는 영업정지처분을 갈음하여 3천만원 이하의 과징금을 부과할 수 있다(법 제36조 제1항).

제5절 소방용품의 품질관리

01 소방용품의 형식승인과 제품검사

(1) 형식승인

① 대통령령으로 정하는 소방용품을 제조하거나 수입하려는 자는 소방청장의 형식승인을 받아야 한다. 다만, 연구개발 목적으로 제조하거나 수입하는 소방용품은 그러하지 아니하다(법 제37조 제1항).

② 형식승인을 받으려는 자는 행정안전부령으로 정하는 기준에 따라 형식승인을 위한 시험시설을 갖추고 소방청장의 심사를 받아야 한다. 다만, 소방용품을 수입하는 자가 판매를 목적으로 하지 아니하고 자신의 건축물에 직접 설치하거나 사용하려는 경우 등 행정안전부령으로 정하는 경우에는 시험시설을 갖추지 아니할 수 있다(법 제37조 제2항).

(2) 제품검사

① 형식승인을 받은 자는 그 소방용품에 대하여 소방청장이 실시하는 제품검사를 받아야 한다(법 제37조 제3항).

② 소방용품의 형상 · 구조 · 재질 · 성분 · 성능 등(이하 '형상 등'이라 한다)의 형식승인 및 제품검사의 기술기준 등에 관한 사항은 소방청장이 정하여 고시한다(법 제37조 제5항).

(3) 복수승인

하나의 소방용품에 두 가지 이상의 형식승인사항 또는 형식승인과 성능인증사항이 결합된 경우에는 두 가지 이상의 형식승인 또는 형식승인과 성능인증시험을 함께 실시하고 하나의 형식승인을 할 수 있다(법 제37조 제10항).

(4) 형식승인의 변경

형식승인을 받은 자가 해당 소방용품에 대하여 형상 등의 일부를 변경하려면 소방청장의 변경승인을 받아야 한다(법 제38조 제1항).

02 소방용품의 성능인증 등

(1) 성능인증

소방청장은 제조자 또는 수입자 등의 요청이 있는 경우 소방용품에 대하여 성능인증을 할 수 있고(법 제40조 제1항), 성능인증을 받은 자는 그 소방용품에 대하여 소방청장의 제품검사를 받아야 한다(법 제40조 제2항).

(2) 성능인증의 결과

제품검사에 합격하지 아니한 소방용품에는 성능인증을 받았다는 표시를 하거나 제품검사에 합격하였다는 표시를 하여서는 아니 되며, 제품검사를 받지 아니하거나 합격표시를 하지 아니한 소방용품을 판매 또는 판매 목적으로 진열하거나 소방시설공사에 사용하여서는 아니 된다(법 제40조 제5항).

(3) 복수인증

하나의 소방용품에 성능인증사항이 두 가지 이상 결합된 경우에는 해당 성능인증시험을 모두 실시하고 하나의 성능인증을 할 수 있다(법 제40조 제6항).

(4) 성능인증의 변경

성능인증을 받은 자가 해당 소방용품에 대하여 형상 등의 일부를 변경하려면 소방청장의 변경인증을 받아야 한다(법 제41조 제1항).

(5) 성능인증의 취소

① 소방청장은 소방용품의 성능인증을 받았거나 제품검사를 받은 자가 다음의 어느 하나에 해당되는 때에는 행정안전부령으로 정하는 바에 따라 해당 소방용품의 성능인증을 취소하거나 6개월 이내의 기간을 정하여 해당 소방용품의 제품검사 중지를 명할 수 있다. 다만, ㉠ · ㉡ 또는 ㉤에 해당하는 경우에는 해당 소방용품의 성능인증을 취소하여야 한다(법 제42조 제1항).

> ㉠ 거짓이나 그 밖의 부정한 방법으로 성능인증을 받은 경우
> ㉡ 거짓이나 그 밖의 부정한 방법으로 제품검사를 받은 경우
> ㉢ 제품검사시 기술기준에 미달되는 경우
> ㉣ 위 (2)의 내용을 위반한 경우
> ㉤ 법 제41조에 따라 변경인증을 받지 아니하고 해당 소방용품에 대하여 형상 등의 일부를 변경하거나 거짓이나 그 밖의 부정한 방법으로 변경인증을 받은 경우

② 위 ①에 따라 소방용품의 성능인증이 취소된 자는 그 취소된 날부터 2년 이내에 성능인증이 취소된 소방용품과 동일한 품목에 대하여는 성능인증을 받을 수 없다(법 제42조 제2항).

(6) 우수품질제품에 대한 인증

소방청장은 품질이 우수하다고 인정하는 소방용품에 대하여 우수품질인증을 할 수 있으며, 우수품질인증을 받으려는 자는 소방청장에게 신청하여야 하고, 우수품질인증을 받은 소방용품에는 우수품질인증 표시를 할 수 있다. 우수품질인증의 유효기간은 5년의 범위에서 행정안전부령으로 정한다(법 제43조).

(7) 우수품질인증 소방용품에 대한 지원 등

다음의 어느 하나에 해당하는 기관 및 단체는 건축물의 신축 · 증축 및 개축 등으로 소방용품을 변경 또는 신규 비치하여야 하는 경우 우수품질인증 소방용품을 우선 구매 · 사용하도록 노력하여야 한다(법 제44조).

① 중앙행정기관
② 지방자치단체
③ 공공기관의 운영에 관한 법률 제4조에 따른 공공기관
④ 그 밖에 대통령령으로 정하는 기관

03 소방용품의 수집검사

소방청장은 소방용품의 품질관리를 위하여 필요하다고 인정할 때에는 유통 중인 소방용품을 수집하여 검사할 수 있고, 수집검사 결과 행정안전부령으로 정하는 중대한 결함이 있다고 인정되는 소방용품에 대하여는 그 제조자 및 수입자에게 행정안전부령으로 정하는 바에 따라 회수 · 교환 · 폐기 또는 판매중지를 명하고, 형식승인 또는 성능인증을 취소할 수 있다(법 제45조 제1항 · 제2항).

마무리STEP 1 | OX 문제

01 '특정소방대상물'이란 건축물 등의 규모 · 용도 및 수용인원 등을 고려하여 소방시설을 설치하여야 하는 소방대상물로서 대통령령으로 정하는 것을 말하며, 주택 중에는 아파트 등과 기숙사만 해당한다. ( )

02 '화재안전성능'이란 화재를 예방하고 화재 발생시 피해를 최소화하기 위하여 소방대상물의 재료, 공간 및 설비 등에 요구되는 안전성능을 말하며, '성능위주설계'란 건축물 등의 재료, 공간, 이용자, 화재 특성 등을 종합적으로 고려하여 공학적 방법으로 화재 위험성을 평가하고 그 결과에 따라 화재안전성능이 확보될 수 있도록 특정소방대상물을 설계하는 것을 말한다. ( )

03 건축물 등의 증축 · 개축 · 재축 · 용도변경 또는 대수선의 신고를 수리(受理)할 권한이 있는 행정기관은 그 신고를 수리하면 그 건축물 등의 시공지 또는 소재지를 관할하는 소방본부장이나 소방서장에게 지체 없이 그 사실을 알려야 한다. ( )

04 소방동의 요구를 받은 소방본부장 또는 소방서장은 건축허가 등의 동의요구서류를 접수한 날부터 5일(허가를 신청한 건축물 등이 특급 소방안전관리대상의 어느 하나에 해당하는 경우에는 10일) 이내에 해당 행정기관에 건축허가 등의 동의 여부를 회신하여야 하며, 회신하는 때에 건축허가 등의 동의대장에 이를 기재하고 관리하여야 한다. ( )

05 5인승 이상의 승용자동차, 승합자동차, 화물자동차, 특수자동차를 제작 · 조립 · 수입 · 판매하려는 자 또는 해당 자동차의 소유자는 차량용 소화기를 설치하거나 비치하여야 하며, 국토교통부장관은 자동차 검사시 차량용 소화기의 설치 또는 비치 여부 등을 확인하여야 하며, 그 결과를 매년 12월 31일까지 소방청장에게 통보하여야 한다. ( )

01 ○
02 ○
03 ○
04 ○
05 ○

06 하나의 건축물에 1천명 이상을 수용하는 영화상영관인 특정소방대상물에 소방시설을 설치하려는 자는 성능위주설계를 하여야 한다. ( )

07 성능위주설계에 대한 전문적 · 기술적인 검토 및 평가를 위하여 소방청 또는 소방본부에 성능위주설계 평가단을 두며, 평가단은 평가단장을 포함하여 50명 이내의 평가단원으로 성별을 고려하여 구성한다. ( )

08 소방시설 중 옥내소화전설비, 스프링클러설비, 물분무 등 소화설비를 설치하려는 자는 지진이 발생할 경우 소방시설이 정상적으로 작동될 수 있도록 소방청장이 정하는 내진설계기준에 맞게 소방시설을 설치하여야 한다. ( )

09 소방본부장이나 소방서장은 대통령령 또는 화재안전기준이 변경되어 그 기준이 강화되는 경우 기존의 특정소방대상물(건축물의 신축 · 개축 · 재축 · 이전 및 대수선 중인 특정소방대상물을 포함한다)의 소방시설에 대하여는 변경 전의 대통령령 또는 화재안전기준을 적용한다. ( )

10 소방본부장 또는 소방서장은 특정소방대상물이 용도변경되는 경우에는 용도변경되는 부분에 대해서만 용도변경 당시의 소방시설의 설치에 관한 대통령령 또는 화재안전기준을 적용하여야 하며, 증축되는 경우에는 기존 부분을 포함한 특정소방대상물의 전체에 대하여 증축 당시의 소방시설의 설치에 관한 대통령령 또는 화재안전기준을 적용해야 한다. ( )

11 특정소방대상물의 관계인은 내용연수(10년)가 경과한 소방용품을 교체하여야 한다. 이 경우 내용연수를 설정하여야 하는 소방용품은 분말형태의 소화약제를 사용하는 소화기로 한다. ( )

06 × 하나의 건축물에 영화상영관이 10개 이상인 특정소방대상물이다.

07 ○

08 ○

09 ○

10 ○

11 ○

마무리STEP 2 | 확인문제

01 **소방시설 설치 및 관리에 관한 법령상 용어에 대한 다음 설명 중 옳지 않은 것은?**

① 소방시설 등이란 소방시설과 비상구, 방화문 및 자동방화셔터를 말한다.
② 옥내소화전설비와 옥외소화전설비는 소화용수설비에 해당한다.
③ 무창층의 개구부의 면적의 합계는 해당 층의 바닥면적의 30분의 1 이하이다.
④ 피난층이란 곧바로 지상으로 갈 수 있는 출입구가 있는 층을 말한다.
⑤ 화재안전성능이란 화재를 예방하고 화재 발생시 피해를 최소화하기 위하여 소방대상물의 재료, 공간 및 설비 등에 요구되는 안전성능을 말한다.

02 **소방시설 설치 및 관리에 관한 법령상 건축허가 등을 함에 있어서 미리 소방본부장 또는 소방서장의 동의를 받아야 하는 건축물이 아닌 것은?**

① 300제곱미터 이상의 정신의료기관(입원실이 없는 정신건강의학과 의원은 제외한다)
② 층수가 4층 이상인 건축물
③ 지하층 또는 무창층이 있는 건축물로서 바닥면적이 150제곱미터(공연장은 100제곱미터) 이상인 층이 있는 것
④ 요양병원. 다만, 의료재활시설은 제외한다.
⑤ 가스시설로서 지상에 노출된 탱크의 저장용량의 합계가 100톤 이상인 것

03 소방시설 설치 및 관리에 관한 법령상 차량용 소화기의 설치대상이 아닌 자동차는?

① 5인승 이상의 승용자동차
② 승합자동차
③ 화물자동차
④ 특수자동차
⑤ 이륜자동차

04 소방시설 설치 및 관리에 관한 법령상 소방시설의 성능위주설계대상이 아닌 것은?

① 연면적 10만제곱미터 이상인 특정소방대상물. 다만, 아파트 등은 제외한다.
② 50층 이상(지하층은 제외한다)이거나 지상으로부터 높이가 200미터 이상인 아파트 등
③ 30층 이상(지하층을 포함한다)이거나 지상으로부터 높이가 120미터 이상인 특정소방대상물(아파트 등은 제외한다)
④ 연면적 3만제곱미터 이상인 특정소방대상물로서 철도 및 도시철도시설, 공항시설
⑤ 창고시설 중 연면적 10만제곱미터 이상인 것 또는 지하층의 층수가 2개 층 이상이고 지하층의 바닥면적의 합계가 3만제곱미터 이상인 것

정답 | 해설

01 ② 옥내소화전설비와 옥외소화전설비는 소화설비에 해당한다.
02 ② 층수가 6층 이상인 건축물이다.
03 ⑤ 이륜자동차는 차량용 소화기의 설치대상이 아니다.
04 ① 연면적 20만제곱미터 이상이다.

부록

제27회 기출문제 및 해설

제27회 기출문제 및 해설

제27회 기출문제 해설강의 바로가기 ▲

01 주택법령상 복리시설에 해당하는 것을 모두 고른 것은?

㉠ 어린이놀이터	㉡ 다중생활시설
㉢ 유치원	㉣ 주차장
㉤ 경로당	

① ㉠, ㉡, ㉣　② ㉠, ㉡, ㉤　③ ㉠, ㉢, ㉤
④ ㉡, ㉢, ㉣　⑤ ㉢, ㉣, ㉤

해설 ㉡ 다중생활시설은 그 면적이 500제곱미터 미만인 경우에는 제2종 근린생활시설, 500제곱미터를 초과하는 경우에는 숙박시설에 해당하는 용도이다. 여기서 제2종 근린생활시설의 경우에는 복리시설에 해당할 수 있지만 장의사, 단란주점, 안마시술소, 총포판매소, 다중생활시설(고시원)은 복리시설에 해당하지 않는다.
㉣ 주차장은 부대시설에 해당한다.

02 주택법상 용어의 정의로 옳지 않은 것은?

① '주택'이란 세대의 구성원이 장기간 독립된 주거생활을 할 수 있는 구조로 된 건축물의 전부 또는 일부 및 그 부속토지를 말한다.
② '도시형 생활주택'이란 300세대 미만의 국민주택규모에 해당하는 주택으로서 대통령령으로 정하는 주택을 말한다.
③ '장수명 주택'이란 구조적으로 오랫동안 유지·관리될 수 있는 내구성을 갖추고, 입주자의 필요에 따라 내부구조를 쉽게 변경할 수 있는 가변성과 수리 용이성 등이 우수한 주택을 말한다.
④ '간선시설'이란 도로·상하수도·전기시설·가스시설·통신시설·지역난방시설 등을 말한다.
⑤ '건강친화형 주택'이란 건강하고 쾌적한 실내환경의 조성을 위하여 실내공기의 오염물질 등을 최소화할 수 있도록 대통령령으로 정하는 기준에 따라 건설된 주택을 말한다.

해설 도로·상하수도·전기시설·가스시설·통신시설·지역난방시설 등은 기간시설에 해당하며, 단지 내의 기간시설과 단지 밖의 동종 기간시설을 연결한 것이 간선시설이다.

03 **주택법령상 주택조합의 가입 철회 및 가입비 등의 반환에 관한 설명으로 옳지 않은 것은?**

① 청약 철회를 서면으로 하는 경우에는 청약 철회의 의사를 표시한 서면을 발송한 다음 날에 그 효력이 발생한다.
② 주택조합의 가입을 신청한 자는 가입비 등을 예치한 날부터 30일 이내에 주택조합 가입에 관한 청약을 철회할 수 있다.
③ 모집주체는 가입비 등을 예치한 날부터 30일이 지난 경우 예치기관의 장에게 가입비 등의 지급을 요청할 수 있다.
④ 모집주체는 주택조합의 가입을 신청한 자가 청약 철회를 한 경우 청약 철회 의사가 도달한 날부터 7일 이내에 예치기관의 장에게 가입비 등의 반환을 요청하여야 한다.
⑤ 예치기관의 장은 정보통신망을 이용하여 가입비 등의 예치·지급 및 반환 등에 필요한 업무를 수행할 수 있다.

해설 주택조합의 가입을 신청한 자는 가입비 등을 예치한 날부터 30일 이내에 주택조합 가입에 관한 청약을 철회할 수 있다. 이 경우 청약 철회의 의사를 표시한 서면을 발송한 날에 그 효력이 발생한다.

01. ③ 02. ④ 03. ①	정답

04 주택법령상 주택상환사채에 관한 설명으로 옳지 않은 것은?

① 한국토지주택공사는 주택상환사채를 발행할 수 있다.
② 주택상환사채를 발행하려는 자는 주택상환사채발행계획을 수립하여 국토교통부장관의 승인을 받아야 한다.
③ 주택법에 따라 등록사업자의 등록이 말소되면 등록사업자가 발행한 주택상환사채는 그 효력을 상실한다.
④ 등록사업자가 발행할 수 있는 주택상환사채의 규모는 최근 3년간의 연평균 주택건설 호수 이내로 한다.
⑤ 국토교통부장관은 주택상환사채발행계획을 승인하였을 때에는 주택상환사채발행 대상 지역을 관할하는 시·도지사에게 그 내용을 통보하여야 한다.

해설 등록사업자의 경우에 주택상환사채를 발행하기 위해서는 보증이 필요하고, 이 보증으로 인하여 등록사업자가 그 등록이 말소된 경우에는 주택상환사채의 효력에 영향을 미치지 않는다.

05 주택법령상 주택건설공사에 대한 감리자의 업무에 해당하는 것을 모두 고른 것은?

㉠ 시공자가 설계도서에 맞게 시공하는지 여부의 확인
㉡ 시공자가 사용하는 건축자재가 관계 법령에 따른 기준에 맞는 건축자재인지 여부의 확인
㉢ 예정공정표보다 공사가 지연된 경우 대책의 검토 및 이행 여부의 확인
㉣ 시공계획·예정공정표 및 시공도면 등의 검토·확인

① ㉠, ㉡, ㉢
② ㉠, ㉡, ㉣
③ ㉠, ㉢, ㉣
④ ㉡, ㉢, ㉣
⑤ ㉠, ㉡, ㉢, ㉣

해설 주택법령상의 감리자의 업무

1. 시공자가 설계도서에 맞게 시공하는지 여부의 확인
2. 시공자가 사용하는 건축자재가 관계 법령에 따른 기준에 맞는 건축자재인지 여부의 확인
3. 주택건설공사에 대하여 품질시험을 하였는지 여부의 확인
4. 시공자가 사용하는 마감자재 및 제품이 제출한 마감자재목록표 및 영상물 등과 동일한지 여부의 확인
5. 주택건설공사의 하수급인이 시공자격을 갖추었는지 여부의 확인
6. 그 밖에 주택건설공사의 감리에 관한 사항으로서 대통령령으로 정하는 다음의 사항
   - 설계도서가 해당 지형 등에 적합한지에 대한 확인
   - 설계변경에 관한 적정성 확인
   - 시공계획·예정공정표 및 시공도면 등의 검토·확인
   - 국토교통부령으로 정하는 주요 공정이 예정공정표대로 완료되었는지 여부의 확인
   - 예정공정표보다 공사가 지연된 경우 대책의 검토 및 이행 여부의 확인
   - 방수·방음·단열시공의 적정성 확보, 재해의 예방, 시공상의 안전관리 및 그 밖에 건축공사의 질적 향상을 위하여 국토교통부장관이 정하여 고시하는 사항에 대한 검토·확인

06 공동주택관리법령상 입주자대표회의에 관한 설명으로 옳지 않은 것은?

① 동별 대표자 선거구는 2개 동 이상으로 묶거나 통로나 층별로 구획하여 정할 수 있다.

② 입주자인 동별 대표자 중에서 회장 후보자가 없는 경우로서 선출 전에 전체 입주자 과반수의 서면동의를 얻더라도 사용자인 동별 대표자는 회장이 될 수 없다.

③ 입주자대표회의에는 회장 1명, 감사 2명 이상, 이사 1명 이상의 임원을 두어야 한다.

④ 입주자대표회의 임원 선출을 위한 선거관리위원회 위원장은 위원 중에서 호선한다.

⑤ 입주자대표회의는 공동주택 관리방법의 제안에 관하여 입주자대표회의 구성원 과반수의 찬성으로 의결한다.

해설 전체 입주자 과반수의 서면동의를 받으면 사용자인 동별 대표자도 회장이 될 수 있다.

04. ③ 05. ⑤ 06. ② 정답

07 공동주택관리법령상 관리규약 등에 관한 설명으로 옳은 것은?

① 관리규약은 입주자 등의 지위를 승계한 사람에 대하여는 그 효력이 없다.
② 사업주체는 공동주택의 관리 또는 사용에 관하여 준거가 되는 관리규약의 준칙을 정하여야 한다.
③ 의무관리대상 전환 공동주택의 관리인이 관리규약의 제정신고를 하지 아니하는 경우에는 입주자 등의 10분의 1 이상이 연서하여 신고할 수 있다.
④ 공동주택 층간소음의 범위와 기준은 국토교통부와 행정안전부의 공동부령으로 정한다.
⑤ 의무관리대상 공동주택의 입주자대표회의는 동별 대표자를 선출하는 등 공동주택의 관리와 관련한 의사결정에 대하여 서면의 방법을 우선적으로 이용하도록 노력하여야 한다.

해설 ① 관리규약은 입주자 등의 지위를 승계한 사람에 대하여도 그 효력이 있다.
② 관리규약의 준칙은 시·도지사가 정한다.
④ 공동주택 층간소음의 범위와 기준은 국토교통부와 환경부의 공동부령으로 정한다.
⑤ 입주자대표회의는 입주자대표회의 구성원 과반수의 찬성으로 의결한다.

08 공동주택관리법령상 의무관리대상 공동주택에서 관리비와 구분하여 징수하여야 하는 비용을 모두 고른 것은?

㉠ 장기수선충당금	㉡ 승강기유지비
㉢ 냉방·난방시설의 청소비	㉣ 위탁관리수수료

① ㉠
② ㉠, ㉡
③ ㉢, ㉣
④ ㉡, ㉢, ㉣
⑤ ㉠, ㉡, ㉢, ㉣

해설 관리비와 구분하여 징수하여야 하는 항목은 장기수선충당금과 안전진단실시비용이다.

09 공동주택관리법령상 시설관리에 관한 설명으로 옳지 않은 것은?

① 공동주택 중 분양되지 아니한 세대의 장기수선충당금은 사업주체가 부담한다.
② 장기수선계획 조정은 관리주체가 조정안을 작성하고, 입주자대표회의가 의결하는 방법으로 한다.
③ 의무관리대상 공동주택의 관리주체는 공동주택관리법에 따른 안전점검 결과보고서를 기록·보관·유지하여야 한다.
④ 건설임대주택을 분양전환한 이후 관리업무를 인계하기 전까지의 장기수선충당금 요율은 민간임대주택에 관한 특별법 시행령 또는 공공주택 특별법 시행령에 따른 특별수선충당금 적립요율에 따른다.
⑤ 의무관리대상 공동주택의 관리주체는 세대별로 설치된 연탄가스배출기에 관한 안전관리계획을 수립하여야 한다.

해설 시설물안전관리계획에 포함될 내용에 연탄가스배출기도 포함된다. 다만, 세대별로 설치된 것은 제외한다.

10 공동주택관리법령상 하자담보책임 및 하자보수에 관한 설명으로 옳지 않은 것은?

① 주택법에 따른 리모델링을 수행한 시공자는 공동주택의 하자에 대하여 수급인의 담보책임을 진다.
② 공동주택의 내력구조부별 하자에 대한 담보책임기간은 10년이다.
③ 공동주택의 마감공사 하자에 대한 담보책임기간은 2년이다.
④ 전유부분의 담보책임기간은 건축법에 따른 공동주택의 사용승인일부터 기산한다.
⑤ 하자보수를 실시한 사업주체는 하자보수가 완료되면 즉시 그 보수결과를 하자보수를 청구한 입주자대표회의 등 또는 임차인 등에 통보하여야 한다.

해설 담보책임기간은 전유부분은 입주자(임차인)에게 인도한 날, 공용부분은 사용검사일 또는 사용승인일부터 기산한다.

07. ③ 08. ① 09. ⑤ 10. ④ **정답**

11 건축법령상 용도별 건축물의 종류에 관한 설명으로 옳지 않은 것은?

① 동물 전용의 장례식장은 '장례시설'이다.

② 주택으로 쓰는 1개 동의 바닥면적 합계가 660제곱미터 이하이고 층수가 4개 층 이하인 주택은 '연립주택'이다.

③ 단란주점으로서 제2종 근린생활시설에 해당하지 아니하는 것은 '위락시설'이다.

④ 안마시술소와 노래연습장은 같은 건축물에 해당 용도로 쓰는 바닥면적의 합계가 150제곱미터를 초과하더라도 '제2종 근린생활시설'이다.

⑤ 층수가 3개 층 이하인 주택이더라도 주택으로 쓰는 1개 동의 바닥면적의 합계가 660제곱미터를 초과하면 '다가구주택'이 아니다.

해설 주택으로 쓰는 1개 동의 바닥면적 합계가 660제곱미터 이하이고 층수가 4개 층 이하인 주택은 '다세대주택'이다. 연립주택은 4개 층 이하이면서 바닥면적 합계는 660제곱미터를 초과하는 공동주택이다.

12 건축법상 건축법 적용 제외 건축물이 아닌 것은?

① 고속도로 통행료 징수시설

② 철도의 선로 부지에 있는 플랫폼

③ 궤도의 선로 부지에 있는 운전보안시설

④ 자연유산의 보존 및 활용에 관한 법률에 따라 지정된 임시지정명승

⑤ 산업집적활성화 및 공장설립에 관한 법률에 따른 공장의 용도가 아닌 건축물의 대지에 설치하는 것으로서 이동이 쉬운 컨테이너를 이용한 간이창고

해설 건축법을 적용하지 아니하는 건축물

1. 컨테이너를 이용한 간이창고(공장의 용도로만 사용되는 건축물의 대지에 설치하는 것으로서 이동이 쉬운 것만 해당된다)
2. 고속도로 통행료 징수시설
3. 철도 또는 궤도의 선로 부지 안에 있는 다음의 시설
   - 운전보안시설
   - 철도 선로의 위나 아래를 가로지르는 보행시설
   - 플랫폼
   - 철도 또는 궤도사업용 급수·급탄 및 급유시설
4. 문화유산의 보존 및 활용에 관한 법률에 따른 지정문화유산이나 임시지정문화유산 또는 자연유산의 보존 및 활용에 관한 법률에 따라 지정된 천연기념물 등이나 임시지정천연기념물, 임시지정명승, 임시지정시·도자연유산, 임시자연유산자료
5. 하천법에 따른 하천구역 내의 수문조작실

13 **건축법령상 건축물과 분리하여 축조할 때 특별자치시장·특별자치도지사 또는 시장·군수·구청장에게 신고를 해야 하는 공작물이 아닌 것은? (단, 특례 및 조례는 고려하지 않음)**

① 높이 3미터의 첨탑
② 주거지역에 설치하는 높이 8미터의 통신용 철탑
③ 높이 6미터의 신에너지 및 재생에너지 개발·이용·보급 촉진법에 따른 태양에너지를 이용하는 발전설비
④ 높이 7미터의 굴뚝
⑤ 높이 9미터의 고가수조

해설 축조신고 대상 공작물

신고대상 규모	신고대상 공작물
높이 2미터를 넘는	옹벽 또는 담장
높이 4미터를 넘는	광고탑·광고판, 장식탑·기념탑·첨탑
높이 5미터를 넘는	태양에너지를 이용하는 발전설비와 그 밖에 이와 비슷한 것
높이 6미터를 넘는	굴뚝, 골프연습장 등 운동시설을 위한 철탑, 주거·상업지역에 설치하는 통신용 철탑, 그 밖에 이와 비슷한 것
높이 8미터를 넘는	고가수조나 그 밖에 이와 비슷한 것
높이 8미터 이하인 (위험방지를 위한 난간높이는 제외)	기계식 주차장·철골조립식 주차장(바닥면이 조립식이 아닌 것을 포함한다)으로서 외벽이 없는 것
바닥면적 30제곱미터를 넘는	지하대피호

11. ② 12. ⑤ 13. ① 정답

14 **건축법령상 피난시설로서 건축물로부터 바깥쪽으로 나가는 출구를 설치하여야 하는 건축물이 아닌 것은? (단, 특례 및 조례는 고려하지 않음)**

① 문화 및 집회시설(전시장 및 동·식물원만 해당한다)

② 승강기를 설치하여야 하는 건축물

③ 연면적이 5천제곱미터 이상인 창고시설

④ 교육연구시설 중 학교

⑤ 제2종 근린생활시설 중 인터넷컴퓨터게임시설제공업소(해당 용도로 쓰는 바닥면적의 합계가 300제곱미터 이상인 경우만 해당한다)

해설 바깥쪽 출구 설치대상 건축물

- 제2종 근린생활시설 중 공연장·종교집회장·인터넷컴퓨터게임시설제공업소(해당 용도로 쓰는 바닥면적의 합계가 각각 300제곱미터 이상인 경우만 해당한다)
- 문화 및 집회시설(전시장 및 동·식물원은 제외한다)
- 종교시설
- 판매시설
- 업무시설 중 국가 또는 지방자치단체의 청사
- 위락시설
- 연면적이 5천제곱미터 이상인 창고시설
- 교육연구시설 중 학교
- 장례시설
- 승강기를 설치하여야 하는 건축물

15 **건축법령상 건축관계자가 업무를 수행할 때 건축법 제56조(건축물의 용적률)의 기준을 완화하여 적용할 것을 허가권자에게 요청할 수 있는 건축물을 모두 고른 것은? (단, 특례 및 조례는 고려하지 않음)**

> ㉠ 초고층 건축물
> ㉡ 수면 위에 건축하는 건축물
> ㉢ 사용승인을 받은 후 15년 이상이 되어 리모델링이 필요한 건축물
> ㉣ 경사진 대지에 계단식으로 건축하는 공동주택으로서 지면에서 직접 각 세대가 있는 층으로의 출입이 가능하고, 위층 세대가 아래층 세대의 지붕을 정원 등으로 활용하는 것이 가능한 형태의 건축물

① ㉠　　② ㉠, ㉣　　③ ㉡, ㉢

④ ㉡, ㉢, ㉣　　⑤ ㉠, ㉡, ㉢, ㉣

해설 ㉠, ㉣에 해당하는 건축물은 건축물의 건폐율의 기준완화 요청대상이다.

16 공공주택 특별법령상 공공주택사업자로 지정될 수 없는 자는?

① 공무원연금법에 따른 공무원연금공단
② 지방자치단체가 시설물 관리를 목적으로 총지분의 100분의 40을 출자·설립한 지방공단
③ 한국자산관리공사 설립 등에 관한 법률에 따른 한국자산관리공사
④ 한국철도공사법에 따른 한국철도공사
⑤ 국가철도공단법에 따른 국가철도공단

해설 공공주택사업자

1. 국가 또는 지방자치단체
2. 한국토지주택공사
3. 지방공사
4. 다음의 공공기관
   한국농어촌공사, 한국철도공사, 국가철도공단, 공무원연금공단, 제주국제자유도시개발센터, 주택도시보증공사, 한국자산관리공사
5. 1.~4.까지 해당하는 자가 총지분의 100분의 50을 초과하여 출자·설립한 법인
6. 주택도시기금 또는 1.~4.까지 해당하는 자가 총지분의 전부를 출자(공동으로 출자한 경우를 포함한다)하여 설립한 부동산투자회사

17 민간임대주택에 관한 특별법령상 임대보증금에 대한 보증에 관한 설명으로 옳지 않은 것은?

① 임대사업자가 분양주택의 전부를 우선공급받아 임대하는 민간매입임대주택을 임대하는 경우 임대보증금에 대한 보증에 가입하여야 한다.
② 임대사업자는 임대보증금이 주택임대차보호법 제8조 제3항에 따른 금액 이하이고 임차인이 임대보증금에 대한 보증에 가입하지 아니하는 것에 동의한 경우에는 임대보증금에 대한 보증에 가입하지 아니할 수 있다.
③ 임대사업자는 임대사업자 등록이 말소되는 날에 임대 중인 경우에는 임대차계약이 종료되는 날까지 임대보증금에 대한 보증 가입을 유지하여야 한다.
④ 임대사업자는 보증의 수수료를 6개월 단위로 재산정하여 분할납부할 수 있다.
⑤ 임대사업자가 보증에 가입하는 경우 보증회사는 보증 가입 사실을 시장·군수·구청장에게 알리고, 관련 자료를 제출하여야 한다.

해설 임대사업자는 보증의 수수료를 1년 단위로 재산정하여 분할납부할 수 있다.

14. ① 15. ③ 16. ② 17. ④	정답

18 **시설물의 안전 및 유지관리에 관한 특별법령상 시설물의 관리주체가 실시하는 안전점검 등의 실시시기에 관한 설명으로 옳은 것은?**

① 제1종 및 제2종 시설물 중 D·E등급 시설물의 정기안전점검은 해빙기·우기·동절기 전 각각 2회 이상 실시한다.

② 최초로 실시하는 정밀안전점검은 시설물의 준공일을 기준으로 5년 이내(건축물은 3년 이내)에 실시한다.

③ 정기안전점검 결과 안전등급이 D등급(미흡)으로 지정된 제3종 시설물의 최초 정밀안전점검은 해당 정기안전점검을 완료한 날부터 6개월 이내에 실시하여야 한다.

④ 정밀안전점검, 긴급안전점검 및 정밀안전진단의 실시 완료일이 속한 반기에 실시하여야 하는 정기안전점검은 생략할 수 있다.

⑤ 증축을 위하여 공사 중인 시설물로서, 사용되지 않는 시설물에 대해서는 행정안전부장관과 협의하여 정밀안전점검을 생략하거나 그 시기를 조정할 수 있다.

해설 ① 제1종 및 제2종 시설물 중 D·E등급 시설물의 정기안전점검은 해빙기·우기·동절기 전 각각 1회 이상 실시한다.
② 최초로 실시하는 정밀안전점검은 시설물의 준공일을 기준으로 3년 이내(건축물은 4년 이내)에 실시한다.
③ 정기안전점검을 완료한 날부터 1년 이내에 실시한다.
⑤ 국토교통부장관과 협의하여야 한다.

19 **화재의 예방 및 안전관리에 관한 법령상 소방안전관리대상물 등에 관한 설명으로 옳은 것은?**

① 건축법 시행령상 건축물 용도가 아파트인 경우에는 세대수와 무관하게 소방안전관리보조자를 추가로 선임하여야 한다.

② 특급 소방안전관리대상물의 경우에는 소방안전관리자를 2명 이상 선임하여야 한다.

③ 지하층을 포함해서 30층 이상인 아파트는 특급 소방안전관리대상물에 해당한다.

④ 소방안전관리대상물의 관계인은 화기(火氣) 취급의 감독 업무를 수행한다.

⑤ 건축물대장의 건축물현황도에 표시된 대지경계선 안의 지역에 소방안전관리자를 두어야 하는 특정소방대상물이 둘 이상 있는 경우, 그 관리에 관한 권원을 가진 자가 동일인인 때에는 이를 하나의 특정소방대상물로 본다.

해설 ① 300세대 이상인 경우에 선임하여야 하며, 초과 300세대마다 추가 1명씩 선임한다.
② 소방안전관리자는 해당 급수에 맞는 1인 이상을 선임하여야 한다.
③ 특급 소방안전관리대상물에 해당하는 아파트는 지하층을 제외하고 50층 이상이거나 200미터 이상인 아파트이다.
④ 소방안전관리대상물을 제외한 특정소방대상물의 관계인인 경우이다.

20 **승강기 안전관리법령상 승강기의 설치 및 안전관리에 관한 설명으로 옳지 않은 것은?**

① 설치공사업자는 승강기의 설치를 끝냈을 때에는 승강기의 설치를 끝낸 날부터 10일 이내에 한국승강기안전공단에 승강기의 설치신고를 해야 한다.
② 관리주체가 직접 승강기를 관리하는 경우에는 승강기 안전관리자를 따로 선임할 필요가 없다.
③ 관리주체는 승강기의 사고로 승강기 이용자 등 다른 사람의 생명·신체 또는 재산상의 손해를 발생하게 하는 경우 그 손해에 대한 배상을 보장하기 위한 책임보험에 가입하여야 한다.
④ 책임보험의 보상한도액은 사망의 경우에는 1인당 8천만원 이상이나, 사망에 따른 실손해액이 2천만원 미만인 경우에는 2천만원으로 한다.
⑤ 승강기의 자체점검을 담당하는 사람은 자체점검을 마치면 지체 없이 자체점검 결과를 양호, 주의관찰 또는 긴급수리로 구분하여 자체점검 후 15일 이내에 승강기안전종합정보망에 입력해야 한다.

해설 자체점검을 마친 후 10일 이내에 승강기안전종합정보망에 입력하여야 한다.

18. ④ 19. ⑤ 20. ⑤ 정답

21 전기사업법령상 전기자동차충전사업에 관한 설명으로 옳은 것은?

① 전기자동차충전사업을 하려는 자는 산업통상자원부장관의 허가를 받아야 한다.
② 전기자동차충전사업자는 충전요금을 표시하는 경우 이동통신단말장치에서 사용되는 애플리케이션에 게시하는 방법으로 할 수 있다.
③ 전기자동차충전사업자는 재생에너지를 이용하여 생산한 전기라도 전력시장을 거치지 아니하고는 전기자동차에 공급할 수 없다.
④ 전기자동차충전사업자는 전기요금과 그 밖의 공급조건에 관한 약관을 작성하여 산업통상자원부장관의 인가를 받아야 한다.
⑤ 전기자동차에 전기를 유상으로 공급하는 것을 주된 목적으로 하는 사업은 '전기판매사업'에 해당한다.

해설 ① 전기신사업은 산업통상자원부장관에게 등록하여야 한다.
③ 전기자동차충전사업자는 대통령령으로 정하는 범위에서 재생에너지를 이용하여 생산한 전기를 전력시장을 거치지 아니하고 전기자동차에 공급할 수 있다.
④ 전기신사업자의 약관 등은 신고를 하여야 한다.
⑤ 전기판매사업에는 전기자동차충전사업, 재생에너지전기공급·저장판매사업은 해당하지 아니한다.

22 집합건물의 소유 및 관리에 관한 법령상 공용부분에 관한 설명으로 옳지 않은 것은?

① 공용부분의 변경에 관한 사항은 관리단집회에서 구분소유자 전원의 동의로써 결정한다.
② 구분소유할 수 있는 건물부분은 규약으로써 공용부분으로 정할 수 있다.
③ 공유자는 그가 가지는 전유부분과 분리하여 공용부분에 대한 지분을 처분할 수 없다.
④ 공용부분에 대한 각 공유자의 지분은 그가 가지는 전유부분의 면적 비율에 따르되, 규약으로써 달리 정할 수 있다.
⑤ 공용부분의 보존행위는 규약으로 달리 정하지 않는 한 각 공유자가 할 수 있다.

해설 공용부분의 변경에 관한 사항은 관리단집회에서 구분소유자의 3분의 2 이상 및 의결권의 3분의 2 이상의 결의로써 결정한다. 다만, 경미한 사항은 통상 집회결의로써, 구분소유권 및 대지사용권의 범위나 내용에 변동을 일으키는 공용부분의 변경에 관한 사항은 관리단집회에서 구분소유자의 5분의 4 이상 및 의결권의 5분의 4 이상의 결의로써 결정한다.

23 **도시 및 주거환경정비법령상 재건축사업을 위하여 조합을 설립하는 경우 토지등소유자의 동의자 수 산정방법으로 옳지 않은 것은?**

① 토지의 소유권을 여럿이서 공유하는 경우 공유하는 여럿을 각각 토지등소유자로 산정한다.
② 1인이 둘 이상의 소유권을 소유하고 있는 경우 소유권의 수에 관계없이 토지등소유자를 1인으로 산정한다.
③ 둘 이상의 소유권을 소유한 공유자가 동일한 경우에는 그 공유자 여럿을 대표하는 1인을 토지등소유자로 한다.
④ 조합의 설립에 동의한 자로부터 건축물을 취득한 자는 조합의 설립에 동의한 것으로 본다.
⑤ 국·공유지에 대해서는 그 재산관리청 각각을 토지등소유자로 산정한다.

해설 토지의 소유권을 여럿이서 공유하는 경우 토지등소유자 수는 그 공유자 수와 관계없이 1인으로 산정한다.

24 **도시재정비 촉진을 위한 특별법령상 재정비촉진지구 등에 관한 설명으로 옳지 않은 것은?**

① 재정비촉진지구는 지구의 특성에 따라 주거지형, 중심지형, 고밀복합형으로 구분한다.
② 재정비촉진지구에서 시행되는 공공주택 특별법에 따른 도심 공공주택 복합사업은 '재정비촉진사업'에 해당한다.
③ 도시개발법에 따른 도시개발사업의 경우, 재정비촉진구역에 있는 건축물의 소유자는 '토지등소유자'에 해당한다.
④ 재정비촉진지구는 2개 이상의 재정비촉진사업을 포함하여 지정하여야 한다.
⑤ 재정비촉진지구의 지정이 해제된 경우 재정비촉진계획 결정의 효력은 상실된 것으로 본다.

해설 도시개발법에 따른 도시개발사업의 경우에 있어서 토지등소유자는 재정비촉진구역에 있는 토지소유자와 그 지상권자이다.

제27회 기출문제 및 해설

부록

21. ② 22. ① 23. ① 24. ③	정답

25 **주택법 제11조의3(조합원 모집신고 및 공개모집) 제1항 규정이다. (　　)에 들어갈 아라비아 숫자를 쓰시오.**

> 제11조 제1항에 따라 지역주택조합 또는 직장주택조합의 설립인가를 받기 위하여 조합원을 모집하려는 자는 해당 주택건설대지의 (　　)퍼센트 이상에 해당하는 토지의 사용권원을 확보하여 관할 시장·군수·구청장에게 신고하고, 공개모집의 방법으로 조합원을 모집하여야 한다. 조합설립인가를 받기 전에 신고한 내용을 변경하는 경우에도 또한 같다.

26 **주택법 시행규칙 제18조의2(공사감리비의 예치 및 지급 등) 규정의 일부이다. (　　)에 들어갈 아라비아 숫자를 쓰시오.**

> ① 〈생략〉
> ② 사업주체는 해당 공사감리비를 계약에서 정한 지급예정일 (㉠)일 전까지 사업계획승인권자에게 예치하여야 한다.
> ③ 감리자는 계약에서 정한 공사감리비 지급예정일 (㉡)일 전까지 사업계획승인권자에게 공사감리비 지급을 요청해야 하며, 사업계획승인권자는 제18조 제4항에 따른 감리업무 수행 상황을 확인한 후 공사감리비를 지급해야 한다.

27 **주택법 제62조(사용검사 후 매도청구 등) 규정의 일부이다. (　　)에 들어갈 아라비아 숫자를 쓰시오.**

> ① 주택(복리시설을 포함한다. 이하 이 조에서 같다)의 소유자들은 주택단지 전체 대지에 속하는 일부의 토지에 대한 소유권이전등기 말소소송 등에 따라 제49조의 사용검사(동별 사용검사를 포함한다. 이하 이 조에서 같다)를 받은 이후에 해당 토지의 소유권을 회복한 자(이하 이 조에서 '실소유자'라 한다)에게 해당 토지를 시가로 매도할 것을 청구할 수 있다.
> ② 주택의 소유자들은 대표자를 선정하여 제1항에 따른 매도청구에 관한 소송을 제기할 수 있다. 이 경우 대표자는 주택의 소유자 전체의 (㉠)분의 (㉡) 이상의 동의를 받아 선정한다.
> ③ 제1항에 따라 매도청구를 하려는 경우에는 해당 토지의 면적이 주택단지 전체 대지 면적의 (㉢)퍼센트 미만이어야 한다.

28 공동주택관리법 제69조(주택관리사 등의 자격취소 등) 제1항 규정의 일부이다. (　　)에 들어갈 아라비아 숫자와 용어를 쓰시오.

> 시·도지사는 주택관리사 등이 다음 각 호의 어느 하나에 해당하면 그 자격을 취소하거나 (㉠)년 이내의 기간을 정하여 그 자격을 정지시킬 수 있다. 다만, 제1호부터 제4호까지, 제7호 중 어느 하나에 해당하는 경우에는 그 자격을 취소하여야 한다.
> 1. 〈생략〉
> 2. 공동주택의 관리업무와 관련하여 (㉡) 이상의 형을 선고받은 경우
> 3. 〈생략〉
> 4. 주택관리사 등이 (㉢)기간에 공동주택관리업무를 수행한 경우
>
> 〈이하 생략〉

29 공동주택관리법 시행령 제31조(장기수선충당금의 적립 등) 제3항 규정이다. (　　)에 들어갈 용어와 아라비아 숫자를 쓰시오.

> 장기수선충당금은 다음의 계산식에 따라 산정한다.
>
> 월간 세대별 장기수선충당금 = [장기수선계획기간 중의 수선비총액 ÷ ((㉠) × (㉡) × 계획기간(년))] × 세대당 주택공급면적

30 공동주택관리법 시행령 제45조(하자보수보증금의 반환) 제1항 규정의 일부이다. (　　)에 들어갈 아라비아 숫자를 쓰시오.

> 입주자대표회의는 사업주체가 예치한 하자보수보증금을 다음 각 호의 구분에 따라 순차적으로 사업주체에게 반환하여야 한다.
>
> 1~2. 〈생략〉
>
> 3. 사용검사일부터 5년이 경과된 때: 하자보수보증금의 100분의 (　　)
> 4. 〈생략〉

25. 50　26. ㉠ 14, ㉡ 7　27. ㉠ 4, ㉡ 3, ㉢ 5　28. ㉠ 1, ㉡ 금고, ㉢ 자격정지 29. ㉠ 총공급면적, ㉡ 12　30. 25	정답

31 **건축법 제80조(이행강제금)와 건축법 시행령 제115조의3(이행강제금의 탄력적 운영)의 규정에 따를 때, 허가를 받지 아니하고 건축된 건축물에 부과하는 이행강제금의 산정방식이다. (   )에 들어갈 용어와 아라비아 숫자를 쓰시오. (단, 특례 및 조례는 고려하지 않음)**

> 지방세법에 따라 해당 건축물에 적용되는 1제곱미터의 시가표준액의 100분의 50에 해당하는 금액에 (㉠)(을)를 곱한 금액 이하의 범위에서 100분의 (㉡)을 곱한 금액

32 **건축법 제2조(정의) 규정의 일부이다. (   )에 들어갈 용어를 쓰시오.**

> '(   )구조물'이란 건축물의 안전·기능·환경 등을 향상시키기 위하여 건축물에 추가적으로 설치하는 환기시설물 등 대통령령으로 정하는 구조물을 말한다.

33 **공공주택 특별법 제50조의3(공공임대주택의 우선분양전환 등) 제2항 규정이다. (   )에 들어갈 아라비아 숫자를 쓰시오.**

> 공공주택사업자는 공공건설임대주택의 임대의무기간이 지난 후 해당 주택의 임차인에게 제1항에 따른 우선분양전환 자격, 우선분양전환 가격 등 우선분양전환에 관한 사항을 통보하여야 한다. 이 경우 우선분양전환 자격이 있다고 통보받은 임차인이 우선분양전환에 응하려는 경우에는 그 통보를 받은 후 (   )개월(임대의무기간이 10년인 공공건설임대주택의 경우에는 12개월을 말한다) 이내에 우선분양전환 계약을 하여야 한다.

34 민간임대주택에 관한 특별법 제22조(촉진지구의 지정) 제1항 규정의 일부이다. (　　)에 들어갈 아라비아 숫자를 쓰시오.

> 시·도지사는 공공지원민간임대주택이 원활하게 공급될 수 있도록 공공지원민간임대주택 공급촉진지구(이하 '촉진지구'라 한다)를 지정할 수 있다. 이 경우 촉진지구는 다음 각 호의 요건을 모두 갖추어야 한다.
> 1. 촉진지구에서 건설·공급되는 전체 주택 호수의 (　　)퍼센트 이상이 공공지원민간임대주택으로 건설·공급될 것
>
> 〈이하 생략〉

35 시설물의 안전 및 유지관리에 관한 특별법 시행령 제11조(긴급안전점검의 실시 등) 규정의 일부이다. (　　)에 들어갈 용어와 아라비아 숫자를 쓰시오.

> ① 국토교통부장관 및 관계 행정기관의 장은 법 제13조 제2항에 따라 긴급안전점검을 실시할 때는 미리 긴급안전점검대상 시설물의 (㉠)에게 긴급안전점검의 목적·날짜 및 대상 등을 서면으로 통지하여야 한다. 다만, 서면 통지로는 긴급안전점검의 목적을 달성할 수 없는 경우에는 구두(口頭)로 또는 전화 등으로 통지할 수 있다.
> ② 국토교통부장관 또는 관계 행정기관의 장은 법 제13조 제6항에 따라 긴급안전점검을 종료한 날부터 (㉡)일 이내에 그 결과를 해당 (㉠)에게 서면으로 통보하여야 한다.
> ③ 〈생략〉

36 소방기본법 제7조(소방의 날 제정과 운영 등) 제1항 규정이다. (　　)에 들어갈 아라비아 숫자를 쓰시오.

> 국민의 안전의식과 화재에 대한 경각심을 높이고 안전문화를 정착시키기 위하여 매년 (㉠)월 (㉡)일을 소방의 날로 정하여 기념행사를 한다.

31. ㉠ 위반면적, ㉡ 100　32. 부속　33. 6　34. 50　35. ㉠ 관리주체, ㉡ 15　36. ㉠ 11, ㉡ 9	정답

37 **소방시설 설치 및 관리에 관한 법률 제2조(정의) 규정의 일부이다. (　　)에 들어갈 용어를 쓰시오.**

> '(　　)'(이)란 건축물 등의 규모·용도 및 수용인원 등을 고려하여 소방시설을 설치하여야 하는 소방대상물로서 대통령령으로 정하는 것을 말한다.

38 **승강기 안전관리법 제33조(안전검사의 면제) 규정이다. (　　)에 들어갈 용어를 쓰시오.**

> 행정안전부장관은 다음 각 호의 구분에 따른 승강기에 대해서는 해당 안전검사를 면제할 수 있다.
> 1. 제18조 제1호부터 제3호까지의 어느 하나에 해당하여 승강기안전인증을 면제받은 승강기: (㉠)검사
> 2. 제32조 제1항 제3호에 따른 정밀안전검사를 받았거나 정밀안전검사를 받아야 하는 승강기: 해당 연도의 (㉡)검사

39 **전기사업법 시행규칙 제2조(정의) 규정의 일부이다. (　　)에 들어갈 용어와 아라비아 숫자를 쓰시오.**

> '(㉠)'(이)란 다음 각 목의 곳의 전압 (㉡)만볼트 이상의 송전선로를 연결하거나 차단하기 위한 전기설비를 말한다.
> 가. 발전소 상호간
> 나. 변전소 상호간
> 다. 발전소와 변전소간

40 **도시 및 주거환경정비법 제38조(조합의 법인격 등) 규정의 일부이다. (   )에 들어갈 아라비아 숫자와 용어를 쓰시오.**

> ① 〈생략〉
> ② 조합은 조합설립인가를 받은 날부터 (㉠)일 이내에 주된 사무소의 소재지에서 대통령령으로 정하는 사항을 등기하는 때에 성립한다.
> ③ 조합은 명칭에 '(㉡)'(이)라는 문자를 사용하여야 한다.

37. 특정소방대상물 38. ㉠ 안전, ㉡ 정기 39. ㉠ 개폐소, ㉡ 5 40. ㉠ 30, ㉡ 정비사업조합 정답